IMPÉRATRICE DE CHINE

Pearl Buck est née aux Etats-Unis. Elle a trois mois quand ses parents missionnaires l'emmènent en Chine, où elle apprend le chinois avant sa langue maternelle. Adolescente, elle va compléter ses études en Amérique, puis retourne en Chine. En 1917, elle épouse le missionnaire américain John Buck, avec qui elle part pour la Chine du Nord pendant cinq ans. En 1923 paraît son premier roman inspiré par la Chine : Vent d'est, vent d'ouest. *Le Prix Pulitzer (1932) couronne* La Terre chinoise, *que prolongent deux volumes :* Les Fils de Wang Lung *(1932) et* La Famille dispersée *(1935). Elle a publié depuis de nombreux autres ouvrages :* La Mère, L'Exilée, L'Ange combattant, Le Patriote, *etc.*
Lauréate du Prix Nobel en 1938, Pearl Buck réside en Pennsylvanie où elle poursuit son œuvre de grande romancière partagée entre l'Orient et l'Occident.

Au mois d'avril 1852, soixante jeunes filles appartenant aux meilleures familles mandchoues sont convoquées au palais de l'empereur de Chine, Hsien Feng, afin qu'il choisisse ses épouses. Seule sera impératrice celle qui lui aura donné un fils, aussi ne suffit-il pas d'être élue, encore faut-il ne pas se laisser oublier...

Yehonala ne l'ignore pas. Elle a rusé pour se faire distinguer par l'empereur, mais se souviendra-t-il encore d'elle demain? Ambitieuse et intelligente, elle prépare avec soin les voies de son succès. Sa patience sera récompensée : elle devient la favorite, à la naissance de l'Héritier, un décret la proclame impératrice sous le nom de Tzu-Hsi.

La mort précoce de l'empereur remet tout en question, mais Tzu-Hsi sort victorieuse de la bataille pour la régence. A moins de trente ans, elle tient en main les rênes du pouvoir — elle les gardera pendant près d'un demi-siècle crucial pour l'Empire du Milieu. Personnage fabuleux, Tzu-Hsi appartient en effet au passé historique de la Chine que le récit de Pearl Buck recrée magnifiquement dans son faste et sa beauté.

PEARL BUCK

Impératrice de Chine

STOCK

CHAPITRE PREMIER

YEHONALA

C'ÉTAIT au mois d'avril, à Pékin, le quatrième mois de l'année solaire 1852, soit le troisième mois de l'année lunaire de la deux cent huitième année de la dynastie mandchoue, la grande dynastie des Ch'ing. Le printemps se faisait attendre et les vents du nord, chargés de l'impalpable sable jaune du désert de Gobi, soufflaient sur les maisons comme en hiver. Le sable s'engouffrait dans les rues, s'envolait en tourbillons et s'infiltrait sous les portes et les fenêtres. Il s'accumulait dans les coins, s'amoncelait sur les tables et les chaises, ainsi que dans les plis des vêtements. Il séchait sur les joues des enfants en larmes et s'incrustait dans les rides des vieilles gens.

Allée des Étains, dans la demeure du porte-étendard mandchou Muyanga, le sable se faisait plus importun qu'ailleurs, car les fenêtres joignaient mal et les portes jouaient sur leurs gonds de bois. Ce matin-là, les hurlements du vent et les grincements du bois réveillèrent Orchidée, fille aînée du défunt frère de Muyanga. Elle s'assit dans le vaste lit chinois qu'elle partageait avec sa

jeune sœur et se rembrunit en voyant le sable qui pou-
drait, comme d'une neige teintée, le couvre-pied rouge.
Elle se glissa doucement hors du lit pour ne pas réveiller sa sœur, sentit le sable sous ses pieds nus et soupira.
Hier encore, elle avait balayé la maison du haut en bas,
et il faudrait recommencer, dès que le vent tomberait.

Orchidée était une bien jolie fille ; sa minceur et son
dos toujours droit faisaient paraître sa taille plus grande.
Ses traits étaient d'un dessin ferme, mais non appuyé,
son nez droit, ses sourcils finement tracés, sa bouche
bien formée et point trop petite. Ce qu'elle avait de plus
beau, c'étaient ses yeux, de grands yeux lumineux, dont
la pupille très noire tranchait nettement sur le blanc de
la cornée. Mais une telle beauté aurait pu rester insignifiante si, en dépit de sa jeunesse, Orchidée n'avait possédé une intelligence et une personnalité que révélait
tout son être. On devinait son parfait sang-froid et sa
force dans ses mouvements harmonieux et son air posé.

Dans la lumière matinale, d'un gris de sable, elle s'ha-
billa vite et sans bruit. Elle écarta le rideau de cotonnade
bleue qui servait de porte et traversa la pièce principale
pour passer dans la petite cuisine. De la vapeur s'élevait
de la grosse marmite en fer posée sur le poêle de terre.

Orchidée salua la servante. « Lu Ma, tu es bien matinale aujourd'hui. » Sa voix douce et belle, qu'elle n'élevait jamais, révélait une grande maîtrise de soi.

Derrière le poêle, une voix chevrotante répondit :
« Je ne pouvais pas dormir, Jeune Maîtresse. Que
deviendrons-nous, quand vous nous quitterez ? »

Orchidée sourit. « L'impératrice douairière ne me
choisira peut-être pas... ma cousine Sakota est tellement
plus belle que moi ! » Accroupie derrière le poêle,
Lu Ma alimentait le feu avec de l'herbe sèche, tirant parti
du moindre brin, car le combustible était rare.

« C'est vous qui serez choisie. » La vieille femme avait

pris un ton catégorique malgré sa tristesse. Elle sortit
de son coin, l'air découragé. C'était une petite Chinoise
bossue, aux vêtements de cotonnade bleue lavée et ra-
piécée, aux pieds bandés, au visage ratatiné. Sa peau
brune était sillonnée de rides que soulignait le sable
jaune. Du sable recouvrait aussi ses cheveux gris, om-
brait ses sourcils et sa lèvre supérieure.

« On ne peut pas se passer de vous dans cette maison,
gémit-elle. Deuxième Sœur ne saura même pas se servir
d'une aiguille, parce que vous avez toujours tout fait
pour elle. Vos deux frères usent une paire de chaussures par mois lunaire. Et votre cousin Jung Lu ? N'êtes-
vous pas pratiquement sa fiancée depuis votre enfance ?

— Oui, en un sens nous sommes fiancés », répondit
Orchidée de sa jolie voix. Elle prit une cuvette sur la
table et elle la remplit d'eau chaude puisée à la marmite
avec une louche en fer. Elle décrocha du mur une petite
serviette grise, la plongea dans l'eau et, après l'avoir
tordue, se la passa sur le visage, le cou, les poignets
et les mains. Dans le fragment de miroir fixé au-dessus
de la table, elle regarda rosir son visage ovale, à la
peau lisse. Elle observa ses yeux extraordinaires, noirs
et vifs. Bien qu'elle n'en laissât rien voir, elle était
extrêmement fière de ses yeux. Si des voisines louaient
ses sourcils aériens et ses yeux en amande, elle faisait
semblant de ne pas entendre, mais elle n'en perdait
pas un mot.

« Aïe, gémit la vieille femme, le regard fixé sur elle.
J'ai toujours dit que vous aviez un destin peu commun.
On le voit dans vos yeux. Il nous faut obéir à l'empereur, le Fils du Ciel. Et quand vous serez impératrice,
mon bijou, vous vous souviendrez de nous et vous
nous aiderez. »

Orchidée eut un doux rire. « Je ne serai qu'une concubine, une parmi des centaines.

— Il en sera comme le Ciel l'aura décrété », affirma la vieille. Elle remit la serviette à son clou. Puis elle sortit pour vider la cuvette au-dehors.

« Coiffez-vous, Jeune Maîtresse, recommanda-t-elle. Jung Lu viendra tôt ce matin. Il a dit qu'aujourd'hui il apporterait peut-être la convocation impériale. »

Sans répondre, Orchidée rentra dans sa chambre avec sa grâce habituelle. D'un coup d'œil, elle vit sa sœur encore endormie, son corps menu faisant à peine une bosse sous le couvre-lit. En silence, elle dénoua ses longs cheveux noirs et y passa son peigne de bois, parfumé à l'huile de casse, puis elle en fit deux rouleaux sur son front; dans chacun, elle glissa une petite fleur de perles fines entourée de minces feuilles de jade.

Elle avait à peine terminé qu'elle entendit les pas de son cousin Jung Lu dans la pièce voisine, et sa voix grave qui l'appelait. Pour la première fois de sa vie, elle ne lui répondit pas aussitôt. Mandchous tous deux, ils n'étaient pas tenus de se soumettre aux anciennes lois et coutumes chinoises qui interdisaient toute rencontre entre garçons et filles dès l'âge de sept ans. Après les jeux en commun de leur petite enfance, ils étaient restés amis. Maintenant, Jung Lu était gardé aux portes de la ville interdite et son service ne lui permettait plus de se rendre souvent chez Muyanga. Mais il venait toujours pour les fêtes et les anniversaires. Le jour de la fête chinoise du Début du Printemps, il lui avait parlé de mariage.

Sans accepter, ni refuser, elle s'était contentée de sourire en disant : « Ce n'est pas à moi, mais à mon oncle qu'il faut s'adresser.

— Mais nous sommes cousins !

— Au troisième degré seulement. »

Depuis lors, elle pensait sans cesse à leur conversation. Elle repoussa le rideau et le vit, grand et vigou-

reux,. solidement planté sur ses jambes. En d'autres
circonstances, il aurait retiré son calot rond d'uniforme, orné de renard roux, et même peut-être sa
tunique, mais aujourd'hui il se tenait comme un étranger,
serrant dans sa main un paquet enveloppé de soie jaune.

Elle vit tout de suite le message, et il surprit son
coup d'œil. Comme d'habitude, ils devinèrent leurs
pensées mutuelles.

Il dit : « Tu reconnais la convocation impériale.

— Ce serait sottise de ne pas la reconnaître », répliqua-
t-elle.

Ils ne s'encombraient jamais, dans leurs conversations, de formules de politesse, ni de lieux communs,
tant ils avaient l'habitude l'un de l'autre.

Plongeant son regard dans les yeux d'Orchidée,
il l'interrogea :

« Muyanga, mon parent, est-il éveillé ?

— Tu sais qu'il ne se lève pas avant midi, répondit-
elle.

— Aujourd'hui, il faut qu'il se lève. En tant que ton
tuteur, remplaçant ton père, il doit signer ce reçu. »

Elle détourna la tête et appela : « Lu Ma ! réveille
mon oncle ! Jung Lu est là et il lui faut sa signature
pour retourner au palais.

— Aie-ya », soupira la vieille femme.

Orchidée tendit la main. « Montre-moi le message. »
Jung Lu secoua la tête. « Il est adressé à Muyanga. »
Elle laissa retomber sa main. « Mais je connais son
contenu. Il faudra que, dans neuf jours, je me rende
au palais avec ma cousine Sakota. »

Les yeux noirs de Jung Lu lancèrent des éclairs
sous les sourcils épais : « Qui te l'a dit avant moi ? »

Elle détourna ses grands yeux à demi cachés sous
ses cils noirs et raides. « Les Chinois savent tout. Hier,
je me suis arrêtée dans la rue pour regarder des comé-

diens ambulants. Ils jouaient *La Concubine de l'Empereur*, une vieille pièce qu'ils avaient remaniée. Au vingtième jour du sixième mois, disait la pièce, les vierges mandchoues doivent comparaître devant l'impératrice douairière, mère du Fils du Ciel. Combien sommes-nous cette année ?

— Soixante. »

Elle releva ses cils épais, plus noirs que ses yeux d'onyx.

« Je suis une des soixante ?

— Je suis sûr qu'à la fin tu seras la première. »

Sa voix si grave, si calme, pénétra dans le cœur d'Orchidée avec une force prophétique.

« Où que je sois, affirma-t-elle, tu seras près de moi. J'y veillerai. N'es-tu pas mon cousin ? »

Ils se regardaient de nouveau, ayant momentanément tout oublié du monde extérieur. Comme si elle n'avait rien dit, il parla d'un ton sérieux : « Je suis venu ici pour demander à ton tuteur de te donner à moi pour épouse. Maintenant, je ne sais pas ce que nous allons faire.

— Peut-il désobéir à l'ordre impérial ? »

De nouveau, elle détourna le regard et, plus gracieuse que jamais, se dirigea vers la grande table d'ébène dressée contre le mur. Entre deux bougeoirs de cuivre, sous un tableau représentant la montagne sacrée de Wu T'ai, des orchidées jaunes fleurissaient dans un vase.

« Elles se sont ouvertes ce matin... la couleur impériale. C'est un présage, murmura-t-elle.

— En ce moment, tu prends tout pour des présages. »

Elle se tourna vers lui, ses yeux noirs brillants de colère. « N'est-ce pas mon devoir de servir l'Empereur si je suis choisie ? » Elle abaissa les paupières et sa voix reprit sa douceur ordinaire. « Si je ne suis pas choisie, je serai ta femme. »

Lu Ma entra et observa les deux visages juvéniles.
« Votre oncle est réveillé, Jeune Maîtresse. Il dit qu'il
déjeunera au lit. Et il demande à son parent d'entrer. »

Elle s'éloigna et ils l'entendirent remuer dans la
cuisine. La maisonnée commençait à s'éveiller. Les
deux garçons se querellaient dans la cour extérieure,
près du portail d'entrée. Orchidée entendit sa sœur
l'appeler de la chambre, d'une voix plaintive :

« Orchidée ! Sœur Aînée ! Je ne me sens pas bien.
J'ai mal à la tête.

— Orchidée ! répéta Jung Lu. C'est un nom trop
puéril pour toi, désormais. »

Elle tapa du pied. « C'est quand même mon nom.
Pourquoi restes-tu ici ? Va faire ton devoir, je ferai
le mien. »

Elle le quitta sur un mouvement impétueux et il la
regarda écarter les rideaux et disparaître.

Dans ce bref moment de colère, elle avait pris sa
décision. Elle irait à la Ville impériale et elle serait
choisie — il le fallait. C'est ainsi qu'un instant mit fin
aux longues hésitations qui duraient depuis des jours :
devenir la femme de Jung Lu, la mère de ses enfants —
et ceux-ci seraient nombreux, car tous deux étaient
passionnés — ou devenir une concubine impériale ?
Lui n'aimait qu'elle, mais en plus de lui elle aimait
quelque chose d'autre. Qu'était-ce donc ? Elle le saurait
le jour de la convocation impériale.

Le vingt et unième jour du sixième mois, elle se
réveilla dans le palais d'Hiver de la Ville impériale.
Sa première pensée fut la même que la veille au soir
avant de s'endormir.

« Je suis dans les murs de la Cité impériale ! »

La nuit était finie. Le jour se levait, le grand jour,

le jour solennel qu'elle attendait en secret depuis sa petite enfance, depuis qu'elle avait vu la sœur aînée de Sakota quitter la maison pour toujours et devenir concubine impériale. Elle était morte avant de devenir impératrice et personne de sa famille ne l'avait revue. Mais elle, Orchidée, elle vivrait...

« Reste à l'écart, avait dit sa mère, la veille. Tu n'es qu'une vierge parmi les autres. Sakota est menue et délicate et, puisqu'elle est la sœur de la défunte impératrice consort, elle l'emportera certainement sur toi. Quel que soit le rang qui te sera dévolu, il t'est possible de t'élever au-dessus. »

Au lieu d'un adieu, sa mère, toujours sévère, lui avait donné ce seul conseil qu'elle gardait gravé dans sa mémoire. Elle n'avait pas pleuré cette nuit-là, tandis que d'autres sanglotaient à la pensée d'être choisies par l'empereur. Elle savait pourtant — sa mère l'en avait avertie — que, si elle était désignée, elle ne reverrait sans doute jamais sa maison ni sa famille. N'importe comment, avant sa majorité, elle n'aurait pas le droit de revenir chez elle. Entre dix-sept et vingt et un ans s'étalaient quatre longues années solitaires. Mais pourquoi solitaires ? Solitaires, certes, si elle pensait à Jung Lu. Mais elle pensait aussi à l'empereur.

Pendant la dernière nuit passée à la maison, l'énervement l'avait empêchée de dormir. Sakota non plus ne dormait pas. Dans le silence de la nuit, Orchidée entendit des pas et devina la présence de sa cousine.

Dans le noir, une main douce lui effleura le visage.

« Orchidée, j'ai peur ! Laisse-moi coucher dans ton lit. »

Orchidée poussa sa petite sœur, lourde d'être endormie, et fit de la place pour sa cousine. Sakota se glissa dans le lit. Elle tremblait et avait les mains et les pieds glacés.

« N'as-tu pas peur ? murmura-t-elle en se recroque-villant sous le couvrepied contre le corps chaud de sa cousine.

— Non, répondit Orchidée. Quel mal peut-il m'arriver ? Et toi, pourquoi as-tu peur, alors que l'empereur avait choisi ta propre sœur ?

— Elle est morte au palais, chuchota Sakota. Elle y était malheureuse... elle regrettait la maison. Moi aussi, je pourrais y mourir.

— J'y serai avec toi », dit Orchidée, rassurante. Elle enferma dans ses bras vigoureux le corps fluet. Sakota était trop mince, trop douce ; elle n'avait jamais été forte.

« Et si nous n'étions pas mises dans la même catégorie ? » s'inquiéta Sakota.

C'est ce qui arriva. Elles furent séparées. La veille, quand les vierges avaient comparu devant l'impératrice douairière, celle-ci en avait retenu vingt-huit sur les soixante. Sakota, parce qu'elle était la sœur de la princesse défunte, fut placée en F'ei, la première catégorie, et Orchidée en Kuei Jen, la troisième.

« Elle a du caractère, constata judicieusement la vieille impératrice. Sans quoi, je la mettrais en P'in, la seconde catégorie, puisqu'il n'est pas convenable de la mettre dans la première avec sa cousine, sœur de ma belle-fille partie pour les Sources Jaunes. Qu'elle reste donc dans la troisième catégorie, car il vaut mieux que mon fils l'empereur ne la remarque pas. »

Orchidée avait écouté en affectant la modestie et la soumission. Maintenant, reléguée parmi les vierges de la troisième catégorie, elle se souvenait des derniers conseils de sa mère. Sa mère était une femme énergique.

Une voix résonna dans la grande salle, où dormaient les jeunes filles, la voix de la première dame d'atours dont la tâche consistait à parer les vierges.

« Jeunes filles, il est temps de vous lever ! Il est temps de vous faire belles ! C'est peut-être votre jour de chance. »

Les autres se levèrent dès l'ordre reçu, mais Orchidée n'obéit pas ; elle tenait à ne pas agir comme la masse. Elle se tiendrait à l'écart, elle serait différente. Elle resta immobile, presque cachée sous le couvre-pied de satin, à observer les jeunes filles qui frissonnaient aux mains des servantes venues les préparer. L'air du matin était frais — on était dans le Nord et l'été commençait à peine, — une vapeur s'élevait des cuves de bois remplies d'eau chaude.

« Elles doivent toutes se baigner », ordonna la première dame d'atours. Elle s'assit dans un vaste fauteuil de bambou, lourde et sévère, habituée à être obéie.

Maintenant dévêtues, les jeunes filles entraient dans leur bain et des servantes leur lavaient le corps avec du savon parfumé, pour les essuyer ensuite avec des linges très doux, tandis que la dame d'atours les examinait l'une après l'autre. Elle s'exclama soudain :

« On en a choisi vingt-huit sur soixante, or je n'en vois que vingt-sept. »

Elle relut la liste qu'elle tenait à la main et entreprit de faire l'appel. Chacune des jeunes filles répondit de l'endroit où elle se tenait. Mais le dernier nom n'éveilla aucun écho.

« Yehonala ! » appela de nouveau la vieille dame. C'était le nom du clan d'Orchidée. La veille, avant son départ de la maison, son oncle et tuteur, Muyanga, l'avait fait venir dans son bureau pour lui donner un conseil de père.

Elle s'était tenue debout devant lui demeuré assis — son corps épais, vêtu de satin bleu ciel, à peine contenu par son fauteuil. Il lui avait prodigué ses conseils. Elle s'entendait bien avec lui, car il était d'un bonté facile.

mais elle ne l'aimait pas vraiment, car il n'aimait personne, trop paresseux pour aimer ou haïr.

« Maintenant que te voilà à la veille d'entrer dans la Ville de l'empereur, lui avait-il dit de sa voix onctueuse, il faut abandonner ton petit nom d'Orchidée. Désormais tu t'appelleras Yehonala. »

« Yehonala s'est-elle enfuie ? » demanda la vieille dame. Une servante répondit : « Maîtresse, elle est au lit. »

La première dame d'atours fut scandalisée. « Encore au lit ? Peut-elle vraiment dormir ? »

La servante se dirigea vers le lit et regarda : « Elle dort.

— Comme elle a le cœur dur ! s'écria la vieille femme. Réveille-la ! Tire ses couvertures, pince-lui les bras ! »

La servante obéit. Yehonala, faisant semblant de s'éveiller, ouvrit les yeux.

« Qu'y a-t-il ? » demanda-t-elle d'une voix ensommeillée. Elle s'assit dans son lit et porta ses mains à ses joues.

« Ho ! Ho !... bégaya-t-elle d'une voix aussi douce que celle de la colombe. Comment ai-je pu oublier ?

— Je me le demande ! s'exclama la dame d'atours, indignée. Ne connais-tu pas les ordres de l'empereur ! Dans deux heures, vous devez vous tenir prêtes dans la galerie des Audiences, toutes parées de votre mieux... Dans deux heures, te dis-je, il te faut encore te baigner, te parfumer, t'habiller, te coiffer et déjeuner. »

Yehonala dissimula un bâillement sous sa paume.

« Comme j'ai dormi ! Le matelas est beaucoup plus doux ici que dans mon lit, à la maison. »

La vieille dame ricana.

« On imaginerait difficilement qu'un matelas du

palais du Fils du Ciel soit aussi dur que celui de ton lit.

— Oh oui! c'est tellement plus doux que je ne l'imaginais! » répondit Yehonala.

Elle posa sur le sol carrelé ses pieds nus et vigoureux. Comme les jeunes filles étaient toutes Mandchoues, et non pas Chinoises, on ne leur avait jamais bandé les pieds.

« Allons, allons! s'écria la dame d'atours, dépêchons-nous.

— Oui, Vénérable », répondit-elle.

Mais elle ne se dépêchait pas. Elle se laissa déshabiller par une servante sans faire aucun effort pour aider; une fois dévêtue, elle se plongea dans un baquet d'eau chaude, sans lever le petit doigt pour se laver.

« Eh bien, siffla la servante à mi-voix, n'allez vous pas m'aider à vous préparer! »

Yehonala ouvrit ses grands yeux noirs et brillants.

« Que dois-je faire? » demanda-t-elle d'un air innocent.

Personne ne devait deviner qu'à la maison il n'y avait aucune servante, à part Lu Ma, la cuisinière.

Yehonala avait toujours pris son bain toute seule, et toujours baigné ses jeunes frères et sœur. Elle était habituée à laver leur linge et à les porter attachés sur son dos par de larges bandes de tissu quand ils étaient bébés, tandis qu'elle allait çà et là, aidant sa mère dans la maison et courant faire des achats chez le marchand d'huile, ou au marché aux légumes.

En ce temps-là, son seul plaisir était de s'arrêter dans les rues pour regarder les acteurs ambulants chinois. Pourtant, son oncle Muyanga, dans sa bonté, l'avait fait instruire avec ses propres enfants par le précepteur de la famille, car l'argent qu'il donnait à sa mère servait à la nourriture et aux vêtements, sans permettre le moindre luxe.

Ici, tout n'était que luxe. Elle fit des yeux le tour

de la vaste pièce. Le soleil du matin, tamisé par des jalousies, dorait les fenêtres; il avivait les bleus et les rouges des poutres peintes du plafond et faisait ressortir les rouges et les verts des longues robes mandchoues des jeunes filles. Des rideaux de satin cramoisi doublaient les portes, et les coussins des chaises en bois sculpté étaient recouverts d'un tissu de même couleur.

Les murs s'ornaient de paysages, de proverbes, peints à l'encre noire sur de la soie blanche. Le parfum des huiles et des savons alourdissait l'air. Yehonala découvrit soudain qu'elle aimait le luxe.

La servante n'avait pas répondu à la question de Yehonala. La première dame d'atours pressait le mouvement.

« Il serait préférable de leur donner dès maintenant leur petit déjeuner, dit-elle, ce qui restera comme temps sera consacré à leur chevelure. Il faut bien une heure pour les coiffer. »

De la cuisine, d'autres servantes apportèrent des plats auxquels les jeunes filles touchèrent à peine. Leur cœur battait trop vite dans leur poitrine, et plusieurs commencèrent à pleurer.

La dame d'atours se fâcha, son visage gras parut enfler.

« Comment osez-vous pleurer! rugit-elle. Que peut-il vous arriver de mieux que d'être choisies par le Fils du Ciel? »

Mais les vierges continuaient à se lamenter. « J'aimerais mieux vivre chez moi », sanglota l'une. « Je ne tiens pas à être choisie », soupira une autre.

« Quelle honte! quelle honte! » s'écria la vieille dame en grinçant des dents devant les jeunes filles timorées.

Le calme de Yehonala tranchait sur ce désespoir. Elle se mouvait avec une grâce consommée, et lorsqu'on apporta les plats elle s'assit à une table et mangea avec appétit. La première dame d'atours elle-même en fut surprise, ne sachant si elle devait se montrer choquée ou satisfaite.

« Ma parole, je n'ai jamais vu un cœur aussi dur ! » s'exclama-t-elle d'une voix forte.

Yehonala sourit, ses baguettes dans sa main droite. « Ce déjeuner est bon, dit-elle, aussi gentiment qu'une enfant, c'est bien meilleur que ce que je mange à la maison. »

La première dame d'atours décida de se montrer contente. « Voilà au moins une femme raisonnable », déclara-t-elle. Néanmoins, après un moment, elle tourna la tête pour murmurer à une de ses servantes :

« Regarde ses grands yeux. Celle-ci a un cœur farouche ! » La fille eut une grimace. « Un cœur de tigre, acquiesça-t-elle, vraiment un cœur de tigre. »

À midi, les eunuques vinrent les chercher, conduits par le chef des eunuques An Teh-hai.

C'était un homme beau, encore jeune, drapé dans une longue robe de satin bleu pâle, serrée à la taille par une ceinture de soie rouge. Il avait le visage lisse, les traits marqués, un nez en bec d'aigle, et des yeux noirs.

D'un air presque indifférent, il ordonna aux jeunes filles de défiler devant lui. Comme un empereur au petit pied, installé dans un grand fauteuil d'ébène sculpté, il les observa au passage, sans paraître éprouver autre chose que du mépris. Près de lui, posés sur une lourde table, se trouvaient sa liste de pointage, son pinceau et sa bouteille d'encre.

Yehonala l'observait sous ses longs cils ; elle se tenait à part des autres vierges, à demi cachée derrière un rideau cramoisi. Le chef des eunuques marquait d'un trait d'encre le nom de chaque jeune fille qui passait devant lui.

« Il en manque une », annonça-t-il.

« Me voici », répondit Yehonala. Elle s'avançait timidement, la tête baissée, détournant le visage, et parlait d'une voix si douce qu'on l'entendait à peine.

« Celle-ci est en retard depuis le début, dit la première dame d'atours de sa voix forte, elle dormait quand les autres se sont levées. Elle n'a rien fait pour se laver ou s'habiller, mais elle a mangé comme une paysanne : elle a avalé trois bols de millet! Maintenant la voilà plantée là, l'air stupide, je me demande si ce n'est pas une idiote. »

« Yehonala! lut le chef des eunuques, de sa voix forte et dure, fille aînée du défunt porte-étendard Chao, tuteur Muyanga, porte-étendard. Elle a été inscrite au palais du Nord, il y a deux ans, à l'âge de quinze ans, elle en a maintenant dix-sept. »

Il leva la tête et regarda Yehonala qui se tenait devant lui, la tête modestement baissée, les yeux fixés au sol.

« Est-ce bien toi? demanda-t-il.

— Oui, c'est bien moi, répondit Yehonala.

— Avance! » ordonna le chef des eunuques. Il la suivit des yeux, puis il se leva et commanda aux eunuques subalternes :

« Que l'on conduise les jeunes filles dans la galerie d'Attente. Quand le Fils du Ciel sera prêt à les recevoir, je les annoncerai moi-même, devant le trône du Dragon. »

Les jeunes filles attendirent pendant quatre heures. Les servantes restaient auprès d'elles, les grondant si elles froissaient leur robe de satin, ou si elles dérangeaient une mèche de leur chevelure. De temps à autre, on en voyait une remettre de la poudre sur un visage ou du rouge sur des lèvres. A deux reprises, les jeunes filles furent autorisées à boire du thé.

A midi, une agitation dans les cours lointaines les

fit tressaillir; on entendit résonner des trompettes et des tambours; un gong rythmait des pas qui se rapprochaient. An Teh-hai, le chef des eunuques, revint dans la galerie d'Attente, suivi des eunuques subalternes, parmi lesquels se trouvait un grand jeune homme maigre; malgré sa laideur, il avait le visage si sombre et il ressemblait tellement à un aigle qu'involontairement Yehonala fixa les yeux sur lui. Au même instant, le jeune homme surprit son regard et le lui rendit avec insolence. Elle détourna la tête. Mais le chef des eunuques avait vu.

« Li Lien-ying, cria-t-il d'une voix cinglante, que fais-tu ici? Je t'avais ordonné d'attendre avec les vierges de la quatrième catégorie, la Ch'ang Ts'ai. »

Sans un mot, le jeune homme quitta la galerie. Alors le chef des eunuques dit : « Jeunes filles, vous attendrez ici que l'on appelle votre catégorie. La F'ei sera présentée d'abord à l'empereur par l'impératrice douairière, puis la P'in; c'est seulement après avoir vu ces deux catégories où l'empereur fera son choix que vous, les Kuei Jen, approcherez du trône. Il vous est interdit de regarder le visage de l'empereur. C'est lui qui vous regardera. »

Personne ne répondit; les vierges demeurèrent en silence, la tête baissée, tandis qu'il procédait à l'appel.

Yehonala s'était placée derrière les autres, affectant la modestie, mais son cœur battait dans sa poitrine. Dans les quelques heures à venir, dans une heure, ou peut-être moins, selon l'humeur de l'empereur, elle atteindrait peut-être le moment suprême de sa vie.

Il la regarderait, se ferait d'elle une opinion, jaugerait son physique, et c'est dans ce bref moment qu'elle devrait lui faire sentir son charme puissant.

Elle pensa à sa cousine Sakota, qui, en ce moment, passait devant les yeux de l'empereur. Sakota était une douce créature, simple et puérile. En tant que sœur de la princesse défunte, que l'empereur avait aimée pendant qu'il était prince, elle serait très certainement parmi les élues. C'était une bonne chose. Sakota et elle avaient passé leur enfance ensemble. A la mort de son père, alors qu'elle avait trois ans, Yehonala était venue avec sa mère dans la maison ancestrale. Sakota lui cédait tout, s'appuyait sur elle et lui faisait confiance. Il se pourrait même que Sakota dise à l'empereur : « Ma cousine Yehonala est belle et intelligente. »

Elle avait failli lui dire la nuit dernière, tandis qu'elles bavardaient dans le même lit : « Parle en ma faveur ! » Mais l'orgueil l'avait arrêtée. Bien que douce et enfantine, Sakota était douée d'une dignité pure qui interdisait les avances.

Un murmure passa parmi les jeunes filles qui attendaient, car l'une d'elles avait surpris une rumeur provenant de la galerie d'Audiences. On avait déjà renvoyé les F'ei, et Sakota avait été choisie comme première concubine impériale. La catégorie des P'in était peu nombreuse. Encore une heure.

Avant la fin de cette heure, le chef des eunuques revint :

« C'est maintenant le moment pour les Kuei Jen, annonça-t-il. Jeunes filles, préparez-vous. L'empereur se fatigue. »

Les jeunes filles formèrent une procession et les dames d'atours donnèrent une dernière touche à leurs cheveux, leurs lèvres et leurs sourcils. Le silence tomba sur toutes, les derniers rires s'éteignirent. Une jeune fille à demi évanouie s'appuyait sur une servante qui lui pinçait les bras et les lobes des oreilles pour la rappeler à la vie.

Dans la galerie des Audiences, le chef des eunuques appelait déjà les noms en indiquant les âges. Chacune devait entrer à l'appel de son nom. L'une après l'autre, elles passèrent devant l'empereur et l'impératrice douairière. Mais Yehonala, toujours la dernière, quitta sa place, comme si elle avait oublié où elle se trouvait, pour caresser un petit chien du palais. C'était un chien de manchon, une des bêtes minuscules dont on arrêtait la croissance pour que les dames de la cour puissent les cacher dans leurs larges manches brodées. Le chef des eunuques attendait.

« Yehonala ! » appela-t-il.

Les dames d'atours s'étaient déjà éparpillées, et elle restait seule à jouer avec le petit chien. Elle avait presque réussi à se persuader qu'elle ne savait plus où elle était, ni pourquoi. Elle tirait les longues oreilles du chien et riait de voir son petit museau ridé, pas plus grand que la paume de sa main. Elle avait entendu parler de ces petits chiens qui ressemblaient à des lions, mais nul en dehors de la cour n'avait le droit d'en posséder ; aussi était-ce la première fois qu'elle en voyait.

« Yehonala ! » La voix de An Teh-hai tonna à ce rappel, et elle se releva brusquement.

Il se précipita sur elle et lui saisit le bras.

« As-tu oublié ? es-tu folle ? l'empereur attend ! Il attend, te dis-je ! Tu mériterais la mort ! »

Elle s'arracha à son jeu. Il la poussa vers la porte pour crier de nouveau son nom.

« Yehonala ! fille du porte-étendard Chao, à présent défunt, et nièce de Muyanga, domiciliée allée des Étains. Son âge : dix-sept ans, trois mois et deux jours. »

Elle entra sans bruit ni affectation et traversa lentement l'immense galerie, sa longue robe de satin rose effleurant le bout de ses chaussures mandchoues brodées, dont les hauts talons se trouvaient au milieu des semelles blanches. Ses mains, étroites et belles, étaient croisées sur son ventre, et elle ne tourna pas la tête vers le trône, tandis qu'elle passait lentement devant l'empereur.

« Qu'elle reste », ordonna l'empereur.

L'impératrice douairière observa Yehonala avec une admiration involontaire. « Je t'avertis, dit-elle, cette jeune fille a du caractère. Je le vois sur son visage. Elle est trop décidée pour une femme.

— Elle est belle », dit l'empereur.

Yehonala ne tournait toujours pas la tête. Elle entendait ces voix sans voir leur possesseur.

« Qu'importe si elle a mauvais caractère ! dit l'empereur. Ce n'est pas contre moi qu'elle osera se mettre en colère ! »

Il avait une voix jeune, vibrante, un peu fluette. Celle de sa mère était plus posée, alourdie par la sagesse de l'âge.

Elle le raisonna : « Il vaut mieux ne pas choisir une femme qui possède à la fois la beauté et le caractère ; il y en a une autre, P'òu Yu, que tu as vue dans la catégorie des P'in. Elle semble raisonnable, et quel joli visage !

— Mais quelle vilaine peau ! protesta l'empereur. Elle a sûrement eu la variole dans son enfance. Malgré la couche de poudre qu'elle a sur le visage, j'en ai vu les traces. »

Yehonala était maintenant juste devant lui. « Reste », ordonna-t-il. Elle s'arrêta de profil, le visage levé, les yeux fixés au loin, comme si son cœur était ailleurs.

« Tourne ton visage vers moi », commanda-t-il.

Lentement, en apparence indifférente, elle obéit. Par pudeur, par modestie, et d'après tout ce qu'on lui avait enseigné, une jeune fille ne devait jamais lever le regard plus haut que la poitrine d'un homme. En ce qui concernait l'empereur, son regard n'aurait pas dû dépasser les genoux. Mais Yehonala le regarda en plein visage, avec tant d'attention qu'elle vit les yeux de l'empereur, à fleur de peau sous les sourcils peu fournis, et, par ce regard, elle lui transmit toute la force de sa volonté.

Il resta immobile un long moment, puis il parla.

« Je choisis celle-ci. »

Yehonala avait reçu de sa mère le conseil suivant : « Si tu es choisie par le Fils du Ciel, sers d'abord sa mère l'impératrice douairière. Fais-lui croire que tu penses à elle jour et nuit. Renseigne-toi sur ses goûts, cherche à augmenter son bien-être, ne tente jamais d'échapper à son autorité. Il ne lui reste pas beaucoup d'années à vivre, mais à toi il en reste beaucoup. »

Yehonala se rappelait ces propos.

Le soir, après avoir été choisie, elle dormit dans une petite chambre à coucher qui faisait partie d'un appartement de trois pièces dévolu à son usage. Une vieille dame d'atours avait été désignée par le chef des eunuques pour la servir.

Dans cet appartement, Yehonala vivrait seule, sauf quand l'empereur l'enverrait chercher. Ce qui pouvait arriver souvent, ou jamais. Une concubine pouvait vivre entre les quatre murs de cette Ville impériale, vierge jusqu'à sa mort, oubliée par l'empereur, à moins qu'elle n'ait les moyens de soudoyer un eunuque pour qu'il mentionnât son nom devant lui.

Mais elle, Yehonala, ne se laisserait pas oublier. Lorsqu'il serait fatigué de Satoka, envers qui il avait un devoir à remplir, l'empereur pourrait, il devrait penser à elle. Mais se souviendrait-il ? Il était habitué à la beauté, et, bien que leurs yeux se fussent rencontrés, comment serait-elle sûre que le Fils du Ciel se souviendrait d'elle ?

Elle reposait sur le lit de briques recouvert de trois matelas moelleux et réfléchissait. Elle devait maintenant organiser sa vie jour après jour, et ne pas perdre de temps, de peur de rester solitaire, parmi les vierges oubliées. Il lui fallait de l'intelligence, des précautions ; elle arriverait à ses fins en se servant de l'impératrice douairière. Elle se rendrait utile à la vieille dame, lui prodiguerait de l'affection et de nombreuses petites attentions. Autre chose encore : elle demanderait des précepteurs. Elle savait déjà lire et écrire grâce aux bontés de son oncle, mais sa soif de véritable culture n'était pas satisfaite. Elle demanderait à s'instruire en histoire, en poésie, en musique, en peinture, elle apprendrait les arts qui flattent l'ouïe et la vue. Pour la première fois de sa vie, elle avait du temps à elle, des loisirs pour cultiver son esprit. Elle prendrait soin de son corps, mangerait des mets raffinés, adouci-rait ses mains avec de la graisse de mouton, se parfume-rait à l'essence d'orange et de musc, ordonnerait à ses servantes de lui brosser les cheveux deux fois par jour après son bain. Voilà ce qu'elle ferait pour son corps, afin de plaire à l'empereur. Mais, son esprit, elle le façonnerait pour son propre plaisir, et c'est pour son propre plaisir aussi qu'elle apprendrait à écrire comme les érudits et à peindre comme les artistes, et aussi à lire de nombreux livres.

Le satin de son édredon crissa sous ses mains abîmées et elle se dit : « Jamais plus je ne ferai la lessive, jamais plus je n'irai chercher d'eau chaude, et je ne moudrai plus de farine... N'est-ce pas là le bonheur ? »

Elle avait du sommeil à rattraper. Sakota et elle avaient passé leur dernière nuit à la maison à bavarder et à rêver tout éveillées ; et, la veille, dans la grande salle où se trouvaient les jeunes filles, qui aurait pu dor-mir ? Mais, ce soir, plus de crainte à avoir, l'empereur l'avait choisie, et dans ces trois petites pièces elle était chez elle. L'appartement était exigu, mais luxueux, les

murs décorés de peintures sur soie, les chaises recou-
vertes de satin rouge, les tables en ébène, et les poutres
du plafond peintes de couleurs vives. Le sol était dallé
et les fenêtres garnies de jalousies s'ouvraient sur une
cour où, dans un petit bassin rond, des poissons rouges
étincelaient au soleil. Sa servante dormait sur une couche
de bambou devant sa porte. Elle n'avait rien à craindre.

Rien ? Le visage anguleux et inquiétant du jeune
eunuque, Li Lien-ying, lui apparut soudain dans l'ombre.
Ah ! les eunuques, sa prudente mère l'avait mise en
garde contre eux !

« Ils ne sont ni hommes ni femmes. Ils détruisent
leur virilité pour avoir le droit d'entrer dans la Ville
interdite. Refoulés et desséchés, leurs instincts naturels
tournent à l'aigre. Ils deviennent méchants, cyniques et
cruels et se complaisent dans la vilenie. Évite-les tous,
du premier jusqu'au dernier. Donne-leur de l'argent
quand il faut. Ne leur laisse jamais voir que tu as peur
d'eux. »

« Je ne te craindrai point », dit-elle au visage sombre de
Li Lien-ying.

Et soudain, parce qu'elle avait peur, elle se mit à
penser à son cousin Jung Lu. Elle ne l'avait pas revu
depuis son entrée au palais. Au moment de franchir les
grandes grilles vermillon, toujours hardie, elle avait
légèrement écarté les rideaux de sa chaise à porteurs.
Devant les grilles se tenaient les gardes impériaux,
en tunique jaune, leur sabre à large lame présenté
droit devant eux. A droite, tout près de l'entrée, elle
avait aperçu Jung Lu, le plus grand de tous. Il avait les
yeux fixés sur la foule qui grouillait dans les rues et
ne fit pas le moindre signe pour montrer à Yehonala
qu'il reconnaissait entre toutes sa chaise à porteurs.
Elle non plus ne pouvait pas faire de signe. Un peu
blessée, elle avait décidé de ne plus penser à lui. Non,

même ce soir, elle ne penserait pas à lui. Ni elle, ni lui
ne pourraient savoir quand ils se reverraient. Entre les
murs de cette Ville interdite, un homme et une femme
pouvaient passer leur vie entière sans jamais se
rencontrer.

Et pourtant pourquoi avait-elle pensé à lui en évo-
quant le visage sombre de l'eunuque? Elle soupira et
versa quelques larmes, surprise elle-même de cette
émotion dont elle ne voulait pas chercher les causes.
Puis, en raison de sa grande jeunesse et de sa fatigue,
elle s'endormit.

La grande bibliothèque du vieux palais restait fraîche
même en plein été. A midi, on fermait les portes pour
conserver cette fraîcheur, et les jalousies ne laissaient
passer que quelques rayons de soleil. Aucun bruit ne
troublait le silence, à part le murmure de Yehonala
qui lisait à haute voix devant le vieil eunuque, son
précepteur.

Elle lisait le *Livre des Métamorphoses* et, absorbée par
le rythme de la poésie, elle ne s'était pas aperçue que
son précepteur ne disait rien depuis longtemps. Quand
elle leva les yeux en tournant la page, elle vit que le
vieil érudit dormait, la tête penchée sur la poitrine,
et que son éventail lui échappait des mains. Yehonala
eut un demi-sourire, mais elle continua à lire pour
elle-même. A ses pieds somnolait un petit chien. Elle
l'avait fait demander par sa servante au chef du chenil
impérial, tant elle désirait un petit animal pour lui
tenir compagnie.

Elle habitait au Palais depuis deux mois et l'empereur
ne l'avait jamais fait appeler. Elle n'avait pas revu
sa famille, pas même Sakota ou Jung Lu. Du moment
qu'elle n'était pas sortie du palais, elle n'avait pas

eu l'occasion de passer devant lui lorsqu'il était de garde.
Dans cet étrange isolement, elle aurait pu se sentir
malheureuse, mais elle était trop occupée par ses
rêves d'avenir. Un jour, un jour, elle serait peut-être
impératrice. Et, quand elle serait impératrice, elle
ferait ce qu'elle voudrait. Si elle le désirait elle pourrait
mander son cousin devant elle sous n'importe quel
prétexte, comme, par exemple, de porter une lettre à
sa mère.

« Je te remets cette lettre en main propre, dirait-elle,
tu devras me rapporter une réponse. »

Et nul en dehors d'eux ne saurait si la lettre était
vraiment pour sa mère. Mais ses rêves concernaient
surtout l'empereur, et, dans l'attente, elle ne pouvait
que se préparer. Ici, dans la bibliothèque, elle passait
chaque jour cinq heures à étudier avec son précepteur,
cet eunuque qui possédait les titres universitaires les
plus élevés. Autrefois, quand il était encore un homme,
il était connu pour ses essais en vers octosyllabes et
ses poésies dans le style T'ang. A cause de sa célébrité,
il avait reçu l'ordre de se faire eunuque pour devenir le
précepteur du jeune prince, maintenant empereur, et
s'occuper de la formation intellectuelle de ses concubines.
Certaines d'entre elles apprenaient volontiers, d'autres
pas, mais aucune, déclarait le vieux précepteur, n'apprenait aussi bien que Yehonala. Il vantait ses mérites
auprès des autres eunuques et en présence de l'impératrice douairière, de sorte qu'un jour, alors que Yehonala
s'occupait d'elle, l'impératrice douairière l'avait félicitée
de son assiduité.

« Tu as bien raison d'étudier dans les livres, dit-elle.
Mon fils l'empereur se fatigue vite. Lorsqu'il sera
malade ou agité, il faudra que tu puisses le distraire à
l'aide de poèmes et de peintures. »

Yehonala avait incliné la tête en signe d'obéissance.

Elle lisait une page, quand elle sentit qu'on lui touchait l'épaule. Tournant la tête, elle vit un éventail replié, et une main qu'elle avait appris à bien connaître, une grande main vigoureuse à la peau lisse; c'était la main du jeune eunuque Li Lien-ying. Depuis des semaines, elle le sentait décidé à la servir.

Cela ne faisait pas partie de ses devoirs; il n'était qu'un eunuque subalterne, mais il lui était devenu indispensable pour beaucoup de petites choses. Lorsqu'elle avait envie de fruits ou de bonbons, c'était lui qui lui en apportait, et c'était par lui qu'elle apprenait tous les commérages des couloirs et des centaines de cours de la Ville interdite. Car il ne lui suffisait pas de lire des livres, elle devait aussi connaître tous les détails des intrigues, des tragédies et des amours que renfermaient ces murs. Savoir, c'était acquérir la puissance.

Elle leva la tête, le doigt sur les lèvres, les sourcils levés en une interrogation muette. Il lui fit signe de le suivre dans le pavillon proche de la bibliothèque. En silence, ses chaussures à semelle de tissu glissant sur les dalles, il la précéda jusqu'à l'endroit où ils ne risqueraient pas de réveiller le précepteur. Le petit chien s'éveilla et les suivit sans aboyer.

« J'ai des nouvelles pour vous », dit Li Lien-ying. Il la dominait de toute sa stature avec ses larges épaules, sa tête carrée aux traits grossiers et mal équarris. Tout en lui était fruste et puissant.

Elle aurait vraiment pu le craindre, mais elle avait décidé de ne plus craindre personne.

« Quelle nouvelle? demanda-t-elle.

— La jeune impératrice a conçu. »

Yehonala ne l'avait pas revue depuis qu'elle avait franchi les grilles. Sakota avait pris la place de Consort, celle de sa sœur défunte, alors qu'elle, Yehonala, restait seulement concubine. Si Sakota donnait un fils à l'empereur, ce fils serait l'héritier du trône du Dragon, et Sakota obtiendrait le titre d'impératrice mère. Elle, Yehonala, resterait toujours concubine et ce serait pour ce prix dérisoire qu'elle aurait renoncé à son amour et à sa vie ? Son cœur se gonfla à éclater.

« Y a-t-il une preuve de la conception ? demanda-t-elle.

— Il y en a, répondit-il. Sa suivante est à ma solde. Ce mois-ci, pour la seconde fois, il n'y a pas eu de sang.

— Eh bien ! » Mais aussitôt elle reprit son sang-froid. Elle ne pouvait plus désormais compter que sur elle-même. Mais le destin serait peut-être son sauveur. Si Sakota donnait naissance à une fille, il n'y aurait pas d'héritier jusqu'à ce qu'un fils fût né. Et c'est la mère de ce fils qui deviendrait impératrice.

« Et pourquoi ne serai-je pas cette mère ? » pensa-t-elle. Cette bribe d'espoir lui rendit la tranquillité et son cœur se calma.

« L'empereur a fait son devoir envers la princesse disparue, reprit l'eunuque, maintenant il peut donner libre cours à ses caprices. »

Yehonala restait silencieuse. Ces caprices pouvaient tomber sur elle !

« Vous devez vous tenir prête. D'après moi, il ne se passera pas six ou sept jours avant qu'il ne fasse chercher une de ses concubines.

— Comment fais-tu pour tout savoir ? interrogea-t-elle, un peu effrayée en dépit de sa volonté de ne rien craindre.

— Les eunuques savent ces choses », répliqua-t-il avec un regard paillard.

Elle se redressa, très digne. « Tu oublies à qui tu parles ?

— Je vous ai offensée, dit-il promptement. J'ai eu

tort, vous avez toujours raison, je suis votre serviteur, votre esclave. »

Elle se sentit si seule que, bien qu'il fût effrayant, elle se laissa rassurer. Cependant elle insista :

« Pourquoi tiens-tu tellement à me servir ? Je n'ai pas d'argent pour te récompenser. »

C'était vrai, elle ne possédait pas un sou. Elle se nourrissait chaque jour des plats les plus délicats, car tous les restes de l'impératrice étaient distribués aux concubines. Les coffres de sa chambre débordaient de nombreuses parures. Elle dormait sous des édredons de soie et avait une femme attachée à son service. Néanmoins, elle n'aurait pu s'acheter le moindre mouchoir ni un paquet de bonbons. Elle n'avait pas vu une seule pièce de théâtre depuis son arrivée dans la Ville interdite. L'impératrice douairière portait encore le deuil du défunt empereur, T'ao Kuang, le père de son fils ; et elle n'aurait pas permis, même aux concubines, d'assister à une pièce de théâtre. Yehonala en était plus privée que de sa famille. Toute sa vie, en dépit de ses lourdes tâches, des gronderies de sa mère, de ses jours sans joie, elle avait trouvé le moyen de s'échapper pour regarder jouer des comédiens ambulants dans une rue, ou dans une cour de temple. Si elle pouvait mettre un sou de côté, c'était pour aller au théâtre, et, si elle n'avait rien, elle y allait quand même et s'échappait au moment où la sébille circulait parmi la foule.

« Croyez-vous que je vous demande quelque chose ? s'indigna l'eunuque ; en ce cas, vous me jugez bien mal. Je connais votre destin. Vous possédez un pouvoir que je ne vois en nulle autre. Ne l'ai-je pas senti dès que mon regard est tombé sur vous ? Dans votre ascension vers le trône du Dragon, vous m'élèverez avec vous et je resterai toujours votre serviteur et votre esclave. »

Elle était assez fine pour comprendre qu'il se servait

habilement de sa beauté et de son ambition pour atteindre
son propre but, tandis qu'il tissait la trame des obligations réciproques entre elle et lui. Si jamais elle
montait sur le trône — ce qui arriverait un jour, — il
ne manquerait pas de lui rappeler qu'il l'avait aidée.

« Pourquoi me servirais-tu pour rien ? demanda-t-elle
d'un ton indifférent. Nul ne donne gratuitement.

— Nous nous comprenons », répondit l'eunuque en
souriant.

Elle détourna le regard. « En ce cas, nous ne pouvons
qu'attendre.

— Nous attendrons. » Il s'inclina et disparut.

Elle retourna dans la bibliothèque, songeuse, son
petit chien sur les talons. Le vieux précepteur dormait
toujours. Elle s'assit et reprit sa lecture. Tout resta
comme par le passé, mais son cœur, en ce bref moment,
avait cessé d'être le doux cœur d'une vierge. Elle était
devenue une femme. Elle trouvait difficile, dès lors, de
se concentrer sur la poésie ancienne.

Elle ne pensait qu'au moment où elle serait aimée de
l'empereur. Comment recevrait-elle son ordre ? Qui
lui apporterait son message ? Aurait-elle le temps de
baigner et de parfumer son corps, ou devrait-elle se
hâter dans l'état où elle serait ? Les concubines impériales
bavardaient inlassablement, et, quand l'une d'elles avait
été mandée par l'empereur, les autres la questionnaient
sur la nuit vécue dans la chambre impériale. Sans jamais
poser de question, Yehonala ne s'était pas privée d'écouter. Par prudence, il fallait savoir.

« L'empereur ne tient pas à ce que l'on parle », avait
dit une concubine. Jadis, elle avait été la favorite, mais
maintenant elle vivait dans le palais des concubines
oubliées, avec d'autres que l'empereur n'avait pas
aimées longtemps, ou avec les concubines vieillissantes
de son père défunt. A vingt-quatre ans, cette concubine

avait été choisie, aimée et rejetée ; elle passerait le reste de sa vie solitaire, ni épouse, ni veuve ; n'ayant pas conçu, elle n'aurait pas la consolation d'un enfant, et cette jolie femme oisive, à la cervelle d'oiseau, ne savait parler que d'une chose : de l'unique journée qu'elle avait passée dans les appartements privés. Cette brève histoire, elle ne se lassait pas de la répéter aux concubines nouvelles qui attendaient d'être choisies.

Mais Yehonala l'écoutait en silence ; elle saurait divertir l'empereur, elle l'amuserait, l'aiguillonnerait, chanterait pour lui, et lui conterait des histoires, tissant entre eux les liens de l'esprit aussi bien que ceux de la chair. Elle referma le *Livre des Métamorphoses* et le repoussa. Il y avait d'autres livres, des livres interdits : *Le Rêve de la Chambre rouge*, *La Fleur de prunier dans un vase d'or*, *Le Serpent blanc*. Elle les lirait tous. Au besoin, elle ordonnerait à Li Lien-ying de les lui acheter dans les boutiques de la ville, si elle ne pouvait les trouver au palais.

Le précepteur se réveilla soudain, à la façon des vieillards pour lesquels il n'existe qu'une mince différence entre le sommeil et l'état de veille. Il l'examina sans bouger.

« Eh bien ! demanda-t-il, avez-vous fini votre tâche du jour ?

— Oui, et je voudrais d'autres livres, des livres de contes, de magie, des ouvrages distrayants. »

Il prit un air sévère et caressa son menton imberbe, d'une main aussi desséchée qu'une feuille morte. « De tels livres empoisonnent l'esprit, surtout celui des femmes ; vous n'en trouverez pas dans la bibliothèque impériale. Il n'y en a pas parmi les trente-six mille ouvrages de nos rayons. Et, d'abord, une femme vertueuse ne devrait pas même mentionner de tels ouvrages.

— En ce cas je n'en parlerai plus », répondit-elle

d'une voix enjouée. Elle se baissa, prit son petit chien dans sa manche et retourna dans ses appartements.

Ce qu'elle avait appris cet après-midi-là, tout le monde le savait le lendemain. De bouche en bouche, les commérages volaient d'une cour à l'autre et les passions s'enflaient comme la brise. Ni avec la princesse consort, ni avec aucune de ses nombreuses concubines l'empereur n'avait encore jamais eu d'enfant, et les grands clans mandchous s'agitaient. A défaut d'un héritier en ligne directe, il en faudrait choisir un parmi eux et les princes se surveillaient de près, attentifs à protéger leurs fils, jaloux d'avance du choix qui serait fait. Maintenant, puisque Sakota, la nouvelle princesse consort, avait conçu, ils ne pouvaient qu'attendre. Si elle avait une fille au lieu d'un fils, la lutte recommencerait.

Yehonala elle-même appartenait au plus puissant des clans qui avait déjà donné trois impératrices à la dynastie ; pourquoi ne serait-elle pas la quatrième ?

Ah ! si elle était choisie, si elle pouvait concevoir immédiatement, si elle avait un fils et Sakota seulement une fille, la voie du destin serait vraiment bien tracée. Trop bien peut-être, car qui a la chance de franchir aisément une étape après l'autre ? Tout restait pourtant possible.

Pour se préparer, elle commença dès lors à lire les documents du trône, étudiant mot à mot les édits de l'empereur. Elle se tenait au courant des affaires de l'État, de façon à être prête si les dieux la mettaient en avant. Elle se faisait lentement une idée de l'immensité du pays et de son peuple. Jusqu'alors, son univers s'était limité à la ville de Pékin où elle avait grandi. Elle savait qu'elle appartenait à la race des conquérants, aux Mandchous qui avaient ravi le pouvoir au grand peuple chinois. Depuis deux cents ans, le cœur de cette dynastie nordique battait dans cette Ville impériale aux quatre murs solidement implantés dans la capitale.

On appelait la ville de l'empereur la Ville interdite, car il en était le roi, le seul mâle, le seul qui pût y rester la nuit. Au crépuscule, on battait le tambour dans tous les coins et recoins de la Ville interdite pour enjoindre à tous les hommes d'en sortir. L'empereur restait seul parmi ses femmes et ses eunuques. Mais cette capitale, cette ville intérieure, elle le comprenait maintenant, n'était que le centre administratif d'un pays immortel par ses montagnes, ses rivières, ses lacs et ses rivages, par ses innombrables villes et ses villages, par les centaines de millions d'êtres de son peuple disparate, ses marchands, ses fermiers, ses érudits, ses artisans, ses aubergistes, ses hommes et ses femmes de toutes sortes et de toutes professions.

La vive imagination de Yehonala s'envolait des cadres de sa prison royale, emportée par les pages imprimées de ses livres. Mais c'est dans les édits impériaux qu'elle trouvait les meilleurs enseignements. Elle avait appris qu'une grande rébellion bouillonnait dans le sud, haïssable conséquence d'une propagande religieuse étrangère. Les rebelles chinois s'appelaient T'ai P'ing et reconnaissaient pour chef un Chrétien fanatique nommé Hung qui s'imaginait être le frère incarné d'un certain Christ, fils d'un Dieu étranger et d'une paysanne. Cette naissance n'avait rien d'insolite, car dans les livres anciens on trouvait beaucoup de légendes semblables. Une fermière racontait par exemple qu'un dieu lui était apparu dans un nuage, alors qu'elle labourait son champ, et que, par magie, il l'avait imprégnée de sa semence, de sorte qu'au bout de dix mois lunaires elle avait mis au monde un fils divin. Ou alors une fille de pêcheur, bien que vierge, racontait qu'un

Dieu était sorti de la rivière pendant qu'elle réparait les filets de son père ; lui aussi l'avait imprégnée de sa semence par magie. Ce qui était inquiétant, c'est que sous la bannière chrétienne des rebelles T'ai P'ing se rassemblaient les agités et les mécontents. Si on ne les domptait pas, ces hommes pourraient renverser la dynastie mandchoue. T'ao Kuang avait été un empereur faible et son fils Hsien Feng ne valait pas mieux, car l'impératrice douairière le manœuvrait comme un enfant.

C'était par l'impératrice douairière que Yehonala devait faire son chemin. Elle s'assigna la tâche quotidienne de s'occuper de la vieille dame, lui portant une belle fleur, ou un fruit bien mûr, cueillis dans les jardins impériaux. On entrait maintenant dans la saison des melons d'été, et l'impératrice douairière aimait beaucoup ces petits melons à la chair jaune, qui poussent sur les tas de détritus où on les sème au printemps. Chaque jour, Yehonala inspectait les rangées de melons, à la recherche des premiers fruits mûrs, cachés sous les feuilles.

Sur ceux qui étaient presque mûrs, elle collait de petits morceaux de papier portant le nom de l'impératrice, pour empêcher les eunuques avides ou les servantes de s'en emparer. Chaque jour, elle tâtait les melons entre le pouce et l'index.

Un jour, une semaine exactement après avoir appris de Li Lien-ying la nouvelle concernant Sakota, elle trouva un melon qui, sous le doigt, sonnait creux comme un tambour. Il était bien mûr ; elle l'arracha et, le portant avec ses deux mains, se rendit dans les appartements de l'impératrice douairière.

« Notre Vénérable dort », lui annonça une servante, jalouse d'elle depuis que l'impératrice douairière la favorisait.

Yehonala éleva la voix : « L'impératrice dort à cette

heure-ci ? Alors, elle doit être malade ! D'habitude, elle
est réveillée depuis longtemps. »

Lorsqu'elle le désirait, sa voix, claire comme celle
d'une grive, traversait plusieurs pièces. Elle atteignit
les oreilles de l'impératrice douairière qui ne dormait
pas du tout, mais qui, installée dans sa chambre, brodait
un dragon d'or sur une ceinture destinée à son fils.
Son rang aurait dû la dispenser de tels travaux, mais
elle ne savait pas lire et elle aimait broder. Elle entendit la voix de Yehonala et, comme sa broderie commençait à l'ennuyer, elle la posa et appela Yehonala : « Viens
ici ! Si on te dit que je dors, on te ment ! »

Yehonala eut un sourire enjôleur pour la servante
qui fronçait les sourcils.

« Personne ne dit que vous dormez, Vénérable, répondit-elle, c'est moi qui me suis trompée. »

Sur ce mensonge courtois, elle traversa les pièces.
Quand elle se trouva devant l'impératrice douairière,
restée en sous-vêtements à cause de la chaleur, elle
lui présenta son melon sur ses deux paumes.

« Ah ! s'écria la douairière, et moi qui pensais justement à des melons bien sucrés et qui en avais envie
d'un ! Tu tombes à point !

— Je vais ordonner à un eunuque de le suspendre
dans un puits situé au nord, pour le rafraîchir. »

Mais l'impératrice douairière ne voulait pas en
entendre parler.

« Non, non, protesta-t-elle, si ce melon tombe entre
les mains des eunuques, ils le mangeront en secret,
et, lorsque je le ferai chercher, ils m'en apporteront un
vert, ou ils diront que les rats l'ont mangé, ou bien qu'il
est tombé dans le puits et qu'ils ne peuvent pas le
rattraper. Je les connais, ces eunuques ! C'est maintenant que je vais le manger, il sera en sécurité dans mon
estomac. »

Elle tourna la tête et cria à la cantonade : « Qu'on m'apporte un grand couteau. »

Trois ou quatre servantes s'empressèrent d'exécuter l'ordre et, quand elles revinrent, Yehonala coupa délicatement le melon, en belles tranches, qu'elle tendit à l'impératrice douairière. Celle-ci se mit à dévorer aussi avidement qu'une enfant. Le jus sucré lui coulait le long du menton.

« Une serviette ! » s'écria Yehonala. La servante lui en apporta une qu'elle noua autour du cou de la vieille dame pour l'empêcher de salir son linge de soie.

« Mettez-en la moitié de côté, commanda l'impératrice douairière, lorsqu'elle eut assez mangé. Quand mon fils se présentera ce soir, comme d'habitude, à l'heure du coucher, je la lui donnerai. En tout cas, il faut la laisser ici, sans quoi un des eunuques la volera.

— Laissez-moi ! » s'empressa Yehonala.

Elle ne permit pas aux servantes de toucher le melon. Elle demanda un plat, y mit le melon et le couvrit d'un bol de porcelaine, puis posa le tout dans une cuvette remplie d'eau froide.

Elle se donnait tout ce mal afin que l'impératrice douairière en parlât à l'empereur lorsqu'il viendrait et que son nom fût prononcé devant lui.

Tandis qu'elle s'activait ainsi, Li Lien-ying ne perdait pas non plus son temps. Il soudoyait les serviteurs particuliers de l'empereur afin qu'ils surveillent leur maître et que, lorsque le souverain semblerait s'agiter, cherchant une femme des yeux, ils lui parlent de Yehonala.

Ainsi, d'une façon ou d'une autre, la chose fut faite, et le lendemain du jour où elle avait porté le melon, lorsque, dans la bibliothèque, Yehonala ouvrit son livre, elle y trouva un morceau de papier replié en plusieurs fois. Il ne contenait que deux lignes tracées d'une écriture grossière.

> *Le Dragon s'éveille à nouveau.*
> *Le jour du Phénix est arrivé.*

Elle savait qui avait écrit ces mots-là. Mais comment Li Lien-ying était-il au courant ? Elle ne le lui demanderait pas. La façon dont il remplissait sa mission devait rester secrète pour elle. Calmement, elle lisait son livre tandis que le vieux précepteur s'endormait, et se réveillait pour s'assoupir de nouveau ; et les heures passaient. Ce jour-là, elle devait prendre comme à l'ordinaire sa leçon de peinture au milieu de l'après-midi ; elle en était contente, car elle ne réussissait pas à fixer son attention sur les sages paroles d'un écrivain d'autrefois. Mais elle ne pouvait se permettre aucune distraction pendant les leçons de peinture que lui donnait une jeune femme très exigeante. C'était Lady Miao, une Chinoise, dont le mari était mort très jeune. En règle générale, les dames chinoises n'étaient pas reçues à la cour mandchoue, aussi autorisait-on Lady Miao à libérer ses pieds, à porter les cheveux coiffés très haut et à s'habiller à la mandchoue afin qu'extérieurement du moins elle ait l'aspect d'une Mandchoue. Si elle était l'objet de telles dérogations, c'est qu'elle avait atteint la perfection dans son art. Elle était issue d'une famille d'artistes chinois, mais elle surpassait même son père et ses frères, surtout dans la représentation des coqs et des chrysanthèmes, et elle était chargée d'enseigner son art aux concubines. Son impatience était égale à son talent, et elle refusait de donner des leçons à celles qui étaient peu douées ou rétives. Or, Yehonala possédait le talent et l'enthousiasme. Quand Lady Miao s'en aperçut, elle consacra toute son attention à cette fière jeune fille, mais tout en restant sévère et exigeante dans son rôle de professeur. Ainsi, elle n'avait pas encore permis à Yehonala de peindre d'après nature ; elle l'obligeait à étudier d'anciennes gravures sur bois et des estampes des maîtres d'autrefois afin que son esprit s'imprégnât de leur technique, de leur dessin et de leurs couleurs. Ce n'est qu'après de telles études qu'elle permit enfin à Yehonala de faire de la copie, mais en lui interdisant de travailler seule.

Ce jour-là, Lady Miao arriva comme d'habitude à quatre heures précises. Il y avait au palais impérial beaucoup d'horloges, offertes au cours des siècles par des personnalités étrangères ; il y en avait même tellement que trois eunuques consacraient leurs journées à les remonter. Mais Lady Miao méprisait les objets étrangers, qu'elle accusait de troubler le calme nécessaire à la peinture, et ne regardait que la clepsydre du vestibule.

Cette femme menue aurait été belle, n'étaient ses yeux trop petits. Elle portait ce jour-là une robe couleur prune et, sur ses cheveux coiffés en hauteur, la tiare ornée de perles des Mandchoues. L'eunuque qui l'accompagnait ouvrit un grand coffre pour en sortir les pinceaux, les couleurs et les godets. Yehonala restait debout en présence de son professeur.

« Asseyez-vous, asseyez-vous », dit Lady Miao.

Elle s'assit pour que Yehonala puisse l'imiter. Maintenant, Yehonala voyait encore un autre aspect du vaste pays et des peuples parmi lesquels elle vivait, et l'art séculaire de la Chine lui était révélé par le plus célèbre des artistes chinois, Ku K'ai-chih, qui vivait quinze siècles auparavant. Yehonala aimait spécialement les peintures de cet artiste ancien qui représentait des déesses chevauchant sur des nuages dans des chars tirés par des dragons. Cet artiste avait aussi représenté des scènes de la vie impériale sur un long rouleau de soie, auquel l'ancêtre impérial Ch'ien Lung avait, au siècle précédent, apposé son sceau privé, et où il avait écrit de sa propre main les mots suivants : « Ce tableau n'a rien perdu de sa fraîcheur. » Le rouleau avait plus de trois mètres de long sur vingt-cinq centimètres de large. Sur les neuf scènes royales qu'il représentait, la préférée de Yehonala était celle où un ours échappé à ses montreurs se précipite sur l'empereur, et où une dame se jette devant le Fils du Ciel pour le sauver. Yehonala trouvait que cette dame lui ressemblait. Grande, belle et hardie, elle se dressait les bras croisés et l'air courageux devant la bête, tandis que des gardiens accouraient, armés d'épieux. Yehonala aimait aussi la scène où l'on voyait l'empereur, l'impératrice et leurs deux fils, entourés de leurs gouvernantes et de leurs précepteurs ; elle trouvait ce tableau de famille plein de chaleur et de vie, et s'amusait des grimaces de révolte du plus jeune garçon et de ses expressions malicieuses, tandis qu'un barbier lui rasait le crâne. Si le Ciel le permettait, elle aussi aurait un fils comme lui.

La leçon d'aujourd'hui portait sur Wang Wei, un médecin né treize siècles auparavant, qui avait renoncé à l'art de ses ancêtres pour devenir poète et artiste.

« Aujourd'hui, commença Lady Miao de sa voix argentine, vous étudierez ces croquis de Wang Wei. Remarquez les feuilles de bambou qui se détachent délicatement sur un fond de roche sombre, remarquez aussi les branches de prunier en fleur mélangées aux chrysanthèmes. »

Elle n'autorisait d'autre sujet de conversation que la peinture, et Yehonala, toujours docile en présence de ses professeurs, l'écoutait et observait. Toutefois, elle se permit une remarque.

« N'est-ce pas étrange de voir sur la même page des

fleurs de prunier et des chrysanthèmes? N'est-ce pas une erreur de mélanger les saisons? »

Lady Miao n'était pas contente. « Il vaut mieux ne pas parler d'erreurs lorsqu'il s'agit de Wang Wei, dit-elle. Si le maître place des fleurs de prunier parmi des chrysanthèmes, c'est dans un but déterminé. Ce n'est pas une erreur. N'oubliez pas qu'un de ses tableaux les plus célèbres représente des feuilles de bananier sous la neige. Peut-on imaginer des feuilles de bananier sous la neige? Oui, puisque Wang Wei le peint. Méditez, je vous prie, sur la poésie de ce message. On dit parfois de Wang Wei qu'il est plus poète que peintre. Quant à moi, je trouve que ses poèmes sont des peintures, ses peintures des poèmes, et que là réside l'art. Peindre un état d'âme et non pas une réalité, c'est introduire l'idéal dans l'art. »

Tout en parlant, elle mélangeait ses couleurs, choisissait des pinceaux, observée par Yehonala. « Vous me demanderez pourquoi je vous fais copier les œuvres de Wang Wei, dit-elle. C'est pour vous faire acquérir la précision et la délicatesse. Vous possédez la patience. Mais la patience doit être éclairée et contrôlée de l'intérieur. Alors seulement elle devient du génie.

— J'aimerais poser une question à mon professeur, dit Yehonala.

— J'écoute », répondit Lady Miao. Son pinceau couvrait de traits fins et vigoureux une grande feuille de papier étalée sur une table carrée.

« Quand pourrai-je peindre à ma guise? » demanda Yehonala. Le pinceau du professeur resta un instant immobile et la dame lui lança un regard de côté sous ses cils à demi baissés. « Lorsque je ne pourrai plus vous commander. »

Yehonala ne dit rien. Le sens de la phrase était clair. Lorsqu'elle serait choisie par l'empereur, nul autre

que lui ne pourrait lui donner des ordres. Elle occuperait une situation trop élevée. Elle prit son pinceau
et s'appliqua à la copie des fleurs de prunier mêlées
aux chrysanthèmes. Au milieu de la nuit — elle ne savait
pas à quelle heure — on la secoua par les épaules pour
la réveiller. Elle n'avait pas pu s'endormir de bonne
heure, mais le sommeil avait fini par venir, très profond.
Aussi avait-elle l'impression de sortir d'un puits de ténèbres et, tout en s'efforçant d'ouvrir les yeux, elle entendait la voix de sa servante.

« Réveillez-vous, Yehonala, réveillez-vous ! vous êtes
mandée par l'empereur ! le Fils du Ciel vous appelle... »

Elle s'éveilla aussitôt. Brusquemment lucide, elle
repoussa les édredons de soie et descendit du lit
surélevé.

« Votre bain est prêt, murmura la femme. Vite,
entrez dans l'eau ! J'y ai versé du parfum. J'ai préparé
votre jolie robe, celle en satin mauve...

— Non, pas la mauve, trancha Yehonala, je prendrai
la robe couleur pêche. »

D'autres femmes entraient dans la chambre, bâillant
encore : la dame d'atours, la coiffeuse, la gardienne
des bijoux. Les concubines ne recevaient pas de bijoux
impériaux avant d'être mandées par l'empereur.

Yehonala s'agenouilla dans son bain, et une femme
lui savonna le corps pour le rincer ensuite.

« Maintenant, tenez-vous sur cette serviette, dit la
femme, je vais vous essuyer ; il faut parfumer les sept
orifices et surtout les oreilles... L'empereur aime les
oreilles des femmes. Les vôtres sont belles et petites.
N'oubliez pas non plus les narines ; quant aux lieux
intimes, c'est moi qui en suis chargée. »

Yehonala se soumettait à tous ces soins ; il fallait se
hâter. Li Lien-ying venait jusqu'à la porte la tenir au
courant de minute en minute : l'empereur était réveillé,

il buvait du vin et mangeait des petits pâtés de viande épicée.

« Ne perdez pas de temps, siffla l'eunuque d'une voix rauque à travers les rideaux. Si celle qu'il veut n'est pas prête, il en appelle une autre. Le Dragon n'est pas patient, je vous le dis.

— Elle est prête », s'écria la servante ; elle glissa deux bijoux en forme de fleur derrière les oreilles de Yehonala et la poussa vers la porte. « Allez, ma précieuse, allez, mon étoile, murmura-t-elle.

— Oh ! mon petit chien ! » s'écria Yehonala. La petite bête suivait sur ses talons.

« Non, non ! tonna Li Lien-ying, il ne faut pas emmener votre chien. »

Mais Yehonala, soudain effrayée, se pencha et prit l'animal minuscule dans ses bras.

« Je veux l'emmener ! s'exclama-t-elle en tapant du pied.

— Non ! hurla de nouveau Li Lien-ying.

— O dieux des enfers ! gronda la servante, affolée, laisse-la prendre son chien, espèce de cire de cordonnier ! Si tu la contraries, elle refusera d'y aller et alors que deviendrons-nous ? »

C'est ainsi que Yehonala s'en alla chez l'empereur à minuit, portant dans ses bras son petit lion, son chien miniature, et, depuis ce jour, Li Lien-ying, qui avait en effet été apprenti d'un cordonnier avant de se faire eunuque, fut surnommé : « Cire-de-cordonnier » par ceux qui le haïssaient et le craignaient.

Dans la douce obscurité de la nuit d'été, Yehonala suivait Li Lien-ying à travers les allées étroites de la Ville impériale ; il portait un lampion de papier huilé, dont la flamme éclairait juste ses pas. Yehonala était suivie de sa servante. Les pierres du chemin étaient humides de rosée, et cette rosée recouvrait chaque brin d'herbe comme de la gelée blanche. Dans le silence qui les entourait, on n'entendait, au loin, qu'un gémissement de femme.

Bien qu'elle n'eût jamais pénétré dans le palais de l'empereur, Yehonala, comme toutes les concubines, savait qu'il se dressait au cœur de la Ville interdite, au milieu des jardins impériaux, à l'ombre du temple appelé la Tour de la Pluie et des Fleurs — et dont le toit était soutenu par des piliers d'or encerclés de dragons. Ce temple renfermait trois autels où l'empereur adorait les dieux. Ainsi, depuis le temps du grand K'ang Hsi, tous les empereurs y étaient-ils venus faire leurs dévotions et s'attirer la protection des dieux.

Elle passa devant le temple et arriva aux grilles d'entrée du palais privé de l'empereur. Une grille s'ouvrit silencieusement devant elle et l'eunuque lui fit traverser une vaste cour intérieure, puis un immense vestibule et encore des couloirs silencieux et vides où veillaient d'autres eunuques, pour arriver enfin devant le double portail sculpté de dragons d'or. C'est là que l'attendait le chef des eunuques, An Teh-hai. Il était impressionnant, avec sa haute taille, son visage indéchiffrable et ses bras croisés; sa longue robe de satin broché couleur pourpre, serrée par une ceinture d'or, étincelait à la lumière des bougies piquées dans des candélabres de bois sculpté. Il ne parla pas à Yehonala, n'eut même pas l'air de la reconnaître, mais, d'un geste de sa main droite, il renvoya Li Lien-ying qui s'effaça avec déférence.

Tout à coup, le chef des eunuques vit la tête du petit chien dépasser de la manche.

« Yehonala, dit-il, vous n'avez pas le droit d'emporter ce chien dans la chambre du souverain. »

Yehonala leva la tête et fixa sur lui ses grands yeux noirs.

« Je n'irai pas sans lui », affirma-t-elle.

Elle avait prononcé ces paroles hardies d'une voix douce et indifférente comme s'il lui était égal d'entrer ou de ne pas entrer. An Teh-hai parut surpris : « Oserez-vous mettre au défi le Fils du Ciel ? » Sans répondre, elle caressait la tête lisse du petit chien.

Li Lien-ying se rapprocha. « Frère Aîné, dit-il, cette concubine a très mauvais caractère ; elle parle comme une enfant, mais elle est plus farouche qu'une tigresse. Nous la craignons tous. Si elle refuse d'entrer, il vaut mieux la renvoyer. Vraiment, il ne faut pas la forcer, car elle est plus têtue qu'une mule. »

Un rideau s'ouvrit brusquement derrière An Teh-hai, et un eunuque passa la tête. « On demande pourquoi tout ce retard, s'écria-t-il, on demande si l'empereur lui-même doit venir régler le différend ?

— Qu'on la laisse entrer avec le chien, Frère Aîné, conseilla Li Lien-ying, elle peut toujours le cacher dans sa manche ; si la bête est gênante, on peut l'emporter et la donner à la servante qui restera à la porte. »

Le chef des eunuques prit une expression sévère, mais Yehonala le regardait toujours de ses grands yeux innocents et il ne put que céder. Il grommela et protesta, mais il céda. Il la conduisit dans une autre pièce où pendaient des rideaux d'épais satin, jaune impérial, brodés de dragons de soie écarlate, qui cachaient une lourde porte de bois sculpté. Le chef des eunuques écarta les tentures, ouvrit la porte et fit signe à la jeune femme d'entrer. Cette fois, on la laissait seule. Le rideau retomba derrière elle. Elle se tenait devant l'empereur. Il était assis dans l'immense lit impérial dressé sur une estrade. Le lit était en bronze et soutenu par des piliers où s'entrelaçaient des dragons sculptés. Du sommet de ces piliers, reliés par un treillage également de bronze, retombaient des filets aux trames d'or

contenant des fruits et des fleurs sculptés et retenus
par les pattes à cinq griffes des dragons impériaux.
L'empereur reposait sur un matelas de satin jaune
orné de dragons brodés, et il s'appuyait sur des coussins semblables à des édredons. Il portait une chemise
de soie rouge à manches longues, serrée autour du cou,
et croisait ses mains fines et douces. Yehonala ne l'avait
vu qu'une fois, le jour de la présentation, et, ce jour-là,
il portait une couronne impériale; maintenant aucune
coiffure ne cachait ses cheveux courts et noirs. Il avait
un visage long et étroit dominé par un front saillant et
trop bombé. L'homme et la femme se regardaient. Il
lui fit signe d'approcher. Lentement, les yeux fixés sur
son visage, elle approcha. Puis elle s'arrêta de nouveau.

« Tu es la première femme qui soit jamais entrée dans
cette chambre la tête haute, dit-il d'une voix fluette et
aiguë; elles ont toutes peur de me regarder. »

Sakota, pensa-t-elle, était sûrement entrée la tête
basse. Où était Sakota, dans quelle pièce proche dor-
mait-elle? Sakota aussi s'était tenue là, soumise, effrayée,
muette.

« Je n'ai pas peur, affirma Yehonala d'une voix douce,
voyez, j'ai même apporté mon petit chien. »

Les concubines oubliées lui avaient dit comment
s'adresser au Fils du Ciel. On ne doit jamais lui parler
comme à un simple mortel, il faut lui donner les titres
de « Seigneur-des-dix-mille-années », ou de « Très
Vénérable ». Mais Yehonala s'adressait à lui comme à
un homme.

Elle caressait la tête de son chien. « Avant de venir
ici, dit-elle, je n'en avais jamais eu, j'avais bien entendu
parler de ces petits chiens et voilà maintenant que j'en
ai un à moi. »

L'empereur la regardait fixement, comme s'il ne savait
quoi répondre à des paroles aussi puériles.

« Viens t'asseoir près de moi et dis-moi pourquoi tu
ne me crains pas. »

Elle monta sur l'estrade et s'assit sur le bord du lit,
face à lui, le petit chien dans ses bras. Le minuscule
animal renifla l'air parfumé et éternua. « Quel est ce
parfum qui fait éternuer mon petit chien ? demanda-
t-elle.

— C'est du bois de camphre, dit l'empereur, mais
dis-moi pourquoi tu ne me crains pas. »

Elle sentait sur elle, sur son visage, ses lèvres, ses
mains qui caressaient le chien, les yeux de l'homme.
Prise d'un frisson soudain, bien qu'on fût en été et que
la brise de l'aube ne fût pas encore levée, elle baissa la
tête comme pour regarder son chien. Mais elle s'obligea
à la relever pour regarder l'homme et lui parla d'une
voix douce, comme celle d'une enfant :

« Je connais mon destin.

— Et comment connais-tu ton destin ? »

La situation commençait à l'amuser. Un faible sourire retroussa ses lèvres minces ; ses yeux sombres perdaient de leur froideur.

« Lorsque j'ai reçu la convocation, dit-elle de la même
voix douce, j'étais dans la maison de mon oncle qui est
aussi mon tuteur depuis la mort de mon père. Aussitôt,
je suis allée au temple dressé sous les grenadiers pour y
prier ma Déesse, Kuan Yin. J'y ai brûlé de l'encens et
alors... » Elle se tut, ses lèvres tremblèrent. Elle essaya
de sourire.

« Et alors ? demanda l'empereur, enchanté par ce beau
visage si jeune et si doux.

— Il n'y avait pas de vent ce jour-là, dit-elle, la fumée
de l'encens montait tout droit au-dessus de l'autel ;
elle formait une nuée odorante, et dans cette nuée
j'ai vu un visage...

— Un visage d'homme », dit-il.

Elle acquiesça de la tête, comme une enfant trop timide pour répondre.

« Était-ce le mien ? interrogea-t-il.

— Oui, majesté, répondit-elle, votre visage impérial ! »

Deux jours et deux nuits... et elle était encore dans la chambre de l'empereur ! Trois fois, il s'était endormi, et chaque fois elle avait couru à la porte avertir sa servante qui l'avait conduite dans le boudoir voisin. Les eunuques y tenaient toujours prête une marmite d'eau chaude posée sur des charbons, de sorte que la servante n'avait qu'à puiser de l'eau dans un pichet de porcelaine pour faire la toilette de sa maîtresse. Elle lui mettait d'autres vêtements et la recoiffait. La jeune femme ne parlait que pour lui donner des ordres, et la servante ne posait aucune question. Quand elle était prête, Yehonala retournait dans la chambre impériale et l'on refermait les lourdes portes derrière leurs tentures jaunes.

Elle s'asseyait dans un fauteuil, près de la fenêtre, pour attendre le réveil de l'empereur. Tout était accompli. Elle savait maintenant ce qu'était cet homme : un être faible et capricieux, possédé par une passion qu'il ne pouvait jamais satisfaire, une luxure de l'esprit plus effroyable que celle de la chair. Lorsqu'il était frustré, il pleurait sur la poitrine de Yehonala. Tel était le Fils du Ciel.

Pourtant, lorsqu'il s'éveillait, elle se montrait douce et soumise. Quand il eut faim, elle envoya chercher le chef des eunuques et lui ordonna d'apporter les plats préférés de son souverain. Elle partagea le repas de l'empereur et nourrit son petit chien de morceaux de viande ; de temps à autre, elle ouvrait la fenêtre et

lâchait l'animal dans la cour. Le repas terminé, l'empereur commanda au chef des eunuques de tirer les
rideaux pour cacher le soleil qui entrait par les fenêtres,
de les laisser seuls et de ne pas revenir sans ordre.
De plus, il refusa de recevoir ses ministres, ce jour-là
et le jour suivant, et tant que bon lui semblerait.

An Teh-hai prit un air grave. « Majesté, de mauvaises
nouvelles nous viennent du Sud, car les rebelles T'ai
P'ing se sont emparés de la moitié d'une autre province.
Vos ministres et vos princes attendent une audience
avec impatience.

— Je n'irai pas ! » Le Fils du Ciel prit un air maussade et se laissa aller sur ses oreillers.

Il ne restait au chef des eunuques qu'à se retirer.

« Barricade les portes », recommanda l'empereur à
Yehonala.

Elle barricada les portes et, quand elle se retourna
vers lui, elle vit, fixé sur elle, son affreux regard où
brûlait un désir inassouvi.

« Viens ici, murmura-t-il, j'ai retrouvé mes forces. Le
repas m'a rendu ma vigueur. »

Elle dut de nouveau se soumettre à lui. Cette fois,
c'était vrai qu'il avait retrouvé sa vigueur, et elle se
rappela des racontars des concubines oubliées. Celles-ci
chuchotaient que, si l'empereur s'attardait trop dans sa
chambre, on mélangeait à ses plats des herbes aux vertus
puissantes qui lui donnaient des forces soudaines et
peu ordinaires. Mais de ce produit dangereux il ne
fallait pas abuser, sous peine de provoquer un épuisement dont l'issue pouvait être fatale.

Le troisième matin, l'empereur atteignit cet état
d'épuisement. Il s'affaissa sur ses oreillers à demi évanoui, les lèvres bleues, les yeux mi-clos, incapable de
bouger, son visage mince envahi progressivement par

une pâleur verdâtre qui, sur cette peau jaune, prenait des apparences de mort. Très effrayée, Yehonala se précipita à la porte pour chercher des secours. Elle n'eut pas le temps d'appeler que, déjà, le chef des eunuques accourait, car il prévoyait ce dénouement.

« Qu'on appelle immédiatement les médecins de la cour », ordonna-t-elle.

Elle avait l'air si froid et si fier, ses grands yeux étincelaient si noirs qu'An Teh-hai obéit.

Yehonala retourna au chevet de l'empereur. Celui-ci dormait. Elle abaissa son regard sur ce visage inanimé et, soudain, elle eut envie de pleurer. Elle frissonnait, saisie par une étrange sensation de froid qui l'avait surprise au long de ces deux jours et de ces trois nuits. Elle se dirigea vers la porte et l'entrouvrit juste assez pour se glisser au-dehors. Sa servante l'attendait, assise sur un tabouret de bois, fatiguée par ses veilles. Yehonala lui mit la main sur l'épaule et la secoua doucement.

« Je veux retourner à mes appartements, dit-elle.

— Où est votre petit chien ? » demanda la femme.

Yehonala posa sur elle un regard vide. « Je l'ai sorti dans la cour au milieu de la nuit... je ne sais plus.

— Peu importe. » La femme avait pitié d'elle. « Venez, venez avec moi, prenez la main de votre vieille servante ! »

Yehonala se laissa conduire le long des couloirs étroits. Le jour se levait et le soleil naissant illuminait les murs roses tandis qu'elle retournait à sa demeure solitaire. Là, la servante s'affaira tout en bavardant pour réconforter sa maîtresse.

« On dit partout qu'aucune autre concubine n'est restée aussi longtemps avec le Fils du Ciel. La princesse consort elle-même ne passait jamais plus d'une nuit avec lui. Cet eunuque, Li Lien-ying, dit qu'à présent c'est vous la favorite. Vous n'avez plus rien à craindre. »

Yehonala sourit, mais ses lèvres tremblaient. « Vraiment, on dit cela ? » Ses mouvements et son port de tête n'avaient rien perdu de leur grâce habituelle. Mais une fois baignée et revêtue de sa robe de nuit en pure soie, couchée dans son propre lit, à l'abri des rideaux tirés, elle fut, une fois seule, prise de frissons mortels. Elle devrait garder le silence sa vie entière, car elle ne pouvait se confier à personne. Non, à personne. Elle n'avait pas d'amis. Elle était seule. Jamais elle n'aurait cru connaître une telle solitude. Il n'y avait personne !

Personne ? mais Yung Lu n'était-il pas toujours son parent ? Il restait son cousin, car nul ne peut briser les liens du sang. Elle s'assit sur son lit, se sécha les yeux et frappa dans ses mains pour appeler sa servante.

« Qu'y a-t-il ? demanda la femme en ouvrant la porte.

— Envoie-moi l'eunuque Li Lien-ying ! »

La servante hésitait. L'indécision se lisait clairement sur son visage rond.

« Bonne maîtresse, ne vous liez pas trop avec cet eunuque. Que peut-il pour vous désormais ? »

Mais Yehonala s'entêta. « Quelque chose que lui seul peut faire. »

La femme s'éloigna, toujours indécise, et trouva l'eunuque qui accourait en hâte, plein d'espoir.

« Que veut mon Phénix ? » demanda-t-il.

Yehonala écarta le rideau. Elle portait maintenant une robe de couleur sombre. Dans son visage pâle et grave, ses yeux s'ombraient de cernes, mais elle parla avec beaucoup de dignité.

« Amène-moi mon parent, mon cousin-frère, Yung Lu.

— Le capitaine des porte-étendard impériaux ? demanda Li Lien-ying, surpris.

— Oui », dit-elle d'un air hautain.

Il s'éloigna, dissimulant un sourire derrière sa manche.

Elle laissa retomber le rideau et entendit les pas de l'eunuque qui s'éloignait. Lorsqu'elle serait au pouvoir, se promit-elle, elle élèverait Yung Lu de telle sorte que nul, même pas un eunuque, n'oserait le traiter de simple garde. Elle le nommerait duc, et même peut-être grand conseiller. Tandis qu'elle nourrissait de telles pensées, un élan soudain lui gonfla le cœur, au point qu'elle en fut effrayée. Que pouvait-elle demander à son parent si ce n'était de la réconforter par sa présence et ses conseils ?

Oh ! comme elle avait tort de l'envoyer chercher puisqu'elle ne pouvait rien lui raconter de ces deux jours et de ces trois nuits, ni lui dire à quel point elle était changée ! Pouvait-elle lui confier qu'elle souhaitait n'être jamais entrée dans la Ville interdite ? Pouvait-elle le supplier de l'aider à s'échapper ? Elle se laissa glisser à terre, posa la tête contre le mur et ferma les yeux. Une douleur insolite s'éveilla au plus profond de ses entrailles. Elle espérait qu'il ne viendrait pas. Vain espoir, elle entendait déjà ses pas.

Il était venu instantanément, il était à la porte et la voix de Li Lien-ying résonnait à travers le rideau. « Dame, votre cousin est là. »

Elle se leva sans penser à se regarder dans une glace. Yung Lu la connaissait telle qu'elle était. Inutile de se faire belle pour lui. Elle écarta le rideau : il se tenait devant elle.

« Entre, cousin.

— Non, sors, nous ne devons pas nous rencontrer dans ta chambre.

— Pourtant, je dois te parler seule à seul », protesta-t-elle, car Li Lien-ying attendait, l'oreille tendue, avide d'écouter.

Mais Yung Lu ne voulait pas entrer et elle fut forcée de sortir de sa chambre. Quand il vit son visage si blanc aux lèvres décolorées et aux yeux très noirs, il en conçut de l'inquiétude et il l'accompagna dans la cour, où elle interdit à l'eunuque de les suivre. Seule, sa servante restait sur les marches afin que l'on ne pût pas dire qu'elle était restée seule avec un homme, cet homme fût-il son cousin.

Elle ne devait même pas lui toucher la main, et lui ne pouvait risquer aucun geste, bien qu'elle désirât tellement ce contact. Elle s'écarta le plus possible de la porte et s'assit sur un siège de porcelaine sous un bouquet de palmiers-dattiers, à l'autre extrémité de la cour.

« Assieds-toi », dit-elle. Mais Yung Lu ne voulait rien savoir. Il restait debout devant elle, aussi raide que lorsqu'il montait la garde devant les grilles de l'empereur.

« Ne veux-tu point t'asseoir ? » Elle leva vers lui un regard suppliant.

« Non, je ne suis ici que sur ton ordre. »

Elle céda. « Es-tu au courant ? » demanda-t-elle d'une voix si basse qu'un oiseau perché au-dessus d'elle sur une branche n'aurait pu l'entendre.

« Je suis au courant, répondit-il sans la regarder.

— C'est moi la nouvelle favorite.

— Oui, cela aussi je le sais. »

Tout fut dit en ces quelques mots ; qu'aurait-il pu ajouter puisqu'il ne voulait pas parler ? Elle ne quittait pas des yeux son visage, ce visage qu'elle connaissait si bien, et le comparait en pensée au visage impérial, mince et décharné, au teint malsain. Celui de Yung Lu était jeune et beau, les grands yeux sombres exprimaient la vigueur, les lèvres était fermes et charnues, le menton volontaire. C'était un visage d'homme.

« J'ai été stupide », dit-elle.

Il ne répondit pas. Qu'avait-il à répondre ?

« Je veux rentrer à la maison. »

Il croisa les bras et s'obligea à regarder une feuille de palme.

« Ta maison est ici. »

Elle se mordit les lèvres. « Je veux que tu me sauves. »

Il ne bougea pas. Un témoin aurait pu dire que Yung Lu se tenait en subordonné devant cette femme assise sous son bouquet d'arbres. Mais il permit à son regard de s'abaisser sur le beau visage tourné vers lui. Elle lut sa réponse dans ses yeux.

« Oh! mon cœur, si je pouvais seulement te sauver! mais c'est impossible! »

La douleur insolite qu'elle ressentait dans son corps en fut soudain soulagée.

« Alors, tu ne m'oublies point!

— Ni la nuit, ni le jour, je ne t'oublie.

— Que dois-je faire?

— Tu connais ton destin. C'est toi qui l'as choisi. »

Sa lèvre inférieure tremblait; des larmes brillèrent dans ses yeux noirs. « Je ne savais pas à quoi je m'exposais, bégaya-t-elle.

— Ce qui est fait est fait. On ne peut pas retourner en arrière; tu ne peux pas redevenir ce que tu étais avant. »

Incapable de parler, elle baissa la tête pour empêcher les larmes de couler le long de ses joues; elle n'osa les essuyer de peur que l'eunuque l'épiât.

« Tu as choisi la grandeur, dit-il dans le silence. Donc il te faut être grande. »

Elle ravala ses larmes, mais elle n'osait toujours pas relever la tête. « Seulement si j'ai ta promesse, bredouilla-t-elle d'une petite voix tremblante.

— Quelle promesse?

— Que tu viendras toujours quand je te ferai chercher. J'ai besoin de cette certitude et de ce réconfort. Sans quoi je ne pourrai supporter un telle solitude. »

Elle vit son front se couvrir de sueur sous les rayons du soleil qui filtraient à travers les branches.

« Je répondrai toujours à ton appel. Envoie-moi chercher chaque fois qu'il le faudra. Mais seulement quand il le faudra. Je vais soudoyer cet eunuque — une chose que je n'ai encore jamais faite —, soudoyer un eunuque ! Je sais que je me mets en son pouvoir, mais je le ferai. »

Elle se leva. « J'ai ta promesse. » Elle lui lança un long regard et serra ses mains l'une contre l'autre pour n'être pas tentée de les lui tendre.

« Tu me comprends ? interrogea-t-elle.

— Oui.

— Cela suffit. » Elle passa devant lui et, le laissant dans le jardin, rentra directement dans sa chambre. Le rideau retomba derrière elle.

Pendant sept jours et sept nuits, Yehonala refusa de quitter son lit. Les couloirs du palais résonnaient de chuchotements : elle était malade, elle était en colère, elle avait essayé d'avaler ses boucles d'oreilles en or, elle ne voulait plus se donner à l'empereur. Car, aussitôt que les médecins avaient déclaré l'empereur remis de l'effet de leur puissante drogue, il l'avait mandée. Mais elle avait refusé d'obéir. C'était la première fois dans l'histoire de la dynastie qu'une concubine impériale se refusait à l'empereur, et personne ne savait que faire de Yehonala. Elle restait dans son lit, sous l'édredon de satin rose, et elle refusait d'adresser la parole à qui que ce fût, sa servante exceptée. L'eunuque Li Lien-ying était hors de lui en voyant ses plans contrariés et son but lui échapper. Mais elle ne lui permettait même pas de soulever le rideau de sa porte.

« Laisse-les croire que je vais mourir, dit-elle à sa servante, du moins est-il vrai que je ne tiens pas à vivre ici. »

La femme transmit le message à l'eunuque, qui en grinça des dents. « Si l'empereur n'était pas fou d'amour, ce serait facile, gronda-t-il, elle pourrait tomber dans un puits ou mourir empoisonnée, mais il la veut vivante, et tout de suite. »

Enfin, le chef des eunuques lui-même se rendit auprès d'elle, mais sans plus de succès. Yehonala refusa de le voir. Elle gardait ses boucles d'oreilles sur une petite table près de son lit où se trouvaient également son bol à thé et sa théière en terre cerclée d'argent.

« Que ce chef des eunuques franchisse mon seuil, déclara-t-elle d'une voix assez forte pour qu'il l'entendît, et j'avale mes boucles d'oreilles ! »

Ainsi s'écoula un jour, puis un autre, puis encore un autre. L'empereur devenait maussade et soupçonneux et accusait les eunuques de retarder la venue de Yehonala dans l'espoir d'une récompense.

« Elle se montrait très obéissante avec moi, affirma-t-il, elle faisait tout ce que je voulais. »

Personne n'osait lui dire que cette belle jeune fille le trouvait haïssable, et jamais son esprit impérial n'aurait pu concevoir une telle idée. Mais il se sentait fort et puissant, et il ne voulait pas gaspiller ses forces avec une autre concubine tandis qu'il aimait Yehonala. En vérité, il n'avait jamais aimé une femme autant qu'elle et, sachant qu'avec les autres sa passion s'apaisait vite, il se réjouissait de constater qu'au bout de sept jours il la désirait plus que jamais. Ce retard l'impatientait d'autant plus.

A la fin du troisième jour, An Teh-hai aussi était hors de lui. Il décida d'aller trouver l'impératrice douairière pour la mettre au courant : sûre de son pouvoir, Yehonala refusait d'obéir à l'empereur.

« Je n'ai jamais entendu parler d'une femme pareille dans toute l'histoire de notre dynastie ! s'exclama l'impératrice douairière. Que les eunuques l'amènent de force à mon fils. »

Le chef des eunuques hésitait. « Vénérable, je ne crois pas à l'efficacité de cette méthode. Il faut persuader cette femme, car je vous assure qu'on ne peut la contraindre. Elle est si forte (elle est plus vigoureuse que le Fils du Ciel, malgré sa souplesse de jeune saule) qu'elle n'hésiterait pas à le mordre ou à le griffer au visage.

— Quelle horreur ! » L'impératrice douairière était vieille et souffrait du foie, aussi passait-elle de longues heures au lit. Toute menue sous le grand dais, elle semblait perdue au fond d'une cave.

Elle hésitait. « Il n'y a personne dans le palais capable de la persuader ?

— Vénérable, la princesse consort est sa cousine germaine », suggéra le chef des eunuques. L'impératrice douairière en fut choquée. « Il n'est pas normal qu'une princesse consort force une concubine à se rendre près de son seigneur l'empereur.

— Ni normal, ni convenable, Vénérable », approuva le chef des eunuques.

La vieille dame resta silencieuse si longtemps qu'il la crut endormie. Mais elle ne dormait pas. Au bout d'un moment, elle releva les paupières et dit : « Que cette Yehonala se rende donc elle-même au palais de la princesse consort.

— Vénérable, et si elle ne veut pas ?

— Comment cela, si elle ne veut pas ?

— Elle a refusé d'aller chez le Fils du Ciel lui-même. »

L'impératrice douairière gémit : « Je te le dis, je n'ai jamais vu une femme aussi farouche ! Eh bien, la princesse consort est douce. Dis-lui que Yehonala est malade et suggère-lui d'aller la voir.

— Oui, Vénérable. » Le chef des eunuques avait

obtenu exactement les ordres qu'il voulait. Il se leva
pour s'y conformer. « Dormez en paix, Vénérable.

— Va-t'en, cria l'impératrice douairière, je suis
trop vieille pour m'occuper des conflits entre hommes
et femmes. »

Il s'en alla à pas de loup et elle s'endormit. Il se rendit immédiatement au palais de la princesse consort et
trouva Sakota occupée à broder des museaux de tigres
sur des petits chaussons destinés à son bébé. Il
s'exclama de la voir ainsi absorbée. « La princesse impériale n'a-t-elle donc pas de femmes qui brodent pour
elle ?

— Mais si ! Mais je n'ai rien à faire. Je ne suis pas
aussi intelligente que ma cousine Yehonala. Je n'ai pas
envie de lire des livres ou d'apprendre la peinture.

— Ah ! » Il restait debout devant elle. D'un geste,
elle lui fit signe de s'asseoir. Au troisième doigt de sa
main droite, elle portait son dé : un anneau d'or lui
encerclait la deuxième jointure.

« C'est au sujet de votre cousine que je suis venu
vous voir, dame. Et sur l'ordre de l'impératrice douairière. »

Elle leva sur lui ses jolis yeux. « Oh ! »

Le chef des eunuques toussota. « Votre cousine nous
donne beaucoup de mal.

— Vraiment ?

— Elle refuse d'obéir à la convocation impériale. »

Sakota laissa retomber sa tête menue sur sa broderie
et devint rose comme une fleur de pêcher. « Pourtant
j'ai entendu... Mes femmes m'ont dit...

— En effet, elle a gagné les faveurs de l'empereur,
reconnut-il, mais elle ne veut pas retourner auprès
de lui. »

Les joues de Sakota s'empourprèrent encore plus.
« Qu'ai-je à voir dans cette affaire ?

— Il est possible qu'elle accepte de vous écouter, vous, la princesse consort », suggéra-t-il.

Sakota réfléchit, brodant lentement, avec une extrême délicatesse, l'œil jaune du tigre sur le minuscule chausson. « Est-ce là une requête convenable à me présenter ? » dit-elle enfin.

Le chef des eunuques répondit carrément :

« Non, en vérité, dame. Pourtant, il nous faut nous souvenir que le Fils du Ciel n'est pas un homme ordinaire. Nul n'a le droit de lui désobéir.

— Il l'aime donc tellement ! murmura Sakota.

— Qui pourrait le blâmer ? » murmura-t-il en réponse.

La frêle jeune femme soupira, rangea sa broderie sur la petite table incrustée d'ivoire qui se trouvait près d'elle, puis elle joignit les mains. « Nous avons toujours été sœurs, dit-elle d'une voix douce et plaintive. Si elle a besoin de moi, j'irai auprès d'elle.

— Dame, je vous remercie, dit le chef des eunuques. Je vous accompagnerai moi-même et je vous attendrai. »

C'est ainsi que, ce jour-là, Yehonala, toujours couchée dans son lit, les yeux secs mais submergée de désespoir, vit sa cousine sur le seuil de la porte. Elle commençait à détester la vie et à regretter d'avoir choisi la grandeur maintenant qu'elle en connaissait le prix.

« Sakota ! » gémit-elle en lui tendant les bras.

Sakota se précipita vers elle, touchée par un tel cri, et les deux jeunes femmes s'étreignirent en pleurant. Ni l'une ni l'autre n'osait évoquer ce que toutes les deux se rappelaient, et Sakota savait que Yehonala autant qu'elle détestait ces souvenirs.

« Oh ! pauvre sœur, soupira-t-elle en pleurant. Trois nuits ! et je n'en ai eu qu'une...

— Je ne retournerai pas près de lui », souffla Yehonala. Elle faillit étouffer sa cousine sous son étreinte. Sakota se laissa tomber auprès d'elle sur le lit.

« Oh! ma sœur, mais il le faut! Songe à ce qu'ils peuvent te faire! Nous ne nous appartenons plus, désormais. »

Alors, dans un murmure, à cause des oreilles indiscrètes des eunuques, Yehonala lui ouvrit son cœur : « Sakota, c'est bien pire pour moi que pour toi; tu n'aimes pas un autre homme, n'est-ce pas? Hélas! moi, je sais maintenant que j'aime. C'est bien mon malheur! Si je n'aimais pas, je pourrais être indifférente. Qu'est-ce qu'un corps de femme? Ce n'est qu'un objet que l'on peut garder ou donner. Il ne renferme aucun orgueil s'il n'y a pas d'amour en jeu. Il ne prend toute sa valeur que si l'on aime et qu'on est payée de retour. »

Nul besoin de prononcer un nom. Sakota savait qu'il s'agissait de Yung Lu.

« Il est trop tard, ma sœur », dit Sakota. Elle caressa les joues mouillées de larmes de Yehonala.

« Il n'y a pas d'issue maintenant, ma sœur. »

Yehonala repoussa sa cousine.

« En ce cas, je dois mourir, dit-elle d'une voix brisée, car en vérité je ne tiens pas à vivre. » Elle laissa tomber sa tête sur l'épaule de sa cousine et se reprit à pleurer.

Cette petite Sakota avait un cœur tendre; aussi, tout en apaisant Yehonala par des caresses sur le front et les joues, cherchait-elle dans son cœur un moyen de l'aider. Quitter le palais ou même la Ville interdite, il n'y fallait pas songer. Si une concubine s'échappait, il n'existait aucune place au monde pour l'accueillir. Si Yehonala retournait dans la maison de son oncle, le père de Sakota, la famille entière pourrait payer de sa vie son péché. Et pourtant, où une femme pourrait-elle se cacher si ce n'est près de sa famille? Au milieu d'étrangers, tout le monde ne demande-t-il pas à savoir qui elle est? Et d'ailleurs, si une concubine s'enfuyait

du palais de l'empereur, le scandale ne serait-il pas
aussitôt connu de tous ? Non, le seul secours et le seul
réconfort possibles, il fallait les chercher à l'intérieur
même de ces murs. Les intrigues n'y manquaient pas et,
si aucun homme, à part le Fils du Ciel, n'avait le droit
d'y dormir la nuit, les femmes n'en recevaient pas moins
leurs amants dans la journée.

Mais comment pourrait-elle, elle, la princesse consort,
s'abaisser à acheter des eunuques et à se mettre en leur
pouvoir ? Impossible ! Non seulement la peur, mais la
délicatesse l'en empêcheraient.

« Ma chère cousine, dit-elle en dissimulant ses pensées,
il te faut parler à Yung Lu. Demande-lui de dire à mon
père que tu ne peux pas rester ici. Peut-être mon père
pourra-t-il te racheter, ou t'échanger contre une autre,
ou encore dire que tu es devenue folle. Pas tout de suite,
tu comprends bien, car il paraît que notre Seigneur
éprouve une grande passion pour toi. Mais plus tard,
cousine, quand ton heure sera passée et qu'une autre
aura pris ta place, cela sera peut-être faisable. »

Sakota donnait ces conseils en toute innocence, car
elle n'aimait aucun homme et elle n'était pas jalouse.
Mais Yehonala souffrit aussitôt dans son orgueil. Quoi,
serait-elle un jour écartée ? Si Sakota en parlait c'est que
cela se murmurait parmi les femmes et les eunuques.
Elle se redressa dans son lit et repoussa ses cheveux
emmêlés.

« Je ne peux pas demander à mon cousin de venir
me voir, tu le comprends bien, Sakota ? Les racontars
se répandraient comme une traînée de feu. Mais toi,
Sakota, tu peux l'envoyer chercher. Il est ton cousin
aussi. Fais-le venir et dis-lui que je vais sûrement me
tuer ; dis-lui que personne ne m'en empêchera si je
veux me libérer. Car c'est ici une prison, Sakota, nous
sommes toutes en prison !

— Je n'y suis pas malheureuse, affirma doucement Sakota. J'y trouve beaucoup d'agrément. »

Yehonala lança un regard de côté à sa cousine. « Oh ! toi, tu es heureuse n'importe où, pourvu qu'on te laisse tranquille et que tu puisses broder !... »

Sakota baissa les yeux et les coins de sa petite bouche tremblèrent. « Et que faire d'autre, cousine ? » demanda-t-elle tristement.

Yehonala rejeta brusquement ses cheveux en arrière, les saisit dans sa main et les tordit en un gros chignon, « Voilà ! voilà ! voilà !... C'est justement ce que je te disais ! Il n'y a rien à faire ! Je ne peux pas même passer la tête par une grille pour voir si on joue une pièce au coin de la rue ; je n'ai pas vu la moindre pièce depuis que je suis ici et cependant tu sais comme j'aime le théâtre. Mes livres, oui. Ma peinture ? oui, je peins. Pour qui ? Pour moi ! Eh bien, cela ne me suffit pas ! Pas encore. Et la nuit !... » Elle frissonna, ramena ses jambes contre son corps et reposa sa tête sur ses genoux.

Sakota garda le silence pendant un long moment. Puis, sachant qu'elle ne trouverait aucun réconfort pour cette jeune femme au cœur orageux qu'elle ne comprenait pas puisque aucun orage n'a jamais pu changer la condition d'une femme, elle se leva.

« Ma chère cousine, dit-elle de sa voix la plus caressante, je vais m'en aller pour que tu te laisses baigner et habiller, et que tu manges ensuite un de tes plats favoris. Alors je t'enverrai notre parent, mais il ne faudra pas que tu refuses de le voir, car c'est moi qui en aurai décidé ainsi pour ton bien. Et, s'il y a des racontars, je dirai qu'il est venu sur mon ordre. »

Elle posa sa main si légèrement sur la tête toujours penchée de Yehonala qu'elle n'y pesa pas plus qu'une feuille. Puis elle se retira.

Après son départ, Yehonala se rejeta sur ses oreillers

et y resta aussi immobile qu'une statue, les yeux ouverts et fixés sur le baldaquin au-dessus d'elle. Une idée fantastique prenait naissance dans son cerveau, un rêve, un projet, un dessein réalisables seulement sous la protection de Sakota, Sakota la princesse impériale, que son titre maintenait au-dessus de tout soupçon.

Lorsque sa servante, osant à peine parler, jeta un coup d'œil dans la chambre, Yehonala tourna la tête.

« Je vais prendre mon bain maintenant, dit-elle, et je vais mettre une robe neuve. Ma robe vert pomme, par exemple, et puis tu m'apporteras à déjeuner.

— Oui, ma reine, oui, mon petit pigeon », et la femme fort contente s'empressa. Elle laissa retomber les rideaux et Yehonala l'entendit trotter dans les corridors, empressée à lui obéir.

Au milieu de l'après-midi, deux heures avant le couvre-feu qui écartait tous les hommes de la cité de l'empereur, Yehonala entendit résonner les pas qu'elle attendait. Après le départ de Sakota, elle avait passé la journée seule dans son appartement, dont elle avait interdit l'entrée à quiconque. Seule restait sa servante, assise devant sa porte. Yehonala lui dit en toute franchise :

« Je traverse une pénible épreuve. Ma cousine, la princesse consort, connaît ma souffrance. Elle a ordonné à notre cousin de venir me voir pour que je lui raconte mes peines et qu'il les soumette à mon tuteur. Pendant sa visite, tu resteras à la porte. Tu n'entreras pas et tu ne laisseras personne jeter le moindre regard dans ma cour. Comprends bien que, s'il vient, c'est sur l'ordre de la princesse consort.

— Maîtresse, je comprends », dit la femme.

Ainsi les heures avaient passé et la femme était restée dehors tandis que Yehonala attendait derrière la porte fermée aux rideaux baissés. Elle était assise, en apparence oisive, mais son esprit était fort actif et son cœur plein de tumulte. Arracherait-elle à Yung Lu une décision contraire à sa droiture? Elle y était résolue.

Il arriva enfin, deux heures avant le couvre-feu. Elle entendit son pas, le pas ferme d'un homme de haute stature. Elle l'entendit demander si Yehonala dormait, et la servante lui répondit que sa maîtresse l'attendait.

La porte s'ouvrit et se referma, et Yehonala vit une main, sa grande main douce qu'elle connaissait si bien, se poser en hésitant sur le rideau intérieur. Rigide dans son fauteuil de bois sculpté, elle attendit. Alors il écarta le rideau, s'immobilisa devant elle, et ils échangèrent un long regard. Elle sentit son cœur bondir dans sa poitrine. Soudain, ses yeux se remplirent de larmes et ses lèvres se mirent à trembler.

Elle n'aurait rien pu trouver de plus efficace pour ébranler sa volonté. Il l'avait déjà vue pleurer de douleur et sangloter de rage, mais il ne l'avait jamais vue verser des larmes silencieuses, prostrée dans un désespoir aussi profond que si sa vie entière était brisée.

Il poussa un grand gémissement en lui tendant les bras et avança vers elle. Elle, ne voyant que ces bras tendus, se leva et courut à lui sans réfléchir. Elle sentit ses bras se refermer autour d'elle. Ainsi embrassés, muets, plongés dans une effroyable extase, immobiles, joue contre joue, ils oublièrent le temps. Mais enfin leurs lèvres se rencontrèrent. Alors il s'arracha à elle.

« Tu sais que tu ne peux quitter ces lieux, gémit-il, c'est ici même que tu dois trouver ta liberté, car il ne reste plus d'asile pour toi. »

Elle l'écoutait, mais sa voix ne lui parvenait que de très loin, car elle ne savait qu'une seule chose : il la tenait dans ses bras.

« Plus tu t'élèveras, affirma-t-il, plus tu seras libre. Élève-toi le plus haut possible, mon amour, le pouvoir t'appartient. Seule une impératrice peut commander.

— Mais m'aimeras-tu? demanda-t-elle d'une voix étouffée.

— Comment pourrais-je ne pas t'aimer? T'aimer, c'est ma raison d'être, je ne respire que pour t'aimer.

— Alors! prouve-moi ton amour! »

Elle prononça ces paroles dans un murmure si bas qu'il aurait pu ne pas l'entendre. Mais elle savait qu'il l'avait entendue. Il soupira. Elle le sentit frémir, et tous ses muscles mollirent dans son corps prêt à céder.

« Que je t'appartienne seulement une fois, dit-elle bravement, et je pourrai vivre, même ici. »

Incapable de parler, il ne répondait pas. Son âme ne cédait pas encore.

Elle releva la tête et le regarda en plein visage. « Qu'importe l'endroit où je vis si je t'appartiens? Je sais que tu dis la vérité. Il n'y a pas d'autre évasion pour moi que la mort. Eh bien, je peux choisir la mort. Cela est facile dans un palais. Je peux avaler de l'opium, ou bien mes boucles d'oreilles en or, ou m'ouvrir les veines! Peut-on me surveiller nuit et jour? Je te jure que je vais mourir si tu ne me fais pas tienne! Si, au contraire, je t'appartiens, je ferai ce que tu me diras toujours, toute ma vie. Je serai impératrice. »

Sa voix était ensorcelante, irrésistible; elle le suppliait, grave, caressante et douce, délicieuse comme du miel au soleil d'été. N'étaient-ils pas prisonniers des vieilles coutumes, enfermés dans ce Palais impérial? Il n'était pas plus libre qu'elle, mais elle pouvait quand même disposer de sa vie. Si elle voulait devenir impératrice, personne ne l'en empêcherait, et, si elle choisissait la mort, elle mourrait; il connaissait bien sa nature. Et, lui, ne consacrerait-il pas sa vie à l'aider? Sakota elle-même n'avait-elle pas imaginé une scène semblable en lui ordonnant de venir ici? Au dernier moment la princesse consort lui avait posé la main sur le bras en lui recommandant de faire tout ce qu'il pourrait. « Tout ce que Yehonala demandera... » Voilà ses propres paroles.

Il fit taire la voix de sa conscience. Il souleva la belle jeune femme dans ses bras et la porta sur le lit...

Les tambours du couvre-feu résonnaient à travers les cours de la cité du Fils du Ciel. C'était l'heure où tout homme devait quitter l'enceinte. L'antique commandement parvint jusqu'aux oreilles des amants cachés au fond des chambres secrètes. Et près de Yehonala souriante, à demi assoupie, Ying Lu se leva et reprit ses vêtements.

Il se pencha sur elle. « Sommes-nous liés ?

— Liés ! » Elle leva les bras et attira de nouveau son visage vers elle. « Liés, à la vie et à la mort ! »

Les tambours se turent et il se hâta, tandis qu'elle se redressait promptement pour arranger sa robe et se recoiffer. Quand sa servante toussota à la porte, elle était dans son fauteuil.

« Entre, dit-elle en faisant semblant de s'essuyer les yeux.

— Pleurez-vous de nouveau, maîtresse ? »

Yehonala secoua la tête. « Je ne pleure plus, affirma-t-elle d'une voix faible, je sais ce que j'ai à faire. Grâce à mon cousin, je connais mon devoir. »

La femme l'écoutait, la tête penchée sur le côté, à la manière d'un oiseau.

« Votre devoir, maîtresse ?

— Lorsque le Fils du Ciel me mandera près de lui, j'irai. Je dois lui obéir. »

La chaleur de l'été s'attardait dans la Ville interdite, les beaux jours se succédaient, l'impitoyable soleil inondait les palais, il ne pleuvait pas. En plein midi, il faisait tellement étouffant que les princesses et les dames de la cour, les eunuques et les concubines se

réfugiaient dans les grottes des jardins impériaux pour
y passer les heures de la grosse chaleur. Ces grottes
étaient construites à l'aide de rochers apportés du sud
sur le grand canal et taillés avec un tel art qu'ils semblaient usés par une érosion naturelle. Des pins rabougris laissaient retomber leurs branches par-dessus
l'entrée des grottes; à l'intérieur, des sources dissi-
mulées coulaient le long des murs et alimentaient des
bassins remplis de poissons rouges. Dans cette atmosphère fraîche, les dames brodaient, écoutaient de la
musique ou jouaient aux dés.

Mais Yehonala ne les rejoignait pas dans les grottes;
elle ne quittait pas ses livres, toujours souriante, silencieuse et studieuse. En apparence, sa révolte était chose
oubliée. Lorsque l'empereur la faisait mander, elle se
laissait baigner et parer pour se rendre auprès de lui.
La faveur du souverain ne faiblissait pas, ce qui incitait
Yehonala à la prudence, car les autres concubines
s'agitaient en attendant leur tour. Li Lien-ying, de son
côté, intriguait parmi les eunuques pour rester son
serviteur attitré. Mais, si Yehonala était consciente de
ces rivalités, elle n'en laissait rien paraître; elle montrait
à tous la même parfaite courtoisie et, à l'impératrice
douairière, une obéissance entière. Chaque jour, au
réveil, elle commençait par se rendre auprès de l'impératrice douairière pour s'enquérir de sa santé et de son
humeur, et elle lui faisait des tisanes pour la soulager de
ses fréquentes douleurs; quand elle la trouvait agitée,
elle lui massait ses pieds et ses mains desséchés, et elle
la calmait en lui lissant sa maigre chevelure blanche à
longs coups de brosse réguliers. Pour l'impératrice
douairière, Yehonala ne trouvait aucune tâche trop
humble ou insignifiante. On ne tarda pas à s'apercevoir
que la belle jeune femme n'était pas seulement la favorite du Fils du Ciel, mais aussi de sa mère. Yehonala

apprit avec quelle impatience l'impératrice douairière attendait la naissance de l'enfant de Sakota; elle se fit un devoir quotidien d'accompagner la vieille dame au temple bouddhiste pour l'attendre, tandis qu'elle brûlait de l'encens devant les dieux, suppliant le Ciel de lui donner un petit-fils. Cette tâche accomplie, Yehonala retournait à ses occupations favorites : dans la bibliothèque, elle lisait et étudiait sous la direction de vieux eunuques érudits, ou elle apprenait la musique, ou encore elle s'appliquait à écrire avec un pinceau en poils de chameau, à la façon des calligraphes du temps passé.

Pendant tout ce temps, elle cachait son secret, à ce qu'elle crut du moins, jusqu'au jour où sa servante lui parla. C'était un jour ordinaire, un peu plus frais le matin et le soir que les précédents, mais encore chaud à midi. Ce matin-là, Yehonala dormait tard, car elle venait de passer plusieurs nuits chez l'empereur.

« Maîtresse, dit la femme en entrant et en refermant soigneusement la porte derrière elle, n'avez-vous pas remarqué que la pleine lune est venue et passée sans amener votre flux ?

— Vraiment ? » demanda Yehonala d'un ton indifférent. Indifférence feinte, car elle observait minutieusement son propre corps.

« Oui, vraiment, dit la femme fièrement. La semence du Dragon est en vous, maîtresse. Dois-je apporter la bonne nouvelle à la mère du Fils du Ciel ?

— Attends, ordonna Yehonala. Attends que la princesse consort ait mis son enfant au monde. Si c'est un fils, qu'importe l'enfant que j'aurai.

— Et si c'est une fille ? » demanda la vieille femme d'un ton rusé. Yehonala lui lança un regard malin. « En ce cas, je parlerai moi-même à l'impératrice douairière, dit-elle, et si tu as le malheur de le dire, ne fût-ce qu'à mon eunuque — elle prit un air féroce —, alors je te ferai couper en morceaux et, accrochés à des piquets, tes lambeaux de chair serviront à nourrir les chiens. »

La femme essaya de rire. « Je jure par ma mère que je n'en parlerai à personne », mais la pâleur de son visage révélait son inquiétude ; comment savoir si cette concubine trop belle et trop fière n'allait pas passer des taquineries à l'exécution ?

La cour attendait la venue de l'héritier. Dès le matin, les concubines demandaient des nouvelles de la princesse, et le grand conseiller Shun, avant d'entrer dans la galerie des audiences, faisait de même. Mais l'enfant de Sakota ne se décidait pas à naître. Anxieux, l'empereur ordonna au conseil des astrologues d'interroger les étoiles et de lui prédire le sexe de son enfant d'après les entrailles de volailles sacrifiées. Hélas ! ils ne voyaient que confusion. Les augures n'étaient pas clairs. Il se pouvait que l'enfant fût un fils... Peut-être même s'agirait-il de jumeaux, un fils et une fille, mais alors il faudrait tuer la fille pour ne pas qu'elle absorbe les forces de son royal frère.

L'automne avançait et les docteurs impériaux éprouvaient des inquiétudes pour la santé de la princesse. Épuisée par l'attente, de plus en plus fragile, celle-ci ne pouvait ni manger ni dormir. Yehonala se rendit auprès d'elle, mais Sakota ne voulut pas la recevoir. Elle était trop malade, répondit son eunuque. Elle ne voulait voir personne. Yehonala se retira, perplexe. Trop malade ? Sakota était-elle trop malade pour recevoir sa propre cousine-sœur ? Pour la première fois, elle regretta que Sakota connût la visite secrète de Yung Lu. Évidemment, elle ne savait rien de plus, mais cela suffisait pour mettre une arme dans cette faible main qu'une autre, plus vigoureuse, pouvait utiliser à ses fins. Hélas! elle savait que l'intrigue enveloppait de son réseau le palais et qu'il fallait beaucoup de ruse pour en briser les mailles. Jamais, au grand jamais, elle ne fournirait plus à autrui une arme contre elle.

Les jours coulaient, très lents. De tristes nouvelles arrivaient de tout l'empire. Les rebelles aux longs cheveux s'étaient, au prix d'affreux massacres, emparés de la capitale du sud, Nankin. Les soldats impériaux perdaient toutes les batailles contre ces hommes féroces. Les signes funestes s'accumulaient : des tornades étranges soufflaient sur la ville; la nuit, des comètes traversaient le ciel, et de toutes parts l'on rapportait que des femmes donnaient naissance à des jumeaux ou à des monstres.

Le jour du huitième mois lunaire, un orage en plein midi éclata qui se changea en typhon, phénomène plus courant dans les mers du sud que dans les plaines du nord où se trouvait Pékin. D'après les anciens, jamais la ville n'avait subi un tel orage, accompagné de vents chauds accourus du sud comme des démons chevauchant les nuages.

La pluie tomba enfin, non pas en averses miséricordieuses pour les champs desséchés et les rues poussiéreuses, mais en cataractes cinglantes et en torrents qui ravinaient la terre. Soit désespoir, soit peur, Sakota sentit ce jour-là les premières douleurs de l'accouchement; elle n'avait pas poussé son premier cri que la nouvelle se répandit aussitôt dans les palais, et que toute activité s'interrompit dans l'attente du dénouement.

A cette heure, Yehonala était comme d'habitude à la bibliothèque. Le ciel était devenu si sombre que les eunuques avaient allumé les lampes. Elle écrivait, sous la dictée de son professeur, un ancien texte sacré :

*Chung Kung, le ministre de la Maison des Chi, demanda
un conseil sur l'art du gouvernement. Le Maître lui répondit :
« Apprends d'abord à te servir de tes subordonnés. Oublie
leurs petits défauts et élève seulement ceux qui sont capables
et honnêtes. »* A ce moment-là, Li Lien-ying apparut
derrière le dos du précepteur et fit signe à Yehonala,
qui comprit tout de suite. Elle posa son pinceau et se
leva.

« Maître, dit-elle à son précepteur, je dois me rendre
en hâte chez l'impératrice douairière qui a besoin de
moi. »

Depuis longtemps, elle savait ce qu'elle ferait quand
le travail commencerait pour Sakota ; elle se rendrait
près de l'impératrice douairière pour l'apaiser et la
distraire jusqu'au dénouement. Sans laisser au précepteur le temps de répondre, elle quitta la bibliothèque et précéda l'eunuque jusqu'au palais de l'impératrice douairière. Les éclairs zébraient le ciel et baignaient les cours d'une lumière livide : au-dessus des
couloirs couverts, le vent dispersait la pluie comme des
embruns venus de la mer. Mais Yehonala se pressait,
suivie par Li Lien-ying. Quand elle atteignit le palais,
elle entra sans parler à aucune des suivantes. L'impératrice douairière s'était couchée, comme chaque fois
qu'il y avait un orage. Elle reposait sur ses oreillers,
serrant dans ses mains un chapelet bouddhiste orné de
joyaux, son mince visage décoloré comme du jade
blanc. En voyant Yehonala, elle ne sourit pas. D'une
voix solennelle, elle dit : « Comment un enfant normal
peut-il naître sous de tels auspices ? Le ciel lui-même
se déchaîne au-dessus de nos têtes. »

Yehonala courut à elle et s'agenouilla près du lit.
« Calmez-vous, mère impériale, ce n'est pas à cause de
nous que le Ciel se déchaîne. Des hommes méchants se
sont révoltés contre le trône, et l'enfant qui va naître

nous sauvera tous. Si le Ciel est en colère, c'est pour
lui et non contre lui.

— Le crois-tu vraiment?

— Oui. »

Yehonala resta agenouillée et continua à prononcer
des paroles apaisantes, ne s'interrompant que pour
faire boire des bols de bouillon chaud à l'impératrice
douairière. Elle lui lut des contes pour la distraire ;
elle lui chanta des chansons en s'accompagnant sur le
luth ; puis elle aida la vieille dame à dire ses prières.
De la sorte, les heures passèrent.

Au coucher du soleil, le vent s'apaisa et une étrange
lueur jaune s'infiltra dans les palais et les cours. Yehonala
tira les rideaux, alluma les bougies et attendit ; constamment tenue au courant, elle savait — sans l'avoir
dit à l'impératrice douairière — que la naissance était
imminente. Après cette lumière jaune, l'obscurité
tomba d'un seul coup, et c'est à ce moment-là que le
chef des eunuques, An Teh-hai, pénétra dans le palais
de l'impératrice douairière. Yehonala s'empressa à sa
rencontre, mais au premier coup d'œil elle comprit
qu'il apportait de mauvaises nouvelles.

« L'enfant est-il mort? demanda-t-elle.

— Pas mort, répondit tristement l'eunuque, mais
c'est une fille débile. »

Yehonala se cacha les yeux sous son mouchoir.
« Oh! cruauté du Ciel!

— Voulez-vous en informer la Vénérable Mère? Je
me hâte de retourner auprès de l'empereur. Il est
malade de colère.

— Je le lui dirai.

— Quant à vous, affirma le chef des eunuques,
vous pouvez vous préparer à être appelée cette nuit.
L'empereur aura certainement besoin de vous.

— Je suis prête. »

Elle retourna à pas lents dans la chambre de l'impératrice douairière sans prendre garde aux suivantes qui, ayant deviné la nouvelle, se tenaient sur son passage, baissant la tête, les yeux pleins de larmes. Elle entra dans la chambre de l'impératrice douairière qui lut tout sur son visage.

« Ce n'est pas un enfant mâle, dit-elle d'une voix lassée par des années d'attente.

— C'est une fille », murmura doucement Yehonala.

Elle s'agenouilla près du lit de l'impératrice, lui prit les doigts et les caressa de ses jeunes mains vigoureuses.

« A quoi me sert de vivre ? soupira la vieille femme d'un air pitoyable.

— Vous devez vivre, Vénérable Mère, lui assura Yehonala d'une voix grave et tendre. Vous devez vivre... jusqu'à la naissance de mon fils. »

Elle avait révélé son espoir. Ce secret qu'elle gardait, elle le déposait maintenant comme une offrande dans les mains de l'impératrice douairière.

Le vieux visage frémit, et un sourire bouleversa le réseau de rides. « Est-ce vrai ? Serait-ce la volonté du Ciel ? Mais oui, c'est vrai ! L'enfant sortira de ton corps vigoureux et ce sera un fils ! Que Bouddha m'entende ! Il faut qu'il en soit ainsi. Et dire que je te trouvais impétueuse et trop forte ! Oh ! ma fille, comme tes mains sont chaudes sur mes mains ! »

Elle baissa les yeux sur le jeune visage à l'expression si tendre, et Yehonala lut l'adoration dans son regard.

« J'ai toujours les mains chaudes, dit-elle, et c'est vrai que je suis forte. Et je peux aussi être impétueuse. Je vous donnerai un petit-fils. » Quand la vénérable dame entendit les paroles de Yehonala, elle sortit de son lit avec une telle énergie qu'elle effraya tout son entourage.

« Ménagez-vous, mère impériale ! » s'exclama Yehonala.

Elle voulut soutenir la vieille dame, mais celle-ci
la repoussa. « Qu'on envoie des eunuques à mon fils
pour lui annoncer la bonne nouvelle », cria-t-elle
d'une voix tremblante. Les dames d'honneur échangèrent un regard joyeux, mais hésitant, tandis que,
dans un grand brouhaha, on rassemblait les eunuques
pour porter la nouvelle à l'empereur.

« Mon bain ! » commanda l'impératrice à ses femmes
et, tandis qu'elles se hâtaient d'exécuter son ordre,
elle se tourna vers Yehonala.

« Quant à toi, mon cœur, tu m'es maintenant plus
précieuse que tout au monde, excepté mon fils. Tu
es celle que le destin envoie. Je l'ai vu dans tes yeux.
Quels yeux ! Aucun malheur ne doit t'arriver. Retourne
dans ta chambre, ma fille, et repose-toi. Je te ferai
installer dans les cours intérieures du palais de l'Ouest,
où le soleil baigne les terrasses. Qu'on appelle les
docteurs sur-le-champ !

— Mais je ne suis pas malade, Vénérable ! s'exclama
Yehonala en riant, regardez-moi ! »

Elle tendit les bras, leva la tête, les joues roses, les
yeux noirs et brillants.

L'impératrice douairière la regarda. « Tu es belle,
tu es belle, murmura-t-elle, tes yeux sont clairs sous tes
sourcils en ailes de papillon, ta peau est douce comme
celle d'un enfant ! Je savais bien que la princesse consort
ne nous donnerait qu'une fille. Je vous l'ai dit, à vous
toutes, si vous vous en souvenez : une créature si frêle
et sans muscles ne pouvait engendrer qu'une fille.

— Vénérable, oui, vous nous l'avez dit, affirmèrent
les dames, vous nous l'avez dit. »

Yehonala ajouta : « Je vous obéirai en tout, Vénérable. » Elle fit une révérence et se retira dans sa chambre.

Sa suivante l'attendait à la porte, ainsi que Li Lien-ying; le grand eunuque se frottait les mains en souriant et faisait craquer ses jointures.

« Que l'impératrice Phénix me donne ses ordres, déclara-t-il, je n'attends que son bon plaisir.

— Tais-toi, tu parles trop tôt.

— Mais n'ai-je pas deviné votre destin ? Mes paroles n'expriment que la vérité, je suis sûr de ce que je dis.

— Laisse-moi », lui intima Yehonala. Elle s'éloigna de son pas rapide et gracieux, suivie de sa servante. Quelques pas plus loin, elle s'arrêta et se retourna vers l'eunuque. « Il est une chose que tu peux faire : va trouver mon cousin, et dis-lui ce que tu as appris. » L'eunuque tendit son cou ridé comme celui d'une tortue. « Dois-je lui ordonner de venir vous voir ?

— Non, répliqua Yehonala d'une voix claire afin de se faire entendre de tous. Il n'est pas convenable, maintenant, que je parle à un autre homme que mon seigneur impérial. » Elle s'appuya de la main sur l'épaule de sa servante et se retira.

Dans sa chambre, elle attendit l'appel de l'empereur, pendant que ses femmes la baignaient, lui enfilaient son linge et lui brossaient les cheveux en rouleaux destinés à recevoir la tiare. « Quelle robe mettrez-vous, Vénérable ? lui demanda sa servante affectueusement.

— Apporte-moi la robe bleu pâle brodée de fleurs de pêcher roses et la jaune brodée de branches de bambou vertes. »

On apporta les deux robes, mais Yehonala n'avait pas eu le temps de faire son choix qu'on entendit un grand tumulte dans les cours extérieures. Soudain, s'élevèrent des lamentations.

« Quel malheur est-il arrivé ? » s'écria la servante. Elle sortit en courant, mais au portail de la cour

elle se heurta à l'eunuque Li Lien-ying, le visage livide
comme une pomme verte, ses grosses lèvres entrouvertes.

Il parla d'une voix haletante : « L'impératrice douairière est morte !

— Morte ! » La femme poussa un cri perçant. « Mais
ma maîtresse était avec elle, il n'y a pas deux heures !

— Oui, morte, répéta Li Lien-ying ; soutenue par ses
femmes, elle a réussi à atteindre la galerie des Audiences,
mais devant l'empereur, accouru vers elle, elle a ouvert
la bouche comme si le souffle lui manquait. Elle lui a
crié qu'il aurait un fils, et ce furent ses dernières paroles,
car elle retomba morte dans les bras de ses femmes.
Son âme est maintenant aux Sources Jaunes.

— Oh ! Seigneur des Enfers ! gémit la femme, comment
peux-tu apporter d'aussi mauvaises nouvelles ! » Elle
retourna en courant près de sa maîtresse, mais, sur le
seuil, Yehonala avait tout entendu.

« J'ai apporté trop de joie à la mère impériale, soupira-
t-elle tristement.

— Non, mais la joie est venue trop vite après la
tristesse et son âme était divisée. »

Yehonala ne répliqua rien. elle retourna dans sa
chambre et, contemplant les deux robes étalées sur le
lit, elle dit enfin :

« Remporte-les, l'empereur ne me fera plus appeler
maintenant avant la fin de son deuil. »

La vieille femme, gémissant et sanglotant devant
une telle malchance, replia les deux robes chatoyantes
et les rangea dans les coffres laqués.

Les mois passaient doucement, et ce fut la saison
des premiers froids. La Ville interdite était plongée
dans le deuil de l'impératrice douairière ; le Fils du
Ciel ne portait que des robes blanches et se passait de
femmes. Yehonala regrettait l'affection que lui avait
toujours montré la vieille dame, mais elle savait qu'on

ne l'oubliait pas. Elle était libre, mais, sur l'ordre de
l'empereur, une surveillance discrète l'entourait. Elle
obtenait tout ce qu'elle demandait, mais elle devait
également obéir. C'est ainsi qu'on l'encourageait à
manger les mets les plus délicats et les plus recher-
chés : des poissons pêchés dans de lointaines rivières
et conservés dans la glace et la neige, des carpes jaunes,
des anguilles à la peau lisse. Elle avait justement envie
de poisson à tous les repas et elle buvait un potage
fait d'arêtes de poisson en poudre. Elle dévorait aussi
les sucreries grossières qui lui rappelaient son enfance
et qu'on achetait aux marchands ambulants : petits
pains au sucre rouge, caramel aux graines de sésame,
beignets de farine de riz fourrés de pâte sucrée. Elle
préférait cette nourriture de paysans au porc trop
gras, au mouton rôti, au canard à la casserole et aux
autres viandes de palais. Elle se forçait à avaler les
tisanes et les médicaments que les docteurs de la cour
lui prescrivaient chaque jour. Ils tremblaient que
l'enfant fût prématuré ou déformé, sachant qu'ils en
seraient tenus pour responsables.

Chaque matin après son bain et avant son petit
déjeuner, Yehonala recevait les médecins qui lui prenaient le pouls, lui soulevaient les paupières et lui
examinaient la langue. Puis ils tenaient une conférence
de deux heures sur son état du jour et, après s'être
mis d'accord, ils prescrivaient et préparaient eux-
mêmes les tisanes de la journée. Comme elle détestait
ces mélanges verdâtres et ces liquides noirs ! Mais
Yehonala absorbait tout, car l'enfant qu'elle portait
— elle le savait bien — n'était pas un enfant ordinaire,
mais un enfant appartenant au peuple qu'il gouvernerait. Certaine de porter un enfant mâle, elle mangeait
de bon appétit, dormait bien et réussissait à absorber
tous ses médicaments. Son jeune corps sain se déve-

loppait. Une grande joie envahissait la Ville interdite et se répandait dans tout le pays comme une musique sereine; les gens se disaient que les temps étaient changés, les mauvais moments passés, et l'Empire sur la voie de la prospérité retrouvée.

Yehonala elle-même était changée. Avant de savoir qu'elle avait conçu, elle se montrait volontaire et taquine, versatile, et emportée, en dépit de son amour des livres et de son envie de s'instruire. Désormais, et bien qu'elle continuât à lire des textes anciens et à tracer des caractères, tout ce qu'elle apprenait, elle le ramenait à elle et à l'enfant qu'elle portait. C'est ainsi qu'elle fut frappée par l'actualité des paroles de Lao Tsé : « De tous les dangers, le plus grand est de sous-estimer son ennemi. » Ce sage était mort depuis des centaines d'années et pourtant ses paroles restaient vivantes. L'ennemi ? L'Empire que son fils pourrait un jour gouverner était actuellement assiégé par des ennemis. Elle avait pensé jusqu'alors qu'ils ne la concernaient en rien, mais, s'ils étaient les adversaires de son fils, ils étaient aussi les siens. Elle leva la tête.

« Dites-moi, demanda-t-elle à son précepteur, qui sont actuellement nos ennemis ? » Le vieil eunuque secoua la tête. « Dame, je ne connais rien aux affaires publiques. Ma science ne concerne que les anciens sages. »

Yehonala referma son livre. « Envoyez-moi quelqu'un susceptible de m'apprendre qui sont nos ennemis actuels. »

Le vieil eunuque fut abasourdi, mais il savait qu'il ne pourrait se dérober et il fit part de sa demande à An Teh-hai, le chef des eunuques. Celui-ci alla trouver le prince Kung, sixième fils de l'empereur défunt et d'une concubine, donc demi-frère de l'empereur actuel Hsien Feng. Les deux demi-frères avaient grandi ensemble, partagé les mêmes précepteurs et les mêmes jeux. Le prince Kung était intelligent, énergique et avenant. Son intelligence se doublait d'une telle sagesse et d'une telle pondération que les ministres, les princes et les eunuques préféraient s'adresser à lui plutôt qu'à l'empereur ; mais il ne les trahissait pas, et tous lui faisaient confiance. Le chef des eunuques se rendit donc au palais de ce prince, situé hors des limites de la Ville interdite, et le supplia de compléter lui-même l'instruction de la jeune favorite. « Elle est si forte, dit-il, si vigoureuse, douée d'un esprit si viril, que sans nul doute elle engendrera un fils qui sera notre prochain empereur. »

Le prince Kung réfléchit un moment. Il était jeune et il ne lui semblait pas convenable d'approcher une concubine. Pourtant un lien de parenté l'unissait à elle par son frère impérial et permettait d'enfreindre les usages. D'ailleurs, il n'était pas Chinois, mais Mandchou, et ces derniers jouissaient de coutumes moins sévères que les Chinois. Puis il connaissait trop l'état tragique de l'Empire. Son frère aîné était faible et menait une vie dissolue au milieu d'une cour corrompue et oisive, entouré de ministres et de princes inertes, sans ressort, incapables, semblait-il, d'empêcher l'Empire de s'émietter. Le trésor était vide, les récoltes mauvaises ; de trop fréquentes famines ravageaient les populations et les poussaient à la révolte. De plus, des rebelles complotaient partout contre le trône du Dragon, et les Chinois jugeaient le moment opportun pour renverser les empereurs mandchous qui les gouvernaient depuis deux cents ans. Renverser les Mandchous ! Rétablir l'ancienne dynastie chinoise des Ming ! Déjà, les rebelles formaient une horde dirigée par Hung, ce fou à la longue chevelure, qui se croyait un Christ chinois! Comme s'il ne suffisait pas des Chrétiens étrangers qui, au nom de ce même Christ, attiraient la jeunesse dans leurs écoles et leurs églises, et l'encourageaient à déserter les dieux ancestraux! Quel autre espoir restait-il que de maintenir l'Empire debout jusqu'à la naissance d'un héritier, fils énergique d'une mère énergique?

« Je ferai moi-même l'instruction de la favorite, accepta-t-il, mais en présence de son vieux précepteur. »

C'est ainsi que, le lendemain, Yehonala, se rendant comme d'habitude à la bibliothèque, y vit près de son précepteur un homme grand, jeune et beau. An Teh-hai présenta le prince Kung.

Yehonala se cacha le visage derrière sa manche et s'inclina, tandis que le prince Kung se tenait de côté, tournant la tête.

« Asseyez-vous, Frère Aîné », dit Yehonala de sa jolie voix, en prenant sa chaise habituelle, tandis que le vieux précepteur s'installait au bout de la table. Le chef des eunuques se tenait derrière le prince et quatre dames d'honneur derrière Yehonala.

C'est ainsi que le prince Kung entreprit l'instruction de la concubine impériale. Sans la regarder, la tête détournée, il commença ses leçons hebdomadaires qui devaient durer pendant des mois. Il lui décrivit l'état de la nation, la faiblesse du Trône qui encourageait les révoltes de ses sujets et les invasions de ses ennemis par-delà les plaines du Nord et les mers orientales. Les premiers envahisseurs, lui dit-il, étaient venus du Portugal trois siècles auparavant, pour faire le commerce des épices. Le riche butin qu'ils avaient prélevé illégalement dans l'Empire tenta les autres peuples d'Europe, et ce fut la ruée des conquérants espagnols et hollandais, venus dans leurs navires, puis des Anglais qui faisaient la guerre pour protéger leur commerce de l'opium, et enfin des Français et des Allemands.

Les yeux de Yehonala se faisaient plus grands et plus noirs. Tantôt pâle, tantôt très rouge, elle serrait les poings sur ses genoux.

« Et nous n'avons rien fait ? s'écria-t-elle.

— Qu'y pouvions-nous ? rétorqua le prince Kung. Nous ne sommes pas un peuple de marins, comme les Anglais. La mer encercle leur petit pays aux terres pauvres et maigres, et ils doivent se lancer sur les flots ou mourir de faim.

— Néanmoins, je pense... » Mais le prince Kung la fit taire en levant la main.

« Attendez, ce n'est pas tout. »

Et il lui parla des défaites infligées par les Anglais à son pays.

« Mais pourquoi nous font-ils la guerre ?

— Ils consacrent leurs richesses à fabriquer des engins de guerre », répondit le prince.

Et il ajouta que d'autres ennemis leur venaient du Nord ! « Nous connaissons ces Russes depuis longtemps, lui dit-il. Il y a cinq cents ans, le grand Kublah Khan qui gouvernait notre pays les employait comme gardes du corps, imité en cela par tous les empereurs de sa dynastie. Deux cents ans plus tard, un certain Yermak, un pirate russe, un aventurier dont la tête était mise à prix, traversa les monts de l'Oural pour faire le commerce des fourrures. Il combattit les tribus nordiques qui vivaient dans la vallée du grand fleuve Ob et, au nom du tsar de Russie, il s'empara de Siber, la cité royale ; c'est depuis lors que cette région tout entière s'appelle Sibérie. A cause de cette conquête, on lui pardonna sa conduite, et son peuple a cessé de le révérer jusqu'à ce jour.

« J'en ai entendu assez, dit-elle brusquement.

— Non, pas encore, ô favorite, répliqua le prince Kung d'un ton très courtois. Les Anglais non plus ne nous laissaient pas en paix. Au temps de Chia-Ch'ing, fils du puissant Ch'ien Lung, les Britanniques nous envoyèrent un certain Amherst. Lorsque cet homme fut, à l'heure habituelle de l'aube, convoqué dans la galerie des Audiences, il refusa de s'y rendre, sous prétexte que ses vêtements de gala n'étaient pas arrivés, et qu'il était malade. Le Fils du Ciel lui envoya son propre médecin, qui revint en disant que l'étranger simulait une maladie. Le Fils du Ciel en conçut de la colère et ordonna à l'Anglais de rentrer dans son pays. Les Blancs sont entêtés, ô favorite, ils refusent de se courber ou de s'agenouiller devant les Fils du Ciel ; ils nous disent qu'ils ne s'agenouillent que devant les dieux ou les femmes.

— Les femmes ? » répéta Yehonala. Amusée à l'idée des Blancs s'agenouillant devant les femmes, elle mit sa main devant sa bouche pour cacher son rire. Mais elle n'y parvint pas. Le prince Kung, abaissant les yeux vers elle, vit son regard pétiller de malice et se mit, lui aussi, à rire. Ainsi encouragé, le chef des eunuques prit part à cette hilarité, ainsi que les dames de la cour qui se cachaient le visage derrière leurs manches de soie.

Quand les rires se turent, Yehonala demanda : « Mais, à présent, les Blancs ne s'agenouillent toujours pas devant les Fils du Ciel ?

— Toujours pas. »

Yehonala resta un moment silencieuse, mais elle pensait : « Quand mon fils gouvernera, devant lui ils s'agenouilleront. S'ils refusent de s'agenouiller et de baisser la tête jusqu'au sol, je les ferai décapiter. »

« Et maintenant, sommes-nous toujours faibles ? demanda-t-elle.

— Nous devons résister, mais pas par les armes, car nous n'en possédons pas ; toutefois nous pouvons faire de la résistance passive. Il nous faut refuser d'obéir aux caprices des étrangers. Maintenant que ces Américains, des nouveaux venus, disciples des Anglais, insistent aussi pour profiter des avantages que nous avons été obligés d'accorder aux autres peuples occidentaux, nous avons exigé que leur gouvernement ne protège pas ceux de leurs sujets qui font le trafic de l'opium, et cela nous l'avons obtenu.

— Est-ce là tout ?

— Qui sait ? » Le prince Kung soupira, et son visage se rembrunit. Malgré sa beauté, il avait une expression triste, ainsi que de profondes rides autour de la bouche et entre les sourcils.

Il se leva et s'inclina. « Je crois que cela suffit pour aujourd'hui. Je vous ai retracé l'histoire du pays en quelques lignes, ô favorite. Plus tard, si vous le voulez, je vous en donnerai les détails jusqu'à ce que vous connaissiez toute la vérité.

— Oui, je vous en prie. » Yehonala se leva et salua. Ainsi se termina la journée, mais cette nuit-là elle ne put pas dormir. Quel allait être son destin ? Il appartiendrait à son fils de restituer à l'Empire son intégrité et de repousser les ennemis étrangers jusqu'à la mer.

Yehonala ne se sentait plus prisonnière du palais. Elle concentrait en elle tous les espoirs de la nation. Son appétit, son sommeil, ses malaises, son teint, ses rires, ses caprices... tout ce qui concernait sa santé était communiqué au peuple. Les mois d'hiver passaient dans l'euphorie ; un beau jour, le soleil inonda de nouveau toute la ville. L'espoir rendait les habitants joyeux et le commerce était prospère. Les rebelles aux longs cheveux s'étaient installés dans la ville de Nankin, d'où se propageaient des rumeurs jusque dans le nord : le chef des rebelles avait pris de nombreuses épouses et se laissait corrompre par les vins et la bonne chair. Mais Yehonala accueillait ces nouvelles avec une satisfaction modérée, car son véritable ennemi n'était pas le rebelle chinois. Les étrangers, les Blancs, voilà l'ennemi! Qu'ils retournent donc dans leur pays et il ne serait plus question de luttes. Nous ne voulons que récupérer notre bien, pensait Yehonala.

D'ailleurs, elle était depuis quelque temps d'une humeur fort agréable, et jamais elle ne s'était si bien portée. Elle ne savait pas si cela était dû aux tisanes qu'elle absorbait ou à sa propre énergie accrue par la maternité. Elle s'étonnait surtout de ne plus haïr le Fils du Ciel. En vérité, elle ne l'aimait point, mais elle avait pitié de lui : une outre vide drapée dans des robes d'apparat. La nuit, elle le tenait dans ses bras et, le jour, elle lui prodiguait des marques de respect extravagantes, car il était le père de son fils. Était-il vraiment le père de son fils ? Elle cachait dans son cœur cette question troublante. Pour le monde extérieur, cela ne faisait pas de doute. Il fallait que son fils eût l'empereur pour père, mais, au plus profond de son cœur, elle chérissait le souvenir de Yung Lu et du moment où il s'était soumis à sa volonté.

Deux sentiments dominaient son existence : d'abord, un orgueil croissant à l'idée de porter en elle l'héritier du trône, et puis son amour secret. Le premier l'encourageait à étudier l'histoire du peuple que son fils gouvernerait un jour, à méditer longuement sur les écrits anciens et à interroger le prince Kung. Quant à l'autre, il la rendait de plus en plus sensible à la beauté de la vie qu'elle donnerait un jour à son fils. Parfois, l'après-midi, au lieu de s'enfermer dans la bibliothèque, elle allait, suivie de son eunuque Li Lien-ying, se promener avec ses dames d'honneur. Elle ne dépassait jamais

les murs de la Cité impériàle; d'ailleurs, à l'intérieur
de ces murs, l'infinie variété des lieux lui fournissait
d'innombrables buts de promenades. Lorsque le soleil
était haut dans le ciel et qu'aucun vent froid ne soufflait,
elle se promenait dans les cours, les passages et entre
les murs élevés de couleur rose qui reliaient entre
elles les cours du palais. La ville sacrée était entourée
d'une triple enceinte, percée chacune de quatre grands
portails correspondant aux quatre points cardinaux.
A l'intérieur de ces murs s'abritaient les jardins, les
palais et les salles d'apparat, ces dernières toutes orien-
tées vers le sud, peintes aux couleurs symboliques
des éléments. Malgré l'hiver, les jardins étaient très
beaux, les branches de bambou verdoyantes et chargées
de baies rouges sous la neige. Le portail de la Paix Céleste
s'ornait de deux piliers de marbre blanc où s'entrelaçaient des dragons sculptés que Yehonala aimait
particulièrement.

Palais après palais, salle après salle, elle apprit à
connaître la Ville sacrée, centre de la terre comme
l'étoile polaire est le centre du ciel. Elle s'y promenait
avec ses suivantes, dans un superbe isolement. Oh!
comme elle se félicitait d'avoir choisi cette ville pour
y donner le jour à son fils.

A la troisième lune de la nouvelle année, au jour
marqué par une décision céleste inconnue d'elle,
Yehonala mit son fils au monde. En présence des dames
les plus âgées de la Cour qui remplaçaient l'impératrice
douairière défunte, elle donna naissance à un fils,
héritier indiscutable du trône, dont le sexe fut confirmé
par les sages-femmes. Tandis que Yehonala se tassait
sur un tabouret, la sage-femme recueillit l'enfant
et l'éleva à bout de bras devant les dames de la cour.

« Voyez, Vénérables, annonça-t-elle : un enfant
mâle vigoureux et en parfaite santé! »

Sur le point de s'évanouir, Yehonala leva la tête et vit son fils s'agiter dans les mains de la sage-femme. Alors, il poussa son premier cri.

Quand tomba la nuit, la douce nuit de printemps, des lanternes s'allumèrent sur un autel dressé dans la cour, en vue d'un sacrifice, face au palais privé de Yehonala. De son lit, Yehonala voyait, à travers la fenêtre basse garnie de treillage, l'assemblée des princes, des dames de la cour et des eunuques debout devant l'autel; la lumière des bougies clignotait sur les visages et faisait chatoyer les robes de satin multicolore brodées d'or et d'argent. C'était le moment de l'action de grâce, et l'empereur se tenait au pied de l'autel pour proclamer la naissance de l'héritier. Sur l'autel se trouvaient trois offrandes : une tête de porc bouillie, blanche et glabre; un coq également bouilli et plumé, excepté à la tête et à la queue; entre les deux, un poisson vivant se débattait dans un filet de soie écarlate.

Le rite était délicat. Nul ne pouvait l'accomplir en dehors du Fils du Ciel en personne, car ce poisson avait été retiré vivant d'un étang rempli de lotus et il devrait y retourner vivant, faute de quoi l'héritier n'atteindrait jamais l'âge d'homme. De crainte d'offenser le Ciel, le père, empereur et prêtre, ne pouvait pas se hâter en perdant la dignité solennelle de ses gestes. Dans un profond silence, il leva les bras, s'agenouilla devant le Ciel — car devant le Ciel seul il pouvait s'humilier — et il psalmodia ses prières. Exactement au moment voulu, il s'arrêta et, saisissant le poisson encore vivant, il le tendit au chef des eunuques qui s'empressa d'aller le jeter dans l'étang. Une lanterne dans son poing levé, le chef des eunuques scruta les profondeurs de l'eau, et la cour attendit, tandis que l'empereur se tenait immobile devant l'autel.

Tout à coup, la lumière fit scintiller dans l'eau un éclair d'argent.

« Le poisson vit, Majesté », s'écria l'eunuque.

Sur ces mots joyeux, les rires et les conversations reprirent dans l'assemblée. On alluma des pétards, on libéra tous les oiseaux en cage du Palais, et un feu d'artifice embrasa le ciel. Yehonala reposait, appuyée sur son coude, et, dans le ciel qui semblait s'entrouvrir devant ses yeux, elle vit flotter sur un fond de ténèbres pétillantes une immense orchidée dorée aux pétales rehaussés de pourpre.

« Maîtresse, tout ceci est en votre honneur ! » s'exclama sa servante.

De la ville monta un grondement d'admiration et Yehonala se rejeta en riant sur ses oreillers. Combien de fois n'avait-elle pas souhaité être un homme, mais maintenant elle appréciait vraiment son rôle de femme ! Quel homme pouvait connaître un triomphe semblable au sien : elle avait donné un fils à l'empereur !

« Ma cousine, la princesse consort, est-elle aussi dans la cour ? » demanda Yehonala. La vieille femme scrutait les zones d'ombre et de lumière de la cour. « Je la vois, debout parmi ses dames d'honneur », répondit-elle.

« Va la trouver et invite-la à venir me voir. Dis-lui que j'ai une grande envie de recevoir sa visite. » La femme sortit et demanda à la princesse consort de venir au chevet de sa maîtresse.

« Elle considère la princesse consort comme sa sœur aînée », dit la femme d'un ton caressant.

Mais Sakota secoua la tête : « Je me suis levée uniquement pour assister au sacrifice, et je vais me recoucher aussitôt. Je ne me sens vraiment pas bien. » Elle se retourna sur ces mots et, appuyée sur deux suivantes, précédée d'un eunuque tenant une lanterne, elle franchit une grille en forme de croissant de lune.

Ce refus surprit tout le monde, et la femme retourna le rapporter à Yehonala : « Maîtresse, la princesse consort ne veut pas venir, elle se dit malade, mais je n'y crois pas.

— Et pourquoi ne veut-elle pas venir ?

— Qui peut décrire ce qui se passe dans le cœur d'une princesse consort ? Elle a une fille. Vous avez un fils.

— Sakòta n'est pas mesquine à ce point », insista Yehonala, mais elle n'oubliait pas que sa cousine tenait une épée au-dessus de sa tête.

« Qui peut sonder les cœurs ? » soupira la femme. Et Yehonala ne fit pas de commentaires.

La cour était désormais vide, l'empereur et ses courtisans installés à un banquet. Partout, ce soir-là, du nord au sud, de l'est à l'ouest, le peuple s'adonnait aux festins et aux réjouissances. Comme on avait ouvert les cages des oiseaux, on avait libéré tous les prisonniers quel que fût leur crime. Dans les villes et les villages, les boutiques restèrent fermées pendant sept jours ; on ne tua pas une bête ; on ne pêcha pas un poisson, et ceux qui étaient déjà dans des baquets sur la place du marché furent rejetés vivants dans l'eau. Les nobles bannis revinrent à la capitale et reprirent possession de leurs titres et de leurs terres. Et tout cela en l'honneur de l'enfant nouveau-né. Cependant, dans son lit, Yehonala éprouvait un étrange sentiment de solitude. Sakota n'était pas venue voir sa cousine ni son fils, Sakota, toujours douce et toujours bonne. Que se passait-il ? Les eunuques avaient certainement fait du zèle, colportant des ragots et faisant croire à Sakota que sa cousine la méprisait maintenant qu'elle avait un fils. Cet arriviste de grand conseiller Su Shun, ou son ami le prince Yi, neveu de l'empereur, tous deux jaloux d'elle, pouvaient bien être les responsables d'une telle vilenie. Li Lien-ying lui avait bien dit qu'avant de la prendre comme favorite c'était en eux que l'empereur mettait sa confiance.

« Je ne leur ai jamais fait de mal, pensa-t-elle, et je me suis toujours montrée d'une extrême courtoisie envers eux. »

Le grand conseiller était arrogant et ambitieux ; malgré sa basse extraction, Yehonala avait pris sa fille de seize ans, Mei, parmi ses dames d'honneur. Elle évoqua alors le beau visage du prince Kung, un ami de fraîche date dont elle voulait se faire un allié pour toujours. A l'abri de son grand lit à baldaquin, son fils pelotonné au creux de son bras, Yehonala réfléchissait à leurs deux destins : ils étaient seuls contre le monde, son fils et elle. L'homme qu'elle aimait ne pourrait jamais être son mari. Seule, elle aurait pu s'échapper dans la mort, sinon dans la vie, mais la mort maintenant n'était plus accessible : son fils n'avait qu'elle pour le protéger contre les intrigues de palais. Les temps étaient troublés, les signes du ciel néfastes, l'empereur faible, et nul autre qu'elle ne pouvait assurer la sécurité du trône pour son fils.

Cette nuit-là et de nombreuses nuits par la suite — en réalité sa vie durant —, elle atteignit éveillée les heures sombres du petit matin où elle regardait son destin avec des yeux lucides, la crainte au cœur, sachant qu'en elle seule elle trouverait assez de forces pour affronter la journée. Elle devait les défier tous, amis et ennemis, et jusqu'à Sakota qui connaissait son secret. Cet enfant, son fils, qu'elle tenait dans ses bras, devait rester à jamais le fils de l'empereur Hsien Feng ; elle ne laisserait pas prononcer d'autre nom. Fils de l'empereur et héritier du trône du Dragon ! C'est ainsi qu'elle commença la longue bataille de son existence.

CHAPITRE II

PENDANT son premier mois, de par la tradition, son fils fut tout à elle. Nul, pas même une nourrice, ne pouvait le sortir du palais dans ses bras. Dans les pièces qui encerclaient la cour remplie de pivoines écarlates, Yehonala passait ses jours et ses nuits. Ce fut un mois de bonheur et de joie, un mois où, adulée et honorée en tant que favorite de l'empereur, on la nommait aussi Bienheureuse Mère. Tous venaient contempler l'enfant et s'exclamer sur son poids, son teint coloré, son beau visage, la vigueur de ses membres. Tous, sauf Sakota. C'était la seule épine dans le cœur de la jeune mère. La princesse consort aurait dû être la première à venir voir l'enfant et à le reconnaître comme l'héritier, mais elle ne venait pas. Elle fit envoyer ses excuses, prétextant que, d'après les étoiles, son propre mois de naissance était hostile à celui de l'enfant : comment, en ce cas, oserait-elle pénétrer dans le palais qui l'abritait ?

Yehonala reçut ce message sans mot dire, elle dissimula sa colère au fond de son cœur et l'y entretint jusqu'à la fin du mois de naissance. Mais, trois jours avant la fin de ce mois, elle envoya, à Sakota, Li Lien-ying porteur de la lettre suivante :

Cousine, puisque tu n'es pas venue me rendre visite, c'est moi qui irai te voir afin de solliciter pour mon fils ta faveur et ta protection, car, selon les lois et les traditions, il nous appartient à toutes deux.

Il était exact que la princesse consort avait pour devoir de protéger l'héritier comme son propre enfant, mais Yehonala craignait toujours quelque jalousie secrète ou quelque rumeur malfaisante implantées par des eunuques et des princes rivaux dans le cœur simple de Sakota. De telles querelles infestaient la Ville interdite et, quand les courtisans d'un rang inférieur complotaient les uns contre les autres, ils cherchaient d'abord à diviser les grands afin de leur faire prendre part à l'interminable lutte pour le pouvoir. Mais, dans l'intérêt de son fils, Yehonala était résolue à ne pas laisser Sakota s'écarter d'elle ; bon gré mal gré, elle s'assurerait son alliance.

C'est pourquoi, ce jour-là, elle se prépara à quitter le palais pour aller voir Sakota.

Auparavant, elle avait pris toutes les précautions nécessaires pour l'enfant. Elle avait ordonné à Li Lien-ying d'acheter chez le meilleur orfèvre de la ville une petite chaîne en or très solide, munie d'un cadenas également en or, qu'elle suspendit au cou de son fils. A son propre cou, elle mit une chaîne où était fixée la clé et dont elle ne se dépouillait jamais. Son fils avait beau être ainsi symboliquement enchaîné à la Terre, cela ne suffisait pas. Symboliquement aussi, elle devait offrir l'enfant comme fils adoptif aux puissantes familles de son clan. Mais elle n'avait toujours pas d'amis. A force de réflexion, elle élabora un plan. Elle exigea des cent familles les plus nobles de l'Empire

qu'elles lui fassent don d'une pièce de la soie la plus
pure. Elle ordonna au tailleur du palais d'y découper
cent petits morceaux et de les assembler pour faire une
robe destinée à son fils. Celui-ci appartint ainsi symboliquement à cent familles nobles et puissantes dont
les dieux craindraient de violer la protection. Car il
est bien connu que les dieux sont jaloux des beaux
enfants mâles et qu'ils s'acharnent sur eux par la maladie ou l'accident afin de les détruire avant qu'ils ne
deviennent des hommes capables de rivaliser avec eux.

Le troisième jour avant la fin du premier mois lunaire
de son fils, Yehonala se rendit au palais de Sakota.
Elle portait une robe neuve, faite de soie jaune impérial brodée de petites fleurs rouges de grenadiers, et
avait sur la tête une tiare de satin noir ornée de perles.
Elle s'était fait enduire le visage de graisse de mouton
fondue avant de se parfumer et de se farder. Ses fins
sourcils étaient soulignés d'un coup de pinceau trempé
dans de l'encre huileuse. Une couche de peinture
rouge recouvrait sa jolie bouche dont les lèvres tendres
et charnues trahissaient un cœur affectueux. Elle portait
des bagues à tous les doigts, au pouce, un anneau de
jade massif; ses longs ongles vernis étaient protégés
par des étuis d'or mince sertis de pierres précieuses.
A ses oreilles pendaient des boucles d'oreilles de jade
et de perles. Ses chaussures à hauts talons et sa tiare
la faisaient paraître plus grande qu'en réalité. Ainsi
parée, elle était d'une telle beauté que même ses dames
d'honneur l'applaudirent.

Elle prit dans ses bras son fils entièrement vêtu de
satin écarlate brodé de petits dragons d'or, s'installa
dans son palanquin, et le cortège se dirigea vers le palais
de la princesse consort : les eunuques marchaient en
avant pour annoncer son arrivée, cependant que les
dames suivaient. Lorsqu'elle arriva à destination,

Yehonala descendit du palanquin et franchit le seuil. Dans la salle de réceptions, elle vit Sakota, la mine plus pâle et plus défaite que jamais, car elle ne s'était pas remise de la naissance de sa fille. Sa peau était desséchée et ses mains, encore plus petites qu'avant, évoquaient celles d'un enfant malade.

Devant cette créature timide et menue, Yehonala se dressait, vigoureuse et belle comme un jeune cèdre.

« Je viens te voir, cousine, dit-elle après les salutations d'usage, je viens te voir au sujet de notre fils. A la vérité, c'est moi qui lui ai donné le jour, mais ton devoir envers lui, cousine, est encore plus grand que le mien, car il est le fils du Fils du Ciel qui est ton seigneur avant d'être le mien. Je te demande donc ta protection pour notre fils. »

Sakota se souleva sur son fauteuil et se tint à demi inclinée. «Assieds-toi, cousine, dit-elle d'une voix plaintive, c'est la première fois que tu sors de ta demeure depuis un mois, assieds-toi et repose-toi.

— Je ne me reposerai pas avant d'avoir ta promesse pour notre fils », répliqua Yehonala.

Elle restait debout, le regard planté dans celui de Sakota, et ses yeux devenaient de plus en plus noirs et brillants.

Sakota se laissa retomber sur son fauteuil. « Mais... mais pourquoi ? bégaya-t-elle. Mais pourquoi parles-tu ainsi ? Ne sommes-nous pas déjà unies par les liens du sang ? L'empereur n'est-il pas notre maître à toutes les deux ?

— C'est pour notre fils que je te demande ta faveur et pas pour moi-même. Moi, je n'ai besoin de personne. Mais il me faut l'assurance que tu es dans le camp de mon fils et non contre lui. »

Chacune comprenait très bien les pensées de l'autre : Yehonala voulait obtenir de Sakota la promesse de ne pas comploter contre l'héritier du trône du Dragon ; par son silence, Sakota reconnaissait l'existence d'un complot et refusait d'octroyer sa promesse.

Yehonala tendit son fils à une suivante : « Donne-moi ta main, cousine. » Elle parlait d'une voix unie, mais résolue. « Promets-moi que personne ne pourra nous séparer. Nous sommes destinées à passer notre existence ensemble dans cette enceinte, soyons amies et non ennemies. » Elle attendit : Sakota hésitait à tendre ses mains. Soudain, la fureur étincelant dans ses grands yeux, Yehonala se pencha, saisit ces deux petites mains si douces et les serra dans une étreinte qui fit monter les larmes aux yeux de Sakota. Yehonala reprenait là une vieille habitude d'enfance ; chaque fois que Sakota boudait ou se révoltait, elle lui écrasait les mains jusqu'à ce qu'elle pleure.

« Je... Je promets, balbutia Sakota d'une voix brisée.

— Moi aussi je promets », affirma Yehonala.

Elle replaça les deux petites mains de Sakota sur ses genoux et vit ce que les dames d'honneur virent également : les étuis d'or fins de ses ongles avaient imprimé de sillons rouges la peau tendre. Sakota joignit ses mains et laissa couler des larmes de souffrance.

Mais Yehonala ne s'excusa pas. Elle s'inclina et refusa le bol de thé que lui offrait une suivante.

« Je ne veux pas rester, cousine. » Elle avait repris sa douce voix ordinaire. « Je suis venue pour obtenir ta promesse, et maintenant je l'ai. Elle m'appartient et restera mienne durant toute ma vie et celle de mon fils. Je n'oublierai pas que moi aussi j'ai donné ma promesse. »

Cette femme altière à l'orgueil démesuré fit du regard le tour de l'assistance. Puis elle se retira et, balayant le sol de ses robes de brocart, reprit son fils et s'éloigna.

Ce soir-là, une fois que l'enfant, après avoir été

nourri, se fut endormi dans les bras de sa nourrice, elle fit appeler Li Lien-ying. Il n'était jamais bien loin ; elle lui ordonna de lui amener le chef des eunuques An Teh-hai.

« Dis-lui que quelque chose me tourmente », ordonna-t-elle. Au bout d'une heure ou deux, Li Lien-ying ramena le chef des eunuques qui s'excusa : « Pardonnez-moi, Vénérable, j'étais aux ordres de l'empereur, dans sa chambre.

— Tu es pardonné. » De l'index, Yehonala lui désigna une chaise et s'installa dans son fauteuil, semblable à un trône, près d'une grande table sculptée. Elle renvoya ses dames d'honneur, ne gardant près d'elle que Li Lien-ying et sa suivante.

Li Lien-ying fit mine de se retirer, mais Yehonala lui ordonna de rester.

« Ce que j'ai à dire s'adresse à vous deux, car je dois compter sur vous comme sur ma main gauche et ma main droite. »

Elle commença par s'enquérir des intrigues dont ses suivantes lui avaient chuchoté quelques bribes.

« Tout cela est-il vrai ? demanda-t-elle au chef des eunuques, ai-je des ennemis qui complotent d'enlever le trône à mon fils si... » Elle s'interrompit, car, en parlant de l'empereur, personne n'a le droit de prononcer le mot « mort ».

« Dame, tout ceci est vrai... » Le chef des eunuques inclina sa belle tête massive.

« Continue, ordonna-t-elle.

— Vénérable, vous devez savoir que nul parmi les clans puissants ne croyait l'empereur capable d'engendrer un fils en bonne santé. Lorsque la princesse consort donna le jour à une fille chétive, certains princes reprirent courage et décidèrent de voler le sceau impérial dès que l'empereur retournerait aux Sources

Jaunes. Hélas! hélas! nous ne pouvons pas compter sur un règne de longue durée. L'empereur est jeune, mais l'impératrice douairière l'a trop gâté. Elle l'a nourri de sucreries dans son enfance, et a soigné à l'opium ses maux d'estomac. Il n'avait pas douze ans qu'il était déjà débauché par les eunuques. A seize, il était épuisé par les femmes. Voilà, j'ai dit la vérité. »

Là-dessus, le chef des eunuques posa ses larges paumes à plat sur ses genoux et baissa tant la voix que Li Lien-ying dut se pencher pour l'entendre.

« En toute sagesse, chuchota-t-il avec une expression solennelle, il nous faut maintenant dénombrer nos amis et nos ennemis. »

Yehonala demeurait immobile pendant qu'il parlait. Elle était capable de garder son maintien gracieux tout en restant sans bouger pendant des heures, droite et majestueuse. Elle regarda le chef des eunuques sans manifester de crainte.

« Qui sont nos ennemis ?

— D'abord, le grand conseiller, Su Shun.

— Lui ? Et moi qui ai pris sa fille parmi mes dames d'honneur !

— Oui, lui-même, et puis aussi le propre neveu de l'empereur, Yi, et encore le prince Cheng. Ces trois-là, Vénérable, sont vos principaux ennemis parce que vous nous avez donné un héritier. »

Elle inclina la tête. Le danger était bien tel qu'elle se l'imaginait : d'un côté, des princes puissants apparentés par le sang à l'empereur ; de l'autre, elle seule, une simple femme !

Elle leva la tête fièrement. « Et qui sont nos amis ? »

Le chef des eunuques s'éclaircit la voix. « Le premier de tous, Vénérable, c'est le prince Kung, le jeune frère du Fils du Ciel.

— Est-il vraiment mon ami ? A lui seul, il vaut tous

les autres. » Elle était encore si jeune qu'elle se raccrochait au moindre espoir, et ses joues s'empourprèrent.

« Quand le prince Kung vous a vue, déclara le chef
des eunuques, il a dit à un ami de son clan, qui me l'a
répété, que votre beauté et votre intelligence exception-
nelles apporteraient au royaume soit la prospérité,
soit la ruine. »

Yehonala l'écoutait avec attention. Elle soupesa chacune de ces paroles et resta silencieuse un long moment.
Puis elle poussa un grand soupir.

« Si je dois apporter la prospérité au royaume, il
me faut des armes.

— Cela est exact, Vénérable.

— Mon arme principale sera la puissance que donne
le rang.

— Cela est vrai, Vénérable.

— Retourne voir l'empereur et suggère-lui que
l'héritier est en danger ! Fais-lui comprendre que moi
seule peux protéger notre enfant. Souffle-lui de m'élever à un rang égal à celui de la princesse consort, de sorte
qu'elle ne puisse exercer aucun pouvoir sur l'héritier,
ni servir d'instrument à ceux qui désirent le pouvoir. »

Le chef des eunuques fut ravi de tant d'habileté,
et Li Lien-ying se mit à rire en faisant craquer ses
jointures pour témoigner sa satisfaction.

« Dame, dit le chef des eunuques, je vais influencer
l'empereur pour qu'il vous donne cette récompense
le jour où l'on célébrera le premier mois de l'héritier.
Quel jour serait plus propice ?

— Aucun autre, en effet », acquiesça-t-elle.

Elle plongea son regard dans les petits yeux noirs
profondément enfoncés sous le front lisse. Des fossettes
se creusèrent dans le visage de la jeune femme qu'un
sourire éclaira, tandis que ses grands yeux pétillaient
de malice, de joie et de triomphe.

Son fils parvenait au terme de son premier mois. La lune était pleine de nouveau. Certains dangers étaient écartés, tels que la maladie du dixième jour qui fait mourir les nourrissons avant leur dixième jour d'existence, la maladie du flux, qui liquéfie les entrailles d'un enfant, le danger du vomissement continuel, les toux, les rhumes et la fièvre. A la fin de ce premier mois, l'héritier était potelé et bien portant, déjà volontaire, et toujours affamé, de sorte que jour et nuit sa nourrice restait à sa disposition. Cette nourrice, Yehonala l'avait choisie elle-même; c'était une jeune paysanne chinoise qui avait aussi un fils premier-né et dont le lait devait par conséquent convenir à l'enfant royal. Mais Yehonala ne s'était pas contentée de faire contrôler la santé de la femme par les médecins de la cour. Elle avait tenu à l'examiner elle-même, à goûter son lait et à respirer son haleine pour en déceler la moindre aigreur. Elle lui avait elle-même établi un régime à partir des meilleurs mets. Le jeune prince prospérait à l'instar d'un petit paysan.

Pour fêter le premier mois de son fils, l'empereur avait ordonné des réjouissances dans la nation tout entière. Dans la Ville interdite, la journée devait se dérouler en festivités et en banquets. Lorsque l'empereur envoya le chef des eunuques demander à Yehonala ce qui lui ferait plaisir en ce jour béni, elle exprima librement son désir.

« Je meurs d'envie de voir une pièce de théâtre, confia-t-elle à An Teh-hai; depuis que j'habite sous ce toit doré, je n'ai pas été une fois au spectacle. L'impératrice douairière n'aimait pas les acteurs et je n'ai pas exprimé mon vœu de son vivant, pas plus que pendant les mois de deuil consécutifs à sa mort. Mais maintenant... Le Fils du Ciel me ferait-il ce plaisir? »

An Teh-hai ne put que sourire devant ce visage rose

et ardent comme celui d'un enfant, aux grands yeux pleins d'espoir.

« Le Fils du Ciel ne vous refusera rien maintenant, dame. » Il lui fit un clin d'œil, inclina la tête à plusieurs reprises pour lui faire comprendre qu'elle recevrait une récompense bien plus importante qu'une pièce de théâtre, puis il se hâta de se retirer pour transmettre son message.

Ainsi, le jour des festivités, Yehonala vit-elle exaucer tous ses désirs, du plus petit jusqu'à son vœu le plus cher. Tout d'abord eut lieu la cérémonie de présentation des cadeaux. Pour ce rite, l'empereur avait choisi le palais des Grandes Splendeurs. Dès l'aube s'y pressaient des hommes venus de tous les coins du royaume ; parmi eux circulaient des eunuques qui s'occupaient des énormes lanternes de corne suspendues aux poutres et décorées de dragons à cinq griffes. Leur lumière faisait ressortir les broderies d'or des vêtements et les joyaux incrustés dans le trône. Dans une gamme de couleurs chatoyantes, le cramoisi s'y mêlait à la pourpre, à l'écarlate, au bleu roi ; l'or et l'argent rivalisaient d'éclat.

Tous attendaient en silence l'arrivée du Fils du Ciel. A l'aube, la procession impériale fit son apparition, étendards en tête, encadrée de gardiens en tenue écarlate. Les princes venaient d'abord, puis les eunuques marchant d'un pas lent, deux par deux, vêtus d'une robe pourpre, à ceinture d'or. Au milieu, douze porteurs ployaient sous le palanquin sacré, laqué de jaune, où trônait le Fils du Ciel en personne. Dans la salle d'apparat, toute l'assistance tomba à genoux et neuf fois chacun frappa le sol du front en criant : « Dix mille années... dix mille années... dix mille années ! »

L'empereur descendit de son palanquin ; s'appuyant à droite sur son frère et à gauche sur le grand conseil-

ler Su Shun, il monta sur le trône d'or. Là, assis dans
une pose très digne, les paumes à plat sur les genoux,
il reçut par ordre de préséance les princes et les
eunuques qui apportaient leurs offrandes à l'héritier.
Ils ne les touchaient pas de leurs mains, car elles étaient
placées sur des plateaux d'argent tenus par des porteurs. Le prince lisait à haute voix la liste des cadeaux,
indiquait leur provenance (province, port, ville ou
région), et le chef des eunuques, armé d'un parchemin
et d'un pinceau, consignait le nom du donateur, la nature
du cadeau et sa valeur ; les donateurs l'avaient soudoyé
au préalable pour surestimer la valeur de leurs cadeaux.
Derrière le trône se trouvait, comme d'habitude, un
vaste écran de bois parfumé, très habilement ajouré
de dragons à cinq griffes : il dérobait à la vue Yehonala, la princesse consort et leurs suivantes. Une fois
tous les cadeaux acceptés, l'empereur fit appeler Yehonala pour qu'elle reçoive le sien. Le chef des eunuques
se rendit devant elle pour lui communiquer cette convocation et il la conduisit devant le trône du Dragon.
Elle se tint debout un instant, grande et majestueuse,
la tête haute, ne regardant ni d'un côté ni de l'autre.
Puis, lentement, elle se laissa tomber à genoux, posa
ses mains jointes sur les dalles du sol et y inclina son
front.

L'empereur prit la parole : « En ce jour, nous décla-
rons que la mère de l'héritier Impérial, agenouillée
devant nous, sera élevée au rang de princesse consort
à égalité entière avec l'autre princesse consort. Afin que
nulle confusion ne s'établisse, la première princesse
consort se nommera Tzu-An, ou impératrice du palais
oriental, et la bienheureuse mère prendra le nom de
Tzu-Hsi, ou impératrice du palais occidental. Telle
est notre volonté. Elle sera proclamée dans le royaume
tout entier, afin que nul n'en ignore. » A ces mots, le

cœur de Yehonala se gonfla de joie. Qui pouvait lui
nuire, désormais ? Elle était élevée par la main même
de l'empereur. Trois fois et trois fois encore et encore
trois fois, elle inclina son front sur ses mains. Puis elle
se redressa, attendant que le chef des eunuques lui
tendît son bras pour qu'elle s'y appuie en allant
reprendre sa place derrière l'écran du Dragon. Une fois
réinstallée, elle ne tourna pas la tête vers Sakota, et cette
dernière n'eut pas un mot pour elle.

Pendant cette cérémonie, la vaste multitude qui remplissait la salle d'apparat avait gardé le silence. Seule
avait résonné la voix de l'empereur. A dater de ce jour.
Yehonala devint Tzu-Hsi, nom impérial de la mère
sacrée.

Le soir même, Tzu-Hsi fut mandée par l'empereur.
Depuis trois mois — deux mois avant la naissance et
un mois après — il ne l'avait pas fait appeler. Mais
maintenant le moment était venu. Elle fut satisfaite
de constater qu'elle restait favorite non pas seulement
à cause de son fils, mais pour elle-même. Elle savait
parfaitement qu'au cours de ces mois l'empereur
avait fait appeler une concubine après l'autre, et que
chacune avait espéré déloger la favorite régnante.
Ce soir, elle saurait si elles y avaient réussi. Elle se hâta
de se préparer pour suivre le chef des eunuques qui
l'attendait à l'entrée de son palais.

Mais comme c'était difficile de s'éloigner ! Le lit de
l'enfant se dressait tout contre le sien. On lui avait
préparé ses·appartements avant sa naissance, mais elle
répugnait de s'en séparer, fût-ce pour une nuit, même
ce soir-là. Toute parée, couverte de bijoux et de parfums, vêtue de satin rose, elle restait près de lui, inca-

pable de s'arracher au petit garçon qui dormait gavé de lait, sur ses matelas de soie. Deux femmes restaient à son chevet : sa nourrice et la suivante de Tzu-Hsi.

« Je vous interdis de le quitter, même pour une seconde, leur intima-t-elle ; si je reviens, fût-ce à l'aube, et que je le trouve malade ou en train de pleurer, ou si je vois la moindre trace rouge sur sa peau, je vous ferai donner la bastonnade à l'une et à l'autre ; et, s'il a vraiment du mal, vous en répondrez sur vos têtes. » Les deux femmes restèrent abasourdies devant une telle violence, la nourrice terrorisée et la suivante stupéfaite de voir sous ce jour sa maîtresse si courtoise à l'ordinaire.

« Depuis que l'impératrice du palais occidental a donné le jour à cet enfant, dit-elle d'une voix douce, elle est devenue une vraie tigresse. Soyez sûre, Vénérable, que nous veillerons sur lui de notre mieux. » Mais Tzu-Hsi avait encore d'autres recommandations à faire : « Li Lien-ying devra rester assis à la porte et aucune de mes dames d'honneur ne devra dormir profondément.

— Il sera fait selon vos désirs », promit la suivante.

Mais Tzu-Hsi ne pouvait pas s'arracher ; elle se pencha sur l'enfant endormi et admira son visage rose aux douces lèvres charnues, aux grands yeux bien fendus, aux oreilles plaquées, avec leurs lobes bien formés, signe de grande intelligence. D'où son fils tenait-il sa beauté ? Celle de sa mère ne suffisait pas à expliquer une telle perfection. Son père... elle interrompit le cours de ses pensées et, prenant dans ses mains les mains du bébé, elle déplia doucement les petits doigts pour respirer les paumes à la façon des mères. Oh ! quel trésor ne possédait-elle pas maintenant.

« Vénérable ! » C'était la voix de An Teh-hai qui s'impatientait au-dehors. Elle savait maintenant que le chef des eunuques était son allié dans la guerre secrète du palais et qu'elle devait le ménager. Elle ne s'attarda donc que pour une dernière précaution : sur sa coiffeuse, elle choisit deux cadeaux, un anneau d'or et un bracelet incrusté de perles, destinés à sa suivante et à la nourrice, dont elle payait ainsi la vigilance. Alors, elle se hâta de sortir. A Li Lien-ying qui l'attendait avec An Teh-hai, elle donna une pièce d'or sans ajouter un mot, mais il comprit son intention. Et, tandis qu'elle s'éloignait avec An Teh-hai, il resta au palais pour garder le fils de l'impératrice.

Celle-ci avait également emporté de l'or pour le chef des eunuques. Mais elle ne le lui donnerait pas avant de connaître l'accueil de l'empereur. Si tout se passait bien, il aurait aussi sa récompense. Le chef des eunuques le comprenait parfaitement, et il la conduisit par les couloirs étroits, qu'elle connaissait bien maintenant, au cœur de la Ville interdite.

« Viens ici, tout près de moi », dit l'empereur.

Elle s'était arrêtée sur le seuil de sa vaste chambre afin qu'il pût la contempler dans toute sa beauté et sa vigueur. Sur son ordre, elle s'avançait lentement vers lui avec cette grâce ondulante dont elle savait si bien user. Point d'humilité en elle, mais une timidité et une pudeur à demi feintes. Elle savait — c'était une de ses armes — se persuader de la réalité de ses attitudes et devenir telle qu'elle paraissait être. Qui l'eût taxée de fourberie, puisqu'elle réussissait à se convaincre aussi bien elle-même que son entourage ?

C'est ainsi qu'en ce moment où elle approchait du lit impérial — vaste et profond comme une chambre entre les rideaux jaunes et le filet d'or — elle ressentit une pitié soudaine. L'homme qui l'y attendait était sûrement condamné à mort. Malgré sa jeunesse, ses forces étaient prématurément usées.

Tout à coup, elle hâta le pas. « Ah! s'écria-t-elle, vous êtes malade, mon divin seigneur, et personne ne me l'avait dit! »

En effet, à la lumière des grandes bougies brûlant dans les candélabres d'or, il paraissait si ravagé, sa peau jaune tendue sur ses os menus, qu'on eût dit un vivant squelette adossé aux oreillers de satin jaune. Ses deux mains aux paumes ouvertes reposaient, inertes et froides, sur les édredons. Elle s'assit sur le lit et les enferma dans les siennes, chaudes et vigoureuses.

« Souffrez-vous? s'enquit-elle, anxieuse.

— Je ne souffre pas, mais je me sens faible.

— Mais cette main », insista-t-elle. Elle souleva sa main gauche. « On la dirait différente de l'autre, plus froide, plus raide.

— Je ne peux plus m'en servir comme autrefois », admit-il à regret.

Elle releva la manche et vit un bras nu, décharné et jaune comme du vieil ivoire sous la robe de satin.

« Ah! gémit-elle, pourquoi ne m'a-t-on rien dit?

— Qu'y avait-il à dire? Rien, si ce n'est qu'une lente froideur s'empare de mon côté gauche. »

Il l'attira vers lui. « Viens, dit-il, viens dans mon lit. Aucune des autres ne m'a suffi. Toi, toi seule! »

Elle vit la lueur familière dans ses yeux creux et se prépara à lui obéir. Mais, tandis que les heures se succédaient jusqu'à minuit et au-delà, une profonde tristesse s'emparait d'elle. De quel mal souffrait ce pauvre homme qui régnait sur un puissant empire! Le froid de la mort l'avait frappé jusque dans les sources de la vie, et il n'était plus un homme. Impuissant comme un eunuque, il s'épuisait en vains efforts.

« Aide-moi, la supplia-t-il à plusieurs reprises, aide-moi... aide-moi, de peur que je ne meure de cette terrible soif inapaisée. »

Mais elle ne parvenait pas à l'aider. En voyant qu'elle-même ne pouvait plus rien pour lui, elle se redressa, s'assit sur le bord du lit et le prit dans ses bras comme un enfant, et comme un enfant il sanglota sur sa poitrine, sachant que ce qui avait été sa plus grande joie lui était désormais refusé. Malgré sa jeunesse — il n'avait même pas trente ans — c'était déjà un vieil homme épuisé par ses passions. Trop tôt, il s'était laissé aller à ses désirs; trop souvent, les eunuques l'avaient contenté; trop humblement, les médecins de la cour avaient restauré sa vigueur au moyen de philtres et de tisanes. A cet organisme usé, il ne restait que la mort.

Accablée par cette certitude, elle le tenait sur sa poitrine et l'apaisait par de douces paroles; son calme et sa force réussirent à le convaincre.

« Vous êtes fatigué, dit-elle, accablé de soucis. Je connais nos nombreux ennemis et la menace que font peser sur nous les Occidentaux, leurs navires et leurs armes. Tandis que je vivais ma vie de femme, tous ces soucis cachés dans votre esprit sapaient vos forces. Tandis que je portais mon fils, vous ployiez sous le fardeau de l'État. Laissez-moi vous aider, mon seigneur. Laissez-moi partager votre fardeau. Laissez-moi m'asseoir tous les jours derrière l'écran de la salle d'audience et écouter vos ministres. Je saurai deviner le sens caché de leurs doléances et, après leur départ, je vous communiquerai mon impression, mais en vous abandonnant la décision, selon mon devoir. »

De la sorte, elle écartait de son désir insatisfait les pensées de l'homme. Elle l'amenait de l'amour aux affaires publiques, aux menaces des ennemis et au renforcement du trône maintenant muni d'un héritier. Elle comprit quelle fatigue pesait sur cet Empereur accablé de fardeaux. Il poussa un long soupir et, s'adossant à ses oreillers, il prit la main de la femme dans les siennes pour essayer de lui confier ses difficultés.

« Mes soucis sont immenses. Au temps de mes ancêtres, l'ennemi venait toujours du nord, et la Grande Muraille arrêtait les hommes et les chevaux. Mais ce mur ne nous sert plus de rien. Des nuées de Blancs : Anglais, Français, Hollandais, Allemands et Belges, arrivent par la mer. Je te le dis, je ne sais combien de nations existent au-delà des montagnes de K'un lun! Ils nous font la guerre pour nous vendre leur opium; jamais ils ne sont satisfaits. Maintenant voilà que les Américains se joignent à eux. D'où viennent-ils? Où se trouve l'Amérique? Il paraît que ce peuple vaut un peu mieux que les autres. Mais, si j'octroie des faveurs à ces autres, les Américains exigent les mêmes. Cette année justement, ils veulent renouveler leur traité avec nous. Or je ne veux renouveler aucun traité avec les Blancs.

— En ce cas, ne renouvelez rien! protesta Tzu-Hsi, impétueuse. Pourquoi agiriez-vous contrairement à vos désirs? Ordonnez à vos ministres de refuser.

— Les armes des Blancs sont terribles, gémit-il.

— Tergiversez, tergiversez, conseilla-t-elle. Ne répondez pas à leurs demandes, laissez leurs messages sans réponse, refusez de recevoir leurs envoyés. Cela nous donnera du temps. Tant qu'ils garderont l'espoir de renouveler leur traité, ils ne nous attaqueront pas. C'est pourquoi il ne faut dire ni oui ni non. »

L'empereur fut frappé d'une telle sagesse. « Tu vaux plus pour moi que n'importe quel homme, déclara-t-il, plus même que mon frère. C'est lui qui me harcèle pour recevoir les Blancs et conclure de nouveaux traités avec eux. Oui, il tente de m'effrayer en me parlant de leurs grands bateaux et de leurs canons à longue portée. D'après lui, il faut négocier... »

Tzu-Hsi rit. « Ne vous laissez pas effrayer, mon seigneur, même par le prince Kung. La mer est très loin d'ici ; existe-t-il un canon qui porte assez loin pour atteindre les murs de notre ville ? »

Elle croyait ce qu'elle disait ; quant à lui, il souhaitait de la croire et se raccrochait à son assurance. Il finit par s'endormir. Elle resta auprès de lui jusqu'à l'aube.

A sept heures, le chef des eunuques vint réveiller l'empereur et lui annoncer que ses ministres l'attendaient pour l'audience matinale quotidienne. Quand il entra, Tzu-Hsi se leva pour lui donner ses ordres avant le réveil de l'empereur.

« A dater d'aujourd'hui, dit-elle, je m'installerai dans la salle du trône derrière l'écran du Dragon. Ainsi le veut le Fils du Ciel. »

An Teh-hai s'inclina devant elle et frappa les dalles de son front. « Vénérable, s'exclama-t-il, j'en suis très heureux. »

Dès lors, Tzu-Hsi se leva chaque matin dans l'obscurité du petit jour. A la lumière des bougies, ses femmes la baignaient et lui passaient ses robes d'apparat, et elle partait dans sa chaise à porteurs, précédée de Li Lienying portant une lanterne. Pendant les audiences, elle restait assise derrière le grand écran ajouré, tandis que Li Lien-ying montait la garde, la dague au poing, toujours prêt à la défendre.

A dater de ce jour, l'héritier quitta la chambre de sa mère. On l'installa dans son propre palais, le chef des eunuques fut nommé son serviteur attitré et le prince Kung fut responsable de sa sécurité.

Le froid vint tôt cette année-là ; il n'avait pas plu depuis plusieurs semaines et, bien qu'on fût seulement au milieu de l'automne, déjà soufflaient du nord-ouest des vents froids et secs chargés des sables du lointain désert. Le sable enrobait la cité d'un halo et recouvrait jusque dans les moindres interstices les toits qui brillaient au soleil. Mais les tuiles vernissées bleu royal et jaune impérial de la Ville interdite ne le retenaient pas et restaient nettes sous l'éclat blanchâtre de la lumière.

A midi, alors que le soleil donnait une faible chaleur, les vieilles gens, engoncés dans leurs vêtements ouatinés, sortaient de leur maison pour s'installer à l'abri du vent, et les enfants couraient dans les rues et jouaient jusqu'à ce qu'ils fussent en nage. Mais le soir, quand le soleil disparaissait, le froid sec gelait le sang des jeunes aussi bien que des vieux. Pendant toute la nuit, le froid augmentait et, entre minuit et l'aube, il atteignait son maximum. Les mendiants, dans les rues, étaient obligés de courir çà et là pour se maintenir en vie jusqu'au lever du soleil, et les chiens sauvages eux-mêmes ne pouvaient pas dormir.

Par une de ces heures froides et silencieuses, au jour fixé par le Conseil des Astronomes Impériaux, Tzu-Hsi se leva pour prendre sa place accoutumée dans la salle du trône. Sa suivante dormait près d'elle. Quand le veilleur frappa trois fois trois coups sur son gong de cuivre, la femme se leva, regarnit le brasero et y mit de l'eau à chauffer. Puis elle versa l'eau bouillante dans une théière de terre cuite cerclée d'argent et, tirant les rideaux du lit de Tzu-Hsi, elle lui toucha l'épaule. Ce simple contact suffisait, car, si Tzu-Hsi dormait bien, elle avait le sommeil léger. Elle ouvrit grand les yeux et se redressa dans son lit.

« Je suis réveillée ! » dit-elle.

La femme versa le thé dans un bol et, avec ses deux mains, le présenta à Tzu-Hsi qui le but lentement. Dans la salle de bain, l'eau fumait déjà dans la baignoire de porcelaine. Tzu-Hsi se leva, toujours gracieuse et précise dans chacun de ses mouvements, et, quelques minutes plus tard, elle était dans son bain. Sa suivante la revêtit alors spécialement pour l'audience impériale : linge de soie parfumé, longue robe de satin rose doublée de zibeline et boutonnée jusqu'au cou, tunique de gaze jaune pâle brodée de petits médaillons représentant des Phénix. Tzu-Hsi portait des bas de soie blanche et des chaussures mandchoues aux talons doubles, très hauts, cloués au milieu de la semelle. Quand elle fut coiffée, la suivante lui posa sur la tête la tiare ornée de figurines, de fleurs de satin, de pierres précieuses et de toutes petites perles fines enfilées sur des tiges métalliques.

Les deux femmes se taisaient, la suivante parce qu'elle était fatiguée et Tzu-Hsi parce que de sombres pensées s'agitaient dans son esprit. La situation empirait. La veille encore, en audience privée, le prince Kung lui avait confié : « Dans n'importe quelle nation, le peuple se soucie peu de qui le gouverne tant qu'il jouit de la paix et de l'ordre, qu'il peut s'amuser et aller au spectacle. Mais, si la paix et l'ordre sont troublés, alors le peuple accuse ses dirigeants. C'est, par malchance, ce qui nous arrive. Hélas ! pourquoi faut-il que mon frère l'empereur soit si faible ! De nos jours, ni Blancs ni Chinois ne craignent plus le trône.

— Si ces étrangers à la peau blanche n'étaient pas venus de par-delà les mers, dit Tzu-Hsi, nous pourrions juguler les rebelles chinois. »

Il acquiesça tristement. « Oui, mais que faire ? Ils sont là. Notre dynastie en est responsable : il y a un siècle, nos ancêtres ne comprenaient pas que ces étrangers de l'Occident fussent différents des autres. Charmés par leur habileté, leurs jouets ingénieux et leurs horloges, ils les ont laissés, sans penser à mal, pénétrer chez nous en visite, pensant que, par courtoisie, ils quitteraient ensuite nos rives. Nous savons maintenant que nous aurions dû les rejeter tous à la mer, car, s'il en arrive un, il en arrive cent, et ils s'accrochent à nos terres.

— Il est vraiment étrange que le Vénérable ancêtre Ch'ien Lung, si grand et si sage, et dont le règne fut si long, n'ait pas compris la véritable nature de ces Occidentaux. »

Le prince Kung secoua la tête tristement et continua : « Ch'ien Lung s'est laissé tromper par sa puissance et son bon cœur. Il n'imaginait pas qu'on pût être son ennemi. Il se comparait même à l'Américain George Washington, son contemporain, et se plaisait à l'appeler son frère, bien qu'il ne le connût pas. »

C'était ainsi qu'ils se parlaient, et le prince Kung se donnait beaucoup de mal pour l'instruction de Tzu-Hsi. Tout en l'écoutant, elle levait les yeux vers son beau visage, triste et las malgré sa jeunesse, et elle pensait qu'il eût été hautement préférable que ce prince régnât à la place de son faible frère aîné.

« Vous êtes prête, Vénérable, dit sa suivante, je voudrais bien que vous mangiez quelque chose de chaud avant de vous rendre à l'audience. Prenez un bol de millet...

— Je mangerai en revenant, répliqua Tzu-Hsi. Il me faut l'estomac vide pour avoir la tête claire. »

Elle se leva et se dirigea vers la porte d'un pas mesuré, la tête haute. Elle aurait dû avoir ses dames d'honneur à côté d'elle, mais elle, qui savait se montrer sévère et dure lorsqu'elle le voulait, traitait avec douceur ses suivantes et n'exigeait pas qu'elles se lèvent si tôt. Il lui suffisait que sa servante fût près d'elle et que Li Lien-ying l'attendît à la porte. Pourtant, une de ses dames d'honneur se levait souvent en même temps

qu'elle : Lady Mei, la plus jeune fille du prince Su Shun,
grand conseiller. Ce matin-là, Lady Mei l'attendait
déjà à la porte, pâlie par ce lever matinal, mais fraîche
comme un gardénia blanc. A peine âgée de dix-huit
ans, elle avait un corps menu et parfait, un cœur affectueux et soumis ; Tzu-Hsi l'aimait beaucoup, bien qu'elle
fût la fille de son ennemi mortel. Son goût de la justice
et sa largesse d'esprit lui défendaient de tenir la jeune
fille pour responsable de la fourberie de son père.

Elle sourit à sa jeune dame d'honneur : « N'est-ce
pas trop tôt pour toi ?

— Vénérable, j'avais si froid que je ne pouvais pas
dormir, avoua Lady Mei.

— Un de ces jours, il faudra que je te trouve un mari
pour réchauffer ton lit », répondit Tzu-Hsi en souriant.

Elle lança cette boutade sans savoir au juste pourquoi,
mais, dès qu'elle entendit ses propres paroles, elle les
devina dictées par un instinct. Ah ! oui, les racontars
des femmes dans les cours... Depuis la fête du premier
mois de l'héritier, les racontars volaient de bouche en
bouche : on se murmurait que Lady Mei regardait souvent Jung Lu, le beau chef des gardes impériaux, parent
de la bienheureuse mère. Tzu-Hsi avait surpris cette
rumeur, car elle entendait tout, l'esprit toujours en éveil,
les yeux toujours ouverts. En vérité, qui eût pu dire
au juste ce qu'elle ignorait ?

« Vénérable, je vous en prie, je ne veux pas de mari »,
murmura Lady Mei, soudain toute rose.

Tzu-Hsi pinça la jolie joue. « Pas de mari ?

— Laissez-moi demeurer toujours près de vous,
Vénérable.

— Pourquoi pas ? Ce n'est pas cela qui t'obligera à
rester fille. »

Lady Mei devint pâle et rouge, et de nouveau pâle.
Cette conversation sur le mariage allait lui porter

malheur! Il suffisait que l'impératrice du palais occidental lui ordonnât de se marier; elle n'avait plus qu'à
obéir, alors que tout son cœur était...

La silhouette grossière de Li Lien-ying parut devant
elle, la lumière de sa lanterne éclairant par en dessous
ses traits épais.

« Il se fait tard, Vénérable », dit-il de sa fluette voix
d'eunuque. Tzu-Hsi se ressaisit : « Ah! oui, et je dois
aller voir mon fils. » Elle avait l'habitude, chaque matin,
d'aller voir son fils avant l'audience. Elle entra dans la
grande chaise à porteurs, les rideaux retombèrent, les
six hommes soulevèrent les bambous sur leurs épaules
et partirent d'un pas rythmé vers le palais de l'héritier.

A l'entrée de ce palais, les eunuques de garde s'inclinèrent au passage de Tzu-Hsi. Des bougies rouges,
faites de graisse de bœuf, piquées dans des candélabres
d'or et posées sur la table, éclairaient la chambre royale.
La mère contempla l'enfant endormi, pelotonné contre
sa nourrice. Il avait dû s'éveiller la nuit et pleurer,
la femme lui avait donné le sein, et tous deux s'étaient
endormis l'un près de l'autre. Tzu-Hsi les contemplait
avec une étrange nostalgie. C'est elle qui aurait dû
l'entendre pleurer la nuit, c'est elle qui aurait dû lui
donner le sein et s'endormir à côté de lui. Ah! en choisissant son destin, elle n'en avait pas calculé le prix!

Elle imposa silence à son cœur. Le moment du choix
était passé. La naissance même de son fils confirmait son
destin. Elle était la mère non pas d'un enfant, mais de
l'héritier de l'Empire; elle devait toutes ses pensées
à la préparation du jour où il régnerait sur quatre cents
millions de sujets; sur elle seule reposait tout le poids
de la dynastie mandchoue. Hsien Feng était faible,
mais il fallait que son fils fût fort. Elle y parviendrait.
Sa vie entière y serait consacrée. Elle ne passait plus

autant d'heures agréables dans la bibliothèque du palais, ni auprès de Lady Miao. Un jour, peut-être, elle aurait le temps de peindre ce qui lui plaisait, mais pas pour le moment.

Elle remonta dans sa chaise à porteurs, les rideaux tirés pour la protéger de la brise du matin, le spectacle de son bébé endormi lui tenant chaud au cœur.

Elle avait eu l'ambition de devenir Impératrice. Mais quelle ambition plus grande encore n'était pas la sienne maintenant : préserver l'Empire du démembrement pour son fils ! Entre les rideaux mouvants de sa chaise à porteurs, elle voyait la lanterne de l'eunuque scintiller sur les pavés de la route. Devant la salle du trône, sa chaise s'arrêta et elle souleva les rideaux. Le prince Kung l'attendait.

« Vénérable, vous êtes en retard !

— Je me suis trop attardée près de mon fils », reconnut-elle.

Il prit une expression de reproche. « J'espère, Vénérable, que vous ne réveillez par l'héritier. Il faut qu'il devienne vigoureux, car son règne sera difficile.

— Je ne l'ai pas réveillé », répondit-elle, très digne. Ils n'en dirent pas plus. Le prince Kung s'inclina et, par un passage dérobé, la conduisit à sa place derrière le trône du Dragon. Tzu-Hsi s'installa avec, à sa droite, Lady Mei, et, à sa gauche, son eunuque Li Lien-ying, protégée par l'immense écran ajouré. Cet écran scintillait de dragons aux écailles et aux griffes dorées par la lumière des grandes lanternes suspendues aux poutres du plafond magnifique.

A travers les interstices de l'écran, elle voyait nettement, devant la salle d'audiences, la vaste terrasse baignée d'ombre, et déjà remplie de princes et de ministres arrivés avant minuit dans leurs chariots sans ressorts tapissés de fourrure, pour présenter des pétitions et des documents à l'empereur en personne. Tout en attendant dans la cour l'arrivée de l'empereur, ils se groupaient selon leur rang autour de leurs étendards de soie et de velours. L'obscurité était encore complète, mais, aux quatre coins de la cour intérieure, des éléphants de bronze remplis d'huile portaient dans leur trompe dressée des torches dont la flamme éclairait la scène d'une lumière crue et mouvante.

Dans la salle d'audiences, une centaine d'eunuques s'affairaient çà et là, surveillant les grandes lanternes de corne, arrangeant leurs robes de couleurs vives couvertes de joyaux, se murmurant quelques lambeaux de phrases. Nul n'élevait la voix. Un silence étrange pesait. Comme se rapprochait l'heure fixée par le Conseil des Astronomes, l'assemblée immobile sembla entrer en transe; dans tous les visages graves et figés, les yeux restaient fixes. Au dernier moment, juste avant l'aube, un héraut souffla dans sa trompette de cuivre : l'empereur avait quitté sa demeure. La procession impériale avançait à travers les salles des différents palais afin de pénétrer dans la salle d'audiences exactement au moment de l'aube.

Un des hérauts s'écria : « Voyez le Seigneur des Dix Mille Années ! » A ce moment précis, la procession impériale fit son entrée dans la cour intérieure. Les étendards d'or ondulaient au vent du matin. Derrière les hérauts marchaient les gardes impériaux en tunique rouge et or, précédés par Jung Lu. Derrière eux, cent porteurs en uniformes jaunes tenaient le palanquin en or massif de l'empereur, et les porte-étendard fermaient la marche.

Tous, dignitaires et eunuques, tombèrent à genoux en prononçant le titre sacré : « Dix Mille Années... Dix Mille Années ! » Tous, le visage incliné sur leurs mains à plat au sol, ils attendaient que les porteurs eussent

gravi les marches de marbre et posé le palanquin
impérial sur la terrasse du Dragon, devant la salle
d'audiences. Drapé dans sa robe d'or brodée de dragons,
l'empereur descendit, et, passant entre les piliers
rouge et or, il monta lentement les marches du trône
du Dragon. Il s'y assit, posa ses mains maigres à plat
sur ses genoux, les yeux fixés devant lui.

De nouveau, ce fut le silence. La multitude proster-
née ne bougeait pas. Le prince Kung prit place à la
droite du trône et, debout, lut à haute voix les noms
des princes et des ministres par ordre de préséance
et l'heure de leur audience. La séance était commencée.

Derrière son écran, Tzu-Hsi se penchait en avant
pour ne pas perdre un mot de ce qu'on disait. De l'empereur, elle ne voyait que la tête et les épaules dépassant le dossier bas de son trône. Cet homme, qui, de loin,
présentait un aspect si imposant, n'était pas le même vu
de près. Sous la coiffure impériale ornée de glands,
sa nuque paraissait jaune et maigre, nuque de jeune
homme malade et non pas d'un homme dans la force
de l'âge ; ses épaules malingres et étroites se voûtaient
sous la robe somptueuse. Tzu-Hsi le regardait avec un
mélange de pitié et de dégoût, en se représentant son
corps décharné et maladif. Comment aurait-elle pu
empêcher son regard vif de s'écarter du trône pour
tomber sur Jung Lu, alors dans la pleine force de sa
jeunesse et de sa virilité ? Mais ils étaient plus séparés
que les deux pôles. L'heure n'était pas encore venue
pour elle de l'élever à un plus haut rang. C'était à elle
de lui tendre la main, mais comment en aurait-elle
l'occasion ? Pas avant d'être assez forte pour se faire
craindre de tout le monde, cela elle le savait. Il lui
fallait d'abord monter si haut que personne n'oserait
l'accuser ou salir son nom. Soudain, guidés par un
instinct dont elle ne voulait pas reconnaître la nature,

ses yeux tombèrent sur Lady Mei, debout, le visage pressé contre l'écran, les yeux fixés sur...

« Recule-toi ! » Elle saisit Lady Mei par le poignet et le lui tordit cruellement, avant de le relâcher.

La jeune fille tourna la tête, effrayée, et son regard rencontra les grands yeux noirs, assombris par la colère.

Tzu-Hsi n'ajouta pas un mot, mais laissa son regard brûlant sur la jeune fille qui ne put le supporter plus longtemps. Elle baissa la tête et des larmes coulèrent sur ses joues. Alors seulement Tzu-Hsi détourna les yeux. Mais une lutte se livrait en elle. Elle ne laisserait pas son cœur régner sur son esprit. C'était le moment d'apprendre à gouverner et non de se laisser aller à l'amour.

A ce moment-là, Yeh, le vice-roi de la province Kwang, se tenait devant le trône. Il était venu du Sud par bateau et à cheval. Agenouillé devant le trône, il lisait à voix haute un parchemin qu'il tenait dans ses deux mains. Sa voix perçante scandait le rythme de son rapport qu'en bon érudit il avait rédigé en vers classiques. Seuls les lettrés pouvaient comprendre ses paroles, et Tzu-Hsi elle-même avait besoin de toute sa science fraîchement acquise dans les livres anciens. Son intelligence l'aidait à deviner ce qu'elle ne comprenait pas.

Le sujet était le suivant : Dans le Sud, les marchands occidentaux se faisaient pressants, menés par les Anglais qu'irritait une affaire de si petite importance que le vice-roi avait honte d'en parler devant le trône du Dragon. Pourtant des guerres avaient été livrées et perdues pour des raisons aussi minces, et lui, qui était nommé par le Fils du Ciel, il ne pouvait pas risquer de provoquer une autre guerre. Impossible de raisonner ces barbares qui ignoraient la civilisation. Et pourtant, à l'origine de ces difficultés, il n'y avait qu'un drapeau.

L'empereur murmura quelques mots, et le prince

Kung fut son porte-parole. « Le Fils du Ciel demande la signification du mot *drapeau*.

— C'est un simple étendard, très honoré prince », répondit le vice-roi sans lever les yeux.

L'empereur murmura une phrase et de nouveau le prince Kung la répéta de sa voix forte et claire.

« Pourquoi les Anglais se fâcheraient-ils au sujet d'un simple bout de tissu, facile à remplacer ?

— Très honoré prince, les Anglais sont superstitieux. Ces gens frustes attribuent des qualités magiques à un morceau de tissu oblong aux couleurs rouge, blanche et bleue, qui représente pour eux le symbole d'une divinité. Ils ne supportent aucun manque de respect envers ce chiffon. Partout où ils le placent, c'est un signe de possession. Dans ce cas particulier, il était attaché à un mât, à l'arrière d'un navire marchand qui transportait des pirates chinois. Or, ces pirates chinois sont une plaie dans nos provinces du Sud et cela depuis des générations. Ils dorment toute la journée et, la nuit, ils attaquent les vaisseaux à l'ancre et même les villages côtiers. Le capitaine du petit navire avait payé aux Anglais le droit de s'abriter sous leur drapeau, pensant que moi, le vice-roi, je n'oserais pas leur ordonner de cesser leurs activités illégales. Mais moi, le vice-roi, serviteur indigne du Très-Haut, je n'ai pas éprouvé de craintes. J'ai fait arraisonner le navire et mettre le capitaine aux fers. Puis j'ai ordonné qu'on enlève le drapeau. Quand l'Anglais John Bowring, l'attaché commercial à Canton, a appris cette histoire, il a prétendu que j'avais insulté le symbole sacré et a exigé que je fasse des excuses au nom du trône. »

L'assemblée entière fut secouée d'horreur. L'empereur lui-même en fut ému.

Il se redressa sur son trône et parla : « Des excuses ? Et pour quelle raison ?

— Très-Haut, il en est ainsi.

— Lève-toi, ordonna l'empereur.

— Lève-toi, le Dragon Empereur te l'ordonne »,
répéta le prince Kung.

Voilà qui sortait de l'ordinaire, mais le vice-roi obéit.

Ce lettré chinois, âgé et de haute taille, natif des provinces du Nord, était loyal envers la dynastie mandchoue
qui protégeait les érudits et leur offrait des postes admi-
nistratifs, quand ils avaient passé les examens impériaux.

« Avez-vous présenté ces excuses ? » interrogea
l'empereur. Cette fois, il ne parlait pas par l'entremise
de son frère, mais directement, pour montrer à quel
point il était affecté.

Le vice-roi répliqua : « Très-Haut, comment pourrais-je faire des excuses alors que, insignifiant par moi-
même, je suis nommé par le trône du Dragon ? J'ai
envoyé le capitaine des pirates et son équipage porter
les excuses à l'Anglais. Mais ce Bowring, ignorant et
hautain, ne s'en est pas contenté ; il m'a renvoyé les
Chinois, en déclarant que c'était moi et non pas eux
qu'il voulait voir. Sur ce, contrarié, je les ai tous fait
décapiter pour avoir causé de tels ennuis.

— Cela a-t-il apaisé l'Anglais ?

— Non, Très-Haut, rien ne l'apaise. Ce qu'il veut,
ce sont des troubles qui lui fournissent une excuse pour
livrer une autre guerre et dévorer encore un peu plus
notre pays et nos trésors. Cet Anglais envenime toutes
les querelles. Ainsi, bien qu'il soit contraire à la loi
d'introduire de l'opium des Indes, il encourage cette
contrebande, prétextant que, du moment que les
commerçants chinois la pratiquent, les Anglais, les
Indiens et même les Américains peuvent également
vendre à notre peuple cette drogue néfaste qui le
démoralise et l'affaiblit. Mieux encore ; la contrebande
procure également des armes aux rebelles chinois du

Sud; et enfin, lorsque les Blancs du Portugal ont enlevé des Chinois pour les vendre comme coolies, Bowring a soutenu les Portugais. De plus, il insiste sur le fait que les Anglais n'ont pas assez des terres que nous leur avons octroyées pour bâtir leurs maisons. Très-Haut, ces Anglais ne prétendent-ils pas que nous leur ouvrirons les portes même de Canton, afin qu'eux et leur famille puissent déambuler dans nos rues et se mêler à notre peuple? On verrait alors les hommes blancs regarder nos femmes, et les femmes blanches, qui n'ont pas de pudeur, aller et venir aussi librement que les hommes. Et naturellement, si l'on accorde des avantages à une tribu blanche, les autres exigeront les mêmes, comme par le passé. Cela ne risque-t-il pas de détruire nos traditions et de corrompre notre peuple? »

L'empereur acquiesça : « En vérité, nous ne pouvons pas permettre à des étrangers de circuler librement dans nos rues.

— Très-Haut, je l'ai interdit, mais je crains bien que les Anglais ne se servent de mes interdictions pour provoquer une nouvelle guerre et, moi qui ne suis qu'un homme insignifiant, je ne peux pas prendre cette responsabilité. »

En entendant ce discours, derrière son écran, Tzu-Hsi se contenait à peine. Ah! si elle pouvait s'interposer! Mais elle n'était qu'une femme; elle devait garder le silence.

L'empereur reprit : « Avez-vous exprimé votre opinion à cet Anglais? »

Il était bouleversé au point de crier presque et le vice-roi en fut impressionné, car il n'avait encore jamais entendu l'empereur hausser le ton. Il tourna la tête vers le prince Kung, sans lever le visage vers le trône.

« Très-Haut, je ne peux pas recevoir l'Anglais, parce

qu'il prétend me parler sur un pied d'égalité. Mais comment pourrait-il s'égaler à moi qui suis nommé par le trône du Dragon? Ce serait une insulte pour le trône lui-même. Je lui ai fait répondre que je le recevrais sur le même plan que les États tributaires : à genoux. Mais il s'y refuse.

— Et pourtant, vous aviez raison », affirma l'empereur dans une crise de colère impuissante.

Fort de cet encouragement, le vice-roi continua ses révélations : « Très−Haut, ce Bowring exige que je punisse ceux qui placardent des affiches dirigées contre les étrangers blancs. Ces affiches, ce sont les Chinois qui les collent sur les murs et les portes de la ville. Elles provoquent la colère de Bowring parce qu'elles traitent sa tribu de barbare et qu'elles demandent le départ de tous les étrangers.

— Avec quelle raison ! s'exclama l'empereur.

— Avec quelle raison, Très-Haut ! Comment pourrais-je empêcher les habitants de placarder ces affiches? Ils jouissent depuis toujours du privilège d'exprimer leur pensée par ce moyen de protestation publique. Puis-je empêcher le peuple de parler? Ne serait-ce pas le pousser à une nouvelle révolte? L'année dernière, j'ai maté la population en ordonnant aux armées provinciales de passer tous les rebelles par les armes. Quatre-vingt mille rebelles sont morts, comme je l'ai signalé au trône du Dragon, mais il suffit d'en laisser un vivant pour en retrouver aussitôt dix mille. Ne risque-t-on pas de favoriser les rebelles chinois qui demandent toujours à être gouvernés par leurs compatriotes et non par des Mandchous? »

Ce raisonnement frappa l'empereur. Il dissimula ses lèvres derrière sa main droite pour qu'on ne les vît pas trembler. Il avait peur des Chinois qu'il gouvernait, encore plus que des Blancs qui le harcelaient. D'une

voix faiblissante, il murmura : « Il ne faut surtout pas
imposer silence au peuple. »

Le prince Kung répéta immédiatement ces paroles,
comme c'était son rôle. De la multitude agenouillée
de princes et de ministres, monta un murmure
d'approbation.

« Je ferai connaître ma décision demain », déclara
l'empereur. Le vice-roi, neuf fois, inclina la tête jusqu'au
sol et céda la place au ministre suivant. Mais tous savaient
pourquoi l'empereur remettait sa décision.

Ce soir-là, quand l'empereur la fit mander, Tzu-Hsi
avait pris sa décision, après une journée passée seule,
à réfléchir, sans même envoyer chercher son fils. Elle
avait du mal à contenir sa propre colère, elle aurait
voulu conseiller à l'empereur d'envoyer des armées
contre les étrangers pour en nettoyer jusqu'au dernier
les rivages de la Chine. Mais son heure n'était pas encore
venue. Elle comprenait bien qu'il lui fallait d'abord
apprendre à se dominer elle-même, avant de commander
aux autres. Elle se rappelait cette phrase lue dans les
Analectes : « Si la conduite d'un dirigeant est honorable,
il pourra gouverner sans même ordonner. Si sa conduite
privée est défectueuse, il pourra donner des ordres,
mais on ne lui obéira point. » Si de telles paroles se
justifiaient pour un homme, combien plus encore
pour une femme ! Elle devait s'imposer double
contrainte ! Ah ! si seulement elle était un homme !
Elle aurait pris en personne la tête des armées impériales contre les envahisseurs. Quel péché avait-elle
commis dans une vie antérieure pour naître femme en
une époque où l'empire avait tant besoin d'hommes
forts ? Elle réfléchissait sans cesse à la même question,
interrogeant son esprit et sa mémoire jusqu'au plus

profond d'elle-même. Mais elle ne pouvait pas remonter à la nuit des temps. Elle était ce qu'elle était ; il lui fallait agir au mieux avec un esprit d'homme dans un corps de femme.

Cette nuit-là, quand l'empereur la reçut, elle le trouva trop effrayé pour s'adonner à son désir habituel, désir exacerbé par un corps qui ne pouvait plus obéir. Il l'accueillit avec un soulagement qui trahissait ses craintes. Il lui prit la main dans ses deux mains et en caressa la paume en lui posant la question qu'elle attendait.

« Qu'allons-nous faire de cet Anglais Bowring ? Ne mérite-t-il pas la mort ?

— Certainement ! Quiconque insulte le Fils du Ciel, mérite la mort. Mais vous savez, mon seigneur, que si l'on frappe une vipère, il faut lui couper la tête du premier coup, sans quoi elle se retourne et vous attaque. Il vous faut donc une arme rapide et efficace. Nous ne savons pas ce qu'elle devrait être, mais nous savons que ce serpent est rusé et fort. Je vous supplie donc de gagner du temps : ne cédez pas, mais ne refusez pas non plus. »

Il écoutait, son visage jaunâtre ridé par l'anxiété, et recevait chacune de ces paroles comme si elles venaient du ciel. Quand elle se tut, il dit avec ferveur :

« Tu es Kuan Yin en personne, la déesse de la Miséricorde, que le Ciel m'envoie en ce moment difficile pour me guider et me soutenir. »

Il lui avait déjà dit bien des mots d'amour, il l'avait appelée « mon cœur et mon foie », mais ces dernières paroles la touchèrent plus que toutes les autres.

« Kuan Yin est ma déesse préférée », dit-elle de sa voix douce et énergique, en ce moment presque tendre.

L'empereur se redressa brusquement dans son lit. « Que le chef des eunuques fasse venir mon frère ! » Comme tous les faibles, lorsqu'il avait pris une décision, il la mettait trop vite à exécution.

Tzu-Hsi obéit néanmoins. Quelques minutes plus tard, le prince Kung entra. En regardant son beau visage grave, elle se disait une fois de plus qu'elle pouvait compter sur lui. Ils avaient un destin commun.

« Assieds-toi... Assieds-toi... Assieds-toi, dit avec impatience l'empereur à son jeune frère.

— Permettez-moi de rester debout », répliqua le prince Kung courtoisement. Il resta debout, tandis que l'empereur parlait de sa voix fluette, bégayant, cherchant ses mots :

« Nous avons... j'ai décidé... d'attaquer les étrangers d'un seul coup. Ils méritent la mort immédiate. Mais lorsqu'on marche sur une vipère... c'est-à-dire, comprends... il faut la tuer immédiatement, lui écraser la tête ou la couper — la question étant...

— Je comprends très bien, Très Haut, intervint le prince Kung. Il vaut mieux ne pas attaquer si l'on n'est pas sûr d'anéantir l'ennemi immédiatement et pour toujours.

— C'est exactement ce que je disais, répliqua l'empereur, maussade. Un jour, naturellement, c'est ce que nous devrons faire. En attendant, il faut tergiverser : Ne pas céder, mais ne pas refuser.

— Autrement dit, traiter les Blancs par le mépris?

— Exactement. » Fatigué, l'empereur se laissa aller sur ses coussins de satin jaune.

Le prince Kung réfléchissait. Si son frère avait pris une telle décision tout seul, il aurait cru celle-ci dictée par la crainte des complications, par la passivité. Mais il savait que l'empereur suivait le conseil de Tzu-Hsi. Or, il connaissait la puissance de raisonnement du cerveau caché derrière ce beau visage. Néanmoins, elle était très jeune, et c'était une femme! Possédait-elle la sagesse?

« Très-Haut... » commença-t-il d'une voix patiente.

Mais l'empereur refusa de l'écouter : « J'ai dit ! » s'écria-t-il d'une voix aiguë et mécontente.

Le prince Kung inclina la tête. « Qu'il en soit fait selon vos ordres, Très-Haut. Je transmettrai moi-même votre commandement au vice-roi Yeh. »

La paix précaire se maintenait. Un matin d'hiver, le dernier mois de l'année lunaire (ou le premier de l'année solaire), alors que son fils était âgé de neuf mois, Tzu-Hsi se réveilla en poussant un grand soupir. Toute la nuit, son esprit avait lutté contre le sommeil. Elle se sentait visiblement seule, et comme menacée d'un danger invisible. Elle ne se levait plus le cœur léger, comme autrefois, dans sa maison de l'allée des Étains. Le lit qu'elle partageait là-bas avec sa sœur représentait un refuge inatteignable, sa mère, une protection inaccessible. Qui, dans ce vaste labyrinthe de passages, de cours, et de palais, se souciait qu'elle vécût ou qu'elle mourût ? L'empereur ? Il avait d'autres concubines... « Ah ! ma mère », gémit-elle dans ses oreillers de satin.

Aucune voix ne lui répondit. Elle leva la tête et vit la lumière grise du petit jour sur les murailles de la cour, devant sa fenêtre. La neige tombée durant la nuit couvrait d'une couche épaisse les murs et le jardin, cachait le bassin rond et courbait les pins sous son poids.

« Je suis trop triste, pensa-t-elle. La tristesse me glace jusqu'à la moelle des os. »

Pourtant, elle n'était pas malade. Ses bras cachés sous l'édredon restaient forts et chauds. Son sang circulait bien, son cerveau était clair. Elle ne souffrait que de nostalgie.

« Si seulement je pouvais voir ma mère, si je pouvais voir celle qui m'a portée... »

Elle évoquait le visage de sa mère, raisonnable et bon, réfléchi et gai. Il lui tardait de la revoir pour lui confier le sentiment de crainte et de solitude qu'elle éprouvait au palais... Chez son oncle, allée des Étains, elle ne connaissait ni la crainte, ni les pressentiments, ni les menaces de l'avenir. Le jour ne se levait que pour lui permettre d'accomplir les tâches quotidiennes et de sacrifier aux nécessités simples de la vie. Il ne contenait ni splendeur, ni exigences de grandeur.

« Ah ! ma mère ! » soupira-t-elle de nouveau avec un chagrin d'enfant. Oh ! si elle pouvait retourner dans le sein qui l'avait portée.

Ce besoin l'envahit, l'accompagna à son lever et durant toute la journée. D'ailleurs, ce fut une journée triste, toute grise sous les rafales de neige. A midi, les lumières étaient encore allumées dans les pièces. Tzu-Hsi se confina dans sa bibliothèque privée, qu'elle avait fait installer dans un petit palais voisin. Là se trouvaient rassemblés tous les livres et les parchemins qu'elle aimait étudier. Mais, aujourd'hui, les livres ne lui parlaient pas... Elle passa des heures à dérouler ses parchemins pour finir par son préféré : un parchemin de deux mètres de long, peint par l'artiste Chao Meng-fu au temps de la dynastie mongole des Yuan. Ce parchemin, vieux de cinq siècles au moins, s'inspirait du grand Wang Wei, passé maître dans l'art des paysages, et représentait le pays natal du peintre. Derrière les murs du palais, en ce jour gris d'hiver, Tzu-Hsi réfléchissait, le regard perdu dans ses évocations printanières. Les paysages se fonçaient harmonieusement, tandis qu'elle déroulait le parchemin et qu'elle s'absorbait dans les moindres détails : arbres, ruisseaux et collines lointaines...

Son imagination l'emportait au-delà des murs élevés qui l'entouraient pour la promener dans un admirable paysage, entre des ruisseaux murmurants et de vastes lacs. Elle suivait le cours de la rivière, la traversait par endroits sur des ponts de bois et escaladait des montagnes par des sentiers pierreux longeant un précipice ou un torrent qui se déversait en cascades. Elle descendait dans les plaines, traversait de petits villages nichés dans les forêts de pins et des vallées ensoleillées piquetées de bosquets de bambou ; elle faisait une halte dans le pavillon d'un poète pour atteindre enfin la baie où se jetait la rivière. Là, entre les roseaux, le bateau d'un pêcheur se balançait au rythme de la marée montante. La rivière se perdait dans la pleine mer et les brumes de l'infini. Lady Miao lui avait dit une fois que ce parchemin représentait l'âme humaine, telle que la voyait l'artiste, franchissant les diverses étapes terrestres pour se perdre enfin dans l'inconnu de l'avenir.

Ce soir-là, à la fin de sa longue journée solitaire, l'empereur lui demanda : « Pourquoi ton esprit est-il si loin de moi ? Ne t'imagine pas que tu me leurres : ton corps est là, mais point ton cœur. »

Il lui prit la main, une jolie main devenue douce et délicate malgré sa paume ferme.

« Vois cette main, dit-il, je la tiens, elle serre la mienne, mais ce pourrait être la main de n'importe quelle femme. »

Elle lui fit part de son humeur inquiète : « J'ai été triste toute la journée, dit-elle, je n'ai parlé à personne, je n'ai même pas fait venir l'enfant. »

Il continuait à lui caresser la main. « Voyons, pourquoi ? Pourquoi serais-tu triste alors que tu as tout ce que tu désires ? » Elle résistait à l'envie de lui confier ses craintes étranges. Mais il ne fallait pas qu'il sentît jamais la peur en elle, source de toute son énergie. Oh ! comme elle trouvait lourde cette nécessité de se montrer forte à tout prix ! Elle n'avait pas de source où puiser. Il n'y avait personne au-dessus d'elle. En vérité, elle était bien seule.

Ses yeux se remplirent de larmes malgré elle. L'empereur les vit briller à la lueur des bougies et en fut effrayé.

« Que se passe-t-il ? Je ne t'ai jamais vue pleurer. »

Elle retira ses mains et s'essuya gracieusement les yeux au bord de sa manche de satin. « Toute la journée j'ai eu besoin de ma mère, avoua-t-elle, et je ne sais pas pourquoi. Se pourrait-il que j'aie manqué à mes devoirs filiaux ? Je n'ai pas revu son visage depuis que j'ai pénétré sur vos ordres dans ces murs. Je ne sais pas comment elle se porte. Peut-être est-elle mourante, et est-ce pour cela que je pleure. »

L'empereur était très désireux de lui plaire. « Il faut aller la voir, affirma-t-il. Pourquoi ne me l'as-tu pas dit plus tôt ? Va, va, mon cœur et mon foie, vas-y demain ! Je te le permets. Mais il faut revenir au crépuscule. Je ne peux pas supporter de me passer de toi une seule nuit. »

C'est ainsi que Tzu-Hsi retourna chez sa mère pour un jour, et sa gratitude envers l'empereur se marqua par un renouvellement d'ardeur. Cependant, elle ne pouvait pas s'y rendre dès le lendemain, car il fallait annoncer sa visite et laisser à son oncle le temps de préparer sa maison. On envoya deux eunuques prévenir qu'elle arriverait le surlendemain vers midi. Quel branle-bas dans l'allée des Étains ! Tzu-Hsi se prenait à son propre enthousiasme ; le matin du grand jour, elle se leva le cœur léger, ce qui ne lui était pas arrivé depuis longtemps. Elle passa une heure à prendre des décisions contradictoires sur sa toilette.

« Je ne veux pas les éclabousser de splendeur, expliqua-t-elle à sa suivante, car ils me croiraient devenue orgueilleuse.

— Vénérable, il faut un peu de splendeur, sans quoi ils penseront que vous ne les honorez pas.

— Alors une splendeur moyenne », décida Tzu-Hsi. Elle passa en revue toutes ses robes, en choisit une, puis une autre, pour s'arrêter enfin sur une parure de satin d'une délicate teinte orchidée, doublée de fourrure grise. La beauté de cette robe résidait plus dans la perfection de ses manches et de son ourlet brodés que dans la hardiesse de ses formes. Tzu-Hsi fut satisfaite de son choix ; elle prit ses bijoux en jade, qu'elle préférait aux autres. Lorsqu'elle fut prête et que, pour faire plaisir à ses suivantes, elle eut pris quelque nourriture, elle s'installa dans sa chaise à porteurs ; on tira les rideaux de satin jaune et le voyage commença. Sur près de deux kilomètres, on restait dans l'enceinte de la Ville interdite, et Tzu-Hsi calcula le chemin parcouru d'après les cours et les palais qu'elle reconnaissait. Inspiré par son grand amour, l'empereur lui avait permis de sortir par le portail principal, appelé Méridien, et réservé à lui seul. Lorsqu'elle en franchit la grille, elle entendit le commandant de la garde impériale crier « Garde à vous » à ses soldats. Comme elle reconnaissait cette voix ! Elle se pencha en avant sur son siège et, écartant légèrement les rideaux, elle aperçut Yung Lu non loin d'elle, le visage détourné, le sabre au clair, le corps rigide. Il ne bougea pas la tête lorsqu'elle passa, mais elle devina au flot de sang qui lui empourprait les joues qu'il la savait toute proche de lui. Elle laissa retomber le rideau.

Il était midi passé quand Tzu-Hsi atteignit l'allée des Étains. Cachée derrière les rideaux de sa chaise, elle devinait qu'elle approchait de la maison de son enfance. Elle respirait le mélange d'odeurs familières : roussettes frites à l'huile, bois de camphre, relents d'urine d'enfant et poussière étouffante.

Il faisait un froid sec; le sol gelé résonnait sous le pas des porteurs. Les ombres des maisons qui bordaient l'allée se tassaient, rétrécies et noires, entre les murs, et Tzu-Hsi devina l'heure à leur direction. Elle se rappelait si bien les ombres qui se pressaient vers l'ouest le matin et passaient lentement à l'est l'après-midi. Baignée par le soleil de midi, la chaise à porteurs approchait du portail grand ouvert, et Tzu-Hsi aperçut sa famille groupée à l'entrée. A droite, son père et sa mère entourés des aînés, des cousins et de leurs épouses; à gauche, une jeune fille mince — sa sœur sûrement — et ses deux frères qu'elle ne reconnaissait plus tant ils avaient changé; derrière eux se trouvait Lu Ma. Tous les amis et les voisins de l'allée des Étains se pressaient dans la rue.

Lorsqu'elle vit leur visage solennel qui exprimait la bienvenue, ses yeux se remplirent de larmes. Oh! elle ne se sentait pas changée envers eux et elle désirait vivement le leur dire! Son cœur était le même. Mais elle ne pouvait pas écarter les rideaux ni les appeler par leur nom, car en dépit de son cœur, elle était maintenant Tzu-Hsi, impératrice du palais Occidental, et mère de l'héritier impérial, et il lui fallait se comporter selon son rang. Elle ne bougea donc pas, et les eunuques la précédèrent jusqu'au portail, le chef des eunuques en tête, car l'empereur lui avait ordonné de veiller sur son trésor. Les six porteurs franchirent les marches et pénétrèrent dans la cour pour poser enfin la chaise devant la maison; le chef des eunuques écarta les rideaux de satin et Tzu-Hsi sortit. La maison de son enfance, tout ensoleillée, lui ouvrait largement ses portes. Elle retrouvait les pièces bien connues, la grande salle, aux meubles cirés, au carrelage bien propre. Combien de fois n'avait-elle pas elle-même balayé le sol et essuyé les meubles! Un vase rempli de fleurs de papier rouge occupait le milieu de la grande table, des bougies neuves étaient piquées dans les bougeoirs d'étain, et on avait préparé du thé et des petits plats de pâtisseries protégés par un couvercle.

Elle posa sa main sur le bras du chef des eunuques, qui la conduisit au siège le plus élevé, à droite de la table carrée : elle s'assit et posa ses pieds sur le tabouret. Il disposa ses jupes et elle croisa les mains sur ses genoux. Alors, le chef des eunuques retourna au portail et annonça que maintenant la famille pouvait approcher de l'impératrice du palais Occidental. Ils entrèrent un par un : d'abord son oncle, puis sa mère, puis les aînés des cousins de la même génération avec leurs épouses, suivis des frères de Tzu-Hsi et de sa sœur, et enfin les cousins de la jeune génération; chacun s'inclina devant elle. Au début, Tzu-Hsi se comporta comme il sied à une impératrice. Elle reçut les salutations de sa famille avec dignité, mais, lorsque son oncle et sa mère s'inclinèrent devant elle, elle fit signe au chef des eunuques de les relever et de les faire asseoir. Une fois les cérémonies achevées, personne ne savait plus que dire. C'était à l'impératrice de parler la première et Tzu-Hsi regardait les visages l'un après l'autre. Elle avait envie de descendre de son siège élevé, de parler comme autrefois et de courir dans la maison. Mais le chef des eunuques la surveillait. Elle se demanda un moment comment elle pourrait agir à sa guise. Tous ses parents s'étaient installés par ordre de préséance : les aînés assis, les jeunes debout; tous attendaient qu'elle parlât; mais comment le pourrait-elle dans ces conditions? Brusquement, elle tambourina sur la table avec ses protège-ongles en or et fit signe au chef des eunuques qu'elle voulait lui parler. Il approcha, et elle lui dit ces mots à l'oreille :

« Retire-toi et emmène tes eunuques ! Comment pourrais-je profiter de ma visite si tu écoutes mes moindres paroles et surveilles mes moindres gestes ? »

Le chef des eunuques en fut consterné. « Le Fils du Ciel m'a ordonné de ne jamais vous quitter », protesta-t-il dans un murmure.

Tzu-Hsi fut prise de colère. Elle tapa du pied, tambourina de nouveau sur la table et secoua la tête si fort que les perles de sa tiare en frémirent. Son eunuque Li Lien-ying, qui se tenait auprès d'elle, chargé de son nécessaire de toilette, de son éventail et de sa pipe incrustée de joyaux, vit monter sa colère et, sachant très bien ce qui allait se passer, il tira par la manche le chef des eunuques.

« Frère Aîné, il vaut mieux la laisser faire ce qu'elle veut. Pourquoi ne pas vous reposer ? Je resterai assez près pour veiller sur elle. »

Le chef des eunuques ne savait s'il fallait obéir à Tzu-Hsi ou à son empereur, mais, en tout cas, il se fatiguait vite et n'aimait pas rester debout ; aussi saisit-il l'occasion de se retirer dans une autre pièce. En le voyant disparaître, Tzu-Hsi se sentit débarrassée de son mentor, car Li Lien-ying ne comptait pas plus pour elle qu'un meuble. Elle s'empressa de descendre, alla s'incliner devant son oncle, et prenant sa mère dans ses bras, elle posa sa tête sur sa solide épaule pour pleurer.

« Oh ! oh ! là ! là, murmura-t-elle, comme je me sens seule dans ce palais ! »

L'assistance entière fut consternée par ce désespoir. Sa mère elle-même, ne sachant que dire, se bornait à la serrer contre elle. Dans ce long silence, Tzu-Hsi comprit que même ceux qu'elle aimait ne pouvaient rien pour elle. Par orgueil, elle se redressa en riant, les yeux encore humides, et elle cria à sa sœur :

« Viens, enlève-moi cette coiffure si lourde ! »

Sa sœur vint retirer la tiare que Li Lien-ying posa soigneusement sur une table. Dépouillée de cet ornement majestueux, Tzu-Hsi redevint la jeune fille gaie d'autrefois, en dépit de ses bijoux et de sa parure impériale. Les conversations commencèrent ; les femmes se rapprochèrent d'elle pour lui caresser les mains, examiner ses bagues et ses bracelets et s'exclamer sur sa beauté.

« Votre peau est si blanche et si douce ! Quelle crème employez-vous ?

— Un onguent des Indes, répondit Tzu-Hsi, fait de crème fraîche et de peau d'orange en poudre. Il est encore meilleur que notre graisse de mouton.

— Et cette crème, où la prenez-vous ?

— C'est de la crème de lait d'ânesse. »

Elles se limitaient à ces questions de détail, mais personne n'osait l'interroger sur sa vie dans la Ville interdite, sur l'attitude de son seigneur envers elle, ni sur l'héritier, de peur d'employer un mot qui lui porterait malheur ou de faire allusion à la couleur « jaune » — la couleur impériale — qui évoquait aussi les Sources Jaunes, c'est-à-dire la mort. Or, nul ne doit parler de la mort près du Fils du Ciel ou de son héritier. Mais Tzu-Hsi ne pouvait cacher la joie que lui inspirait son enfant :

« J'aurais bien voulu vous montrer mon petit garçon, mais lorsque j'ai demandé la permission à mon très illustre seigneur il a refusé, craignant qu'un vent néfaste, une ombre ou un esprit cruel ne s'attaquent à lui. Mais je vous assure, ma mère, qu'un tel enfant vous procurerait une grande joie et vous devriez venir le voir puisque je ne peux pas l'amener ici. Il a des yeux grands comme ça — elle fit un cercle avec son pouce et son index —, il est potelé, sa peau est parfumée et il ne pleure jamais, ça je vous l'assure, mais il a toujours faim. Ses petites

dents sont blanches comme des perles et il veut déjà
se tenir sur ses jambes qui, comme deux poteaux,
soutiennent son corps vigoureux.

— Tais-toi! cria sa mère. Tais-toi, tais-toi, imprudente!
Si jamais les dieux t'entendaient... Ne crains-tu pas
qu'ils cherchent à détruire un tel enfant?» Puis elle
tourna la tête en tous sens et s'écria à haute voix :
«Tout ce que tu as dit est inexact. J'ai entendu dire que
ton fils était malingre et maigre et... et... »

Tzu-Hsi rit et lui mit la main sur la bouche. «Je n'ai
pas peur!

— Ne le dis pas! »

Mais Tzu-Hsi ne faisait qu'en rire. Elle prit plaisir
à se promener dans la maison, à regarder les pièces familières, à taquiner sa sœur qui maintenant occupait son
lit toute seule. Mais, restée en tête-à-tête avec sa mère,
elle l'interrogea sur les projets de mariage de sa sœur
et proposa de lui chercher un bon mari parmi les jeunes
nobles.

«Je lui trouverai un jeune homme beau et bien né et
je lui ordonnerai d'épouser ma sœur. » Sa mère lui
exprima sa gratitude. «Si tu le peux, ce serait une
action pieuse et filiale. »

Les heures passaient et la famille partageait la joie de
Tzu-Hsi. Au milieu de l'après-midi, on servit un grand
repas; Lu Ma s'agitait partout et harcelait les cuisiniers
engagés pour la circonstance. Mais le soir approchait, et
le chef des eunuques demanda à Tzu-Hsi de se préparer
à prendre congé.

«L'heure est venue, Vénérable. Je dois obéir aux
ordres du Très-Haut. »

Sachant ce départ inéluctable, elle s'inclina de bonne
grâce. Elle redevint l'Impératrice. Li Lien-ying lui
remit sa tiare et elle reprit sa pose majestueuse dans
la salle d'honneur. Aussitôt, les membres de sa famille

redevinrent ses sujets. Ils s'approchèrent l'un après l'autre pour lui faire leurs adieux ; à chacun, elle adressa quelques paroles et remit un cadeau ; Lu Ma reçut de l'argent. Après les dernières salutations, elle s'attarda quelques minutes en silence, faisant des yeux le tour de la pièce. Elle avait éprouvé un grand bonheur à se replonger dans les affections de son enfance. Pourtant, elle savait que c'était la dernière fois qu'elle revenait dans cette maison. Son cœur restait fidèle, mais elle sentait dans sa famille un profond changement intérieur. Certes, on l'aimait toujours, mais d'un amour intéressé. Son oncle lui avait fait allusion aux dettes qu'il ne pouvait pas payer, ses frères désiraient des distractions, et sa mère lui demandait de ne pas oublier la promesse faite au sujet de sa sœur. On lui avait exprimé certains espoirs et certains désirs. Généreuse et tendre, elle avait multiplié des promesses qu'elle tiendrait. Mais, de nouveau, la solitude s'emparait d'elle, dix fois plus lourde, car elle savait maintenant qu'on ne l'aimait pas seulement pour elle-même. Malgré ce retour et cette brève communion spirituelle avec sa famille, elle sentait que la séparation était définitive. Le destin la poussait en avant ; elle devait laisser les siens derrière elle. Sur ce chemin, il n'était point de retour.

Lorsqu'elle le comprit, la gaieté la quitta. D'un pas ferme, elle traversa la pièce et s'installa de nouveau dans sa chaise, dont le chef des eunuques lui-même baissa les rideaux.

Tzu-Hsi revint donc dans la Ville interdite. Au moment où elle approchait du grand portail du Méridien, la garde impériale annonçait la fin du jour. Le tambour battait sur un rythme rapide comme un grand cœur vivant. Dans le crépuscule, les trompettes, revêtus de leur longue robe, portèrent à leurs lèvres le grand instrument de cuivre. Ils le levèrent et l'abaissèrent d'un même mouvement pour en tirer ensuite une longue phrase musicale frémissante dans un crescendo qui suivait le rythme impressionnant des tambours et retombait progressivement dans le silence. La même phrase musicale fut répétée à plusieurs reprises, et les dernières notes se perdirent dans le lointain. Le tambour, à son tour, s'assourdit peu à peu et se tut après un triple roulement scandé. Puis il y eut un silence et, enfin, une cloche de bronze sonna trois fois.

La nuit tomba comme à l'habitude. Les veilleurs de nuit prirent leur poste, la chaise à porteurs franchit le vaste portail que Tzu-Hsi entendit se refermer derrière elle.

L'hiver se traînait cette année-là et des vents cruels qui soufflaient du nord repoussaient le printemps timide. Des tempêtes de sable torturaient la ville où, malgré les portes et les fenêtres closes, le vent poussait les impalpables grains à travers les moindres fissures. Du sud, ne parvenaient que de mauvaises nouvelles. Le vice-roi Yeh avait obéi aux ordres du trône du Dragon. Il avait temporisé, atermoyé, laissé sans réponse les nombreux messages de l'Anglais Sir John Bowring; lorsqu'on lui avait signalé l'assassinat, dans sa province, d'un prêtre français, il n'avait pas réagi, pas plus qu'à la demande de réparations du ministre français. Hélas! déclarait le vice-roi au trône du Dragon, ce silence ne faisait qu'exaspérer les Blancs et lui, le vice-roi, demandait au Fils du Ciel d'autres directives. Que devait-il faire si la guerre éclatait de nouveau? Il fallait en outre régler un petit détail : les fils et neveux des hommes décapités de l'équipage de l'*Arrow* s'étaient joints aux rebelles chinois afin de venger leurs morts. Mais il y avait pire encore : on racontait que l'Anglais Elgin, un

noble seigneur très puissant, menaçait de remonter la
côte nord avec la flotte britannique et de pénétrer dans
le port de Tien-Tsin pour attaquer les forts du Taku
qui protégeaient la capitale elle-même.

Lorsque l'empereur lut ce rapport, il en tomba malade,
et se coucha, refusant toute nourriture. Il fit appeler
son frère, le prince Kung; Tzu-Hsi leur remit le
document et leur demanda leur avis. Pour la première
fois, Tzu-Hsi se trouvait en désaccord ouvert avec le
prince Kung. Ils discutèrent la question dans la bibliothèque impériale, leur lieu de conférence habituel, en
présence du chef des eunuques et de Li Lien-ying.

« Vénérable, dit le prince Kung d'une voix persuasive,
je vous répète une fois de plus qu'il n'est pas sage de
pousser ces Blancs à la colère; ils possèdent des armes
et des bateaux de guerre et ce sont des barbares.

— Qu'ils retournent chez eux. Nous avons essayé la
patience, et la patience n'a rien donné! » L'arrogance
ajoutait à la beauté de Tzu-Hsi et le prince Kung soupira
devant tant d'orgueil. Il reconnaissait en son for intérieur
que cette femme possédait plus d'énergie que lui-même
et en tout cas plus que son frère aîné; or, la situation
requérait de l'énergie.

« Nous n'avons pas les moyens de les obliger à partir,
lui rappela-t-il.

— Nous en avons les moyens si nous en avons la
volonté! Nous pouvons les massacrer tous alors qu'ils
sont encore peu nombreux et jeter leurs cadavres dans
la mer. Les morts ne reviennent pas! »

Il s'exclama devant une telle audace. « Mais leur mort
ne résoudra rien! Quand leurs peuples l'apprendront,
ils enverront dans leurs vaisseaux de guerre, munis
d'armes magiques, mille hommes pour venger chaque
mort.

— Je ne les crains pas!

— Moi, si! je les crains beaucoup. Ce n'est pas seulement leurs armes que je redoute, mais les Blancs eux-mêmes. Lorsqu'on les attaque, ils rendent dix coups pour un. Non, non, Vénérable, je vous assure qu'il faut négocier, parlementer et attendre, comme vous nous l'avez si sagement recommandé auparavant. C'est notre seule arme. Il nous faut les vaincre à coups de délais et de promesses non tenues afin de repousser constamment la menace de leur attaque. Il faut les fatiguer, les décourager, leur parler toujours avec courtoisie, et feindre de céder. Voilà la seule sagesse. »

C'est ce qui fut décidé finalement. Comme Tzu-Hsi se montrait rebelle, le prince Kung conseilla à l'empereur de lui changer les idées en l'envoyant passer la saison chaude au palais d'Été, hors des murs de Pékin. Là, parmi les lacs et les jardins, oubliant les problèmes nationaux, elle pourrait se détendre en compagnie de l'héritier et de ses dames d'honneur.

« L'impératrice du palais Occidental aime le théâtre, suggéra-t-il. Qu'on en fasse monter un au palais d'Été et qu'on engage des acteurs pour l'amuser. Pendant ce temps, je discuterai avec les conseillers de la réponse à envoyer dans le Sud. N'oublions pas non plus qu'au retour du printemps il faudra célébrer le premier anniversaire de l'héritier, et nous ferons bien d'annoncer cette fête dès maintenant, afin que le peuple prépare ses offrandes. Ainsi, tandis que nous réfléchirons au danger qui nous menace, tout le monde pensera à autre chose. »

C'est de cette manière que le prince Kung espérait apaiser la colère de Tzu-Hsi et détourner ses pensées de la revanche contre les hommes blancs. Dans le secret de son cœur, il était dévoré de crainte et il désirait s'entretenir avec ceux des princes et des ministres dont il appréciait la sagesse. Car il voyait dans l'avenir, et dans un avenir proche, grandir la menace des Occidentaux. Ils avaient découvert les trésors de l'Asie antique; pouvait-on demander à ces hommes issus de nations jeunes et pauvres d'abandonner de tels trésors? Il fallait se les concilier jusqu'à ce qu'une défense puisse être organisée; mais par quel moyen? Écrasé de soucis, il perdait le sommeil et l'appétit, car ces problèmes dépassaient son entendement. Les anciennes traditions de paix et de sagesse se trouvaient menacées par une nouvelle force brutale. Qui l'emporterait, et où résiderait la vraie puissance : dans la violence ou dans la paix?

La conjoncture était si grave que l'empereur, profondément troublé et effrayé, renouvela un rite ancien, tombé en désuétude après la dynastie des Ming : il annonça une cérémonie au temple suprême des ancêtres impériaux, à l'occasion de la Fête des Morts du Printemps. Ce temple, très ancien, se dressait dans un vaste parc abrité du soleil par des grands pins séculaires qui poussaient tout courbés et tordus par le vent et le sable, le pied recouvert d'une mousse plus épaisse que du velours. Le temple renfermait les châsses sacrées des empereurs morts dont les noms étaient gravés sur des tablettes de bois précieux qui reposaient sur des coussins de satin jaune. Dans le parc ne pénétraient que des prêtres en robe jaune chargés de l'entretien du temple. Le silence pesait partout, aussi lourd que les siècles écoulés. Pas un oiseau ne chantait, mais, au printemps, des grues blanches faisaient leur nid dans les pins rabougris pour y élever leurs petits et repartir en automne.

C'est en ce lieu que l'empereur se rendit pour la Fête des Morts, avec ses princes, ses ducs, ses conseillers et ses grands ministres. C'était l'heure qui précédait l'aube; un brouillard, inhabituel dans ce climat sec du nord, s'élevait si épais qu'un frère n'aurait pas reconnu son frère. Deux jours avant la cérémonie, on avait apporté de la bibliothèque impériale les tablettes ancestrales des empereurs mandchous défunts. Les ténèbres étaient si épaisses sous les pins que le chef des eunuques et ses subordonnés avaient dû recourir à la lumière des lanternes de corne pour les installer sur les onze châsses du temple.

Tout était prêt maintenant pour l'arrivée du Fils du Ciel. Celui-ci avait passé la nuit dans la salle d'abstinence sans manger, ni boire, ni dormir. Pendant trois jours, la nation tout entière avait renoncé à la viande, à l'ail, à l'huile, au vin, à la musique et aux réjouissances. Les palais de justice restèrent fermés pendant ces trois jours et aucun procès n'eut lieu.

En cette heure grise qui précédait l'aube, le grand sacrificateur annonça qu'il avait tué les bêtes du sacrifice, versé leur sang dans des bols et enterré leur fourrure et leur carcasse. Les princes et les ducs annoncèrent que la prière sacrée était écrite, prière que le Fils du Ciel devait prononcer devant les ancêtres protecteurs dont les tablettes se dressaient sur les coussins jaune impérial des autels.

Lorsque la prière fut terminée, l'aube commençait à poindre; les pigeons blancs qui dormaient sous les auvents du temple se réveillèrent et se mirent à voleter autour des vieux pins. Les bougies s'éteignirent dans les lanternes, les poussières commencèrent à danser dans les pâles rayons du soleil qui se glissaient par le portail grand ouvert du temple. L'empereur retourna au palais dans son palanquin impérial. Dans la nation tout entière, le peuple reprit sa vie quotidienne, encouragé parce que le Fils du Ciel lui-même avait intercédé pour tout le pays auprès des ancêtres protecteurs.

L'accomplissement de ce rite de la Fête des Morts du Printemps réconforta si bien l'empereur que, lorsque le sixième mois de l'année lunaire ramena la chaleur de l'été, il décida de se rendre au palais d'Été avec les princesses consorts, l'héritier et toute la cour. Jusqu'à présent, malgré son désir de s'y reposer, la vie troublée de la nation l'en avait empêché. Que se serait-il passé si les rebelles chinois s'étaient soulevés pendant son absence de la capitale, ou si les Occidentaux, pris de fureur subite, avaient lancé la flotte contre les côtes nordiques comme, depuis si longtemps, ils menaçaient de le faire ? Mais aucun de ces événements néfastes ne s'était produit et, si le vice-roi Yeh envoyait encore des rapports très sombres, ses atermoiements contenaient les rebelles aussi bien que les Occidentaux.

Un soir de pleine lune, Tzu-Hsi elle-même, armée de son sourire le plus enchanteur, fit le siège de l'empereur.

« Mon seigneur, accompagnez-moi au palais d'Été. La fraîcheur des collines vous rendra la santé. »

L'empereur avait bien besoin de se remettre. La paralysie progressive qui l'affaiblissait depuis cinq ans l'empêchait parfois de marcher et il devait s'appuyer sur deux eunuques en guise de béquilles ; il lui arrivait même de ne pas pouvoir lever les mains jusqu'à sa tête. Son côté gauche inerte lui était une gêne constante, et il sentait tout son corps envahi de lourdeurs. C'est pourquoi il se laissa convaincre par cette femme si belle, qui ensoleillait sa vie et lui rendait des forces, et il fixa à un mois de là le départ pour le palais d'Été, situé à treize kilomètres en dehors de l'enceinte de la cité.

Malgré sa majesté et son air impérial, Tzu-Hsi était encore si jeune que la pensée de prendre des vacances lui montait à la tête comme du vin chaud. Elle n'aimait pas les palais somptueux et sévères où le sort la condamnaît à passer sa vie, mais elle s'y était aménagé de petites retraites privées : jardins secrets nichés dans des vieilles cours oubliées, terrasses où nul ne se promenait, et où elle pouvait parfois s'échapper pour fuir les fardeaux de l'État. Elle gardait dans sa chambre sa chienne favorite dont les petits la distrayaient, ainsi que des criquets et des oiseaux multicolores en cage, mais elle préférait les animaux en liberté : elle savait si bien imiter le cri âpre du criquet que l'insecte se posait sur son doigt et qu'elle pouvait caresser ses ailes de parchemin ; le rossignol, dont elle avait appris patiemment à imiter le chant, voletait, enivré, autour de sa tête. Elle en ressentait un bonheur puéril, car enfin ces créatures l'aimaient pour elle-même, sans chercher à obtenir d'elle aucune faveur. Quelquefois, son fils sur ses genoux, elle oubliait qu'elle tenait l'héritier et tous deux s'amusaient à regarder les canetons nouveau-nés, ou les petits chiots qui se mordillaient dans leurs jeux ; dans ces moments-là, le rire franc de l'impératrice étonnait ses dames d'honneur qui souriaient derrière leur éventail. Mais Tzu-Hsi ne craignait ni les sourires, ni les reproches ; elle se montrait aussi naturelle que les libres créatures avec lesquelles elle aimait à jouer. La Ville interdite avait beau s'étendre sur six kilomètres carrés, Tzu-Hsi étouffait dans ses murs et aspirait à se trouver dans l'espace ouvert de ce palais d'Été dont elle avait tant entendu parler.

Le palais d'Été, ce lieu de plaisir, avait été bâti, des siècles auparavant, sur l'emplacement d'une source intarissable aux eaux claires, pures et si fraîches qu'on l'appelait la Source de Jade. Le premier palais d'Été, détruit au cours d'une guerre, avait été rebâti deux siècles plus tôt par l'ancêtre impérial K'ang Hsi et amélioré par son fils Ch'ien Lung, qui avait créé un vaste parc, des lacs et des rivières qu'enjambaient des ponts de marbre et de fer forgé réalisés par des maîtres artisans. Ch'ien Lung était fier de son œuvre, et, lorsqu'il entendit raconter que le roi de France avait aussi, dans son lointain pays, des jardins magnifiquement aménagés, il questionna à ce sujet des prêtres jésuites et des diplomates français, car, en ce temps-là, les empereurs mandchous accueillaient volontiers les Occidentaux sans soupçonner leurs mauvais desseins. Lorsque Ch'ien Lung entendit décrire les beautés du palais du roi de France, il voulut les imiter dans son palais d'Été. Les jésuites, recherchant sa faveur, lui apportaient de France et d'Italie les plans des palais d'Europe, et l'empereur y copiait tout ce qui lui plaisait. Après son règne, le palais d'Été fut longtemps fermé, car son héritier Chia Ch'ing préférait vivre à Jehol, au palais du Nord, où il mourut un jour d'été, foudroyé par l'orage. T'ao Kuang, son fils, le père de l'empereur actuel, se montrait avare et refusait d'emmener la cour au palais d'Été pendant la saison chaude, par crainte des dépenses.

Le départ de la cour eut lieu dans la joie, par un matin d'été, avant l'aube. Il faisait beau, le sol se couvrait de rosée et d'une nappe de brume inaccoutumée. Levée très tôt, Tzu-Hsi portait des vêtements simples pour la campagne et n'arborait pas d'autres bijoux que ses perles. Dans sa hâte, elle se trouva prête plusieurs heures avant que l'empereur ne fût même éveillé. Au milieu de la matinée, la caravane impériale s'ébranla, précédée par les porte-étendard suivis des princes et de leur famille et des gardes impériaux à cheval, conduits par Jung Lu monté sur un grand étalon blanc. Puis venait le palanquin de Tzu-Hsi, où se trouvaient également son fils et sa nourrice, ensuite le palanquin de Sakota, et enfin celui de l'empereur. Les deux impératrices ne s'étaient pas vues depuis plusieurs mois; en apercevant, ce matin-là, le visage pâle de sa cousine, Tzu-Hsi s'était fait des reproches et promis de resserrer ses liens avec Sakota.

Dans les rues vides et silencieuses où devait passer la procession impériale, des fanions jaunes, triangulaires, jalonnaient le parcours et indiquaient au peuple que nul, hommes, femmes ou enfants, ne devait se trouver dehors à l'heure de son passage. Les portes de toutes les maisons étaient closes, les fenêtres obstruées par des rideaux, et partout où débouchait une rue transversale des rideaux de soie jaune en interdisaient l'accès. Quand le Fils du Ciel sortit par le portail du Méridien, des roulements de tambour et de gong donnèrent le signal aux habitants de rentrer dans leurs maisons et de se cacher le visage. Un deuxième roulement de tambour et de gong fit disparaître les ouvriers qui parsemaient les rues de sable jaune. Au troisième signal, les nobles mandchous, parés de leurs vêtements les plus somptueux, s'agenouillèrent des deux côtés de la voie où devait passer le Fils du Ciel entouré de ses mille gardes. Autrefois, les empereurs montaient de beaux chevaux arabes caparaçonnés d'or, à la selle incrustée de joyaux. Mais Hsieh Feng ne pouvait pas monter à cheval et il se déplaçait en palanquin. Conscient de sa maigreur et de son teint jaune, il se réfugiait derrière les rideaux tirés, et les nobles agenouillés ne virent pas le visage de leur souverain.

La suite impériale traversa le village de Hai T'ien qui bourdonnait d'activité, car il devait loger la garde impériale. Dans la campagne environnante, les princes, les ducs et les nobles venaient occuper leurs résidences d'été proches du palais d'Été. Les villageois, très satisfaits, voyaient dans l'arrivée de la cour au palais d'Été une source de prospérité pour leur commerce.

Au coucher du soleil, le cortège impérial parvint devant le portail du palais d'Été; jetant un coup d'œil entre les rideaux, Tzu-Hsi aperçut la majestueuse entrée de marbre blanc, flanquée de deux lions d'or. Le palanquin franchit l'entrée et pénétra dans le vaste parc silencieux. Tzu-Hsi ne put s'empêcher d'ouvrir les rideaux pour mieux regarder, et elle vit un paysage de rêve. Des pagodes semblaient suspendues au flanc des collines vertes, un clair ruisseau babillait entre les allées dallées, et des ponts de marbre blanc sculpté conduisaient à des centaines de pavillons tous différents, ornés d'or, couverts de tuiles de couleurs. Une vie entière n'eût pas suffi pour tout visiter. Il y avait tant à voir! Les grands palais construits aux siècles d'antan renfermaient de multiples richesses et, entre autres, la fameuse clepsydre faite de douze animaux qui, chacun à son tour, pendant deux heures déversait l'eau de la Source de Jade. Tzu-Hsi savait que les palais contenaient des trésors provenant aussi bien d'Occident, que d'Orient. Elle se réjouissait de tous les plaisirs que lui promettait ce palais d'Été où elle avait hâte de se promener en liberté.

Au coucher du soleil, elle sentit qu'on posait son palanquin à terre; elle écarta les rideaux et se trouva dans un pays féerique, enchanteur et inconnu. Par une coïncidence étrange, alors qu'elle examinait les lieux, son regard tomba à l'improviste sur Jung Lu. Il se dressait à l'écart, ayant laissé ses hommes auprès de l'empereur et son palanquin devant le grand palais de l'entrée. Il leva la tête en même temps qu'elle, leurs yeux se rencontrèrent et leurs cœurs se joignirent. Ils détournèrent la tête en hâte. Tzu-Hsi entra dans le palais du Contentement qui lui était réservé. Débordante d'un bonheur intense et soudain, elle parcourut les pièces de son palais. Là, les empereurs et leur cour étaient venus pour se distraire et oublier leurs charges; là, ils avaient trouvé la paix et la gaieté. Sa visite terminée, elle resta debout sur le seuil et tendit les bras au paysage d'un calme exquis qu'illuminait le soleil couchant.

« L'air est doux comme le miel! dit-elle à ses femmes.

Respirez-le, vous sentirez comme il est léger dans les poumons ! Comparez-le à l'air pesant de la Ville ! » Les dames respirèrent et s'exclamèrent en chœur. Oui, en effet, l'air était pur et frais, mais non pas froid.

« Oh ! je voudrais passer toute ma vie ici, s'écria Tzu-Hsi, et ne jamais retourner à la Ville interdite ! » Ses dames d'honneur protestèrent. Comment se passerait-on d'elle au cœur même de la vie nationale ?

« Du moins, n'abordons aucun sujet désagréable, insista Tzu-Hsi. Il nous faut oublier ici tout ce qui est cause de tristesse, de colère ou de douleur. »

Ses dames l'approuvèrent avec des chuchotements et des soupirs. Tzu-Hsi brûlait de commencer son exploration des palais et des jardins, mais, malheureusement, le jour tirait à sa fin ; derrière les toits pointus des pagodes, les derniers rayons du soleil s'effaçaient et laissaient dans l'ombre les lacs et les ruisseaux.

« Je veux me coucher tôt, déclara Tzu-Hsi, et me lever à l'aube. Quelle que soit la durée de notre séjour dans cet endroit merveilleux, nous n'aurons jamais assez de temps pour tout voir et profiter pleinement de tout. »

Ses dames l'approuvèrent encore, et la lune venait à peine de se lever quand Tzu-Hsi se retira dans ses appartements. On lui servit un repas de pâtisseries et de petits plats accompagnés du thé vert qu'elle aimait ; après quoi, elle prit un bain et revêtit pour se coucher une parure de soie. Mais elle ne pouvait trouver le sommeil tant était doux l'air de la nuit ; ses suivantes, fatiguées, dormaient depuis longtemps, qu'elle était encore devant la fenêtre ouverte. Le palais se dressait sur une hauteur dominant les murs d'enceinte, de sorte qu'elle pouvait voir les montagnes baignées de clair de lune. La paix se glissa dans son âme, une paix si profonde qu'elle semblait annoncer le sommeil, malgré tous ses sens en éveil. Du parc éclairé par la lune, montaient le parfum des lis nocturnes et l'appel aigu des cigales en avance sur la saison. Tout d'un coup, sa solitude se mit à moins lui peser, le souci des guerres et des troubles s'écartait, son cœur impétueux retrouvait la douceur et la bonté. A droite de son palais, se dressait celui de Sakota, le palais du Nuage flottant. Demain... Non, pas demain, mais un jour où son bonheur serait complet, elle obéirait à son désir de renouer des liens amicaux avec sa cousine. Elle trouvait étrange qu'ayant grandi ensemble sous le même toit de l'allée des Étains le destin les ait réunies dans deux palais contigus, aux côtés d'un même seigneur : l'empereur !

Puis, comme son esprit n'était jamais en repos, elle pensa à Jung Lu, au bref moment où leurs yeux s'étaient rencontrés à l'improviste, et le désir lui vint soudain, impérieux, d'entendre sa voix et de le sentir près d'elle. Au fait, pourquoi ne convoquerait-elle pas son parent, par exemple pour lui demander un conseil ? Mais quel conseil ? Elle cherchait en vain un prétexte. Tout à coup, elle pensa à la promesse faite à sa mère de marier sa sœur à un prince : voilà, à coup sûr, qui lui permettait de demander conseil à un parent ! Elle pourrait dire en toute honnêteté, à son eunuque, au fidèle Li Lien-ying :

« J'ai une affaire de famille à régler, concernant une promesse faite à ma mère ; et je veux demander conseil à mon parent, le commandant des gardes impériales... »

Le clair de lune se fit doré, l'air plus parfumé, et elle soupira de bonheur. En cet endroit miraculeux, ne pouvait-on obtenir un miracle ? Elle sourit en se moquant un peu d'elle-même. Un obstacle gâchait sa joie, un souvenir tenace, rappel d'un désir ancien.

Eh bien, c'était fini. Elle n'avait plus besoin de se surveiller... Son attitude à lui y suffirait; la droiture de
Jung Lu la garderait contre ses tentations. Elle pouvait
avoir pleine confiance en Jung Lu, l'incorruptible.

Elle eut soudain grande envie de dormir et se glissa
vers son lit, entre ses dames d'honneur endormies
sur des matelas, à même le sol.

Le matin se leva clair et beau, sur un jour sans vent,
rafraîchi par quelque lointaine averse survenue dans le
nord, et Tzu-Hsi passa les heures absorbée comme une
enfant dans ses merveilleuses découvertes. Elle voulait
tout voir à la fois : les palais, les lacs, les cours, les terrasses, les jardins et les pavillons; mais il resterait encore
les collections de trésor, tous les palais où s'entassaient
les présents reçus depuis deux cents ans par les empereurs de la dynastie : des milliers de pièces de soieries,
des ballots de fourrure de Sibérie, des curiosités de tous
les pays d'Europe, des cadeaux du Tibet, du Turkestan,
de Corée et du Japon, et de toutes les petites nations qui,
bien qu'indépendantes, reconnaissaient le Fils du Ciel
pour leur guide et leur chef. On y trouvait aussi des
meubles superbes et des produits précieux des provinces
du Sud : des bibelots de jade et d'argent, des vases d'or
sertis de pierres précieuses venues des Indes.

Chaque soir, sur les ordres de l'empereur, la troupe
impériale donnait des représentations et, pour la
première fois, Tzu-Hsi pouvait apaiser sa soif de théâtre.
Elle avait lu de nombreux livres sur le passé, étudié
les peintures et les écrits d'autrefois, mais sur la scène,
elle voyait des personnages historiques prendre vie
sous ses yeux. Elle vivait avec les impératrices et les
princesses consorts de jadis, nées pour gouverner.

Elle allait se coucher, songeuse après une pièce triste, gaie après une pièce gaie, mais quelles qu'elles fussent, elle en tirait un grand plaisir.

Parmi les trésors qui l'absorbaient le plus était la bibliothèque que l'ancêtre Ch'ien Lung lui-même avait fait constituer avec les œuvres littéraires produites depuis quatre mille ans. Sur ses ordres, des lettrés avaient recopié ces livres dont l'ensemble formait un vaste trésor. Par précaution contre les incendies ou les guerres, on conservait un deuxième exemplaire de chaque ouvrage dans la Ville interdite. Tzu-Hsi n'avait encore jamais vu ces manuscrits précieux, car ceux de la Ville interdite étaient enfermés dans le palais de la Gloire littéraire, et on ne les sortait qu'une fois par an, à la Fête des Classiques, lorsque les plus savants entre tous les savants devaient lire et commenter des passages pour l'empereur. En effet, depuis que le premier empereur, mille huit cents ans auparavant, avait brûlé les manuscrits et enterré vivants les lettrés pour anéantir la culture ancienne et régner sans égal, la tâche des érudits consistait à sauvegarder le patrimoine littéraire en enseignant le respect qui lui était dû aussi bien par l'empereur que par tous ses sujets. Afin que les paroles du sage Confucius ne fussent jamais détruites par des tyrans, les Quatre Livres et les Cinq Classiques furent gravés dans la pierre et groupés dans le palais des classiques aux portes toujours fermées. Mais au palais d'Été, Tzu-Hsi se promettait de lire les écrits anciens quand il pleuvait ou qu'elle serait rassasiée de paysages.

Trois semaines environ se passèrent, mais, quelles que fussent ses occupations — fêtes nautiques sur les bateaux impériaux, promenades dans les jardins d'agrément, jeux avec son fils, nuits passées dans la chambre de l'empereur —, elle n'oubliait pas son désir tenace de s'entretenir de nouveau avec son cousin, Jung Lu. Ce désir restait planté dans son cerveau, riche de projets enchanteurs, germe prêt à prendre vie lorsqu'elle le désirerait.

Un jour, rendue hardie par sa liberté nouvelle et l'atmosphère de plaisirs du palais d'Été, elle prit la décision si longtemps remise et fit signe à Li Lien-ying de s'approcher. Il restait toujours près d'elle, toujours sur le qui-vive, et lorsqu'il vit se lever son doigt couvert de bagues, il accourut aussitôt et s'agenouilla devant elle, la tête basse, pour recevoir son ordre.

« Une pensée me trouble, dit-elle de sa voix claire et impérieuse. Je ne puis oublier la promesse faite à ma mère concernant le mariage de ma jeune sœur. Mais les mois passent et je n'agis pas. Or, ma famille attend anxieusement. Mais vers qui pourrais-je me tourner pour avoir un conseil? Hier, je me suis rappelée que le commandant de la garde impériale est mon cousin. Lui seul peut m'aider dans cette affaire purement familiale. Ordonne-lui de se présenter devant moi. »

Elle prononça exprès ces mots devant ses dames d'honneur, car son rang élevé lui interdisait les secrets. Il lui fallait agir au vu et au su de tous. Cet ordre donné, elle resta calmement assise sur son trône superbe, admirablement sculpté, incrusté d'ivoire de Birmanie. Ses dames qui l'entouraient entendirent ses paroles et ne firent pas mine de s'en étonner.

Quant à Li Lien-ying, il connaissait bien sa souveraine maintenant, et il ne tardait jamais à lui obéir, sachant quelles fureurs provoquait en elle le moindre retard. Nul ne soupçonnait les pensées qu'abritait son cœur ténébreux et nul ne l'interrogeait, mais il n'était pas sans se rappeler qu'un certain jour, ayant obéi à un ordre similaire, il avait conduit Jung Lu à la porte de

Yehonala. Ce jour-là, dans la cour, gardant la porte condamnée, il avait attendu pendant les longues heures de l'après-midi. Il était le seul, avec la suivante de Yehonala, à connaître la présence de Jung Lu derrière cette porte. Au coucher du soleil, quand le garde était sorti, son fier visage bouleversé, pas un mot n'avait été prononcé, et Jung Lu n'avait même pas lancé un regard à l'eunuque. Le lendemain, Yehonala avait obéi à l'appel de l'empereur. Dix mois lunaires plus tard, l'héritier était né. Qui sait... Qui sait? Li Lien-ying s'en alla en ricanant et en se frottant les mains à la recherche du commandant de la garde impériale.

En ce jour lointain, pour la première et la dernière fois, Tzu-Hsi avait reçu son cousin en secret; aujourd'hui, elle le recevait parmi ses dames d'honneur. Installée sur son trône, dans la vaste salle de son palais, elle attendait Jung Lu. Ce cadre magnifique lui convenait. Des peintures sur soie ornaient les murs; le trône s'adossait à un écran d'albâtre, entouré de fleurs en pots. Au milieu de sa splendeur, l'impératrice faisait des concessions à la femme : Tzu-Hsi s'amusait des ébats de son petit chien avec quatre chatons. Elle finit par descendre de son trône pour mieux jouer avec eux. Elle se promena parmi ses dames d'honneur, prodiguant des compliments à l'une pour son teint frais, à l'autre pour sa belle coiffure. Lorsqu'elle entendit approcher l'eunuque, suivi d'un certain pas ferme, elle se hâta de reprendre sa place sur son trône et elle croisa sur ses genoux ses mains couvertes de bijoux, avec un air hautain et majestueux, tandis que ses dames souriaient derrière leur éventail.

Son visage était grave, son maintien réservé, mais ses grands yeux étincelaient tandis que Jung Lu avançait vers elle, vêtu de son uniforme de garde : tunique de satin écarlate et pantalon de velours noir. Il fit neuf

pas en avant et ne leva pas le visage vers elle avant de
s'agenouiller. Mais, alors, il fixa longuement son regard
sur celle qu'il aimait, puis il baissa la tête.

« Sois le bienvenu, cousin, dit Tzu-Hsi de sa jolie
voix. Il y a bien longtemps que nous ne nous sommes
vus.

— Bien longtemps en effet, Vénérable. »

Elle le contemplait du haut de son trône, et les coins
de sa bouche se relevèrent dans un sourire. « J'ai un
conseil à te demander, et c'est pour cela que je t'ai
fait appeler.

— Je suis à vos ordres, Vénérable.

— Ma jeune sœur est en âge de se marier. Tu te
souviens de cette enfant ? Une petite fille désagréable
et toujours gémissante, si tu te rappelles ? Elle s'accrochait continuellement à moi, jalouse de tout ce que je
possédais.

— Vénérable, je n'oublie rien. » Il n'avait pas relevé
la tête.

Tzu-Hsi reçut dans son cœur ces mots à double sens
et les y enferma comme un trésor.

« Eh bien, te disais-je, ma sœur est en âge de se marier ;
ce n'est plus une méchante petite fille, mais une femme
mince et jolie, elle a de beaux sourcils... comme les
miens ! »

Elle fit une pause pour caresser de l'index ses sourcils
déliés comme une feuille de saule. « Et j'ai promis de
la marier à un prince, mais quel prince, mon cousin ?
Énumère-moi les princes de la cour.

— Vénérable, comment les connaîtrais-je aussi bien
que vous ?

— Tu les connais très bien, car tu sais tout. A l'intérieur du palais, les commérages ne manquent pas pour
te renseigner, j'en suis sûre. »

Elle fit une pause en attendant sa réponse, mais,

comme il ne disait mot, elle changea brusquemment d'humeur et se tourna vers ses dames.

« Allez-vous-en... toutes ! Vous voyez bien que mon cousin ne peut pas parler devant vous ! Il sait que vous vous emparerez de ses paroles et les répandrez autour de vous. Retirez-vous, oreilles indiscrètes, et laissez-moi seule avec lui ! »

Elles s'envolèrent comme une nuée de papillons effrayés ; alors elle rit et descendit de son trône. Comme il ne bougeait pas, elle se pencha et lui toucha l'épaule.

« Lève-toi, cousin, personne ne peut plus nous entendre, sauf mon eunuque, et il ne compte pas plus qu'un meuble ! »

Il se leva de mauvaise grâce et garda ses distances. « Je crains tous les eunuques, marmotta-t-il.

— Pas le mien. S'il trahissait une seule de mes paroles, je lui écraserais la tête comme à une mouche. » Elle joignit le geste à la parole en serrant son pouce contre son index.

« Assieds-toi là-bas, sur ce siège de marbre, moi je resterai ici. Ne trouves-tu pas cette distance suffisante ? Inutile de me craindre, mon cousin. Je sais qu'il me faut être sage. Pourquoi pas ? J'ai ce que désire : mon fils, l'héritier...

— Taisez-vous ! » s'écria-t-il, furieux, à voix basse. Elle leva sur lui des yeux innocents.

« Voyons, quel prince dois-je choisir pour ma sœur ? »

Assis au bord du siège qui lui était désigné, il réfléchissait à sa question.

Elle reprit : « Des sept frères de mon seigneur, lequel dois-je donner à ma petite sœur ?

— Il ne sied pas qu'elle soit concubine », affirma Jung Lu sans hésiter.

Elle le regarda avec étonnement. « Pourquoi pas, je

te prie? n'étais-je pas une concubine jusqu'à la naissance de mon fils?

— La concubine de l'empereur, lui rappela-t-il, et maintenant vous êtes impératrice. La sœur d'une impératrice ne peut pas être une concubine, fût-ce d'un prince.

— Alors, il ne nous reste que le septième prince, le seul qui ne soit pas marié. Hélas! il est le moins beau de tous les frères, avec sa grosse bouche aux lèvres tombantes, ses petits yeux ternes et son visage solennel. J'espère que ma sœur ne prise pas autant que moi la beauté d'un visage. »

Elle le regarda de côté sous ses longs cils droits, et il détourna la tête.

« Le visage du prince Ch'un ne révèle aucune méchanceté, répondit Jung Lu. C'est une chance, en tout cas, qu'un prince ne soit pas méchant.

— Oh! s'exclama-t-elle, moqueuse. Tu trouves cela important? Chez un prince? Ne suffit-il pas qu'il soit prince? »

Il ne releva pas cette ironie et répondit simplement : « Non, cela ne suffit pas. »

Elle haussa les épaules. « Eh bien, mon cousin, si c'est le prince Ch'un que tu me conseilles, c'est décidé, j'écrirai à ma mère. »

Une colère soudaine s'empara d'elle devant le sang-froid de Jung Lu, et elle se leva pour signifier la fin de l'audience. « Et toi, dit-elle d'un air indifférent, je suppose que tu es marié maintenant? »

Il s'était levé en même temps qu'elle et se dressait, calme et fort. « Vous savez bien que je ne suis pas marié.

— Ah! mais il le faut », insista-t-elle. Un bonheur soudain rendait à son visage la douceur et la jeunesse d'autrefois.

« Je voudrais que tu te maries, dit-elle, pensive, en serrant ses mains l'une contre l'autre.

— Cela n'est pas possible. » Il s'inclina et la quitta sans un adieu, sans un regard.

Elle restait debout, surprise de son brusque départ. Ses yeux vifs perçurent les mouvements d'un rideau dans une embrasure de porte. Un espion ? Elle fit un pas en avant et tira brusquement le rideau derrière lequel se dissimulait une silhouette furtive. C'était Lady Mei, la plus jeune fille de Su Shun.

« Toi ! mais que fais-tu là ? » La jeune fille baissa la tête d'un air confus.

« Allons, allons, insista Tzu-Hsi, dis-moi pourquoi tu m'espionnes.

— Vénérable, il ne s'agit pas de vous, avoua-t-elle dans un souffle.

— De qui alors ? »

La jeune fille se taisait.

« Tu ne réponds pas ? » Tzu-Hsi regardait cette silhouette enfantine qui s'affaissait ; soudain, sans ajouter un mot, elle prit la jeune fille par les oreilles et la secoua brutalement.

« Ah ! c'est lui alors ! C'est lui... Tu le trouves beau ? Tu l'aimes, je suppose... »

Enserré dans les mains couvertes de bagues, le visage menu la regardait, sans défense. La jeune fille ne pouvait pas parler.

Tzu-Hsi la secoua de nouveau de toutes ses forces. « Tu oses l'aimer ! » La jeune fille éclata en sanglots violents et Tzu-Hsi la lâcha. Elle l'avait serrée si fort que des gouttes de sang perlaient sous les boucles d'oreilles.

« Crois-tu qu'il t'aime ? interrogea Tzu-Hsi avec mépris.

— Je sais qu'il ne m'aime pas, Vénérable, sanglota

la jeune fille. Il n'aime que vous... Nous le savons tous... Que vous... »

Cette réponse prit Tzu-Hsi au dépourvu. Elle aurait dû punir la jeune fille pour cette accusation, mais elle était si contente de l'entendre qu'elle ne savait pas s'il fallait sourire ou gifler sa victime. Elle fit les deux. Elle sourit, et, en voyant que les dames d'honneur passaient la tête aux portes pour connaître la raison de ce tumulte, elle gifla la jeune fille à grand bruit, mais sans lui faire de mal.

« Tiens, et tiens! Disparais de ma vue, de peur que je ne te tue, tellement j'ai honte de toi! Je ne veux plus te revoir de toute une semaine. »

Elle se détourna et, s'éloignant avec une grâce exquise, elle s'installa de nouveau sur son trône avec un demi-sourire, tandis que le pas feutré de la jeune fille s'éloignait en hâte dans les corridors.

A partir de ce jour, le visage et la silhouette de Jung Lu s'imprimèrent avec plus de force encore dans la mémoire de Tzu-Hsi. Elle ne pouvait plus le convoquer, mais elle combinait, échafaudait des plans pour savoir comment le rencontrer souvent et en toute liberté. Où qu'elle allât dans la journée, quelle que fût l'heure où elle s'éveillait la nuit, il était là, présent dans ses pensées. Si elle assistait à une représentation théâtrale, elle le voyait sous les traits du héros; et, si elle écoutait un concert, c'était sa voix qu'elle entendait chanter. Au fur et à mesure que l'été passait et qu'elle s'accoutumait à ses vacances, elle se livrait de plus en plus à son rêve amoureux. Elle était faite pour aimer et elle ne pouvait aimer aucun homme. L'empereur profitait momentanément de ses débordements d'amour, et il se croyait aimé, mais il n'était rien de plus pour elle qu'une image sur laquelle elle fixait ses songes.

Cependant, elle n'était pas femme à se contenter de

rêves. Il lui fallait une union charnelle à égalité. Des rêves, elle passa donc aux projets précis. Elle décida d'anoblir Jung Lu afin de pouvoir le garder près d'elle, se servant de sa parenté comme d'un écran utilisé à ses fins. Mais comment y parvenir sans attirer l'attention sur elle? Entre les murs du palais, le scandale couvait, comme une fièvre maligne. Il fallait compter avec ses ennemis : Su Shun, le grand conseiller, qui la haïssait parce qu'elle le dominait, et puis les princes Cheng et Yi. Certes, elle avait un allié en An Teh-hai, le chef des eunuques. Elle fronça les sourcils en se rappelant ce qu'on murmurait : ce n'était pas un véritable eunuque, et il poursuivait en secret les dames de la cour.

Cette pensée la ramena à Lady Mei qui, elle ne pouvait pas l'oublier, était la fille de Su Shun. Eh bien, il ne lui fallait pas attirer également la haine de la jeune fille. Non, non, elle garderait la fille comme amie, pour que le père ne l'utilise pas comme espionne. Ne pourrait-elle alors se servir de l'amour de Lady Mei pour Jung Lu? Pourquoi avait-elle éprouvé tant de colère et de jalousie! Elle se devait de réparer le mal causé par sa brusquerie. Elle ferait chercher Lady Mei et lui redonnerait courage en lui affirmant qu'elle, l'impératrice, parlerait en sa faveur au commandant des gardes impériales, en temps opportun. Un tel mariage servirait à une double fin, car il lui fournirait un prétexte pour faire accéder Jung Lu à un rang plus élevé. Oui, elle le comprenait maintenant : elle tenait le moyen de faire gravir à son bien-aimé l'échelle sociale.

Prudente, elle ne se hâta pas d'agir. Elle laissa passer les sept jours d'interdiction, après quoi elle envoya Li Lien-ying chercher Lady Mei. Celle-ci tomba à genoux devant sa souveraine.

Tzu-Hsi était assise sur le trône du Phénix dans le

pavillon de la favorite, un petit palais secondaire qui
lui plaisait.

Elle laissa la jeune fille s'agenouiller en silence, puis,
au bout d'un moment, elle descendit de son trône pour
la relever.

« Tu as maigri en une semaine, lui dit-elle avec bonté.

— Vénérable, lorsque vous êtes en colère contre
moi, je ne peux ni dormir ni manger.

— Je ne suis plus en colère, assieds-toi, ma pauvre
enfant. Laisse-moi voir comment tu te portes. »

Elle lui désigna une chaise, s'assit près d'elle, prit
sa main fluette dans les siennes et la caressa en parlant.

« Mon enfant, peu m'importe qui tu aimes. Pourquoi
n'épouserais-tu pas le commandant de la garde impériale? Il est jeune et beau! »

La jeune fille ne pouvait en croire ses oreilles. Elle
rougit, les larmes aux yeux, et serra les mains qui
emprisonnaient la sienne.

« Vénérable, je vous adore...

— Chut... Je ne suis pas une déesse...

— Vénérable — la voix de la jeune fille tremblait —,
pour moi, vous êtes la déesse de la Miséricorde en
personne... »

Tzu-Hsi eut un sourire serein. « Allons, allons, pas
de flatterie, mon enfant! J'ai un projet.

— Un projet?

— Il en faut bien, n'est-ce pas?

— Comme vous voudrez, Vénérable.

— Bien, alors voici : Lorsque l'héritier aura complété
sa première année, tu sais que nous aurons de grandes
réjouissances. J'y inviterai moi-même mon cousin, afin
que tous puissent voir mon intention de l'honorer.
Lorsque cette intention sera évidente, une mesure suivra
l'autre, et qui osera s'opposer à l'ascension de mon

cousin? C'est dans ton intérêt que je l'élève, pour que son rang soit égal au tien.

— Mais, Vénérable... »

Tzu-Hsi leva la main. « Ne doute pas, mon enfant, il fera ce que je dirai.

— Je ne doute pas, Vénérable... Mais... »

Tzu-Hsi regarda le joli visage encore tout rose. « Tu trouves que c'est trop long d'attendre deux mois? »

La jeune fille se cacha le visage derrière sa manche.

Tzu-Hsi rit. « Il faut bien tracer la route avant d'atteindre le but. »

Elle pinça la joue de la jeune fille, ce qui accrut sa rougeur, puis la renvoya.

« Pendant deux cents ans, dit le prince Kung, ces étrangers limitèrent leur commerce uniquement à la ville de Canton. De plus, il leur fallait s'adresser obligatoirement aux marchands chinois autorisés. »

L'été n'était plus qu'un souvenir, l'automne était déjà bien entamé, et Tzu-Hsi regardait pensivement le soleil se coucher. Des chrysanthèmes rouge, or et bronze fleurissaient dans des pots de porcelaine. Elle entendait sans écouter; les mots flottaient dans son esprit comme des feuilles tombées à la surface d'un étang.

Le prince Kung éleva la voix pour la tirer de ses rêves.

« Impératrice, m'écoutez-vous?

— J'écoute. »

Il prit un air sceptique, mais il continua : « Eh bien, rappelez-vous, impératrice, que les deux guerres de l'Opium laissèrent notre nation vaincue. De cette défaite, nous tirons une amère leçon : c'est qu'il ne faut pas considérer les nations occidentales comme de simples tributaires. Si leurs habitants avides et sans scrupules ne sont pas nos égaux, ils peuvent malgré tout devenir nos maîtres, grâce à la force brutale de leurs engins de guerre. »

Ces paroles eurent le don de la tirer de ses rêveries et des souvenirs de l'été passé. Comme elle avait détesté le retour entre ces murailles élevées, derrière ces portails toujours fermés !

« Nos maîtres ?

— Oui, nos maîtres, si nous ne restons pas sur nos gardes, affirma le prince Kung. Nous avons cédé à toutes les exigences : d'importantes indemnités ont été consenties et de nombreux ports ouverts de force au haïssable commerce étranger. Or, ce qu'une nation étrangère obtient, les autres l'obtiennent également par la force... la force est leur talisman. »

Son beau visage était grave ; il inclinait sa haute stature dans un fauteuil sculpté, au pied du trône du Phénix, dans la bibliothèque impériale. Près de Tzu-Hsi, Li Lien-ying s'adossait à un pilier de bois massif, incrusté d'émail rouge.

« Quelle est notre faiblesse ? » demanda Tzu-Hsi. Soulevée d'indignation, elle s'agrippait aux accoudoirs de son trône. Le visage de Jung Lu, si net dans son esprit, tout à l'heure encore, s'effaçait.

Le prince Kung la regardait de côté, toujours frappé par sa beauté puissante qu'éclairait un esprit plein de vivacité. Comment pourrait-il façonner ses qualités dans l'intérêt de la dynastie ? Elle était trop jeune encore et, hélas ! toujours femme. Pourtant, elle n'avait pas sa pareille.

« Les Chinois sont trop civilisés pour vivre à notre époque, dit-il. Leurs sages leur ont enseigné que la force est mauvaise, que le soldat est méprisable parce qu'il détruit. Mais les sages vivaient dans les temps anciens ; ils ignoraient totalement ces tribus sauvages de l'Ouest. Nos sujets ont vécu ignorants des autres peuples. Ils ont vécu comme s'ils étaient la seule nation sur terre. Mais maintenant, lorsqu'ils se rebellent contre la dynastie mandchoue, ils ne comprennent pas que ce n'est pas nous leur ennemi, mais les hommes de l'Ouest. »

L'esprit prompt de Tzu-Hsi saisit instantanément le sens effrayant de ces paroles. « Le vice-roi Yeh a-t-il laissé les Blancs pénétrer dans la ville de Canton?

— Pas encore, impératrice, et nous devons l'en empêcher. Je vous ai dit, et vous vous en souvenez certainement, qu'il y a neuf ans ils ont bombardé nos forts à l'embouchure de la rivière Pearl, où se trouve la capitale, et nous ont contraints, par la force, à leur céder une bande de terrain sur la rive sud pour y installer leurs entrepôts et leurs demeures. En même temps, ils exigèrent que les portes de Canton leur fussent ouvertes, mais, lorsque le moment vint, le vice-roi dénonça ce traité et les Britanniques n'insistèrent plus. Pourtant, nous ne sommes pas en paix. Si ces étrangers ont l'air de céder, soyez sûre que c'est seulement pour préparer une victoire encore plus grande.

— Il nous faut les repousser, insista Tzu-Hsi, et les tenir en haleine jusqu'à ce que nous soyons forts.

— Vous simplifiez trop la situation, impératrice, répliqua le prince Kung, et il poussa de nouveau un grand soupir comme cela lui arrivait si souvent. Les Blancs ne sont pas seuls en jeu; les armes étrangères remplacent la raison subtile par la force cruelle et changent insidieusement le peuple chinois lui-même. Les Chinois disent maintenant que la force domine la raison, que seules les armes peuvent donner la liberté. Voilà, impératrice du palais occidental, la vérité qu'il nous faut comprendre dans toutes ses ramifications. Or, ce concept implique un bouleversement si considérable dans notre dynastie que, si nous ne suivons pas cette évolution, nous qui gouvernons les Chinois sans être Chinois nous-mêmes, il signifiera la fin de notre lignée avant même que l'héritier monte sur le trône du Dragon.

— Eh bien, qu'on leur donne des armes.

— Hélas! soupira le prince Kung, si nous fournissons aux Chinois des armes pour repousser l'ennemi de l'Ouest, ils commenceront par se tourner contre nous, car nous restons pour eux des étrangers, bien que nos ancêtres soient venus du Nord il y a déjà plus de deux siècles. Impératrice, le trône tremble sur ses bases. »

Comprenait-elle ce qu'avait de périlleux la conjoncture actuelle? Il fixait son regard anxieux sur ce beau visage de femme sans y trouver la réponse à sa question, car il savait que, chez la femme, l'esprit est solidaire de tout le reste. La femme ne sait pas, comme l'homme, faire la part respective de la chair, de l'esprit et du cœur. Les trois forment en elle un tout complet. Ainsi, tandis que le prince Kung se livrait à des spéculations sur ce que Tzu-Hsi assimilait de son enseignement, celle-ci réfléchissait fébrilement. Les Blancs ne menaçaient pas seulement la dynastie, mais ils les menaçaient, elle et les siens, et surtout son fils, l'héritier impérial, impérial non seulement parce qu'il devait prendre place sur le trône du Dragon, mais impérial parce qu'elle l'avait conçu et créé, et que maintenant son instinct le poussait à le préserver.

Ce jour-là, lorsque le prince Kung la quitta et qu'elle retourna dans son palais, elle envoya chercher l'enfant. Tandis qu'elle jouait avec lui, le tenait dans ses bras, riait, lui chantait les chansons apprises de sa mère, comptait ses petits doigts, le cajolait, le mettait debout et le rattrapait lorsqu'il tombait — à la façon de toutes les mères — tout ce temps-là, son esprit élaborait des plans contre ses ennemis. La nation, oui, mais son fils

avant tout! Après ses jeux, elle le rendit à sa nourrice.
A dater de ce jour, elle s'appliqua avec une volonté
nouvelle à lire tous les rapports présentés au trône par
chaque province, mais surtout ceux concernant Canton
et sa région, où les Blancs insistaient pour introduire
leur commerce. Bien que ce commerce eût enrichi les
Chinois et les marchands blancs, les deux partis manifes-
taient du mécontentement. Tzu-Hsi regrettait de ne pas
pouvoir risquer une guerre, mais c'était trop tôt. La
tourmente d'une guerre contre les étrangers ajoutée à
une révolte chinoise pourrait en effet renverser le
trône du Dragon et forcer l'empereur à abdiquer devant
la colère du peuple. Non, il fallait atermoyer jusqu'à
la majorité de son fils qui, lui, pourrait entreprendre
une guerre; il fallait gagner une année après l'autre...

A la chute des premières neiges, le vice-roi des provinces Kwang envoya un message par courrier; près de
Canton, de nouveaux bateaux de guerre étaient ancrés
dans le port, chargés non seulement d'armes encore
plus efficaces qu'autrefois, mais aussi de délégués
anglais de haut rang. Le rapport du vice-roi trahissait
sa crainte et sa fureur. Il n'osait pas, disait-il, quitter la
ville, sans quoi il serait venu lui-même devant le Fils du
Ciel crier sa honte de n'avoir pas réussi à empêcher les
ennemis de traverser les mers. Il demandait à l'empereur
de lui envoyer des ordres par le courrier spécial, et il
promettait d'y obéir.

L'empereur, angoissé, ne put que réunir son conseil.
Tous savaient que les décisions finales n'étaient pas
prises par l'empereur, mais par l'impératrice du palais
occidental. Tous le savaient, car Li Lien-ying racontait
fièrement que si, chaque nuit, l'empereur mandait
Tzu-Hsi, ce n'était pas pour lui parler d'amour. Non,
tandis que l'empereur reposait sur son lit, à demi
endormi par l'opium, Tzu-Hsi étudiait longuement les

rapports, soupesant chaque mot, évaluant toutes les conséquences. Sa décision une fois prise, elle prenait le pinceau impérial au vermillon et supprimait tous les conseils d'action directe, de guerre, ou de vengeance contre les envahisseurs.

« Négociez, ordonnait-elle. Ne cédez pas, mais ne résistez pas non plus... Pas encore. Promettez et violez vos promesses. Notre pays n'est-il pas vaste et puissant ? Faudrait-il détruire le corps parce qu'un moustique a piqué un orteil ? »

Nul n'osait désobéir, car elle scellait son écriture du sceau impérial qu'elle seule, en dehors de l'empereur, pouvait sortir de son coffret dans la chambre impériale. La *Gazette de la Cour,* quotidien qui imprimait depuis huit cents ans tous les décrets et les rapports impériaux, reproduisait ceux de Tzu-Hsi. Cette gazette parvenait, par des messagers, à chaque vice-roi dans sa province, à chaque magistrat dans sa ville, de sorte que le peuple entier prenait connaissance de la volonté impériale. Or, il se trouvait que cette volonté était maintenant celle d'une femme jeune et belle, qui occupait la chambre impériale tandis que le Fils du Ciel dormait.

En lisant les mots tracés à l'encre vermillon, le prince Kung fut saisi de terreur.

« Impératrice, dit-il lorsqu'ils se rencontrèrent dans l'ombre de la bibliothèque impériale, je tiens à vous avertir une fois de plus que ces Blancs ont un caractère brutal et sauvage. Ils ne sont pas raffinés par les siècles comme notre peuple. Ce sont des enfants. Lorsqu'ils voient quelque chose qui leur plaît, ils étendent la main pour le saisir. Les retards et les promesses non tenues ne feront que les mettre en colère, il nous faut parlementer avec eux, voire les soudoyer, pour les persuader de quitter nos rivages.

Tzu-Hsi lui lança un regard flamboyant. « Et que

peuvent-ils faire, je vous le demande? Leurs bateaux peuvent-ils franchir les mille cinq cents kilomètres de notre côte? Laissez-les donc harceler cette ville du sud. Cela signifie-t-il qu'ils peuvent menacer la vie du Fils du Ciel lui-même?

— Je le crois possible.

— Laissons faire le temps.

— J'espère qu'il ne sera pas trop tard. »

Prise de pitié devant son air soucieux, son expression trop grave pour un homme encore jeune et beau, elle essaya de l'apaiser. « Vous faites vôtre une charge trop lourde. Vous vous complaisez dans la mélancolie. Vous devriez prendre des distractions comme tous les autres hommes. Je ne vous vois jamais au théâtre. »

Le prince Kung prit congé sans répondre. Depuis son séjour au palais d'Été, Tzu-Hsi avait gardé la troupe impériale, qu'elle payait sur le trésor et qui menait une vie agréable dans le pavillon réservé à son usage, hors de l'enceinte de la Ville interdite. Chaque jour de fête, Tzu-Hsi commandait une représentation à laquelle assistait toute la cour, et même parfois l'empereur. A l'aide de ces divertissements, l'hiver passa, le printemps arriva et la paix régnait encore.

Quand fleurirent les trois premières pivoines, la cour se prépara pour le festin d'anniversaire de l'héritier. Le printemps était favorable cette année; les pluies précoces ayant dispersé la poussière, l'air était si doux que, déjà, les mirages dansaient dans l'atmosphère, comme des paysages peints d'après quelque pays lointain. Informée par les gazettes, la nation accueillait l'occasion de festoyer et le peuple préparait ses offrandes. Une paix somnolente enveloppait toutes les provinces, et le prince Kung se demandait si l'impératrice du palais occidental n'avait pas agi avec une sagesse particulière. Les bateaux des Blancs s'attardaient devant le port voisin de Canton et, malgré des incidents quotidiens, la situation n'empirait pas. Le vice-roi continuait à gouverner la ville sans accepter de recevoir le lord de haut rang que lui envoyait l'Angleterre, Lord Elgin. En effet, ce lord refusait de s'incliner jusqu'au sol en signe d'humilité, et le vice-roi Yeh, conscient de la majesté de son rôle, refusait de recevoir un émissaire sans cette allégeance. Chacun restait sur ses positions, par respect pour le chef du gouvernement qu'il représentait.

Profitant de cette paix momentanée et instable, le peuple saisit l'occasion de se réjouir un peu, tandis que la Cour se préparait à célébrer l'anniversaire de l'héritier. Partout l'on s'accordait à profiter du présent sans s'inquiéter de l'avenir. Pour Tzu-Hsi, cette fête d'anniversaire prenait en plus un double sens. Pendant cet hiver troublé, elle avait patienté et imposé silence à son cœur. Pourtant, tout en s'appliquant à lire livres et documents, elle n'oubliait pas son dessein d'élever Jung Lu à un rang supérieur. Un jour, avant l'anniversaire, elle trouva Lady Mei pensive. « Ne crois pas que j'aie oublié, mon enfant ! » affirma-t-elle en lui caressant la joue.

Elle plongea son regard dans les jolis yeux fixés sur elle : cette femme, qu'elle appelait « mon enfant », comprenait le sens de ses paroles. C'était une des forces secrètes de Tzu-Hsi de pouvoir à la fois s'occuper d'importantes affaires d'État, d'y réfléchir fort avant dans la nuit — et bien plus à fond que ne le croyait le prince Kung — sans oublier pour cela son désir caché. C'est pourquoi, une nuit, tandis qu'elle semblait à demi endormie dans les bras de l'empereur, elle murmura quelques mots.

« Tiens, j'ai failli oublier...

— Oublier quoi, mon cœur et mon foie ? » Il était de bonne humeur parce que, cette nuit, il avait trouvé une satisfaction suffisante pour se sentir de nouveau un homme.

« Vous savez, mon seigneur, que le commandant de la garde impériale est mon cousin ? » Elle feignait de somnoler.

« Je le sais, ou plutôt je l'ai entendu dire.

— Il y a longtemps déjà, j'ai fait une promesse à mon oncle Muyanga à son sujet, promesse que je n'ai jamais tenue...

— Ah ?

— Si vous l'invitiez au festin d'anniversaire de notre fils, mon seigneur, ma conscience ne me tourmenterait plus. »

L'empereur manifesta sa surprise d'un air languide. « Quoi ?... Un garde ? Les princes secondaires et leur famille en éprouveraient de la jalousie !

— La jalousie ne manque pas chez les êtres mesquins, mon seigneur. Mais qu'il en soit fait selon votre volonté », murmura-t-elle.

Toutefois, quelques moments plus tard, elle s'éloigna légèrement de lui ; puis elle bâilla et dit qu'elle se sentait fatiguée.

« J'ai mal aux dents », gémit-elle soudain. Elle mentait, car toutes ses dents étaient blanches et intactes comme de l'ivoire pur.

Elle se glissa hors du lit et passa ses mules de satin, en disant : « Ne me faites pas appeler demain, mon seigneur, car il me déplairait de répondre par un refus au chef des eunuques. »

L'empereur en conçut de l'inquiétude ; il connaissait l'implacable volonté de cette femme et savait qu'elle ne l'aimait pas, de sorte qu'il lui fallait acheter ses faveurs. Il la laissa pourtant partir. Deux nuits se passèrent sans

qu'il osât la faire appeler, par crainte des moqueries de
son entourage s'il se heurtait à un refus. Elle avait plus
d'un tour dans son sac, et tous savaient que l'empereur
devait souvent lui envoyer des cadeaux pour obtenir
qu'elle vînt près de lui. Il n'oubliait pas son dernier refus
qui l'avait tant mortifié : il s'était vu obligé d'envoyer
un eunuque dans le Sud, à cinq provinces de là, pour
rapporter de l'ivoire de bec de calao, produit rare d'un
oiseau rare, qu'on ne trouvait que dans les jungles de
Malaisie, de Bornéo et de Sumatra. Tzu-Hsi voulait
absolument s'en faire un bijou. Seuls les empereurs
pouvaient porter des boutons, des boucles et des bagues
taillés dans cet ivoire si rare dont la pellicule écarlate
servait à recouvrir les ceintures de cérémonie du souverain. Comme aucune femme n'était autorisée à en
porter, Tzu-Hsi s'était mis en tête de s'en procurer.
Quand l'empereur lui expliqua patiemment qu'il ne
pouvait lui en donner, de peur d'irriter les princes, elle
bouda pendant des semaines, et il finit par céder en
désespoir de cause, n'ignorant pas son entêtement et
sa volonté.

« Je voudrais ne pas être lié à une femme aussi difficile », gémit-il devant le chef des eunuques.

An Teh-hai gémit à l'unisson, par respect : « Certainement, Très-Haut, cela vaudrait mieux pour vous,
mais nous l'aimons tous... A part ses rares ennemis ! »

Comme l'empereur avait cédé cette fois-là, il céda de
nouveau et, la veille du festin, fit appeler Tzu-Hsi qui
vint, belle, fière et gaie, et se montra généreuse dans sa
reconnaissance. Le même soir, Jung Lu reçut une invitation impériale au banquet d'anniversaire de l'héritier.
Le jour du festin se leva, clair et beau, et Tzu-Hsi entendit, dès son réveil, le brouhaha de la ville. Dans toutes
les maisons, on faisait craquer des pétards, vibrer des
gongs, rouler des tambours et résonner des trompettes.

Il en fut de même dans toutes les villes et dans tous les villages du royaume, pendant ces trois jours de fête. Tzu-Hsi se leva tôt, plus exigeante que jamais, mais, courtoise comme d'habitude envers chacune de ses dames d'honneur, prenant soin de montrer des égards aussi bien à sa servante qu'à la plus noble de ses dames d'honneur. Lorsqu'elle fut prête, on lui présenta l'héritier, vêtu de sa robe de satin écarlate et de son chapeau impérial, signe de son rang unique. Elle le prit dans ses bras, le cœur gonflé d'amour et d'orgueil. Elle respira le parfum de ses joues et de ses petites paumes potelées, à la peau ferme et saine, et lui murmura à l'oreille : « Aujourd'hui, je suis la plus heureuse des femmes. »

Il lui répondit par son sourire puéril, et les larmes lui vinrent aux yeux. Elle ne craignait plus rien, pas même les dieux jaloux. Nulle puissance terrestre ou céleste ne pouvait rien contre sa force. Son destin la protégeait comme un bouclier.

L'heure venue, elle appela ses dames d'honneur pour se rendre, au centre de la Ville interdite, suivie de l'héritier, à la salle du trône suprême que l'empereur avait choisie pour recevoir les offrandes. Ce lieu sacré, d'une superficie de trois cent cinquante mètres sur sept cents, le plus vaste de tous les palais, flanqué de deux autres moins spacieux, se dressait sur une grande terrasse de marbre, où l'on accédait par cinq rangées de marches de marbre veillées par des dragons, d'où son nom de terrasse des Dragons. Le toit du palais brillait au soleil. Pas une herbe ne déparait sa surface lisse, car, au temps lointain de sa construction, on avait mélangé au mortier un certain poison qui tuait toutes les graines apportées par le vent.

Dans cette salle du trône suprême, trop sacrée pour admettre la présence d'une femme, Tzu-Hsi elle-même n'avait pas accès. Elle regarda le toit doré, les portes sculptées et les auvents peints, puis se retira dans un autre palais, celui de l'harmonie centrale.

Mais l'empereur ne l'oubliait pas. Assis sur le trône du Dragon, avec l'héritier à ses côtés dans les bras du prince Kung, il reçut les dons de toutes les nations et commanda alors aux eunuques d'aller les présenter à l'impératrice, dans le palais de l'harmonie centrale. Tsu-Hsi les examina d'un œil favorable, mais sans vouloir exprimer de satisfaction, car aucun cadeau n'était trop splendide pour son fils.

La journée ne suffit pas pour recevoir toutes ces somptueuses offrandes et, quand le soleil se coucha, il restait encore à examiner celles des princes secondaires et des personnages inférieurs. La lune se leva à l'heure du banquet. L'empereur et les deux impératrices précédèrent la cour à la salle des banquets impériaux et s'installèrent à leur table ; à la table voisine se tenait l'héritier sur les genoux de son oncle, le prince Kung. L'empereur ne pouvait quitter du regard le petit garçon qui manifestait sa joie. Ses grands yeux, qu'il tenait de sa mère, suivaient les oscillations des bougies dans leurs lanternes enrichies de glands ; il les montrait du doigt et riait en frappant des mains. Sa robe de satin jaune, brodée de petits dragons en soie écarlate, tombait sur ses chaussons de velours ; sur sa tête était perché un chapeau de satin cramoisi garni d'une plume de paon, et il portait au cou la chaîne d'or que Tsu-Hsi lui avait passée le jour de sa naissance, pour le protéger contre les mauvais esprits. Tous admiraient l'héritier, mais on se gardait bien de parler à haute voix de sa belle santé, par crainte des démons cruels.

Seule Sakota, l'impératrice du palais oriental, restait triste en le regardant et ne pouvait cacher son air maussade. Quand l'empereur, par courtoisie, la pressait de se servir d'un plat, elle secouait la tête en prétextant un

manque d'appétit, et, quand Tzu-Hsi s'adressait à elle,
elle faisait semblant de ne pas l'entendre. Qui aurait pu
blâmer l'empereur de préférer Tzu-Hsi, qui n'avait
jamais été plus belle ni plus gracieuse, à Sakota, menue
comme un oiseau, avec ses petites mains maigres couvertes de bagues trop grandes, et son mince visage pâle
aux traits tirés? Quant à Tzu-Hsi, elle répondait à la
maussaderie de Sakota par la patience la plus parfaite,
et tous admiraient sa largeur d'esprit.

Entre les tables basses dressées pour les mille invités
assis sur des coussins écarlates, des eunuques vêtus de
robes multicolores assuraient silencieusement le service
des convives. A une extrémité de la salle, se trouvaient
les dames de la cour, les épouses des princes, des ministres et des nobles, et à l'autre extrémité les nobles
eux-mêmes. Lady Mei était assise à la droite de Tzu-
Hsi, qui lui souriait souvent. Toutes les deux connaissaient la place de Jung Lu, à une table assez éloignée
d'elles. On s'étonnait, sans nul doute, que le commandant de la garde reçût de tels égards, mais, si l'on posait
la question, derrière une main prudente, à un eunuque
qui passait, il répondait :

« C'est le cousin de l'impératrice du palais occidental,
invité sur son ordre. » A quoi l'on n'avait point de
réplique. Le festin se déroula, tandis que les musiciens
de la cour jouaient sur leurs harpes anciennes, leurs
flûtes et leurs tambours, et que les comédiens impériaux
tenaient la scène pour qui voulait les regarder.

Enfin l'héritier s'endormit, le chef des eunuques
l'emporta, les bougies se mirent à fumer; la fête tirait
à sa fin.

« Qu'on apporte du thé pour les nobles », commanda
le prince Kung.

Les eunuques servirent du thé à tous les nobles, mais
le commandant de la garde impériale, qui n'était pas

noble, n'en reçut pas. Tsu-Hsi, qui voyait tout, sans en
avoir l'air, fit un signe de sa main couverte de bagues, et
Li Lien-ying, toujours sur le qui-vive, s'approcha
promptement d'elle.

« Porte ce bol de thé de ma part à mon cousin »,
ordonna Tzu-Hsi de sa voix claire. Elle mit le couvercle
de porcelaine sur son propre bol auquel elle n'avait pas
touché, et le remit à deux mains à son eunuque. Fier de
son rôle, Lu Lien-ying le porta à Jung Lu, qui se leva
pour le recevoir également dans ses deux mains. Il
posa le bol et, se tournant vers l'impératrice du palais
occidental, il la salua à neuf reprises pour lui exprimer
sa gratitude.

Toutes les conversations s'interrompirent, et de nombreux regards furent échangés. Mais Tzu-Hsi ne semblait pas y prêter attention. Elle se contenta de jeter un
coup d'œil à Lady Mei, souriante. Le chef des eunuques
fit un signe aux musiciens, qui se remirent à jouer tandis que circulaient les derniers plats.

La lune était haute dans le ciel ; il se faisait tard. Tous
attendaient que l'empereur donnât le signal du départ.
Mais il ne bougeait pas. Enfin, il frappa dans ses mains,
et le chef des eunuques fit taire les musiciens.

« Que va-t-il se passer maintenant ? demanda Tzu-
Hsi au prince Kung.

— Je l'ignore, impératrice. »

Le silence tomba de nouveau sur la salle du banquet,
et tous les yeux se tournèrent vers la porte.

Le Fils du Ciel se pencha vers sa bien-aimée. « Mon
cœur, chuchota-t-il, regarde du côté des grandes
portes ! »

Tzu-Hsi leva les yeux et vit six eunuques ployant sous
le faix d'un plateau d'or massif, où trônait une immense
pêche, dorée d'un côté et rouge de l'autre. Une pêche ?
C'était le symbole de la longévité.

« Annonce mon cadeau à la bienheureuse mère de l'héritier ! » ordonna l'empereur à son frère.

Le prince Kung se leva. « Le cadeau du Fils du Ciel à la bienheureuse mère de l'héritier ! »

L'assistance se leva et s'inclina, tandis que les eunuques apportaient le plateau à Tzu-Hsi.

« Prends la pêche dans tes mains », dit le Fils du Ciel.

Elle posa les doigts sur l'énorme fruit qui s'ouvrit en deux, révélant à l'intérieur une paire de chaussures de satin rose brodées au petit point de fleurs en fils d'or et d'argent, serties de pierres précieuses de toutes couleurs. Les hauts talons cloués au milieu des semelles étaient si richement incrustés de perles roses des Indes qu'on ne voyait plus le satin.

Tzu-Hsi leva des yeux brillants sur le Fils du Ciel.

« Pour moi, mon seigneur ?

— Pour toi seule. »

C'était un cadeau d'inspiration osée, le symbole d'un amour charnel, l'hommage d'un homme à une femme adulée.

Les mauvaises nouvelles du Sud ne tardèrent pas à arriver. Elles étaient pires que jamais. Yeh, le vice-roi des provinces Kwang, avait attendu la fin des festivités pour les envoyer, mais il ne pouvait plus dissimuler le désastre. Il dépêcha des courriers à la capitale pour signaler que l'Anglais, Lord Elgin, menaçait plus sévèrement encore la ville de Canton avec ses bateaux ancrés à l'embouchure de la rivière Pearl et ses six mille guerriers. Les armées impériales ne pourraient jamais leur résister. De plus, la ville était infestée de rebelles soi-disant chrétiens, sous le commandement de ce fou de Hung, qui se croyait envoyé par un dieu étranger nommé Jésus pour renverser le trône mandchou.

Le prince Kung reçut le premier ces informations, et il n'osa pas les présenter à l'empereur. Depuis le banquet d'anniversaire de l'héritier, l'empereur restait couché. Après les excès de nourriture et l'opium absorbé pour calmer ses douleurs, il reposait sur son lit dans un état d'hébétude complète. Le prince Kung fit donc avertir Tzu-Hsi et lui demanda audience immédiatement. Tzu-Hsi se rendit à la bibliothèque impériale et s'installa derrière un écran, car le prince Kung était accompagné du grand conseiller Su Shun, du prince Ts'ai et du prince Yi, un des plus jeunes frères du Fils du Ciel. Ces quatre personnalités, que leurs eunuques suivaient à distance, écoutèrent le rapport du vice-roi lu par le prince Kung.

« Très grave... Très grave! » murmura Su Shun.

En regardant ce grand et gros homme aux traits épais, Tzu-Hsi se demanda comment il pouvait être le père de sa chère Lady Mei à la beauté délicate.

« Très grave, appuya le prince Yi de sa voix pointue.

— Si grave, reconnut le prince Kung, qu'il nous faut envisager la possibilité qu'Elgin s'empare de la ville de Canton, s'y retranche et exige ensuite d'être reçu à la cour impériale. »

Tzu-Hsi frappa la table de son poing fermé. « Jamais!

— Vénérable, dit le prince Kung tristement, je me permets de suggérer que nous ne sommes pas en mesure de refuser les exigences d'un ennemi aussi fort.

— Il faut ruser, rétorqua-t-elle. Encore promettre et encore retarder l'exécution des promesses.

— Nous ne pouvons pas avoir le dessus », affirma le prince Kung.

Le grand conseiller Su Shun s'avança. « Nous l'avons bien emporté, il y a deux ans, lorsque l'Anglais Seymour s'est introduit à Canton. Rappelez-vous, prince, nous l'avons chassé. Nous avons mis à prix, pour trente pièces d'argent, la tête de tout Anglais, et le vice-roi a fait promener ces têtes dans les rues de la ville. Après cette mesure, et l'incendie des entrepôts étrangers, les Anglais se sont retirés.

— En effet », approuva le prince Yi.

Mais le prince Kung leur résistait. Bien qu'il fût trop jeune pour s'imposer ouvertement à ces hommes, il insista : « Les Anglais ne se sont retirés que pour nous envoyer d'autres armées. De plus, en ce moment, les Français, qui désirent s'emparer de notre possession d'Indochine, ont promis d'aider les Anglais contre nous, et ils prennent pour prétexte la torture et la mort d'un prêtre français à Kwangsi. Et puis on dit que Lord Elgin a reçu des instructions de sa souveraine, la reine d'Angleterre, pour exiger que nous recevions dans notre capitale un ambassadeur de sa cour. »

Tsu-Hsi ne changeait pas d'avis, mais, par respect pour le prince Kung et par désir de ne pas se l'aliéner, elle répondit courtoisement.

« Vous avez sans doute raison, mais je n'en suis pas persuadée. Ma sœur, reine de l'Occident, n'est sûrement pas au courant des exigences émises en son nom. Tout cela aurait dû arriver au moment où nous avons chassé les étrangers ! »

Le prince Kung expliqua patiemment : « Uniquement, impératrice, à cause de la révolte indienne dont je vous ai parlé il y a quelques mois. Vous vous rappelez que l'Inde tout entière est maintenant conquise par l'Angleterre ; si bien que, lorsque la révolte récente causa la mort de nombreux Anglais et de leurs épouses, les Britanniques l'écrasèrent dans le sang. Les voici libres maintenant de venir ici poursuivre leur conquête. Je crains bien qu'il ne soit dans leurs intentions de régner un jour sur notre pays comme sur l'Inde. Qui sait où s'arrêtera leur avidité ? Un peuple insulaire se montre toujours avide, faute d'espace. Si nous croulons, tout notre monde s'écroulera avec nous. Nous devons l'empêcher à tout prix.

— A tout prix », affirma Tzu-Hsi.

Mais elle ne croyait toujours pas au danger. Elle reprit, sans manifester de grande inquiétude : « Pourtant, il y a loin d'ici à Canton, nos murailles sont solides, et je ne crois pas le désastre si proche. Et puis le Fils du Ciel est trop malade pour qu'on le dérange. Nous devons bientôt quitter la ville pendant la saison chaude ; qu'on repousse toute décision jusqu'à notre retour du palais d'Été. Envoyez des instructions au vice-roi pour qu'il promette aux Anglais de faire un rapport au Trône et de lui soumettre leurs exigences. Lorsque nous recevrons ce rapport, nous répondrons que le Fils du Ciel est malade et qu'il nous faut attendre la saison fraîche avant qu'il ait la force de prendre des décisions.

— Sagesse ! s'écria le grand conseiller.

— Sagesse en vérité ! » approuva le prince Ts'ai, et le prince Yi acquiesça de la tête. Le prince Kung gardait le silence, mais il soupira profondément.

Tsu-Hsi ne voulut pas entendre ce soupir et mit fin à l'audience. De la bibliothèque impériale, elle se rendit au palais de son fils et resta quatre heures avec l'enfant. Elle le regarda dormir, puis, quand il s'éveilla, elle le tint sur ses genoux et le fit marcher, agrippé à ses mains. Elle puisait en lui sa force et sa résolution, il était son petit dieu, son joyau dans un lotus, et elle l'adorait de tout son cœur et de tout son être. Le cœur brûlant d'amour, elle attira l'enfant à elle et l'étreignit en regrettant de ne pouvoir l'abriter aussi complètement qu'au temps où elle le portait en elle.

Tzu-Hsi retourna à son palais, encouragée par les heures passées près de son fils, et elle se remit à l'étude des rapports et des lettres adressés au trône, pour élaborer les ordres qu'elle signerait du nom de l'empereur.

Avant l'été, elle organisa le mariage de sa sœur avec le septième prince dont le nom était Ch'un, et le prénom I-huan. Elle reçut celui-ci en audience privée afin de l'observer de près et, malgré sa laideur et sa trop grosse tête, elle le trouva honnête et simple, dépourvu d'ambition personnelle et prêt à accepter avec gratitude une alliance avec sa sœur. Le mariage eut lieu avant le départ de la cour pour le palais d'Été, mais sans faste, en considération de la maladie de l'empereur. Seule Tzu-Hsi sut en quel jour et à quelle heure sa sœur entra, avec les rites traditionnels, dans le palais du prince Ch'un, situé hors de l'enceinte de la Ville interdite.

La belle saison passa tristement, même au palais d'Été, car, pendant la maladie de l'empereur, il n'était pas question de musique, de théâtre, ni de réjouissances. Les journées ensoleillées se succédaient, mais Tzu-Hsi, soucieuse de sa dignité, ne se permit pas la moindre promenade en barque sur le lac des Lotus. Elle vivait à l'écart et n'osait plus prendre d'autres mesures en faveur de Jung Lu car, après le banquet d'anniversaire, les racontars avaient jailli comme les flammes dans un bois de pins, et l'on savait partout maintenant qu'ils avaient été fiancés autrefois. Tant que sa grandeur ne la rendrait pas invulnérable, elle ne pouvait rien de plus pour Jung Lu, de peur de se nuire à elle-même ou à son fils. Malgré sa jeunesse et son caractère passionné, elle restait admirablement patiente et maîtresse d'elle-même.

La cour revint à la Ville interdite dès le début de l'automne; les Fêtes de la Moisson furent célébrées sans éclat, et, pendant ces mois paisibles, Tzu-Hsi crut avoir bien fait de refuser la guerre contre les étrangers. Le vice-roi Yeh envoyait de meilleures nouvelles : les Anglais, bien que furieux de tous ces retards, n'agissaient pas, et Lord Elgin « passait les journées à Hong-Kong, à taper du pied et à pousser des soupirs ».

« Voilà la preuve, déclara Tzu-Hsi triomphante, que la reine occidentale est mon alliée. »

Seule la mauvaise santé de l'empereur attristait Tzu-Hsi. Elle ne feignait même plus d'aimer ce malheureux immobile et presque inconscient dans son lit de satin jaune, mais elle craignait sa mort et les difficultés de la succession. L'héritier était encore si jeune que le choix d'un régent ne manquerait pas de susciter de terribles querelles. Elle devait à tout prix assurer seule la régence, mais pourrait-elle s'emparer du trône et le conserver pour son fils ? Les puissants clans mandchous feraient valoir leurs droits. On pourrait même déposer l'héritier et le remplacer sur le trône. Li Lien-ying tenait Tzu-Hsi au courant des nombreuses intrigues de palais. Mais elle comptait sur la loyauté du prince Kung et celle du chef des eunuques, dont l'affection pour l'empereur s'étendait jusqu'à elle. Car le chef des eunuques aimait son frêle souverain et restait souvent près du vaste lit sculpté, où il reposait sans bouger ni parler. Parfois, dans la nuit, lorsque tout dormait, le chef des eunuques courait chercher Tzu-Hsi parce que l'empereur avait peur et qu'il lui fallait le contact de sa main et sa présence. Tzu-Hsi s'installait alors au chevet du grand lit, dans la chambre obscure, toujours éclairée par des bougies, et serrait dans les siennes les mains froides et inanimées de l'empereur, en prenant une expression tendre pour le réconforter. Elle attendait qu'il se fût endormi avant de s'échapper. Le chef des eunuques appréciait sa patience parfaite, son inébranlable courtoisie et sa bonté mesurée, et reportait sur elle la dévotion et la loyauté qu'il vouait à l'empereur. Depuis le jour où il avait franchi ces grilles, à l'âge de douze ans, castré par son propre père, il servait son maître impérial. Certes, il ne manquait pas de dérober ce qui lui plaisait dans les vastes possessions de son maître, et tous savaient qu'il entassait d'énormes trésors personnels. Il lui arrivait aussi de se montrer cruel et de condamner des hommes à la corde ou au poignard, d'un seul geste de son pouce incliné vers le sol. Mais, dans son cœur solitaire que recouvraient de plus en plus nombreuses les couches de graisse, il cachait un amour profond pour son souverain. Quand il vit l'empereur menacé de mort, il reporta son étrange dévotion sur la belle et forte jeune femme, que l'empereur aimait par-dessus tout et qu'il aimerait jusqu'à son dernier soupir.

Nul ne s'attendait à la sinistre nouvelle qui frappa le palais comme un coup de tonnerre au début de l'hiver. C'était par un jour semblable aux autres, froid et gris de neige. Dans la ville calme, le commerce stagnait. Au palais, il y avait peu de mouvement, pas d'audiences, et l'on remettait les décisions à plus tard.

Tzu-Hsi avait passé sa journée à peindre. Lady Miao se tenait à ses côtés, ne lui donnant ni conseils, ni ordres, mais surveillant le travail de sa royale élève. Tzu-Hsi savait qu'il n'était pas facile de plaire à son professeur et elle se donnait beaucoup de mal. Pour peindre des branches de pêcher en fleur, elle trempa son pinceau dans l'encre de telle façon qu'elle pût, d'un seul trait, indiquer la branche et son ombre.

Elle y réussit parfaitement et Lady Miao s'écria :
« Très bien, Vénérable.

— Je n'ai pas fini. » Avec le même soin, elle traça une autre branche qui s'entrelaçait à la première. Mais Lady Miao ne fit aucun commentaire. Tzu-Hsi fronça les sourcils.

« Vous n'aimez pas ce que je peins ?

— Il ne s'agit pas de savoir si j'aime ou si je n'aime pas, Vénérable. Mais il faut vous demander si les maîtres de la peinture auraient entrelacé deux branches de cette façon.

— Mais pourquoi pas?

— En matière d'art, c'est l'instinct et non la raison qui commande. Ils ne l'auraient pas fait. »

Tzu-Hsi ouvrit tout grands ses yeux et serra les lèvres, se préparant à discuter, mais Lady Miao s'y refusa.

« Si vous, Vénérable, vous désirez entrelacer vos branches de cette façon, faites-le. Le moment est venu où vous pouvez peindre comme vous le désirez. » Elle se tut, puis reprit, pensive, sa tête délicate levée vers son élève : « Vénérable, vous peignez en amateur, mais je suis une professionnelle, car j'appartiens à une famille d'artistes. Si vous n'aviez pas dû porter le fardeau de la nation, si vous aviez été libre de consacrer votre vie à l'art, Vénérable, vous auriez été une grande artiste. Je discerne puissance et précision dans vos peintures, et un génie à qui il ne manque que le travail pour être complet. Hélas! vous n'avez pas assez de temps pour ajouter cette grandeur à toutes celles que vous possédez. » Elle n'eut pas le temps d'achever. Tandis que Tzu-Hsi l'écoutait, ses grands yeux fixés sur le visage de son professeur, le chef des eunuques se précipita dans le pavillon. Les deux femmes se tournèrent vers lui, stupéfaites de le voir dans un tel état : haletant, les yeux lui sortant de la tête et ses grosses joues molles et pâles couvertes de sueur.

« Vénérable, criait-il, Vénérable... préparez-vous... » Tzu-Hsi se leva immédiatement, croyant qu'il allait lui annoncer une mort... laquelle?

« Vénérable... — La voix de An Teh-hai devint aiguë — un messager de Canton... la ville est tombée... les étrangers l'ont prise... le vice-roi est prisonnier! »

Tzu-Hsi se rassit; c'était un désastre, mais pas une mort.

« Remets-toi, dit-elle d'une voix sévère à l'eunuque qui tremblait. On dirait à te voir que l'ennemi a franchi les grilles du palais. » Elle rangea ses pinceaux, et Lady Miao se retira silencieusement. Le chef des eunuques attendait, essuyant de sa manche la sueur qui lui coulait sur le front.

« Demande au prince Kung de me rejoindre ici, commanda Tzu-Hsi, puis retourne auprès de l'empereur.

— Oui, Vénérable », répondit humblement le chef des eunuques, et il se retira en hâte.

Quelques minutes plus tard, le prince Kung arriva seul. Il savait la nouvelle, car lui-même avait reçu du courrier, épuisé, hors d'haleine, le rapport écrit d'une main inconnue, mais portant le sceau du vice-roi. Il l'apportait à Tzu-Hsi.

« Lisez-le-moi », demanda Tzu-Hsi après avoir reçu son salut.

Il le lut lentement, tandis qu'elle l'écoutait, son regard pensif fixé sur les orchidées jaunes posées sur la table. Six mille guerriers de l'Occident avaient attaqué les portes de Canton. Les forces impériales n'avaient opposé, à grand bruit, qu'une résistance de principe avant de fuir. Les rebelles chinois, cachés dans la ville, avaient ouvert les portes et introduit l'ennemi. Le vice-roi avait cherché à s'échapper par-dessus les fortifications de la ville. Mais, tandis que ses officiers le descendaient au bout d'une corde, les Chinois avaient signalé sa présence à l'ennemi, qui s'était emparé de lui. Tous les personnages officiels étaient prisonniers, et le vice-roi déporté à Calcutta dans l'Inde lointaine. Les hommes de l'Occident, arrogants et sans respect, avaient institué un nouveau gouvernement chinois pour défier la dynastie mandchoue. Le rapport indiquait également que les Anglais parlaient d'autres exigences de leur impératrice, se réservant de les préciser devant l'empereur en personne, à Pékin.

Dans cette pièce paisible où, une heure auparavant, Tzu-Hsi peignait des branches de pêcher en fleur, cette terrible nouvelle s'abattit brusquement sur ses épaules. Elle écoutait sans mot dire. Le prince Kung, la regardant de côté, sentait son cœur étreint de pitié pour cette femme belle et solitaire et attendait qu'elle parlât.

« Nous ne pouvons pas recevoir ces haïssables étrangers à notre cour, dit-elle enfin. Et je persiste à croire qu'ils utilisent le nom de Victoria à l'insu de celle-ci. Cependant, je ne puis l'atteindre en ce lointain pays, ni révéler à notre peuple la maladie mortelle de l'empereur. L'héritier est encore trop jeune, la succession embrouillée. Il nous faut à tout prix refuser l'entrée aux étrangers, temporiser et promettre encore, en prenant l'hiver comme prétexte. »

Les propres préoccupations du prince Kung ne l'empêchaient pas de comprendre celles de l'impératrice, et il lui parla avec douceur.

« Impératrice, je ne peux que répéter ce que j'ai déjà dit. Vous ne comprenez pas la nature de ces hommes. Il est trop tard. Leur patience est à bout.

— Nous verrons », dit-elle sans vouloir ajouter un mot de plus. Il eut beau plaider et prodiguer les conseils, elle se bornait à secouer la tête, le visage pâle, ses yeux tragiques cernés d'ombres noires. « Nous verrons, nous verrons. »

« Le Ciel vient à mon secours », pensa Tzu-Hsi, car c'était, de mémoire d'homme, l'hiver le plus froid qu'il y ait eu. Jour après jour, elle se levait et contemplait par la fenêtre la neige plus épaisse que la veille. Les courriers impériaux qu'on envoyait dans le Sud mettaient trois fois plus de temps que d'habitude à revenir dans la capitale, et des mois seraient nécessaires avant que sa réponse atteignît Canton. Le vieux vice-roi Yeh languissait dans sa prison de Calcutta, mais Tzu-Hsi ne le plaignait pas. Il avait failli à sa mission et rien ne saurait l'excuser. Qu'il meure ! Sa pitié, elle la gardait pour ceux qui la servaient fidèlement.

L'hiver passa lentement et le printemps revint, mais un printemps hostile et troublé. Il lui tardait de revoir les premiers bourgeons et les premières pousses de bambous. Au palais, les lis sacrés fleurissaient sur des foyers de charbon de bois couvant sous la cendre. Des pruniers nains, fleuris en serre, garnissaient les salles et, dans cette atmosphère de printemps artificiel, Tzu-Hsi faisait suspendre des cages pleines d'oiseaux dont les chants la réjouissaient. Lorsqu'elle était déprimée par le péril que courait la nation, elle trouvait du réconfort à ouvrir les cages, à laisser les oiseaux s'envoler, se poser sur ses épaules et sur ses mains et picorer des graines entre ses dents. Elle aimait aussi à jouer avec ses chiens. Son cœur s'ouvrait pour ces créatures innocentes.

Son fils aussi était innocent ; il lui donnait la grande joie de l'aimer pour elle-même et de n'aimer qu'elle seule. Lorsqu'il la voyait, il oubliait tout son entourage pour se précipiter dans ses bras. Elle pouvait se montrer cruelle, et quiconque la contrariait subissait son inflexible rancune, mais sa tendresse allait aux faibles, aux innocents et à tous ceux qui l'aimaient. C'est ainsi qu'elle supportait les défauts de son eunuque, Li Lien-ying, parce qu'il l'adorait. Elle fermait les yeux sur ses méfaits, ses vols, et sur les rétributions qu'il exigeait des solliciteurs désireux de s'assurer l'appui de l'impératrice. De même, elle pardonnait à l'empereur sa décrépitude, son impuissance et ses folies avec les femmes. En effet, il exigeait de nouvelles femmes chaque nuit car, sans force auprès de celle qu'il aimait, il retrouvait parfois sa vigueur auprès des très jeunes filles. Cependant, le cœur de cet homme lui appartenait tout entier. Tzu-Hsi lui pardonnait parce qu'elle ne l'aimait pas, et se montrait tendre avec lui parce qu'il l'aimait.

Le prince Kung n'ignorait rien de tout cela, et elle le savait bien. Mais elle savait aussi qu'il n'en parlerait jamais, et elle sentait la compréhension dans son regard et dans sa voix. Pourtant, elle souffrait d'une solitude que seuls les grands connaissent, et elle ne pouvait se confier à personne. Le prince Kung n'éprouvait aucune passion pour elle, car il avait une épouse douce et charmante qui suffisait à son cœur, mais il se montrait un conseiller très zélé.

Le printemps céda lentement la place à l'été, mais Tzu-Hsi ne pouvait se décider à partir pour le palais d'Été. Pourtant, elle aspirait tellement à retrouver la paix de son parc. De tout l'hiver, elle n'avait pas franchi les murs de la Ville interdite, et elle pensait avec nostalgie aux lacs et aux montagnes du palais d'Été. Jamais elle n'avait eu autant soif de beauté, de la beauté naturelle du ciel, de l'eau et de la terre. La nuit, ce n'était pas d'amour qu'elle rêvait, mais de jardins sans murs et de clairs de lune paisibles baignant les collines lointaines et dénudées. Elle passait des heures à contempler des paysages peints sur soie et s'imaginait qu'elle se promenait le long d'une rivière ou au bord de la mer; la nuit, elle croyait dormir dans des forêts de pins, ou dans un temple caché au cœur d'un bosquet de bambous. Quand elle se réveillait, elle pleurait, car ces rêves, bien qu'évocateurs, restaient fugitifs.

Un jour, aussi soudaines qu'un orage, les sinistres

nouvelles, qu'elle pressentait depuis longtemps, par-
vinrent dans la Ville interdite. Tzu-Hsi renonça à tout
espoir de départ. Les Occidentaux remontaient la côte
dans leurs bateaux de guerre. Des courriers impériaux
se relayaient nuit et jour pour apporter les nouvelles
avant que les bateaux n'atteignissent les forts de Taku,
qui défendaient Tien-Tsin, ville située à cent vingt kilomètres à peine de la capitale. Petits et grands, tous en
furent consternés. L'empereur sortit de sa torpeur et
convoqua dans la salle d'audiences ses grands conseillers, ses ministres et ses princes; il ordonna aux deux
impératrices d'assister à la séance, derrière l'écran du
Dragon. Tzu-Hsi s'y rendit, appuyée au bras de son
eunuque, et s'installa sur le plus grand des deux trônes.
Peu après, Tzu-An, l'impératrice du palais oriental,
arriva à son tour et Tzu-Hsi, toujours courtoise, se leva
en attendant qu'elle s'assît. L'impératrice paraissait
déjà vieille, elle qui n'avait que trente-deux ans. Dans
son visage qui s'allongeait, maigre et mélancolique, un
faible sourire se dessina quand Tzu-Hsi lui prit la main.

Mais qui pouvait penser aux difficultés des relations
entre individus, quand la nation tout entière était menacée? La noble assemblée écoutait en silence le prince
Kung, qui, debout, annonçait les mauvaises nouvelles.
L'empereur, vêtu de sa robe de brocart et siégeant sur
le trône du Dragon, baissait la tête, le visage à demi caché
par un éventail de soie.

Le prince Kung dévoila toute la triste vérité : « En
dépit des efforts du Trône, les étrangers ne sont pas
restés dans le Sud. Ils remontent notre côte dans leurs
bateaux armés où se trouvent des guerriers. Il nous
reste l'espoir que les forts de Taku les arrêteront et les
empêcheront de pénétrer dans la ville de Tien-Tsin, d'où
ils n'auraient que peu de distance à parcourir pour atteindre notre palais sacré. »

Un gémissement s'éleva de l'assemblée agenouillée, et tous baissèrent la tête jusqu'au sol.

Le prince Kung hésita, puis continua : « Il est encore trop tôt pour se prononcer, mais je crains bien que ces barbares n'obéissent ni à nos lois, ni à notre étiquette. Ils sont capables de venir jusqu'aux portes mêmes du palais impérial, si nous n'arrivons pas à les persuader de retourner dans le Sud. Voyons les choses en face, cessons de rêver. L'heure est grave, l'avenir ne nous réserve que des afflictions. »

Quand le prince Kung eut terminé son rapport, l'empereur suspendit l'audience et demanda à l'assemblée de se retirer pour peser mûrement sa décision. S'appuyant sur ses deux frères, il s'apprêtait à descendre du trône, lorsque soudain la voix claire de Tzu-Hsi s'éleva derrière l'écran du Dragon.

« Moi qui ne devrais pas prendre la parole, je vais pourtant m'y résoudre ! »

L'empereur hésita un moment, tourna la tête à gauche puis à droite ; mais l'assemblée restait agenouillée, en silence, et tous gardaient la tête basse.

Dans ce silence, la voix de Tzu-Hsi résonna de nouveau. « C'est moi qui ai conseillé la patience vis-à-vis des barbares de l'Ouest. C'est moi qui ai demandé qu'on remette, qu'on attende, et maintenant j'avoue que j'ai eu tort. J'ai changé d'avis, et je me déclare opposée à toute patience, à toute attente et à tout délai. Je demande la guerre contre l'ennemi de l'Occident, la guerre et la mort pour tout homme, femme et enfant ! »

Si la voix qui résonnait dans le silence avait été celle d'un homme, l'assemblée aurait manifesté son approbation ou son hostilité. Mais c'était celle d'une femme, bien qu'elle fût impératrice. Personne ne parla, personne ne bougea. L'empereur attendait, tête basse ; il finit par descendre du trône, toujours soutenu par

ses deux frères, et, entre les nobles et les ministres agenouillés, il entra dans son palanquin jaune pour retourner à son palais.

Après lui, dans les délais convenables, les deux
impératrices se retirèrent également, n'échangeant que
les paroles strictement nécessaires à la courtoisie. Tzu-
Hsi voyait bien que Tzu-An l'évitait et détournait le
regard. Elle regagna ses appartements et attendit la
convocation impériale qui ne vint pas. L'esprit troublé,
elle se plongea dans ses livres. La nuit venue, comme
l'empereur ne l'appelait toujours pas, elle fit venir
Li Lien-ying qui lui rapporta que l'empereur avait
passé la journée en compagnie de l'une ou de l'autre
de ses concubines sans parler d'elle. Il tenait ses renseignements du chef des eunuques, obligé de demeurer
aux côtés de son maître et de supporter ses caprices.

« Vénérable, dit Li Lien-ying, le Fils du Ciel ne vous
a point oubliée, mais il a peur des événements possibles. Il attend le jugement de ses ministres.

— En ce cas, je suis vaincue! » s'exclama Tzu-Hsi.
Mais c'était critiquer ouvertement l'empereur, et
Li Lien-ying fit semblant de ne pas l'entendre.

Le lendemain, Tzu-Hsi apprit ce qu'elle redoutait :
on ne résisterait pas aux envahisseurs de l'Ouest. Sur
le conseil de ses ministres, l'empereur nomma trois
hommes fort honorables pour négocier, à Tien-Tsin,
avec les Anglais. Parmi eux se trouvait Kwei Liang,
beau-père du prince Kung, homme réputé pour son
bon sens et sa prudence.

« Hélas! hélas! s'écria Tzu-Hsi quand elle l'apprit.
L'excellent homme ne saura pas faire front à l'ennemi.
Il est trop vieux, trop scrupuleux, trop faible. »

Elle n'avait que trop raison. Le quatrième jour du
septième mois, Kwei Liang signa avec les guerriers
de l'Ouest un traité qui devait être ratifié un an plus

tard par l'empereur lui-même. A la pointe de l'épée, aidés par leurs alliés américains et russes, les Anglais et les Français avaient eu gain de cause. Leurs gouvernements avaient obtenu le droit d'envoyer des ministres résidents à Pékin ; leurs prêtres et leurs négociants pouvaient parcourir le royaume sans se soumettre à ses lois ; l'opium ferait l'objet d'un commerce légal ; et le grand port fluvial de Hang-Kéou, situé au cœur de l'empire, à mille cinq cents kilomètres à l'intérieur des terres, serait ouvert aux Blancs qui pourraient y installer leurs demeures.

Lorsque Tzu-Hsi apprit les termes du traité, elle se retira dans ses appartements et, pendant trois jours, elle refusa toute nourriture et tout soin corporel. Elle ne voulait même pas laisser entrer ses dames d'honneur. Sa suivante, inquiète, envoya secrètement Li Lien-ying signaler au prince Kung que l'impératrice du palais occidental, étendue sur son lit comme une morte, s'épuisait à pleurer.

Le prince Kung lui demanda aussitôt audience. Tzu-Hsi accepta alors de se faire baigner, habiller et de se nourrir. Elle reçut le prince dans la bibliothèque impériale et écouta ses appels à la raison.

« Impératrice, pensez-vous qu'un homme aussi honorable que mon beau-père aurait cédé à l'ennemi s'il avait pu résister ? Nous n'avions pas le choix. En cas de refus de notre part, les étrangers auraient simplement marché sur la ville impériale. »

Tzu-Hsi fit une moue. « Simple menace !

— Non, répliqua fermement le prince Kung. Il est une chose que j'ai apprise au sujet des Anglais : Ce qu'ils disent, ils le font. »

Que ce bon prince eût tort ou raison, cela n'entamait en rien sa parfaite loyauté, et Tzu-Hsi ne pouvait plus rien devant le fait accompli. Un lourde tristesse la saisit; fallait-il renoncer à tous ses espoirs parce que son fils était trop jeune pour se défendre lui-même? Elle eut un geste impatient pour renvoyer le prince et retourna dans ses appartements.

C'est là que, dans la solitude des jours et des nuits, elle élabora ses plans. Décidée à dissimuler ses pensées, à se montrer aimable avec tous, à se soumettre entièrement à l'empereur et à attendre, elle durcit sa volonté.

Pendant ce temps, satisfaits de leur traité et de leur victoire, les Occidentaux n'avançaient plus dans le Nord. L'année passa comme les précédentes, et l'été suivant amena le jour de ratification du traité. Mais Tzu-Hsi, décidée à éviter cette ratification, était parvenue à ses fins non pas par des paroles et des menaces, mais par la séduction qu'elle exerçait sur l'homme faible qu'était l'empereur. Comme elle s'était montrée douce et soumise pendant toute l'année, l'empereur était retombé corps et âme en son pouvoir. Sous son influence, il avait envoyé aux Blancs installés à Canton des ministres chargés de les soudoyer par l'intermédiaire des gouverneurs chinois, afin d'obtenir qu'ils cessent leur progression vers le Nord.

Les parlementaires emportèrent ces instructions au début de l'année et, au printemps, l'empereur ordonna d'intensifier la défense des forts de Taku, avec les armes achetées à l'insu des Anglais aux Américains. De telles mesures étaient suggérées à l'empereur dans l'alcôve, pendant que Tzu-Hsi le distrayait, se soumettait à ses exigences et éveillait ses sens en lui lisant les livres interdits trouvés dans la bibliothèque des eunuques.

Quel ne fut pas le désarroi de tous lorsque, au début de l'été, des courriers apprirent à l'empereur que les Occidentaux refusaient tout compromis et que, sous le commandement de l'amiral anglais Hope, leurs flottes reprenaient leur avance vers le Nord et dépassaient même Shangaï! Mais la cour et le peuple refusaient de se laisser effrayer. Les forts de Taku étaient solidement défendus par les troupes impériales auxquelles la promesse d'une récompense donnait du courage.

Or, avec l'aide du Ciel, l'ennemi fut effectivement repoussé et perdit même trois bateaux de guerre et plus de trois cents guerriers. Transporté de joie, l'empereur exprima sa reconnaissance à Tzu-Hsi, et celle-ci en profita pour l'encourager à tout refuser aux envahisseurs. Le traité ne fut pas ratifié.

Les Blancs se retirèrent, et la paix fut proclamée. La nation entière manifesta son admiration pour le Fils du Ciel, cet habile souverain, capable de discerner le moment favorable pour l'attente ou l'action. Quelle belle victoire il avait remportée sur les étrangers, grâce à son stratagème d'atermoiements et de compromis qui avait donné aux envahisseurs une fausse idée des forces impériales! Vraiment, l'empereur brillait par sa sagesse et sa perspicacité!

Pourtant, tout le monde savait qui conseillait l'empereur. Aussi admirait-on beaucoup l'impératrice du palais occidental; on lui prêtait une puissance magique, on célébrait sa beauté dans l'intimité — car il n'eût pas été convenable d'en parler en public; au palais, les eunuques comme les courtisans obéissaient à ses moindres désirs.

Seul le prince Kung persistait dans ses craintes et affirmait : « Les Occidentaux sont des tigres qui se retirent quand on les blesse, mais reviennent toujours à l'attaque. »

Il se trompait, semblait-il, puisqu'une année entière se passa dans le calme. Tzu-Hsi perfectionnait sa culture, et l'héritier croissait en force et en beauté. On lui donna un cheval noir et des leçons d'équitation; il aimait à chanter et à rire et on le trouvait toujours de bonne humeur. Forte de sa puissance actuelle, Tzu-Hsi n'éprouvait aucune crainte. Quand ce fut de nouveau le retour des beaux jours, elle se disposa à partir au palais d'Été avec son fils et ses dames d'honneur. Après une année de paix, elle espérait jouir de ses vacances.

Hélas! qui peut prédire l'avenir? La cour venait d'arriver à Yüan Ming Yüan, le palais d'Été, quand les guerriers d'Angleterre, assoiffés de revanche, attaquèrent brusquement la côte nord, avec l'aide des Français. Le septième mois de cette année-là, deux cents bateaux de guerre transportant vingt mille hommes armés entrèrent dans le port de Chefoo, dans la province de Chihli, et, sans prendre le temps de parlementer ou de signer des traités, les étrangers se préparèrent à envahir la capitale.

Nuit et jour, des courriers apportaient de désastreuses nouvelles. Ce n'était plus le moment de se dérober, ni de se faire des reproches. Kwei Liang, ce sage vieillard, accompagné d'autres nobles, fut envoyé pour négocier avec les envahisseurs.

« Promettez tout ce qu'on voudra, lui recommanda l'empereur effrayé, cédez et ne discutez pas! Nous sommes perdus! »

Tzu-Hsi se tenait aux côtés de l'empereur dans sa salle d'audiences privée. « Non, non, mon seigneur! s'écria-t-elle, ce serait honteux! Oubliez-vous votre victoire récente? Ce qu'il faut, mon seigneur, c'est envoyer des soldats : le moment est venu de montrer nos forces et de nous battre, mon seigneur. »

Il refusa de l'écouter et, la repoussant de son bras droit, soudain redevenu vigoureux, il se tourna vers Kwei Liang : « Vous avez entendu mes paroles.

— J'ai entendu et j'obéirai, Très-Haut! » répliqua le vieillard.

Le porte-parole de l'empereur et son escorte, dans

leurs chariots tirés par des mules, se hâtèrent d'atteindre Tien-Tsin, car les envahisseurs avaient de nouveau
saisi les forts de Taku. Mais, dès leur départ, Tzu-Hsi,
minée par l'angoisse, se servit de son charme féminin
pour ébranler de nouveau la décision de l'empereur.

« Et si les Blancs ne se laissent pas persuader ? insista-
t-elle cette nuit-là, dans la chambre de l'empereur. Il
serait sage de parer à toutes les éventualités. » Elle
réussit alors à persuader l'empereur d'envoyer le
prince Seng, son général mongol, tendre une embuscade aux Blancs. Ce brave guerrier avait su empêcher
les rebelles du Sud d'envahir les provinces du Nord et
avait provoqué leur déroute au cours de deux combats
victorieux.

C'est vers cet homme invincible que Tzu-Hsi se tournait maintenant. L'empereur lui céda encore cette
fois, sans oser l'avouer même à son frère, et le prince
Seng, au reçu de ces ordres secrets, disposa son armée
en embuscade près du fort de Taku, décidé à repousser
les Blancs jusqu'à la mer, comme il avait repoussé les
rebelles. Portant le drapeau blanc de la trêve, les émissaires anglais et français s'avancèrent à découvert,
assurés de rencontrer la commission impériale dirigée
par Kwei Liang. Mais le prince Seng prit ce drapeau
blanc pour un signe de capitulation. Ses hommes se
précipitèrent sur les envoyés occidentaux, firent prisonniers les deux chefs et s'emparèrent de leur suite.
Le drapeau fut déchiré et piétiné et les captifs tor-
turés pour avoir osé envahir le pays.

Cette bonne nouvelle fut joyeusement envoyée à la
capitale. Une fois de plus, les Blancs étaient en déroute. L'empereur complimenta Tzu-Hsi et lui fit
don d'un coffret d'or rempli de bijoux. Puis il annonça
sept jours de réjouissances dans la nation et ordonna
des représentations théâtrales pour la cour. Quant au

prince Seng, on lui promit une riche récompense et beaucoup d'honneurs.

Mais c'était se réjouir trop tôt, et les fêtes s'interrompirent à peine commencées. Lorsque les Occidentaux apprirent cette trahison et le massacre de leurs compatriotes, ils rassemblèrent leurs forces et attaquèrent le général mongol avec une telle ardeur qu'ils firent une hécatombe de son armée dépourvue d'armes modernes. Alors, les envahisseurs marchèrent en triomphe sur la capitale et rien ne les arrêta avant le pont de Palikao qui, à quinze kilomètres à peine de Pékin, traversait la rivière Peiho. Ce pont était défendu par des soldats impériaux, envoyés dans la hâte et le désordre par l'empereur dès qu'il apprit par courrier spécial le désastre des troupes du prince Seng. La bataille du pont de Palikao se termina par une déroute complète des soldats impériaux. Ils refluèrent en désordre vers la capitale, entraînant sur leur passage des paysans qui espéraient y trouver refuge contre la férocité de l'ennemi. Bientôt, toute la ville fut en effervescence ; les gens couraient en tous sens, à la recherche d'un abri. Les femmes et les enfants se lamentaient à haute voix, les hommes criaient, s'injuriaient et suppliaient le Ciel de les sauver. Les commerçants mettaient leurs volets par crainte du pillage. Tous les citoyens qui avaient des femmes, des concubines ou des filles jeunes et jolies se hâtaient de quitter la ville et de se réfugier dans les villages environnants. Le palais d'Été n'échappait pas à ce bouleversement. Les princes se rassemblèrent en hâte pour protéger le trône, l'héritier, les princesses consorts et les concubines impériales, mais ils ne savaient quelles mesures prendre. Tandis qu'ils se querellaient, l'empereur tremblait et pleurait en menaçant d'avaler de l'opium.

Seul, le prince Kung restait maître de lui. Il se rendit

dans les appartements privés de l'empereur et y trouva Tzu-Hsi et l'héritier, entourés par des eunuques et des courtisans, suppliant l'empereur de ne pas mettre fin à ses jours.

« Ah! vous voici! » s'écria Tzu-Hsi en voyant le prince Kung. Quel réconfort de voir cet homme au visage calme, au sang-froid parfait.

Le prince Kung salua l'empereur et lui parla non pas comme à un frère aîné, mais comme au chef de la nation.

« Oserais-je donner un conseil au Fils du Ciel?

— Parle! Parle, gémit l'empereur.

— Eh bien, je demande l'autorisation d'écrire une lettre aux envahisseurs pour obtenir une trêve. Sur cette lettre, j'apposerai le sceau impérial. » Tzu-Hsi écoutait sans pouvoir dire un mot. Ce que le prince avait prédit était arrivé : le tigre revenait pour se venger. Elle gardait le silence, serrant son enfant dans ses bras, la joue posée sur sa tête.

« Quant à vous, Sire, poursuivit le prince Kung, vous devez vous enfuir à Jehol avec l'héritier, les deux impératrices et la cour.

— Oui... oui », acquiesça l'empereur avec trop d'empressement, tandis qu'un murmure d'approbation s'élevait parmi les dames d'honneur et les eunuques.

Mais Tzu-Hsi se leva brusquement de sa chaise et, tenant toujours son fils dans ses bras, s'écria :

« L'empereur ne doit pas quitter sa capitale! Que deviendra le peuple s'il l'abandonne maintenant? Il ne se défendra pas contre l'ennemi et sera complètement anéanti. Qu'on mette l'héritier en sécurité, et que le Fils du Ciel reste. Je resterai à ses côtés. »

Tous les regards se tournèrent vers elle; tous étaient frappés par l'éclat majestueux de sa beauté. Mais de sa voix la plus douce le prince Kung lui répondit avec pitié :

« Impératrice, je dois vous protéger contre votre propre courage. Laissons croire au peuple qu'il ne s'agit que d'une partie de chasse au palais de Jehol. Attendons quelques jours et l'empereur partira comme d'habitude. Je retarderai l'envahisseur en lui demandant une trêve, et je lui promettrai de punir le général mongol. »

Tzu-Hsi reconnut sa défaite : ils se liguaient tous contre elle, depuis l'empereur jusqu'au dernier des eunuques. Que pouvait-elle donc ? En silence, elle remit son enfant à sa nourrice et, après un profond salut à l'empereur, elle se retira, suivie de ses dames d'honneur.

Cinq jours plus tard, la cour quitta le palais d'Été et prit la route de la Mongolie. Les portes de la ville furent fermées, et le long cortège d'un millier de personnes, de chaises à porteurs, de chariots tirés par des mulets s'ébranla pour un voyage de cent cinquante kilomètres. En tête, venaient les porte-étendard et la garde impériale à cheval, commandée par Jung Lu. L'empereur se trouvait dans son palanquin jaune cerclé d'or, aux rideaux fermés. Derrière lui suivait le chariot de l'impératrice du palais oriental, puis celui de l'héritier et de sa nourrice. Tzu-Hsi voyageait seule dans son chariot, afin d'y pouvoir pleurer librement et sans témoins. Elle avait subi une terrible défaite ! Le courage lui manquait devant une telle épreuve. Qu'allait-elle devenir ? Quand reviendrait-elle ? Avait-elle tout perdu ?

Nul n'aurait pu répondre à ces questions, pas même le prince Kung de qui la nation entière dépendait maintenant. Il restait sur place pour sauver la capitale si le pire arrivait. Il attendait l'ennemi dans sa propre résidence d'été des environs de Yüan Ming Yüan.

« Obtiens tout ce que tu pourras », lui avait murmuré l'empereur, malade et fatigué, avant que le chef des eunuques ne le soulève dans ses bras, comme un enfant, pour le porter dans son palanquin.

« Ayez confiance en moi, Sire », avait répliqué le prince Kung.

Mais Tzu-Hsi ne pouvait pas pleurer des jours entiers. Les yeux enfin secs, elle se sentait apathique, obligée de subir son sort. Les heures passaient trop lentement ; sur la route mal pavée, le chariot sans ressorts la secouait, et les coussins de satin ne lui épargnaient pas les cahots. Bientôt, le cortège fit halte pour le repas de midi.

Tzu-Hsi était encore si jeune qu'après tant de larmes, lorsqu'elle descendit de son chariot et vit autour d'elle les champs verdoyants, le blé déjà haut et les arbres fruitiers, elle reprit goût à la vie. Elle était vivante, son fils la réclamait à grands cris et elle lui tendit les bras. Elle n'avait jamais vu Jehol ni le palais du Nord, et son esprit toujours vif, prêt à accueillir l'aventure, sortait déjà de sa torpeur.

A ce moment, son regard tomba par hasard sur Lady Mei. Elles échangèrent un sourire, et la jeune fille fit un effort de conversation.

« Vénérable, j'ai entendu dire que le palais du Nord est le plus beau de tous les palais impériaux.

— Moi aussi. Eh bien, profitons-en puisque nous sommes obligées d'y aller. »

Au moment où elle entrait dans son chariot pour continuer le voyage, elle jeta un regard en arrière vers la ville qu'elle aimait tant. Là-bas, à la limite de la terre et du ciel, pesait un nuage de fumée noire. Effrayée, elle s'écria :

« Notre ville serait-elle en feu ? »

Tous regardèrent dans la même direction et virent ce

nuage noir sous le ciel bleu de l'été. La ville brûlait.

« Vite... Vite ! » s'écria l'empereur de son palanquin, et tous se hâtèrent de remonter dans leur chariot pour repartir au plus vite.

La cour passa la nuit dans un bivouac préparé à son intention. Mais, dans sa tente, Tzu-Hsi ne pouvait pas dormir. A plusieurs reprises, elle envoya Li Lien-ying pour savoir ce que devenait sa ville bien-aimée. Enfin, vers minuit, un courrier arriva, haletant, que Li Lien-ying traîna devant sa maîtresse impériale. Entourée de ses dames d'honneur endormies sur un tapis, à même le sol, Tzu-Hsi veillait. Lorsqu'elle vit l'eunuque soutenant le messager épuisé, elle mit un doigt sur ses lèvres.

« Vénérable, chuchota l'eunuque, je vous ai amené cet homme parce que le Fils du Ciel dort. Le chef des eunuques m'a dit qu'il lui a donné une double ration d'opium. »

Elle fixa ses grands yeux sur le messager épouvanté. « Quelles nouvelles apportes-tu ?

— Vénérable, haleta l'homme que l'eunuque fit agenouiller brutalement, l'ennemi a lancé une attaque massive à la pointe du jour. La trêve ne part que de ce soir. Toute la journée, les barbares ont accumulé les destructions pour punir le prince Seng d'avoir torturé ses prisonniers et déchiré leur bannière blanche. »

Tzu-Hsi fut glacée de terreur. Son cœur se mit à battre.

« Lâche cet homme », ordonna-t-elle à l'eunuque.

Libéré de l'étreinte de Li Lien-ying, l'homme s'affaissa comme un sac vide, le visage caché contre le sol. Tzu-Hsi le regardait.

« Les portes de notre ville n'ont-elles pas tenu ? » Dans sa bouche desséchée, sa langue remuait à peine.

L'homme se tapa la tête contre le sol.

« Vénérable, ils n'ont pas attaqué les portes.

— Mais quelle était donc cette fumée que j'ai vue dans le ciel en nuages épais ?

— Vénérable, souffla-t-il, Yüan Ming Yüan n'existe plus.

— Le palais d'Été ? » Elle poussa un cri et se cacha le visage derrière ses mains. « J'ai cru qu'ils brûlaient la ville.

— Non, majesté, c'était le palais d'Été. Les barbares ont pillé tous ses trésors. Puis ils ont brûlé le palais. Le prince Kung n'a pas réussi à les en empêcher et n'a sauvé sa vie qu'en fuyant par la petite porte des eunuques. »

Tzu-Hsi entendit un grondement dans sa tête. Sa raison vacillait, elle eut une vision de flammes, de fumée, de tours de porcelaine et de toits dorés s'effondrant. Les yeux fixés sur l'homme plaqué contre le sol, elle murmura : « Il ne reste rien ? »

L'homme ne leva pas la tête. « Des cendres, chuchota-t-il, rien que des cendres. »

Elle ne pouvait supporter ce vent sec et chaud qui soufflait du nord-ouest sur Jehol. Les fleurs mouraient sur son passage et il déchiquetait les feuilles des arbres. Même les aiguilles des pins rabougris jaunissaient à leur base. Depuis leur arrivée à Jehol, l'empereur n'avait même pas convoqué Tzu-Hsi. Sa suivante ferma les fenêtres.

« Évente-moi », commanda Tzu-Hsi.

Li Lien-ying s'avança et l'éventa avec un grand éventail de soie. Elle s'appuya au dossier sculpté de son grand fauteuil et ferma les yeux. Elle se sentait en exil. Pourquoi l'empereur ne l'avait-il pas appelée ?

Qui la remplaçait? Le mois précédent, toute la cour avait offert à l'empereur des vœux et des présents à l'occasion de son anniversaire; mais on avait laissé Tzu-Hsi à l'écart. Elle avait attendu dans ses appartements, vêtue de satin, parée de ses plus beaux bijoux, un ordre qui ne venait point. A la fin du jour, déchirée par l'angoisse et la colère, elle avait arraché sa robe et passé la nuit sans dormir.

Depuis ce jour, elle le savait malade et affaibli, mais il ne l'appelait toujours pas. Son état empirait d'heure en heure, malgré les bons présages proclamés la veille de l'anniversaire par le Conseil des Astrologues : une conjonction d'astres favorables, une comète qui traversait le ciel vers le nord-ouest. Mais il se mourait et il ne l'appelait pas.

« Ne m'évente plus », soupira-t-elle.

Li Lien-ying laissa retomber son bras et resta immobile.

Tzu-Hsi gardait les yeux grands ouverts, fixés sur le vide. Il lui fallait absolument savoir ce qui se passait dans la chambre impériale. Mais comment y pénétrer sans convocation? Que ne pouvait-elle demander conseil au prince Kung! Mais il était bien loin, dans la capitale, tombé aux mains des barbares, où il s'évertuait à obtenir la trêve. Tzu-Hsi ne connaissait la situation que par ouï-dire, puisque l'empereur la tenait toujours à l'écart. Elle se cantonnait dans l'aile du palais qui lui était dévolue. Deux jours auparavant, n'en pouvant plus de solitude, elle avait voulu rendre visite à sa cousine, mais elle avait battu en retraite, Sakota prétextant une migraine.

« Viens ici, devant moi », commanda Tzu-Hsi. Li Lien-ying s'avança et baissa la tête.

« Va me chercher le chef des eunuques!

— Vénérable, il ne peut pas quitter la chambre de l'empereur.

— Et qui le lui interdit?

— Vénérable, les Trois... »

Les Trois : le prince Yi, le prince Cheng et le grand
conseiller Su Shun, ses ennemis, maintenant au pouvoir
parce qu'elle était seule et que les barbares tenaient
la capitale.

«Évente-moi! »

Elle pencha la tête en arrière, ferma les yeux, et
l'eunuque continua à l'éventer lentement. Ses pensées
battaient la campagne et elle ne pouvait plus les discipliner. Ce qu'elle subissait était pire que la solitude.
Elle avait perdu son foyer. Yüan n'était plus! De Yüan,
où son cœur se plaisait, il ne restait plus que des ruines...
Les étrangers, ces barbares, avaient pillé ses trésors,
incendié ses murs, brisé ses paravents précieux. Des
légendes monstrueuses circulaient dans le palais, lancées
par le courrier venu de la capitale. En secret, Tzu-Hsi
l'envoya chercher pour apprendre toute la vérité de ses
lèvres.

« La famille impériale venait à peine de quitter le
palais d'Été, lui raconta-t-il, que les guerriers étrangers arrivaient. L'Anglais Lord Elgin, touché par la
beauté du palais d'Été, essaya de le protéger sans réussir
à tenir en main ses hordes barbares. Le prince Kung
s'était réfugié dans un temple voisin d'où il fit parvenir des protestations à Lord Elgin; mais celui-ci
lui répondit que ses hommes étaient exaspérés par la
torture et l'assassinat de leurs camarades, victimes
du prince Seng. » Tzu-Hsi écouta ces paroles en silence.
Hélas! hélas! elle était responsable de cette embuscade.

« Majesté, j'incline la tête dans la poussière, gémit le
messager. Pourtant il faut bien tout vous dire : le pillage
est complet. Les barbares ont dépouillé les plafonds de
leurs revêtements d'or et volé les statues en or des
autels; ils ont arraché les pierres précieuses des trônes

impériaux et emporté les paravents sertis de joyaux. Ils ont brisé en mille morceaux les fines porcelaines; seules quelques rares pièces ont été dérobées intactes par des voleurs conscients de leur prix. Les bibelots de jade ont été également brisés ou volés. De tous nos trésors si précieux, patrimoine de nos ancêtres impériaux, une dixième partie a été épargnée, mais pour tomber aux mains des voleurs; les barbares ont mis le reste en pièces à coups de crosse et détruit pour la joie de détruire. Pour finir, ils ont incendié le palais. Pendant deux jours et deux nuits, dans le ciel rouge de flammes, ont roulé de sombres nuages de fumée. Mais les barbares, non satisfaits, ont parachevé leur œuvre destructrice en mettant le feu aux moindres pagodes, aux pavillons, aux temples, jusque dans les replis des collines. Après leur passage, les voleurs du pays ont fait place nette. »

En se souvenant de ce récit, Tzu-Hsi ferma les yeux et des larmes coulèrent sur ses joues que sa suivante, toujours aux aguets, essuya avec un mouchoir.

« Ne pleurez pas, Vénérable, dit-elle tendrement.

— Je pleure sur ce qui n'est plus.

— Vénérable, ce palais de Jehol est aussi très beau », dit Li Lien-ying pour la réconforter.

Elle ne répondit point. Jehol ne lui plaisait guère. L'empereur Chien Lung avait bâti ce palais fortifié à cent cinquante kilomètres au nord de Pékin, il aimait ce cadre sauvage, couleur de sable, ces rochers, ces terres stériles et cet horizon de dunes dépouillées. La splendeur du palais ressortait davantage dans ce paysage désolé. Des soieries brodées tapissaient les murs, des lambris rouge et or recouvraient les plafonds, où des dragons en or étalaient leurs ailes serties de joyaux. Le mobilier, apporté du Sud, était tout incrusté de pierres précieuses.

Ah! c'étaient les lacs, les jardins, les sources et les ruisseaux qui lui manquaient le plus! A Jehol, l'eau était plus précieuse que le jade. On l'apportait à dos d'homme, des puits creusés dans le désert, ou des lointaines oasis. Une fièvre de colère lui brûlait le cœur, parce que Yüan Ming Yüan n'était plus que cendres, parce que le prince Kung se tenait en solliciteur devant les barbares, parce que dans cet affreux palais de Jehol ses ennemis l'écartaient de l'empereur. La colère et l'anxiété la mettaient hors d'elle, et les efforts qu'elle faisait pour rester calme l'épuisaient.

Comment vaincre ses ennemis sans soutien et sans amis? Le jour terrible où la cour avait fui le palais d'Été, les Trois s'étaient déclarés ses adversaires. En effet, malgré ses efforts pour résister à la panique, les Trois avaient si bien persuadé le pauvre empereur du danger qu'il courait que, dans sa hâte, il avait laissé sur la table de sa chambre sa pipe, son chapeau et ses papiers. Tzu-Hsi était mortifiée d'imaginer l'hilarité des barbares devant ces preuves d'une fuite éperdue! Pourquoi fallait-il, alors qu'elle avait tout perdu, que cette humiliation supplémentaire lui fût imposée!

Elle se leva brusquement, repoussa l'éventail de Li Lien-ying et se mit à arpenter la pièce tandis que, au-dehors, le vent gémissait.

Elle voyait clair dans le complot : Su Shun et ses alliés avaient suivi l'empereur dans sa fuite, mais en prenant soin de laisser derrière eux les ministres et conseillers partisans de Tzu-Hsi. Trop tard... elle ne pouvait plus rien.

Pourtant, il lui restait un allié, un seul, car Su Shun lui-même ne pouvait empêcher la garde impériale de protéger l'empereur.

Elle se tourna impérieusement vers Li Lien-ying.

« Convoque mon parent, le commandant de la garde impériale ! Je veux lui demander conseil. »

Quelle ne fut pas sa surprise de voir Li Lien-ying, d'habitude si prompt à obéir, qui hésitait maintenant, l'éventail à la main.

« Allons, allons ! » insista-t-elle.

Il tomba à genoux devant elle : « Vénérable, supplia-t-il, ne me forcez pas à obéir à cet ordre.

— Pourquoi pas ? » Se pouvait-il que Jung Lu lui-même fût contre elle ?

« Vénérable, je n'ose pas vous répondre, bégaya l'eunuque. Si je parle, vous me ferez couper la langue.

— Je te promets que non. »

Mais elle ne put rien tirer de son serviteur tremblant de peur. Enfin, prise d'une belle rage, elle menaça de le faire décapiter s'il ne parlait pas sur-le-champ. Alors, il répondit dans un murmure que l'empereur la tenait à l'écart parce que les ennemis de Tzu-Hsi prétendaient que... que... elle et Jung Lu...

« Est-ce qu'ils me croient sa maîtresse ? » Il acquiesça d'un signe de tête et se cacha le visage dans ses mains.

« Les menteurs, gronda-t-elle, les menteurs... ! »

Pour soulager sa colère, elle frappa du pied l'eunuque agenouillé, et il roula au sol où il resta immobile, tandis qu'elle arpentait la grande salle d'un pas rageur.

Elle s'arrêta tout à coup devant l'eunuque silencieux.

« Lève-toi ! Tu ne m'as sûrement pas tout dit. Que sais-tu d'autre ? »

Il se releva lentement et essuya de sa manche son visage en sueur.

« Vénérable, je ne dors plus depuis que j'ai appris le complot des Trois. »

Ses yeux s'agrandirent, terribles. « Quel est ce complot ?

— Vénérable, je peux à peine prononcer ces paroles

traîtresses. Ils ont l'intention de... de... s'emparer de la Régence et puis... et puis...

— De tuer mon fils ?

— Vénérable, je vous promets que... je n'en ai pas entendu si long. Je vous en supplie, calmez-vous...

— Depuis quand le sais-tu ? »

Elle s'assit dans son grand fauteuil et appliqua ses paumes sur ses joues brûlantes.

« J'ai entendu la première rumeur il y a bien des mois, Vénérable, mais ce n'était encore qu'une rumeur... »

Elle s'écria : « Et tu ne m'as rien dit.

— Vénérable, si je vous rapportais tous les bruits que j'entends, vous me jetteriez en prison pour m'imposer le silence. Les grands sont toujours l'objet de racontars. Et vous, Vénérable, vous êtes plus grande que tous. Qui aurait cru que le Fils du Ciel écouterait ces misérables ragots ?

— Tu aurais dû te servir de ton cerveau stupide ! Tu aurais dû te rappeler qu'autrefois Su Shun était le favori de l'empereur. Ils ont passé leur jeunesse ensemble et l'empereur, faible et doux, admirait ce jeune homme vigoureux et indomptable qui chassait, buvait, jouait et vivait comme un sauvage. »

Soudain, incapable de supporter la flamme qui lui rongeait le cœur, elle bondit sur ses pieds et gifla Li Lien-ying sur les deux joues. Les larmes aux yeux, le souffle coupé, l'eunuque ne protesta pas, car son devoir lui commandait de tout supporter de Tzu-Hsi.

« Tiens, s'écria-t-elle, voilà et voilà... ça t'apprendra à te taire ! Oh ! quel silence désastreux... »

Elle s'assit et passa cinq minutes à soupirer tandis que Li Lien-ying restait agenouillé devant elle, car il ne l'avait jamais vue dans une telle rage.

Quelques minutes plus tard, elle reprit ses esprits. D'un pas impérieux, mais avec sa grâce coutumière, elle se dirigea vers son secrétaire, s'assit, prépara sa plaque d'encre et humecta son pinceau ; puis elle prit son parchemin de soie et rédigea une lettre au prince Kung pour lui exposer sa situation difficile et lui demander une aide immédiate.

Quand elle l'eut fermée et cachetée avec son propre cachet, elle fit un signe à Li Lien-ying.

« Tu vas partir sur-le-champ et te rendre à la capitale. Tu remettras ce message au prince Kung, en main propre, et tu m'apporteras sa réponse dans quatre jours au plus tard.

— Vénérable, comment pourrais-je... »

Elle l'interrompit : « Tu le pourras parce qu'il le faut. »

Désespéré, il se frappa la poitrine en gémissant, mais elle ne s'attendrissait pas. Il ne lui restait plus qu'à obéir en hâte.

Quatre jours après, le prince Kung en personne arriva et se présenta devant Tzu-Hsi, encore tout couvert de la poussière du voyage. Elle n'avait pas quitté son appartement, se nourrissant à peine et dormant encore moins, tout son espoir concentré sur un message du prince. Quelle ne fut pas sa joie en le voyant ! Elle ne fit pas attention au fidèle Li Lien-ying, hagard et sale, qui ne s'était même pas arrêté pour absorber quelque nourriture, mais se leva et courut à la rencontre du prince Kung, qu'elle salua en pleurant. Elle trouvait enfin le réconfort devant ce visage maigri, mais si bon, si puissant, et si fidèle.

« Je suis venu en secret, dit-il, car j'aurais dû d'abord me rendre près de mon frère aîné, l'empereur. Mais je connaissais déjà la situation grâce au chef des eunuques, qui m'avait envoyé un messager pour m'informer du complot monté contre moi par les trois infâmes :

Ils ont osé affirmer à mon frère aîné que, soudoyé par les étrangers à Pékin, et secrètement leur allié, j'intriguais pour prendre le trône. Au reçu de votre lettre, Vénérable, je n'ai pu que me hâter pour dénouer cette situation confuse. »

Il ne put pas continuer, car la suivante de Tzu-Hsi accourait en sanglotant.

« Vénérable, ô madame, ô maîtresse, votre fils... l'héritier...

— Que se passe-t-il ? Que lui a-t-on fait ? » Elle secoua la femme par l'épaule pour la faire parler.

« Parle, femme ! s'écria le prince Kung à la pauvre femme à moitié folle. Ne reste pas à nous regarder ainsi !

— On l'a enlevé ! On l'a donné à la femme du prince Yi. Elle a été convoquée ce matin au pavillon de chasse tandis que toutes les dames d'honneur étaient écartées. C'est elle qui s'occupe de l'héritier avec ses femmes... »

Tzu-Hsi s'effondra sur une chaise. Mais le prince Kung ne la laissa pas céder à la crainte.

« Vénérable, dit-il fermement, la peur est un luxe que vous ne pouvez pas vous offrir ! »

Il n'eut pas besoin d'en dire plus. Elle se mordit les lèvres et se tordit les mains.

« C'est à nous d'agir ! s'écria-t-elle. Le sceau... il nous faut trouver le grand sceau impérial... Alors, nous aurons le pouvoir. »

Plein d'admiration, il s'exclama : « A-t-on jamais vu un cerveau pareil ? Je m'incline et je vous admire. »

Elle se leva sans l'écouter.

Mais le prince l'arrêta de la main. « Ne quittez pas votre appartement, je vous en supplie. Il faut d'abord que je sache si l'héritier est en danger. Le complot a pris des proportions qui nous dépassent. Vénérable, attendez mon retour. » Il s'inclina et la salua rapidement.

Comment pouvait-elle attendre? Pourtant, il le fallait bien, car, si elle sortait, ne risquait-elle pas de tomber sous la dague d'un assassin dans quelque recoin obscur?

Et qu'adviendra-t-il alors de son fils?... Oh! le pauvre enfant... oh! le pauvre héritier du trône du Dragon!

Elle demeura seule, immobile. Le vent soufflait sur les toits du palais; elle tourna la tête pour regarder par la fenêtre. Des rafales soulevaient le sable et en flagellaient les créneaux de pierre sur lesquels il glissait pour retomber dans les fossés. Plus une goutte d'eau dans ces fossés, plus une goutte d'eau dans le ciel, car le vent impitoyable chassait les nuages. C'était ce vent, elle n'en doutait pas, qui avait consumé le reste de vie de l'empereur, tandis qu'il traversait en palanquin les plaines désertes. Comment pourrait-elle sauver son fils?

Elle sortit brusquement de sa torpeur et, sous les yeux de sa servante et de son eunuque, s'assit à son secrétaire. Avec des mouvements prestes et délicats, elle versa de l'eau sur une pierre à encre, y frotta le bâton d'encre séché pour former une pâte claire où elle trempa la pointe de son pinceau en poils de chameau. Puis elle commença à rédiger d'une main ferme le décret de la succession impériale.

Moi, Hsien Feng, empereur du Royaume du Milieu et de ses dépendances, la Corée, le Tibet, l'Indochine et les îles du Sud, je me trouve en ce jour sur le point de rejoindre Mes Ancêtres Impériaux. Moi, Hsien Feng, sain de corps et d'esprit, je déclare par le présent décret que l'Héritier, l'enfant mâle né de Tzu-Hsi, impératrice du Palais Occidental, sera reconnu par tous comme le nouvel empereur destiné à me succéder sur le Trône du Dragon. Jusqu'à ce qu'il atteigne l'âge de seize ans, je nomme régentes les deux princesses consorts, l'impératrice du Palais Occidental et l'impératrice du Palais Oriental. En ce jour de Ma mort... (Tzu-Hsi laissa un

blanc) *j'appose Mon nom et le sceau impérial de la dynastie
à ceci Mon testament et Mon décret.*

Cela fait, Tzu-Hsi roula le parchemin et le glissa dans
sa manche. Oui, elle s'adjoindrait Sakota comme régente
et l'obligerait à être son alliée pour l'empêcher de devenir son ennemie. Tzu-Hsi ne put s'empêcher de rire de
sa propre ruse.

Sa suivante et Li Lien-ying ne la quittaient pas des
yeux. Malgré son extrême fatigue, l'eunuque n'osait
pas demander de repos. Soudain, la femme tourna la
tête vers la porte, car son ouïe, affinée par des années
de service attentif, percevait au-dehors un bruit de pas.

« Qu'entends-tu ? » murmura l'eunuque.

Il se dirigea doucement vers la porte, souleva la barre
et se glissa au-dehors. Quand la femme entendit un
coup frappé du plat de la main sur la porte, elle entrouvrit celle-ci et risqua un œil par la fente.

« Vénérable, chuchota-t-elle, c'est votre cousin. »

Tzu-Hsi, toujours assise à son secrétaire, tourna
brusquement la tête. « Fais-le entrer. »

Elle se leva. Jung Lu entra. La femme referma la
porte derrière lui et la barricada tandis que l'eunuque
montait la garde au-dehors.

« Mon cousin, je te salue. » Tzu-Hsi parlait d'une voix
douce et unie.

Jung Lu s'avança avec une rapide salutation.

« Mon cousin, ne t'agenouille point. Prends place
sur cette chaise et parlons comme autrefois. »

Mais Jung refusa de s'asseoir et s'approcha d'elle,
les yeux baissés. « Vénérable, ce n'est pas le moment
d'échanger des politesses. L'empereur se meurt et le
chef des eunuques m'a envoyé vous avertir. Su Shun
se trouvait avec lui, il y a moins d'une heure, accompagné des princes Yi et Cheng. Ils ont voulu faire signer

à l'empereur un décret les nommant régents. L'empereur a refusé et s'est évanoui quand ils ont voulu le forcer. Mais ils reviendront à la charge ! »

Sa décision fut immédiate. Elle quitta le palais en courant.

Il la suivit avec Li Lien-ying. Elle jeta des ordres à son eunuque par-dessus son épaule.

« Annonce-moi... dis au Fils du Ciel que j'amène l'héritier avec moi ! »

Rapide comme le vent, elle se précipita au pavillon de chasse et força les portes sans que nul osât l'arrêter. Elle entendit de loin le cri d'un enfant, s'arrêta une seconde pour écouter et reconnut la voix de son fils. Oh ! l'heureuse coïncidence qui le faisait pleurer, alors qu'elle le cherchait ! Elle repoussa des femmes effrayées, traversa des salles en courant, guidée par le son de la voix. Enfin, la dernière porte franchie, elle vit son fils dans les bras d'une femme qui n'arrivait pas à l'apaiser. Elle le lui arracha et l'emporta, étonné mais non point effrayé. Elle traversa, toujours courant, des couloirs, des vestibules, des chambres, monta et descendit des escaliers de pierre et, sans s'arrêter, pénétra tout droit dans la chambre de l'empereur, dont le chef des eunuques tenait la porte ouverte pour elle.

« Le Fils du Ciel est-il encore vivant ? s'écria-t-elle.

— Il respire », répondit le chef des eunuques d'une voix rendue rauque par les sanglots. Autour du grand lit surélevé, des eunuques agenouillés pleuraient. Elle passa entre eux comme s'ils n'étaient que des arbres courbés par le vent dans la forêt. Elle marcha droit vers le chevet de l'empereur en serrant son fils dans ses bras.

« Mon seigneur ! » Elle prononça ces deux mots d'une voix claire et forte, et attendit. Mais il ne répondit pas.

« Mon seigneur ! » répéta-t-elle. Ah ! subirait-il son emprise comme autrefois ?

L'empereur entendit et souleva ses paupières alourdies. Il tourna lentement la tête, leva vers elle ses yeux mourants et les fixa sur son visage.

« Mon seigneur, dit-elle, voici votre héritier. »

L'enfant fixait sur lui ses yeux noirs écarquillés.

« Mon seigneur, reprit-elle, vous devez déclarer que c'est bien lui votre héritier. Si vous m'entendez, levez la main droite. »

Tous les yeux se fixèrent sur le mourant. Sa main frêle et jaune ne bougeait pas. Mais, au bout d'un moment, on la vit esquisser, dans un effort surhumain, un geste infime.

« Mon seigneur, dit Tzu-Hsi, c'est moi qui dois être régente. Nul autre que moi ne peut protéger la vie de l'enfant contre ceux qui lui veulent du mal. Remuez encore la main droite pour signifier votre accord. »

De nouveau, la main ébaucha un léger mouvement.

Tzu-Hsi s'avança et souleva les doigts diaphanes.

« Mon seigneur, appela-t-elle, mon seigneur, revenez pour un moment encore ! »

Dans un grand effort, il obéit à sa voix. Ses yeux troubles restaient posés sur le visage de la femme. Tzu-Hsi sortit de sa manche le parchemin, et, rapide comme l'éclair, Jung Lu lui apporta le pinceau et l'encre vermillon de l'empereur. Puis il lui prit l'enfant des bras.

« Il faut signer votre testament, mon seigneur, prononça-t-elle distinctement à l'oreille de l'empereur mourant. Je vous prends la main... je ferme vos doigts sur le pinceau... »

Elle lui tint la main, et les doigts du mourant semblèrent bouger pour tracer son nom.

« Je vous remercie, mon seigneur. » Tzu-Hsi glissa le parchemin dans son sein.

« Reposez en paix maintenant, mon cher seigneur. »

Elle fit signe à tous de se retirer. Jung Lu emporta l'enfant et les eunuques se massèrent au fond de la chambre, se cachant les yeux sous leur manche. Elle s'assit sur le lit et souleva la tête de l'empereur au creux de son bras. Vivait-il encore ? Il lui semblait entendre palpiter son cœur dans sa poitrine. C'est alors qu'il ouvrit grand les yeux et respira en murmurant :

« Ton parfum... mon amour ! »

Il retint un instant son souffle, sa gorge frémit, puis il expira avec un grand soupir.

Elle reposa tendrement sa tête sur l'oreiller, se pencha sur lui et gémit un moment. Puis elle versa quelques larmes de pitié sur la mort d'un être si jeune que nul n'avait aimé. Oh ! si elle avait seulement pu l'aimer !

Alors, elle se leva et quitta la chambre impériale, d'un pas lent, comme il sied à une impératrice veuve.

Plus rapide que le vent, la nouvelle de cette mort se répandit dans le palais. La dépouille de l'empereur était exposée sur un lit de parade, dans la salle des audiences aux portes barricadées et verrouillées, interdite à tout être vivant. Deux groupes de cent hommes de la garde impériale, nommés par Jung Lu, gardaient le vaste bâtiment. Seuls les oiseaux étaient libres d'aller et venir et de se nicher parmi les dragons d'or cabrés sur les toits à deux étages. Le silence pesait sur les auvents qui surplombaient la galerie extérieure, mais ce silence était lourd de menaces. Les murs du palais résonnaient d'une gigantesque bataille, mais qui pouvait prévoir ce que serait la décision finale ?

Tzu-Hsi était maintenant l'impératrice douairière, mère de l'héritier, malgré sa jeunesse : elle n'avait pas encore trente ans. Les princes du sang et les chefs des

clans mandchous l'entouraient. Ces atouts lui suffi-
raient-ils pour s'assurer le pouvoir ? Tous savaient que
Su Shun et les deux princes, frères de l'empereur défunt,
étaient ses ennemis. Le prince Kung resterait-il son allié ?
Les courtisans attendaient dans l'indécision, ne sachant
quel parti prendre, attentifs à ne pas se compromettre.

Pendant ce temps, dès que ses espions lui eurent
appris la mort de l'empereur, Su Shun avait convoqué
le chef des eunuques, avec l'ordre de porter un message
à l'impératrice douairière.

« Dis-lui, commanda Su Shun d'un ton arrogant,
que le prince Yi et moi avons été nommés régents par
le Fils du Ciel avant que son âme nous quitte. Dis-lui
que nous venons lui signifier cette décision. »

Le chef des eunuques salua sans un mot et se hâta
de porter le message. Mais il s'arrêta en route pour en
révéler la teneur à Jung Lu qui montait la garde.

Jung Lu prit immédiatement la situation en main.
« Porte ce message aussi rapidement que tu le pourras à
l'impératrice douairière, et introduis les Trois auprès
d'elle. Je me cacherai à la porte, et, au moment où ils
s'en iront, j'entrerai. »

Dans ses appartements, Tzu-Hsi, vêtue de blanc de
la tête aux pieds en signe de grand deuil, était restée
assise, immobile, depuis l'annonce officielle de la mort
de l'empereur. Sans manger, ni boire, les mains croisées
sur ses genoux, elle gardait ses grands yeux fixés au
loin. Debout autour d'elle, ses dames d'honneur pleuraient et s'essuyaient les yeux avec leur mouchoir de
soie. Mais Tzu-Hsi, elle, ne pleurait pas.

Elle entendit approcher le chef des eunuques et, le
regard toujours fixé au loin, elle parla d'un ton las,
comme si elle tenait à se débarrasser d'un devoir fas-
tidieux.

« Fais entrer le grand conseiller Su Shun et les princes

Cheng et Yi, car sûrement mon seigneur, qui est maintenant retourné aux Sources Jaunes, doit être obéi. »

En moins de temps qu'il n'en faut pour le dire, le grand conseiller entrait, suivi des deux princes. Tzu-Hsi tourna la tête vers Lady Mei, fille de Su Shun, et lui enjoignit doucement de les quitter.

Quand la jeune fille se fut éloignée, elle reçut le salut des princes et, pour prouver qu'elle ne ressentait aucun orgueil de sa position élevée, maintenant que son seigneur était mort, elle se leva et salua à son tour les trois dignitaires avant de se rasseoir.

Mais Su Shun ne se montrait pas modeste; il leva la tête en caressant sa courte barbe et posa sur elle un regard arrogant. Elle ne manqua pas de noter cette faute d'étiquette, mais elle se garda d'y faire allusion.

« Dame, commença le conseiller, je suis venu vous informer du décret de régence. En son heure dernière, le Fils du Ciel... »

Elle l'interrompit : « Attendez, noble prince. Si vous avez un parchemin revêtu de la signature impériale, je m'inclinerai devant sa volonté.

— Je n'ai pas de parchemin, mais j'ai des témoins, le prince Yi... »

Elle l'arrêta de nouveau : « Ce parchemin, je le possède, signé en ma présence et en présence de nombreux eunuques. » Elle chercha An Teh-hai des yeux, mais cet homme prudent était resté dehors, se gardant bien d'assister à la rencontre des tigres. Tzu-Hsi ne se laissa pas démonter pour si peu; elle tira de son sein le parchemin signé par l'empereur mourant. D'une voix calme et douce, en prononçant distinctement chaque mot, elle lut le décret du début jusqu'à la fin.

Su Shun tira sur sa barbe : « Montrez-moi la signature », gronda-t-il en serrant les dents.

Elle lui tendit le parchemin, mais il s'écria aussitôt :

« Il ne porte point le sceau ! Un décret démuni du sceau impérial est sans valeur. »

Il n'attendit même pas sa protestation et ne s'arrêta pas pour savourer son triomphe. Il s'éclipsa, suivi des princes fidèles comme son ombre. Elle comprit aussitôt la raison de sa hâte. Le sceau était enfermé dans un coffre dans la chambre mortuaire. Celui qui s'en emparerait le premier tiendrait la victoire. Elle grinça des dents, furieuse de s'être laissé jouer. Elle arracha sa coiffure, la jeta à terre et se tira les oreilles, hors d'elle-même de rage.

« Stupide ! hurla-t-elle, oh ! femme stupide et prince encore plus stupide qui ne m'a pas avertie ! Stupide cousin, traîtres eunuques qui n'ont pas su m'aider plus tôt ! Où est le sceau ? »

Elle courut à la porte et l'ouvrit brutalement, mais ne trouva personne dehors : ni le chef des eunuques, ni même Li Lien-ying. Personne n'était là pour poursuivre les trois hommes. Elle se jeta à terre et éclata en sanglots. Quelle trahison ! Que d'années perdues !

Lady Mei, se hasardant à lancer un coup d'œil à travers deux rideaux de brocart, vit sa maîtresse étendue comme une morte et se précipita pour s'agenouiller près d'elle.

« Oh ! Très Adorable, gémit-elle, êtes-vous blessée ? Quelqu'un vous aurait-il frappée ? » Elle essaya de soulever sa maîtresse, mais en vain, se précipita vers la porte et se heurta à Jung Lu, suivi de Li Lien-ying.

« Oh ! » Elle s'effaça, le sang aux joues, mais Jung Lu ne la vit même pas. Il portait à la main un paquet enveloppé de soie jaune.

Il le posa dès qu'il vit la gracieuse silhouette étendue sur les dalles et il se baissa pour soulever l'impératrice dans ses bras.

« J'ai apporté le sceau », dit-il en la regardant dans les yeux.

Elle se tint debout à côté de lui, si grand et si droit. Solennellement, il prit dans ses deux mains le sceau impérial, bloc massif de jade qui portait gravé le symbole impérial du Fils du Ciel ; c'était le sceau du trône du Dragon transmis dans la dynastie depuis plus de huit cents ans.

« J'ai entendu les paroles de Su Shun, dit Jung Lu, pendant que je me tenais à la porte pour vous protéger. Je l'ai entendu crier que le parchemin ne portait pas de sceau. Alors, ce fut la course entre nous. J'ai pris par un côté et j'ai envoyé votre eunuque de l'autre pour retenir le conseiller s'il atteignait la chambre mortuaire avant moi.

« Maintenant, dit Jung Lu, l'heure est grave et, puisque les conjurés n'ont pas réussi à nous battre, ils en voudront à votre vie !

— Ne me quitte pas », supplia-t-elle.

Soudain le prince Kung fit irruption, pâle, serrant dans sa hâte sa robe autour de lui.

« Vénérable, s'exclama-t-il, le sceau a disparu ! Je suis allé en personne dans la chambre mortuaire, et j'ai ordonné au garde d'ouvrir les portes, mais Su Shun était passé avant moi et le coffre était vide. »

Il se tut et, à ce moment, son regard tomba sur le sceau impérial caché sous la soie jaune. Il ouvrit la bouche, ses prunelles s'agrandirent, un de ses rares sourires apparut sur ses lèvres.

« Ah ! maintenant je comprends pourquoi Su Shun prétend qu'une femme comme vous il faut l'assassiner si on ne veut pas qu'elle gouverne le monde. »

L'impératrice, le prince et l'eunuque se regardèrent et éclatèrent d'un rire triomphant.

Tzu-Hsi dissimula le sceau impérial sous le lit. Seuls,

sa servante et son eunuque partageaient le secret de
sa cachette.

« Ne me dites pas où vous l'avez dissimulé, demanda
le prince Kung, afin que je puisse affirmer en toute
sincérité que je l'ignore. »

Une fois en possession du sceau impérial, Tzu-Hsi
pouvait agir à sa guise. Apaisée, elle affichait un calme
parfait au milieu du désordre qui s'empara du palais
quand la disparition du sceau fut connue. Tout le monde
devina qui le détenait ; la courtoisie et l'obéissance rem-
placèrent dans les regards l'arrogance des jours d'incertitude. Ses trois ennemis l'évitaient, et elle les savait dévo-
rés de colère. Sa première mesure fut d'envoyer son
eunuque remercier la femme du prince Yi de s'être
occupée de son fils, et lui assurer qu'elle n'imposerait
plus ce fardeau à personne puisque maintenant, à sa
grande désolation, l'empereur n'avait plus besoin d'elle
et qu'elle pouvait consacrer tout son temps à son enfant.

Ensuite, elle se rendit, en larmes, chez sa cousine pour
lui dire que l'empereur les nommait toutes deux régentes : « Vous et moi, ma chère cousine, nous serons
sœurs désormais. Notre seigneur nous a voulues unies
dans l'intérêt de l'héritier, et je vous fais serment de
loyauté et d'affection pour ma vie entière. » Elle prit la
main de Sakota et lui sourit tendrement. Comment
Sakota aurait-elle pu répliquer ? Elle se borna à lui rendre
son sourire, avec une certaine gratitude :

« A vous dire vrai, cousine, je suis bien contente que
nous soyons amies.

— Sœurs, corrigea Tzu-Hsi.

— Oui, sœurs... j'ai toujours eu peur de ce Su Shun...
il a le regard méchant et faux et, malgré ses promesses,
je n'étais jamais sûre.

— Quelles promesses ? » interrogea Tzu-Hsi d'une
voix trop douce.

Sakota rougit. « Il m'a promis que, pendant sa régence, je serai impératrice douairière.

— Et pour moi c'était la mort, n'est-ce pas ? demanda Tzu-Hsi de la même voix calme.

— Ah ! je n'étais pas d'accord ! » protesta Sakota trop vite.

Tzu-Hsi gardait sa courtoisie ordinaire. « J'en suis certaine. Eh bien, maintenant, oublions tout cela.

— Excepté... et Sakota hésitait.

— Excepté quoi ? insista Tzu-Hsi.

— Puisque tu en sais déjà tant, il faut que tu saches aussi qu'il complotait de massacrer les étrangers sur notre territoire, et de tuer ceux des frères de l'empereur qui lui étaient hostiles.

— Ah ! vraiment ? » Tzu-Hsi souriait, mais elle était atterrée. Combien d'existences n'avait-elle pas sauvées en plus de la sienne !

Elle serra les mains de Sakota. « N'ayons plus de secret l'une pour l'autre, ma sœur. Et ne crains rien, car les conjurés ne possèdent point le sceau impérial et leurs édits n'ont pas de valeur. Seul celui qui possède le sceau antique portant ces mots gravés : « *Autorité légalement transmise* », peut monter sur le trône du Dragon. »

Devant son air calme plein d'une pureté hautaine, Sakota n'osait pas lui demander où se trouvait le sceau. Elle baissa la tête et murmura d'une voix faible : « Oui, ma sœur. » Puis elle porta son mouchoir à ses lèvres et soupira : « Hélas ! hélas ! » en signe de chagrin, à cause de la mort de son seigneur. Ayant rétabli leurs relations sur des bases amicales, Tzu-Hsi prit congé. Les jours passèrent, tandis que, de retour dans la capitale, le prince Kung négociait une trêve spéciale avec l'ennemi pour préparer le retour de l'empereur et les funérailles impériales.

« Je n'ai qu'un conseil à vous donner, Majesté, lui

avait dit le prince Kung avant de partir. Ne recevez pas votre cousin, le commandant de la garde. Qui saurait plus que moi apprécier son courage et sa loyauté ? Mais, maintenant, les ennemis auront les yeux fixés sur vous et se rappelleront les anciens commérages. Faites confiance au chef des eunuques, An Teh-hai, qui vous est entièrement dévoué. »

Tzu-Hsi lui avait lancé un regard de reproches : « Me croyez-vous si stupide ?

— Excusez-moi », avait-il dit en la quittant.

Conseil superflu ? Non, certes, car il l'aidait à lutter contre la tentation. Elle était femme, et son cœur brûlait d'amour. Depuis la mort de l'empereur, elle se laissait souvent aller, la nuit, à parcourir en imagination les sombres corridors et les salles désertes qui menaient au pavillon où logeait la garde impériale. Ses pensées y rejoignaient celui qu'elle aimait et l'entouraient comme un vol de colombes. Elle se rappelait les jours d'autrefois, le jeune garçon plus fort qu'elle, grand et fier, toujours viril et non pas efféminé comme le pauvre empereur. Pour lutter contre de tels souvenirs et contre son propre désir, l'avertissement du prince Kung lui servait de bouclier. Elle s'appliqua à paraître d'un calme parfait pour cacher l'embrasement de son cœur.

En effet, elle ne pouvait céder à sa passion : sa tâche n'était pas terminée. Elle ne pouvait laisser aucun répit pas plus à ses ennemis qu'à elle-même, avant d'assurer à son fils la possession du Trône. Elle exerçait son charme, sa dignité, sa courtoisie, avec une telle perfection que tous, excepté ses ennemis les plus intraitables, se sentaient attirés vers elle, et surtout les soldats de la garde impériale à qui elle distribuait faveurs et récompenses.

Elle s'appuyait constamment sur An Teh-hai qui reportait sur elle toute sa fidélité pour l'empereur. Grâce à lui, elle connaissait les intrigues de ses ennemis et leur désarroi.

« Ont-ils toujours l'intention de m'assassiner ? demanda Tzu-Hsi à An Teh-hai d'un air innocent.

— Pas avant d'assurer leur position dans la capitale. »

Le deuxième jour du neuvième mois de l'année lunaire, la trêve fut signée avec les envahisseurs, et le Conseil de Régence décida le retour de la cour à Pékin. D'après la coutume séculaire, lorsque les empereurs mouraient loin du tombeau impérial, les princesses consorts devaient le précéder dans la capitale pour l'y accueillir à son retour. Tzu-Hsi se prépara donc à ce retour avec son fils, dans un deuil solennel. La coutume ancienne lui donnait l'avantage, car elle obligeait les Trois, ses ennemis, à suivre le cortège. Or, le catafalque impérial, porté par cent vingt hommes, progressait avec une telle lenteur que leur retour à la capitale demanderait dix jours. Mais elle, l'impératrice douairière, atteindrait la ville en cinq jours dans son chariot traîné par une mule ; elle y consoliderait sa puissance en toute liberté avant le retour de ses ennemis.

« Vénérable, vos ennemis en sont réduits au désespoir, lui dit le chef des eunuques la veille de son départ. C'est pourquoi il nous faut être plus que jamais attentifs.

— Je me fie à tes oreilles.

— Je connais leurs intentions : Su Shun a ordonné à ses propres soldats de vous accompagner, Vénérable, en prétextant que la garde impériale devait suivre le catafalque de l'empereur. Il m'a ordonné également, ainsi qu'à votre eunuque Li Lien-ying, de suivre le cortège.

— Hélas !... »

Le chef des eunuques leva sa grosse main.

« Pis encore ! Jung Lu a reçu l'ordre de rester garder le palais de Jehol. »

Elle se tordit les mains. « Pour toujours ? »

Le chef des eunuques acquiesça. « Il me l'a dit.

— Que vais-je devenir ? s'exclama Tzu-Hsi dans sa détresse. C'est ma condamnation à mort. Dans la montagne, qui m'entendra si je crie au secours ?

— Vénérable, soyez sûre que votre cousin a pris ses mesures. Il vous fait dire de garder votre confiance en lui. Il ne vous abandonnera pas. »

Forte de cette seule assurance, elle se mit en route le lendemain, à l'aube. Le chariot de l'héritier ouvrait la marche, puis venait celui de Tzu-Hsi et enfin celui de Sakota. Des soldats inconnus les accompagnaient. Mais tous constatèrent le calme de Tzu-Hsi quand elle donna ses derniers ordres. Tout à coup, comme si elle allait l'oublier, elle fit porter son nécessaire de toilette dans son chariot. Ce coffret contenait le sceau impérial, mais nul, en dehors de sa fidèle servante, ne le savait.

Lorsque tout fut prêt, le chariot s'ébranla et le triste voyage commença. Ce sombre palais que Tzu-Hsi avait tant désiré quitter, voilà que, devant l'incertitude de son proche avenir, elle le regrettait presque. Après la sécheresse de l'été, la pluie tombait sans arrêt, grossissait les torrents et envahissait les routes étroites de la montagne. Au soir, retardé par le mauvais état des chemins, le cortège fut obligé de s'arrêter dans un défilé de montagne pour y passer la nuit sous la tente.

Dans l'obscurité, tandis que l'on dressait les campements, un autre sujet d'inquiétude s'ajouta : le capitaine de cette garde hostile déclara à l'impératrice douairière que l'héritier et elle devaient passer la nuit dans une tente montée à l'écart des autres, par respect pour leur rang élevé.

« Je vous garderai moi-même, Vénérable », affirma-
t-il. Il se tenait devant elle avec une feinte courtoisie,
ce reître à la voix épaisse, la main droite posée sur le
grand sabre qui lui battait les talons.

Le regard de Tzu-Hsi tomba par hasard sur la main
droite de l'homme : il portait au pouce un anneau de
jade qui brillait à la lumière de la lanterne et dont la
couleur peu commune la frappa.

« Je te remercie, répondit-elle calmement. A la
fin du voyage, je te récompenserai.

— Je ne fais que mon devoir, Vénérable, rien que
mon devoir. »

La nuit s'épaississait, le vent s'engouffrait en rugissant
dans la gorge étroite et les torrents en crue grondaient
dans la montagne. Des rochers se détachaient des pentes
à grand bruit et roulaient non loin de la tente où Tzu-
Hsi veillait à côté de son enfant. La nourrice et la servante
dormaient. L'enfant s'était assoupi en tenant la main
de sa mère. Mais Tzu-Hsi ne pouvait trouver le sommeil.
Silencieuse dans sa tente, elle voyait la bougie fondre
dans la lanterne de corne et ne quittait pas du regard
le coffret contenant le sceau impérial. Pour garder
ce trésor, elle risquait sa vie. Elle se savait en danger
dans cette nuit propice à l'ennemi. Seule avec de faibles
femmes et un enfant, loin de tout, qui l'entendrait
si elle appelait au secours ? De toute la journée, elle
n'avait reçu aucune nouvelle de son cousin. Il ne se
cachait pas parmi les rochers ni les collines où passait
le cortège ; il ne se mêlait pas à la garde, déguisé en
simple soldat. Si elle l'appelait, l'entendrait-il ? Elle
ne pouvait qu'attendre, et laisser couler les heures
qui la torturaient lentement. Un roulement de tambour
marqua minuit. Tzu-Hsi se reprocha son anxiété.
Pourquoi ses ennemis choisiraient-ils justement cet
endroit et cette nuit, de préférence à toute autre, pour

la tuer ? Ne serait-il pas plus commode de soudoyer un cuisinier du palais pour l'empoisonner, ou un eunuque pour l'assassiner dans un couloir ? Elle accueillait toutes les raisons de se défaire de sa peur : un cadavre d'impératrice n'était pas facile à cacher; ses sujets ne manqueraient pas de s'inquiéter de son sort et ses ennemis ne voudraient pas provoquer la colère populaire.

L'heure suivante passa plus vite, mais une nouvelle crainte s'ajoutait pour Tzu-Hsi : la bougie achevait de se consumer. Elle n'osait pas bouger de peur d'éveiller l'enfant. Il lui fallait donc réveiller sa servante, mais sans bruit, pour renouveler la bougie. Elle leva les yeux, et son regard surprit un mouvement du rideau de cuir de sa tente. Le vent, sans doute, ou la pluie... Pétrifiée, elle ne pouvait ni bouger, ni appeler. Sous ses yeux, un poignard à lame courte fendit sans bruit le cuir du rideau, brandi par une main d'homme qui portait au pouce un anneau de jade rouge.

Sans un bruit, elle saisit l'enfant dans ses bras et courut se réfugier à l'autre extrémité de la tente, mais, au même moment, une autre main empoigna celle qui tenait le poignard et les deux disparurent. Ah! comme elle reconnaissait bien la main de son sauveur! Elle entendit des bruits de lutte et les parois de la tente frémirent au contact de deux corps. Puis un gémissement s'éleva, et le silence.

« Tiens, tu n'as que ce que tu mérites! » murmura la voix de Jung Lu.

Un tel soulagement l'envahit qu'elle se mit à trembler. Elle posa l'enfant endormi sur le tapis et souleva le pan de la tente pour regarder au-dehors. Jung Lu était devant elle. Il fit trois pas à sa rencontre et tous deux échangèrent un long regard.

« Je savais bien que tu viendrais, dit-elle.

— Je ne vous quitterai jamais.

— L'homme est-il mort ?

— Mort. J'ai lancé le cadavre dans le précipice.

— Cela se saura-t-il ?

— Qui osera prononcer son nom lorsqu'on me verra à sa place ! »

Ils se tenaient l'un en face de l'autre, sans se quitter des yeux, mais sans faire un pas de plus.

« Lorsque je saurai quelle récompense est assez grande pour toi, je te la donnerai, dit-elle.

— Ma récompense est de vous savoir en vie. »

Un silence se creusa entre eux, et Jung Lu, mal à l'aise, reprit : « Vénérable, ne nous attardons pas. Nous sommes entourés d'ennemis. Il faut vous retirer.

— Es-tu seul ?

— Non, vingt hommes m'accompagnent. Je suis arrivé avant eux, car mon cheval est le plus rapide. Avez-vous toujours le sceau ?

— Là... »

Il fit quelques pas en arrière et disparut dans l'ombre. Tzu-Hsi laissa retomber le pan de la tente et se glissa dans son lit. Maintenant, elle pouvait dormir. Maintenant, elle n'avait plus peur. Il montait la garde devant la tente. Elle le savait, bien qu'il fût caché dans l'obscurité. Pour la première fois depuis bien des semaines, elle dormit d'un sommeil calme et profond.

Au point du jour, la pluie cessa de tomber et les nuages s'écartèrent, révélant un ciel bleu et des vallées verdoyantes entre les collines rocheuses et dénudées. Comme si rien ne s'était passé, Tzu-Hsi s'adressa avec sa courtoisie habituelle à la nourrice et à sa suivante et prit la main de son fils pour lui chercher des petits cailloux brillants dans le sable et l'amuser.

« Tiens, je vais les attacher dans mon mouchoir, dit-elle, et tu pourras les prendre pour jouer pendant le voyage. »

Jamais elle n'avait été si calme. Sa tranquille résignation sautait aux yeux. Elle ne se permettait ni rire, ni sourire, ce qui n'eût pas semblé convenable dans ces funèbres circonstances, mais on lisait, sur son visage, le courage et la décision. Nul ne pouvait rien dire en voyant, à la place du capitaine, Jung Lu entouré de ses vingt hommes, car en ces temps troublés il valait mieux ne pas poser de questions. Mais nul ne pouvait ignorer que Tzu-Hsi avait remporté une victoire. Après le repas, les tentes repliées, les chariots chargés, le voyage continua. Jung Lu montait un cheval blanc, encadré de chaque côté par dix de ses hommes, et veillait sur l'héritier et sa mère impériale. Tzu-Hsi ne paraissait pas remarquer le changement survenu dans sa garde du corps. Elle restait silencieuse sur ses coussins et regardait le paysage entre les rideaux écartés. Quiconque l'eût surveillée ne l'eût pas vue tourner la tête une seule fois vers le commandant de la garde. Quant à ses pensées, qui aurait pu les deviner ?

En ce moment, elle ne pensait justement pas ; son esprit, d'ordinaire inquiet, connaissait une trêve. Enfin en sécurité, elle jouissait simplement du voyage. Le point culminant de sa lutte, le pas décisif vers le trône du Dragon, ne serait franchi qu'à l'arrivée du catafalque impérial. Elle le précéderait de cinq jours dans la Ville interdite où elle se hâterait de convoquer les hommes de son clan et les frères loyaux de l'empereur pour élaborer un plan et mettre les traîtres hors d'état de nuire. Elle y parviendrait non par la force, ce qui choquerait le peuple, mais avec ordre et décorum, en fournissant toutes les preuves de leur vilenie et en proclamant son propre droit à la Régence. A l'arrière-plan de ses pensées, les affaires de l'Etat se pressaient, sombres et menaçantes, mais elle possédait le don de goûter l'instant présent, ce qui lui permettait d'affronter les difficultés avec d'autant plus de force.

Elle prenait grand plaisir à traverser la campagne avec ses couleurs d'automne, contente de laisser derrière elle les dangereuses montagnes. Silencieux et fier, Jung Lu l'accompagnait. Ils ne se regardaient pas, mais elle le sentait près d'elle et il la protégeait.

Le ving-neuvième jour du neuvième mois de l'année lunaire, Tzu-Hsi aperçut au loin, dans la plaine, les murs de la capitale. Dans la ville aux portes ouvertes, les rues étaient désertes, pourtant Tzu-Hsi baissa ses rideaux de peur de voir un étranger. Mais il n'y en avait pas. Le silence pesait sur la ville entière, car les nouvelles vont plus vite que l'éclair, et le dernier des citoyens savait que la lutte faisait rage entre les tigres. En des moments pareils, le peuple se contente d'attendre.

Tzu-Hsi avait tracé sa ligne de conduite. En grand deuil dans sa robe de bure blanche, dépouillée de ses bijoux, elle entra dans le palais sans tourner la tête et s'avança entre deux rangées d'eunuques agenouillés. Elle poussa la courtoisie jusqu'à aider Sakota à descendre de son chariot et à l'accompagner à son palais, avant de se rendre dans le sien.

Une heure plus tard, à peine, elle reçut un message du prince Kung :

« Le prince Kung présente ses excuses à l'impératrice douairière, car il la sait fatiguée par le chagrin et le voyage. Mais les affaires d'État sont si urgentes qu'il n'ose les retarder, c'est pourquoi il demande audience à la bibliothèque impériale, où il va se rendre avec les princes ses frères et les chefs des clans mandchous. »

Tzu-Hsi n'hésita pas. Sans attendre, sans se restaurer, ni changer de vêtements, elle retourna au palais oriental et entra sans cérémonie chez sa cousine. Entourée de ses femmes, et couchée sur son lit, Sakota se faisait servir du thé et brosser les cheveux.

Tzu-Hsi les repoussa. « Ma sœur, dit-elle, lève-toi, je te prie. Nous ne pouvons pas nous reposer, il nous faut donner une audience. »

Sakota fit une moue, mais l'expression du beau visage fier de sa cousine ne lui permit pas de protester. Elle soupira et se leva, se fit habiller par ses femmes et sortit avec Tzu-Hsi. Des chaises à porteurs les conduisirent à la bibliothèque impériale, où elles pénétrèrent la main dans la main. L'assistance se leva pour les saluer. Le prince Kung, vêtu de bure blanche, s'avança gravement et les conduisit à leur trône avant de prendre sa place à la droite de Tzu-Hsi.

La conférence se déroula pendant des heures dans le plus grand secret, toutes portes closes, les eunuques relégués au fond de la vaste salle où ils ne pouvaient rien entendre.

« Notre problème est ardu, exposa le prince Kung. Néanmoins nous avons un grand atout : l'impératrice douairière possède le sceau qui, à lui seul, vaut toute une armée ; il assure la succession légitime à son fils et lui donne la régence avec l'impératrice du palais oriental. Cependant, il nous faut agir avec la plus grande prudence, en respectant le décorum et les convenances. Comment nous emparer des traîtres ? Recourir à la violence en présence du cortège funèbre ? Ce serait manquer de dignité, et cela ne s'est jamais vu. Le peuple refuserait de tels maîtres et le règne de l'héritier commencerait mal. »

Tous approuvèrent le prince Kung et, après de longues discussions, il fut décidé d'avancer progressivement, avec prudence et dignité, selon les traditions de la dynastie. Tzu-Hsi donna son accord en tant qu'impératrice douairière, et Sakota baissa la tête sans mot dire.

Trois jours se passèrent; ce fut le moment que tous attendaient. Tzu-Hsi avait mis à profit cette attente pour régler, dans les moindres détails, son comportement à l'arrivée du cortège impérial : elle ne trahirait aucune faiblesse et sa courtoisie serait sans faille; elle doserait dans son attitude la hardiesse et la dignité, la dureté et la droiture.

Des messagers arrivaient, heure par heure, pour informer l'impératrice des progrès du cortège. Tzu-Hsi se tenait prête. La veille de l'arrivée, et sur son ordre, le prince Kung avait disposé une armée fidèle près de la porte de l'Orient Fleuri par où devait passer la procession. Au palais régnait un silence funèbre. Quand on annonça l'arrivée du cortège impérial, les deux impératrices, accompagnées de l'héritier, partirent à la rencontre de leur seigneur défunt. Dans leurs chaises à porteurs couvertes de bure blanche, suivies de la garde du corps tout en blanc, elles passèrent dans les rues silencieuses et vides. Derrière elles, chevauchaient les princes et les chefs des clans royaux en vêtements de deuil. La procession marchait d'un pas lent, dans un silence pesant, et les prêtres bouddhistes jouaient sur leurs flûtes des airs funèbres.

Le cortège fit halte devant la grande porte de la ville et tous descendirent de cheval ou de palanquins pour s'agenouiller à l'entrée de l'énorme catafalque, transporté par cent-vingt hommes. Derrière les portes et les fenêtres closes, le peuple entendit ses maîtres se lamenter à haute voix.

Les trois traîtres, le prince Yi, le prince Cheng et le grand conseiller Su Shun, avaient accompli leur devoir en ramenant le corps de l'empereur à son lieu de sépulture, mais il leur fallait maintenant faire un rapport à l'héritier sur le voyage et, pour accomplir ce rite, un grand pavillon avait été spécialement dressé à l'entrée de la ville.

D'un ton calme et gracieux, Tzu-Hsi prit la parole comme si elle lui revenait de droit.

« Nous vous remercions, prince Yi, prince Cheng et grand conseiller Su Shun, d'avoir veillé si fidèlement sur celui qui nous est très cher. Au nom de notre nouvel empereur, le Fils du Ciel régnant, nous vous exprimons notre reconnaissance, nous, les deux impératrices consorts de l'empereur défunt, en tant que régentes légalement désignées dans le décret signé par l'empereur lui-même. Votre devoir accompli, nous désirons vous épargner tout autre fardeau. »

Tzu-Hsi s'exprimait avec la grâce la plus parfaite et une délicate courtoisie, qui cachait une volonté de fer.

Le prince Yi fut saisi de désespoir. En levant la tête, il vit le bel enfant siégeant sur le trône ; à sa gauche, la faible impératrice Tzu-An ; à sa droite, le véritable chef de la nation, cette femme puissante et si belle qui ne craignait personne et qui subjuguait son entourage par sa force et son charme. Au deuxième plan, s'alignaient les princes et les chefs des clans mandchous et, derrière eux, la garde impériale. Le prince Yi regarda Jung Lu, imposant et sévère, et son cœur se serra. Lui restait-il le moindre espoir ?

Su Shun se pencha pour lui murmurer à l'oreille : « Si l'on avait supprimé plus tôt, comme je le conseillais, ce démon femelle, nous serions tous maintenant en sécurité. Mais vous avez tergiversé, vous n'osiez pas, vous vous contentiez de demi-mesures et maintenant ce sont nos têtes qui branlent sur nos épaules. C'est vous le chef ; si vous faiblissez, nous mourrons. » Le prince Yi rassembla les lambeaux de son courage, fit un pas vers le trône et, affichant de l'assurance, malgré ses lèvres tremblantes, il s'adressa au jeune empereur.

« Très-Haut, c'est nous qui sommes vos régents : L'empereur votre père nous a désignés, le prince Cheng, le grand conseiller Su Shun et moi, pour agir en votre nom. Nous sommes vos fidèles serviteurs et nous vous faisons serment de loyauté. En tant que régents légalement nommés, nous décrétons en ce jour que les deux impératrices consorts ne possèdent pas l'autorité nécessaire pour exercer la régence. »

Tandis qu'il prononçait ces fières paroles d'une voix tremblante, le petit empereur laissait errer ses regards, bâillait, et jouait avec la cordelière de sa robe de bure blanche. Il prit même la main de sa mère, mais celle-ci reposa fermement le poing menu sur le genou de l'enfant, qui obéit et attendit que ce vieil homme se tût.

Dès que le prince Yi fit un pas en arrière, elle agit sans hésiter. Elle leva la main droite, le pouce baissé vers le sol, et commanda de sa voix la plus claire : « Que l'on saisisse les trois traîtres ! »

Jung Lu s'avança immédiatement, suivi de ses gardes ; ils s'emparèrent des Trois et les ligotèrent. Les traîtres ne pouvaient pas se débattre. Qui oserait venir à leur aide ? Dans l'ordre et la dignité, le cortège impérial se reforma et, encadré par les deux impératrices, les princes et les nobles, le jeune empereur suivit le grand cata- falque. Points de mire de tous les regards, dans ces rues gardées par des soldats fidèles à l'impératrice, les traîtres fermaient la marche, cheminant dans la poussière, le désespoir au cœur.

C'est ainsi que l'empereur Hsien Feng revint dans son palais et prit place parmi ses ancêtres. Son cercueil reposait dans la salle sacrée, veillé nuit et jour par la garde impériale, encadré de bougies allumées, tandis que des prêtres bouddhistes se relayaient pour prier sans cesse, recommander ses trois âmes au Ciel et apaiser ses sept esprits terrestres en brûlant de l'encens et en psalmodiant des hymnes.

Tzu-Hsi, soucieuse de donner à toutes ses mesures le poids de la tradition, proclama un édit pour résumer la situation : le prince Yi et ses partisans, responsables de la guerre et de la défaite déshonorante du pays, avaient voulu profiter de l'extrême jeunesse de l'empereur régnant pour se saisir de la régence — en se prétendant nommés par l'empereur défunt — et avaient résolu d'écarter les deux impératrices consorts, contrariant en cela les ordres exprès de leur maître disparu.

A la suite de cet édit, dûment muni du sceau impérial, l'impératrice douairière en prépara un autre qu'elle signa avec sa corégente et dans lequel elle proclamait la punition infligée aux traîtres : ils seraient dépouillés de tous les honneurs dus à leur rang et Su Shun, considéré comme coupable de haute trahison, était condamné à la mort par découpage et à la confiscation de tous ses biens.

Tzu-Hsi fit saisir la biliothèque de Su Shun, qui contenait la nomenclature de ses vastes trésors. Parmi ces manuscrits, elle trouva, à sa grande joie, la preuve que Lady Mei n'était pas la véritable fille de Su Shun, mais la fille d'un de ses adversaires, assassiné sur ses ordres, et dépouillé par lui de toutes ses possessions.

Aussitôt, Tzu-Hsi envoya chercher Lady Mei et lui montra le parchemin. La jeune fille versa quelques larmes, vite séchées, et dit : « Je me suis souvent demandé pourquoi je ne pouvais pas aimer Su Shun comme un père. Je me sentais tellement en faute ! Maintenant je peux laisser parler mon cœur. » Elle s'agenouilla devant Tzu-Hsi en la remerciant et, désormais, voua à sa maîtresse une dévotion plus totale encore qu'avant.

« Je suis maintenant orpheline, dit-elle, Vénérable, vous êtes mon père et ma mère. »

Tzu-Hsi ne se contenta pas d'exercer sa vengeance contre Su Shun, elle multiplia ses décrets et les imposa aux princes et aux ministres. Ils ne pouvaient que s'incliner ; seul, le prince Kung osa élever la voix.

« Majesté, dit-il, il siérait aux impératrices douairières de manifester quelque pitié vis-à-vis de Su Shun. Faites-le décapiter plutôt que couper en morceaux. » Tzu-Hsi reçut froidement cette requête et laissa passer plusieurs minutes avant de répondre :

« Eh bien, qu'il en soit fait selon votre volonté et votre clémence, dit-elle enfin, mais le châtiment sera public. »

C'est ainsi que, par un beau matin ensoleillé, Su Shun fut décapité, sur la place du marché, pour le grand divertissement du peuple accouru en foule. Tout traître qu'il fût, il marcha bravement au supplice, la tête haute, le visage impassible, fier jusqu'au moment où il mit la tête sur le billot. D'un seul coup, le bourreau lui coupa la tête, qui roula dans la poussière sous les hurlements de joie des spectateurs.

Les princes Yi et Cheng appartenaient à la maison impériale : on ne pouvait les décapiter. Ils furent donc enfermés dans la prison de la cour impériale où ils reçurent l'ordre de se pendre. Jung Lu leur donna à chacun une corde de soie et attendit l'exécution de la sentence. Le prince Cheng se pendit aussitôt et mourut courageusement, mais le prince Yi, long à se décider, ne renonça à la vie qu'en sanglotant.

C'est ainsi que moururent les Trois, et ceux qui avaient espéré monter au pouvoir avec eux finirent en exil. A dater de ce jour, Tzu-Hsi prit publiquement le titre d'impératrice douairière que l'empereur mourant lui

avait octroyé à Jehol. Ainsi commença le règne du
jeune empereur, mais tous savaient que, près de lui,
c'était l'impératrice douairière qui assumait le pouvoir
suprême.

CHAPITRE III

L'IMPÉRATRICE DOUAIRIÈRE

Le froid descendit du nord et l'hiver fondit sur la ville de Pékin. Ses nombreux arbres, qui en faisaient, en été, un vaste jardin tropical, dressaient maintenant par-dessus les toits leurs squelettes rongés par le gel. La glace ourlait les lacs et les ruisseaux. Dans les rues, les passants frissonnaient, transpercés par un vent froid. Les marchands de patates douces rôties faisaient de bonnes affaires, car ils fournissaient aux pauvres gens le moyen de se remplir l'estomac, tout en se réchauffant les mains. Quand on ouvrait la bouche pour parler, le souffle formait un nuage visible, et les mères défendaient à leurs enfants de pleurer de peur qu'ils ne perdent leur chaleur intérieure.

Le froid dépassait le malaise physique : on le ressentait jusque dans le cœur. Maintenant que le corps de l'empereur défunt reposait au temple du palais jusqu'à ses funérailles, maintenant que la succession était décidée, la perspective de nombreuses années sombres s'étendait devant la nation et les personnes sensées ne se faisaient pas d'illusions. Le traité signé par le prince

Kung avec les envahisseurs blancs reconnaissait la victoire totale de l'ennemi.

Un jour d'hiver, l'impératrice douairière, enfermée dans la salle du trône privée, étudiait minutieusement les termes de ce traité.

Elle était seule, mais son eunuque, Li Lien-ying, se tenait toujours à portée de voix. Sa vie ne consistait-elle pas à attendre un geste ou une parole de l'impératrice ? Entre-temps, elle le traitait comme une quantité négligeable.

Donc, par ce froid matin, elle lisait et relisait le traité, sans hâte, pesant chacun des termes, que son imagination rendait plus vivants. Désormais et pour toujours, il y aurait à Pékin des hommes venus de France, d'Angleterre et d'autres pays, qui représenteraient des gouvernements étrangers. Cela signifiait qu'ils seraient accompagnés de leurs épouses, de leurs enfants, de leurs domestiques, de leur famille, de leurs gardes et de leurs messagers. Ces Blancs sauvages trouveraient le moyen de prendre pour maîtresses de belles Chinoises, et ce serait une cause de désordre.

Le traité obligeait l'impératrice douairière et régente à payer aux étrangers des milliers de livres d'or. Quelle injustice : une guerre imposée à son peuple et qu'il lui fallait payer !

De par les termes du traité, la Chine devait ouvrir aux hommes de l'Ouest de nouveaux ports dont celui de Tien-Tsin qui se trouvait à moins de cent cinquante kilomètres de la capitale même. Non seulement les Blancs, mais leurs marchandises circuleraient dans l'Empire et les gens du peuple ne manqueraient pas, dans leur cœur fruste, d'en concevoir de l'envie. Autre cause de désordre.

Le traité ouvrait le pays tout entier aux prêtres étrangers et leur permettait de s'installer où bon leur semblerait pour proposer de nouveaux dieux au peuple. Jusqu'à présent, ces religions nouvelles n'avaient apporté que désastres à la nation.

Telle était la liste des maux qui menaçaient le pays, liste que l'impératrice étudiait minutieusement, par cette sombre journée, dans son palais solitaire. On lui apportait des repas auxquels elle ne touchait pas. La nuit tombait, mais elle n'y faisait pas attention. Nul n'osait lui parler ou la supplier de prendre du repos. Son eunuque posa auprès d'elle une théière de son thé vert préféré, mais elle n'y toucha pas.

Au petit jour, elle repoussa le parchemin. Toutefois, elle ne se leva pas. Au fur et à mesure que les bougies rouges se consumaient jusqu'à la base dans leurs bougeoirs d'or, l'eunuque les remplaçait. Elle restait assise, le menton dans les mains, absorbée dans une méditation profonde. Le jeune empereur, son fils, n'avait que cinq ans et demi. Il ne pouvait pas monter sur le trône du Dragon avant son seizième anniversaire. L'impératrice devrait consacrer dix années de sa jeunesse à gouverner à la place de son fils. Quelle tâche écrasante ! Un pays plus vaste qu'elle ne pouvait l'imaginer, un peuple dont l'histoire remontait à la nuit des temps, un peuple jamais encore dénombré, un peuple qui la considérait comme une étrangère. En temps de paix, cet empire aurait déjà représenté un fardeau monstrueux, mais il était bien question de paix ! Des révoltes faisaient rage dans le pays déchiré, car le rebelle Hung régnait à Nankin, capitale méridionale de l'ancienne dynastie chinoise des Ming. L'armée impériale combattait sans cesse cet usurpateur, mais sans parvenir à l'abattre et, entre les deux armées, le peuple appauvri mourait de faim. Tzu-Hsi savait bien que ses troupes ne valaient guère mieux que celles des rebelles, car les soldats ne recevaient pas de solde régulière et rançonnaient les campagnes. Les paysans, devant leurs maisons incendiées et leurs récoltes dévastées, unissaient dans une même haine les rebelles et les soldats impériaux.

C'était à elle, Tzu-Hsi, d'y remédier.

En même temps, une nouvelle rébellion avait pris naissance, dans le Sud, parmi les Mahométans de la province du Yunnan — descendants de tribus arabes établies dans le pays depuis des siècles — dont l'audace croissait avec le nombre.

Devant la dureté et l'avidité des vice-rois chinois, nommés par le trône du Dragon, ces Mahométans se révoltaient et menaçaient de séparer leur province de l'Empire et d'y établir un gouvernement indépendant.

C'était à elle, Tzu-Hsi, d'y remédier.

Un autre fardeau encore pesait sur ses épaules : sa condition de femme. Les Chinois ne se fient pas aux femmes comme chefs d'État; ils leur reprochent trop de défauts. L'impératrice douairière reconnaissait le bien-fondé de ces reproches : l'Histoire n'en fournissait que trop d'exemples! Le peuple voudrait-il croire maintenant qu'un règne de femme pouvait amener la justice et la prospérité?

C'était encore à elle, Tzu-Hsi, d'y remédier.

Le plus lourd de tous ses fardeaux, c'était elle-même; elle connaissait ses propres imperfections et les pièges de son cœur jeune et trop passionné. Elle savait bien qu'elle n'était pas faite tout d'une pièce, mais que sa personnalité complexe accusait des points faibles. Son cœur et son corps souffraient d'un désir inassouvi pour un homme plus fort qu'elle, un homme digne de sa confiance. Où était cet homme à présent?

Cette question mit un terme à sa rêverie. Elle se leva, glacée jusqu'au cœur, et Li Lien-ying s'avança.

« Vénérable, vous allez bien prendre du repos maintenant? »

Il lui tendit le bras; elle y posa sa main et se laissa conduire jusqu'à la porte close de sa chambre. Sa servante l'y attendait.

Un clair soleil d'hiver la réveilla et, sans bouger de son lit, elle passa en revue ses pensées de la veille. Oui, de nombreux fardeaux pesaient sur ses épaules, mais elle possédait les forces nécessaires pour les supporter. Certes, elle était jeune, mais la jeunesse donne la force. Certes, elle était femme, mais elle avait donné le jour à un fils qui succédait à l'empereur. Elle ne suivrait pas le mauvais exemple de ces ambitieuses qui voulaient s'élever à tout prix au-dessus des autres et même de leurs fils lorsqu'ils régnaient. Elle s'effacerait devant son fils. Durant toute sa Régence, elle se montrerait douce et prévenante envers tous, sans jamais agir en égoïste, ne pensant qu'à préparer le règne futur de l'empereur. Elle lui remettrait un pays unifié et fort et à sa majorité se retirerait, car nul, pas même elle, ne devrait se poser en rivale devant l'empereur. Elle prouverait qu'un règne de femme pouvait être bon. Elle avait pour elle la jeunesse, la santé et la volonté. Elle se leva, encouragée par sa propre énergie.

Désormais, son entourage eut une impératrice nouvelle : une femme douce, bien que forte, qui ne regardait pas un homme en face, pas même les eunuques, et s'adressait courtoisement à tous quel que fût leur rang, mais qui restait distante, supérieure à tous. Nul ne pénétrait dans son intimité, nul ne connaissait ses pensées ni ses rêves. Cette impératrice vivait solitaire, retranchée derrière les murs inviolés de sa courtoisie.

Comme pour mieux commencer sa vie nouvelle, elle quitta son palais et s'installa au palais d'hiver, situé dans la partie de la ville impériale appelée Route Orientale. Il comprenait six salles, de nombreux jardins et une immense bibliothèque de trente-six mille volumes très

anciens. Ornée de neuf dragons impériaux en porcelaine de diverses couleurs, une cloison protégeait l'entrée du palais contre les esprits. Derrière cette cloison,
s'étendait la plus grande des pièces : la salle d'audiences,
qui s'ouvrait sur une immense terrasse de marbre.
Chacune des autres pièces donnait sur une cour. Tzu-
Hsi choisit une des salles pour y recevoir en audience
privée les princes et les ministres. Dans une autre, elle
établit sa résidence quotidienne. Elle pouvait se rendre
directement de cette salle dans sa chambre à coucher,
où le lit de briques attenant au mur, recouvert d'un
matelas de satin jaune, s'abritait derrière les rideaux de
gaze jaune brodés de ces fleurs de grenadier rouges que
Tzu-Hsi aimait tant. Derrière sa chambre à coucher,
dans son oratoire privé, un Bouddha d'or dominait
l'autel de marbre, encadré par deux déesses : Kuan Yin,
déesse de la Miséricorde, et Lohan, celle de la Sagesse.
Au fond de l'oratoire, une porte ouvrait sur la pièce où
se tenaient les eunuques, invisibles et silencieux, mais
toujours prêts à la servir.

La nouvelle résidence de l'impératrice portait la
marque du luxe qu'elle aimait. Meubles précieux, par-
semés de coussins recouverts de satin écarlate. Tzu-Hsi
y avait apporté également sa collection d'horloges, ses
fleurs et ses oiseaux, les coussins brodés de ses chiens,
ses livres, son secrétaire et ses vitrines remplies d'œuvres
d'art. Les portes, couleur vermillon, étaient surmontées
d'un petit auvent doré. Dans sa cour privée, des portes
en forme de croissant de lune, encadrées de marbre
exquisement sculpté, donnaient sur un jardin clos de
murs recouverts de mosaïques. Sous les pins séculaires
et rabougris dont l'odeur embaumait l'air, s'étendait un
tapis de mousse.

Au fond du jardin, se dressait un pavillon toujours
fermé dont l'impératrice seule possédait la clef.

Dans ce cadre silencieux et vénérable, la jeune impératrice douairière se promenait souvent, et de nombreux soucis peuplèrent sa solitude. Seuls des êtres forts auraient pu endurer l'existence qu'elle s'était imposée. Elle se levait chaque jour dans le froid du petit matin et se rendait à la salle d'audiences. Elle n'y siégeait pas seule, car, se rappelant sa résolution d'humilité et de courtoisie, elle tenait à se faire accompagner par sa corégente. Elle, l'impératrice douairière, déclarait que le trône du Dragon resterait vide jusqu'à la majorité du jeune empereur et refusait de s'installer ailleurs que derrière un rideau. C'est derrière ce rideau que les impératrices, côte à côte sur leurs deux trônes, entourées de leurs dames d'honneur et de leurs eunuques, écoutaient les rapports et les pétitions des princes et des ministres prosternés. Tandis qu'à la droite du trône vide le prince Kung se tenait.

Un jour d'hiver, les régentes reçurent deux de leurs sujets qui venaient les supplier de mettre fin au règne du rebelle Hung dans sa cité méridionale de Nankin : c'étaient les vice-rois de ces provinces, chassés par l'usurpateur, qui venaient demander réparation des torts subis.

L'impératrice douairière écouta leur rapport avec une colère croissante. Un seul homme détruirait-il la nation alors que son fils n'était encore qu'un enfant ? A tout prix, il fallait réorganiser les armées impériales et nommer de nouveaux généraux. Elle voulait bien se montrer indulgente dans d'autres domaines, mais elle refusait de tolérer plus longtemps l'existence de ces rebelles qui risquaient de s'emparer de l'empire tout entier et de devenir invincibles. Ce jour-là, quand le prince Kung vint comme à l'ordinaire dans la salle privée du trône pour conférer avec elle, il trouva une femme froide, hautaine et résolue. C'était l'autre aspect de la personnalité multiple de Tzu-Hsi. Sa bonté lui valait, dans le peuple, le surnom de « Bienveillante », ou de « Kuan Yin de la Parfaite Mansuétude », mais elle savait aussi se montrer dure et cruelle. Ce n'était donc pas la « Bienveillante Kuan Yin de la Parfaite Mansuétude » que le prince trouva ce jour-là, mais une souveraine puissante et superbe, irritée par la faiblesse de ses ministres.

« Où est ce général qui commande nos armées impériales ? demanda-t-elle. Où est ce Tseng Kuo-fan ? Comment ose-t-il tenir dans l'oisiveté son armée de Braves, alors que chaque jour les rebelles dévorent une de nos provinces méridionales ? A quoi nous serviront ses Braves quand il n'y aura plus d'Empire ?

— Sublime Majesté, répliqua le prince, les Braves ne peuvent pas se trouver partout à la fois.

— Il le faut cependant, et c'est le devoir de leur chef de veiller à ce qu'ils soient partout où les rebelles attaquent et partout où ils ont l'intention d'attaquer.

— Sublime Majesté, je me permets de vous proposer une solution. Les Anglais, avec qui nous sommes pour le moment en trêve, nous demandent d'accepter un de leurs chefs pour organiser la résistance contre les rebelles. Ces Blancs, qui approuvaient le rebelle Hung parce qu'il se dit Chrétien, comprennent maintenant que c'est un fou, ce qui nous donne un avantage. »

L'impératrice réfléchit. Ses longs doigts minces qui reposaient sur les accoudoirs du trône, paisibles comme des oiseaux de diamants, se prirent à tambouriner sur le bois dur où résonnaient les protège-ongles en or.

« Tseng Kuo-fan sait-il que les Anglais nous ont fait cette proposition ? demanda-t-elle.

— Il le sait, mais il ne veut pas en entendre parler. Pour ma part, je crois ce général si obstiné qu'il aimerait

mieux voir l'Empire détruit par un rebelle que sauvé
par un étranger. »

Tzu-Hsi se prit d'une sympathie soudaine pour ce
Tseng Kuo-fan.

« Pour quelle raison ?

— Il prétend que si nous acceptons l'aide des Anglais,
ceux-ci exigeront une récompense. »

Les doigts couverts de bijoux agrippaient les accoudoirs. « C'est vrai, c'est vrai, s'écria-t-elle, ils réclameront
les régions qu'ils nous auront aidés à dégager. Ah ! je
commence à comprendre ce Tseng Kuo-fan. Mais je
ne veux pas perdre de temps. Qu'il se prépare à attaquer
immédiatement. Qu'il investisse la ville de Nankin ! Si
le chef Hung est tué, on pourra disperser ses fidèles.

— Sublime Majesté, répondit le prince froidement,
à mes risques et périls, je me hasarde à douter du bien-
fondé de vos conseils stratégiques à Tseng Kuo-fan. »

Elle lui lança un coup d'œil de côté. « Prince, je ne vous
demande pas votre avis. »

Sa voix restait douce, mais il la vit pâlir et trembler
de rage. Il inclina la tête, domina sa propre colère et se
retira immédiatement. Dès qu'il fut parti, elle descendit
de son trône, s'installa à son secrétaire et rédigea un
édit à l'intention du général :

Quelles que soient vos difficultés actuelles (écrivait-elle
après les salutations d'usage), *il est temps maintenant de
déployer toutes vos forces. Réclamez l'aide de votre jeune
frère, Tseng Kuo-ch'uan. Faites-le venir de Kiangsi pour
marcher avec vous sur la province de Anhuei. Emparez-vous
d'Anking, capitale de la province ; ce sera le premier pas vers
l'investissement de Nankin. Nous savons que Nankin est tenu
depuis neuf ans par les rebelles ; mais il faut les en déloger.
Ensuite, il faudra rappeler le général Pao Ch'ao actuellement
absorbé par sa guérilla. C'est un brave qui ne connaît pas la*

peur et d'une fidélité à toute épreuve envers le Trône. Nous n'avons pas oublié qu'il mit en déroute les rebelles à Yochow et à Wuchang. Maintenez ce général sous votre commandement, qu'il s'assure d'armées maniables, afin d'encercler la ville de Nankin et d'en resserrer l'investissement jour après jour. Vous pourrez détacher Pao Ch'ao pour attaquer les rebelles s'ils vous prennent à revers à Kiangsi. Car vous avez devant vous une double tâche : d'une part, mettre à mort le chef des rebelles Hung et, d'autre part, écraser tout soulèvement possible. Inutile de présenter au Trône aucun rapport sur vos difficultés. Vous n'avez pas le droit de vous plaindre. La tâche devra être accomplie, si ce n'est pas par vous, alors par un autre. La récompense sera généreuse après la mort du rebelle Hung.

C'est ainsi que l'impératrice douairière rédigea son message, en y intercalant maints compliments et politesses ; puis elle y apposa elle-même le sceau impérial et envoya le chef des eunuques le porter au prince Kung afin qu'il fût recopié dans les archives avant qu'un courrier le portât à Tseng Kuo-fan.

Le chef des eunuques revint, porteur de l'emblème de jade, réponse du prince Kung, prouvant qu'il avait reçu l'édit et qu'il obéirait. A sa vue, l'impératrice sourit et ses yeux étincelèrent comme de noirs bijoux sous les cils noirs.

« Qu'a-t-il dit ? demanda-t-elle.

— Bienveillante, répondit le chef des eunuques, le prince a lu l'édit d'un bout à l'autre, puis il a dit : « Ce « corps de femme abrite un cerveau d'empereur. »

L'impératrice douairière sourit derrière sa manche brodée. « Vraiment... vraiment ! »

Le chef des eunuques savait qu'elle aimait beaucoup ce genre de compliment et il renchérit : « Sublime Majesté, nous disons et pensons tous comme le prince. »

Il s'en alla avant qu'elle ne pût lui faire un reproche.

Elle restait seule, encore souriante. Quel nom choisirait-elle pour son fils dans son nouveau règne ? Les trois traîtres avaient choisi Chi Hsiang qui signifie « Bonheur Propice », mais elle ne voulait pas de ces mots vides, dénués de toute signification. Elle voulait une paix durable, fondée sur l'unité de la nation, un peuple volontairement soumis et un trône bienveillant. Paix et bienveillance : elle aimait les mots expressifs placés à bon escient et d'un sens précis. Son goût des mots avait été formé par les maîtres de la prose et de la poésie. Après de longues réflexions, elle décida du nom impérial de son fils : T'ung, qui signifie se répandre, et Chih, qui signifie la paix, une paix profondément enracinée dans le cœur et l'esprit. C'était un choix hardi pour ces temps troublés, et dans ce pays infesté d'ennemis. Pourtant, elle s'y tint résolument, car elle voulait la paix, et, pour elle, vouloir c'était agir.

Elle avait fini par gagner la confiance du peuple. Toutes les affaires du pays — d'importance primordiale ou secondaire — lui étaient soumises chaque jour dans la salle d'audiences. Qu'il s'agît de petits détails tels que la mise au pas d'un magistrat lointain qui tyrannisait sa région administrative, ou qu'il s'agît du prix du riz indûment élevé dans telle ville ; ou encore d'un décret instituant trois jours de prières publiques pour persuader les dieux de faire pousser les récoltes dans des champs privés de neige pendant l'hiver ; elle s'occupait de tout cela au même titre que de la protection des côtes menacées par les flottes ennemies, ou de la réglementation de l'odieux commerce de l'opium, patronné par les Blancs.

Mais les affaires extérieures ne l'empêchaient pas de s'occuper de la vie du palais. Elle prenait un soin jaloux de son fils et le gardait chaque jour près d'elle aussi longtemps qu'elle le pouvait, le laissant courir dans la salle d'audiences ou dans sa bibliothèque privée, tandis qu'elle travaillait. Elle le contemplait souvent et interrompait son travail pour lui tâter le front ou les mains, et regarder ses grands yeux au blanc si pur et à la pupille lumineuse; et elle surveillait sa dentition, sa langue et son haleine. Tout en s'occupant de son fils et des affaires de l'État, elle n'oubliait pas l'administration intérieure du palais. Elle examinait les factures, le relevé des produits alimentaires achetés ou reçus en don, des réserves de soieries et de satins, dont pas une pièce ne sortait des rayons sans un ordre exprès signé d'elle. Elle savait très bien que les larcins commis à l'intérieur d'un palais finissent par gagner un pays tout entier. Elle tenait à ce que le dernier de ses domestiques, comme le premier de ses ministres, sentît sur lui le regard froid et perçant de sa souveraine.

Toutefois, elle savait récompenser généreusement. Elle n'hésitait pas à combler d'argent ou de vêtements des eunuques ou des servantes fidèles. D'autres récompenses, moins riches, n'en prenaient pas moins une certaine valeur. Ainsi, lorsqu'elle s'était rassasiée des plats présentés à la table royale, elle appelait auprès d'elle une de ses dames d'honneur pour lui offrir de son mets favori, et cette seule marque de faveur suffisait à consolider la position de la jeune femme au palais, car tous s'empressaient auprès des favorites de l'impératrice douairière.

Elle seule connaissait l'importante récompense réservée à Jung Lu et au prince Kung. Ne sachant laquelle octroyer la première, elle remettait sa décision à plus tard. Jung Lu avait sauvé la vie de son fils et la sienne, ce qui méritait une récompense unique. Quant au prince Kung, il avait sauvé la capitale non pas par les armes, mais par son adresse à traiter avec l'ennemi.

Certes, on avait beaucoup perdu. Ce traité pesait lourdement sur le trône et Tzu-Hsi n'oubliait pas que, dans les murs de la capitale, vivaient des Blancs avec leur personnel et leur famille. Néanmoins, l'ennemi n'avait pas mis à exécution sa menace de détruire la ville. Tzu-Hsi essayait de ne plus penser au palais d'été, à ses jardins, à ses lacs, à ses rochers et à ses grottes, aux pagodes légères accrochées à flanc de colline, aux trésors rassemblés des quatre coins du monde, aux bibliothèques, aux objets d'art, aux meubles somptueux. Le souvenir du palais d'été la dressait contre le prince Kung. N'aurait-il pas pu empêcher une perte aussi cruelle? Cette perte ne concernait pas seulement l'impératrice, ni même la nation tout entière, car de tels trésors de beauté appartiennent au patrimoine de l'humanité. Elle décida alors de récompenser Jung Lu en premier; lui au moins avait empêché toute destruction. Malgré sa rancune, la prudence lui conseillait de convoquer le prince Kung et de feindre de lui demander conseil.

Elle attendit donc un jour favorable, qui se présenta sitôt après une abondante chute de neige. En effet, les dieux harcelés de prières et de reproches, avaient enfin abaissé leur regard sur les champs stériles et les paysans affamés, et recouvert, pendant plus de trois semaines, les villes et les campagnes sous une épaisse couche de neige. De la terre, jusqu'alors sèche et dure, sortaient des pousses d'un vert tendre et, après quelques jours de soleil et de température clémente, le blé d'hiver couvrit à perte de vue les sillons. Dans le palais, on se murmurait que l'impératrice avait obligé les dieux à exaucer les prières du peuple.

Donc, à la fin de l'hiver, un jour où l'approche du printemps étendait sur toute la ville une brume tiède, l'impératrice douairière convoqua le prince Kung dans sa salle d'audiences privée. Il parut, superbe dans sa robe d'apparat en brocart bleu, d'un bleu foncé, car, après la mort d'un empereur, la cour gardait le deuil pendant trois années. Elle le trouva si fier et si majestueux qu'elle en fut vaguement irritée; d'autant plus qu'il lui sembla discerner une légère familiarité dans son salut. Comme il lui fallait obtenir son adhésion, elle se domina pour ne pas lui reprocher son orgueil.

« Je vous en prie, point de cérémonie entre nous, dit-elle d'une voix musicale, vous êtes le frère de mon seigneur, sur qui il m'a recommandé de m'appuyer, lui disparu. »

Ainsi encouragé, il s'assit à la droite du trône, mais elle trouva qu'il se laissait bien facilement persuader.

« J'ai l'intention, commença-t-elle, d'accorder une récompense au commandant de la garde impériale. Je n'oublie pas qu'il m'a sauvé la vie alors que les traîtres me menaçaient. Sa loyauté envers le trône du Dragon est solide comme le mont Omei : aucune tempête ne l'ébranle. Je n'accorde pas une grande valeur à mon existence, mais, si j'étais morte, les traîtres auraient usurpé le trône et évincé l'héritier. Si je le récompense, ce n'est donc pas pour moi, mais pour mon fils, l'empereur, et aussi pour le peuple tout entier, car la victoire des traîtres eût signifié la chute du trône. »

Le prince Kung ne la regardait pas, mais son ouïe aiguisée et son esprit agile devinaient le sens caché de son discours.

« Sublime Majesté, quelle récompense désirez-vous lui accorder ? »

Tzu-Hsi savait choisir les occasions de répondre sans détour : « Le poste de grand conseiller est resté vacant depuis la mort de Su Shun, j'ai l'intention d'y nommer Jung Lu. »

Elle leva la tête pour regarder le prince en face, mais il ne cilla point.

« C'est impossible.

— Rien n'est impossible si je le veux. »

Aucun des deux ne baissait les yeux, mais le prince se raidit.

« Vous savez, Majesté, que d'innombrables rumeurs se propagent à la cour. J'ai beau les combattre, pour l'honneur du trône et de mon clan, je ne peux les étouffer. »

Elle prit un air innocent. « Quelles rumeurs ? »

Elle était encore si jeune, se pouvait-il que son innocence fût feinte ? Il en doutait, mais il était trop engagé pour ne pas aller jusqu'au bout. Il répondit sans ambages :

« On s'interroge parfois sur la légitimité du jeune empereur. » Tzu-Hsi détourna les yeux, battit des cils ; elle porta son mouchoir de soie à ses lèvres tremblantes.

« Oh ! gémit-elle, moi qui croyais tous mes ennemis morts !

— C'est dans votre intérêt que je parle ainsi. Je ne fais pas partie de vos ennemis. »

Une rage subite sécha ses larmes. « Cependant vous auriez dû mettre à mort ceux qui osent proférer de telles insultes à mon égard ! Ils mériteraient de ne pas vivre une heure de plus. Si vous n'osiez pas, vous auriez dû m'aviser et je les aurais fait exécuter moi-même ! »

Était-elle vraiment innocente ? Il ne le saurait jamais. Il se tut.

Elle se redressa sur son trône. « Je ne vous demande plus de conseils. Aujourd'hui même, je proclamerai la nomination de Jung Lu au poste de grand conseiller. Et si quelqu'un ose le calomnier...

— Alors que ferez-vous ? Et que ferez-vous si la cour entière se livre aux commérages ? »

Elle se pencha en avant, toute courtoisie oubliée : « Je leur imposerai silence, et je vous ordonne à vous, prince, de vous taire ! »

C'était la première fois, depuis tant d'années, qu'un différend les séparait ouvertement. Mais, pour rester efficace, leur alliance ne souffrait point de faille ; le prince fut le premier à se reprendre : « Que votre Sublime Majesté veuille bien me pardonner. » Il se leva pour la saluer.

Elle répondit de sa voix la plus douce : « Je ne sais pas pourquoi je vous ai parlé ainsi, moi qui vous dois tant. C'est à moi de vous demander pardon. »

D'un geste de sa main levée, elle coupa court à ses protestations et continua :

« Non, ne parlez pas, pas encore. Car depuis long-temps j'ai projeté de vous octroyer la plus grande de toutes les récompenses. Vous recevrez le noble titre de prince conseiller du trône, avec le traitement qu'il comporte. Et aux termes de mon décret — c'est-à-dire plutôt de notre décret, à ma corégente et à moi — le titre de duc de Ch'in, que mon seigneur défunt vous a accordé, deviendra désormais héréditaire. »

Le prince Kung fut stupéfait de recevoir une telle distinction. Il salua de nouveau et répondit avec sa douceur habituelle :

« Sublime Majesté, je ne demande aucune récompense pour avoir accompli mon devoir. Je me devais de servir mon frère aîné qui était en même temps mon empereur. Maintenant, mon devoir est de servir son fils qui est aussi le jeune empereur et de vous servir, vous, impérarice douairière, ainsi que la corégente. Vous voyez le nombre de mes devoirs, je n'ai pas besoin de récompense pour les accomplir.

— Il vous faut pourtant accepter. » Ainsi s'ouvrit une lutte courtoise, qui se termina par un accord gracieux.

« Je vous supplie de me laisser refuser du moins le titre héréditaire, dit enfin le prince Kung. Il n'est pas dans notre tradition familiale que les fils héritent ce qu'a gagné leur père. Que mes fils gagnent leurs propres distinctions ! »

L'impératrice douairière ne put que lui donner raison. « Eh bien, remettons à plus tard cette décision, mais, de mon côté, je vous demande une faveur, très honoré prince.

— Je vous l'accorde.

— Laissez-moi adopter votre fille, Jung-chun, comme princesse royale. Donnez-moi cette joie et ce réconfort et donnez-moi en même temps la certitude que votre aide loyale dans la lutte contre les traîtres a été récompensée. »

Ce fut le tour du prince de céder et, désormais, sa fille devint princesse royale. Elle servit sa souveraine avec une telle fidélité, que l'impératrice douairière lui accorda à vie le droit de mettre à son palanquin des rideaux de satin jaune impérial, droit réservé aux princesses du sang.

Ainsi, l'impératrice douairière élaborait ses plans. Elle n'agissait jamais à la légère. A l'origine de ses projets se trouvait parfois une graine minuscule, un simple désir plus ou moins passionné ; cette graine pouvait rester cachée pendant un an, deux ans ou dix ans, mais elle finissait toujours par germer.

L'été revint enfin ; les vents soufflaient du sud et de l'est, apportant des brumes, de douces pluies et même parfois les odeurs salines de la mer. L'impératrice douairière, qui aimait tant l'eau et se plaisait à contempler les bassins, les étangs et les lacs, n'avait jamais vu la

mer. Tandis que l'été devenait plus chaud et plus
lourd, derrière les murailles élevées de la Ville interdite,
Yüan Ming Yüan lui manquait de plus en plus. Elle
n'avait jamais pu se résoudre à en contempler les ruines.
Mais il lui restait le fameux palais marin. Pourquoi
ne s'y aménagerait-elle pas un endroit de repos et de
plaisir ?

Elle décida de s'y rendre, accompagnée de ses dames
d'honneur et de ses eunuques. Bien que le trajet fût
court — moins d'un kilomètre —, le déplacement
des palanquins, des chaises à porteurs, des chariots
à mules et des gardes à cheval créait une telle agitation
que la garde impériale fit vider les rues sur le passage
du cortège dans la crainte d'un attentat toujours possible.
L'impératrice connaissait déjà les trois palais marins
pour y être venue au printemps, à l'époque des sacrifices au dieu des Mûriers sur l'autel des Vers à Soie.
Elle était venue également faire de longues promenades en bateau sur les trois lacs qu'on appelait les trois
mers et, en hiver, pour regarder patiner les eunuques
et les membres de la cour sur la glace épaisse du lac
appelé Mer du Nord. De ces lacs, très anciens, créés
par l'empereur de la dynastie précédente, Yung Lo,
premier empereur de la dynastie chinoise des Ming,
avait fait une merveille de beauté. C'est de son règne
que dataient les ponts conduisant à de petites îles où
se dressaient des pavillons sculptés et peints avec la
plus grande fantaisie. D'énormes rochers aux formes
capricieuses, provenant des provinces du Sud et du
Nord-Ouest, ornaient les jardins. On y trouvait de vieux
arbres noueux, entourés de soins minutieux et révérés
à l'égal d'êtres humains, au point qu'ils portaient parfois
le titre de duc ou de roi. La salle du Grand Éclat abritait
un Bouddha de belle taille qu'on appelait le Bouddha
de jade, bien qu'il ne fût pas en jade, mais taillé avec une

habileté infinie dans une pierre transparente du Tibet. L'ancêtre Ch'ien Lung aimait ces palais marins auxquels il donna les noms de : palais des Eaux cristallines, Véranda des Fraîches Orchidées, et Palais de la Neige joyeuse.

Les palais marins étaient riches de légendes que l'impératrice douairière connaissait toutes grâce à ses lectures. Sa retraite préférée était le Pavillon des Pensées Domestiques, offert par Ch'ien Lung à sa favorite, la concubine parfumée, épouse du prince de Kashgaria, dans le Turkestan. Ch'ien Lung convoitait cette beauté qu'il voulait sienne. Il livra bataille au prince de Kashgaria, qui fut vaincu et se suicida. La princesse sans défense revint, comme butin de guerre, à l'empereur de Chine vainqueur. Elle refusa de se donner à lui, fidèle au souvenir de son mari; mais Ch'ien Lung préférait à la violence le subtil plaisir de la conquête. C'est pourquoi il construisit pour elle ce pavillon d'où elle pouvait contempler son pays perdu, et il lui fit patiemment la cour, en dépit des conseils de sa mère, qu'irritait la résistance de la belle princesse.

Un jour d'hiver, alors que l'empereur se trouvait occupé à ses devoirs religieux, sa mère, l'impératrice douairière, convoqua la concubine parfumée et la somma de choisir entre l'empereur et la mort. La princesse préféra la mort, et l'impératrice douairière la conduisit dans une salle écartée, où la belle se pendit avec une corde de soie. Son eunuque fidèle se hâta de renseigner l'empereur, qui oublia ses devoirs religieux pour accourir au palais, mais il arriva trop tard : sa bien-aimée lui avait échappé pour toujours. Telle était la légende.

L'impératrice douairière s'installa au palais de la

Compassion, proche de la Mer moyenne. Elle en aimait particulièrement les jardins de rocailles, les étangs et les plates-bandes fleuries. Elle ne s'autorisait aucune des réjouissances qui se déroulaient autrefois au palais d'été, où ses dames d'honneur et elle se costumaient fréquemment en déesses et en fées; mais, pour la première fois depuis la mort de l'empereur, elle fit représenter des pièces de théâtre sérieuses à portée philosophique.

C'est dans ce théâtre de verdure qu'un jour, sentant mûrir ses plans secrets, l'impératrice douairière convoqua Jung Lu. Elle ne prenait jamais deux décisions consécutives concernant la même affaire, afin que nul ne pût deviner ses intentions secrètes. C'est pourquoi elle laissa passer deux mois entre le jour où elle adopta la fille du prince Kung et celui où elle convoqua Jung Lu dans sa loge. On aurait pu croire qu'elle appelait Jung Lu pour obéir à un caprice, mais cette femme avisée ne se permettait pas de caprices.

Elle regardait le jeu des acteurs, tous eunuques. Aucune femme, en effet, ne pouvait monter sur la scène depuis le temps de l'ancêtre Ch'ien Lung, dont la propre mère avait été actrice et qui, pour l'honorer, défendit qu'une autre femme suivît la même voie. On jouait *L'orphelin du Clan de Ch'ao,* pièce que l'impératrice connaissait bien. Pour ne pas blesser les acteurs, elle simulait l'attention, tout en mangeant des bonbons, mais son esprit poursuivait ses propres pensées. Pourquoi ne pas convoquer Jung Lu ici, en présence de toute l'assemblée, pour lui faire connaître sa décision? Avant de lui accorder publiquement le titre de conseiller privé, elle voulait savoir s'il l'accepterait.

Elle fit signe à Li Lien-ying : « Ordonne à mon cousin de se présenter devant moi. » Il la salua avec un sourire et s'en alla en faisant craquer ses phalanges. L'impératrice douairière parut s'absorber totalement dans le spectacle. Ses dames d'honneur l'entouraient, attentives au moindre de ses gestes. C'est pourquoi Lady Mei, sentant sur elle le regard de sa souveraine, se hâta de se lever et de s'incliner devant elle.

« Penche-toi vers moi », lui ordonna l'impératrice, et elle lui parla à l'oreille sans que personne d'autre entendît ses paroles, tandis que les acteurs chantaient sur la scène.

« Je n'ai pas oublié la promesse que je t'ai faite, mon enfant, aujourd'hui même je vais la tenir. » Lady Mei baissa la tête pour cacher sa rougeur.

L'impératrice sourit : « Je vois que tu as bonne mémoire.

— Comment pourrais-je oublier une promesse de Votre Majesté ! ·

— Voilà qui est joliment dit, mon enfant ! eh bien, tu vas voir... »

Jung Lu se dirigeait vers la loge impériale. Le soleil baignait sa haute silhouette et sa tête fièrement dressée. Il portait l'uniforme de deuil bleu foncé, et son sabre pendait à son ceinturon, dans un fourreau d'argent étincelant. D'un pas ferme, il approcha du dais et salua. L'impératrice douairière inclina la tête et lui fit signe de s'asseoir près de son trône. Il hésita, mais s'assit.

Elle feignit de ne pas s'occuper de lui pendant un moment. L'étoile de la troupe s'avança sur la scène pour chanter une tirade célèbre, et Tzu-Hsi ne la quitta pas des yeux. Sans bouger la tête, elle se mit soudain à parler :

« Mon cousin, voici longtemps que je prépare une récompense pour le service que tu as rendu au jeune empereur et à sa mère.

— Majesté, je n'ai rien fait de plus que mon devoir.

— Tu sais que tu nous as sauvé la vie.

— C'était mon devoir, répéta-t-il.

— Crois-tu donc que j'ai oublié ? Je n'oublie jamais rien. Je te récompenserai, que tu le veuilles ou non ; et j'exige que tu prennes le poste laissé libre par le traître Su Shun.

— Majesté..., commença-t-il, impétueux, mais elle leva la main pour lui imposer silence.

— Tu dois accepter. J'ai besoin de ta présence. En qui puis-je avoir confiance ? Certes, le prince Kung m'est dévoué... Je sais que tu le penses. Oui, j'ai confiance en lui. Mais il n'y a pas d'amour entre nous.

— Il ne faut pas parler ainsi », murmura-t-il.

Sur la scène, la voix des acteurs s'élevait plus forte, les tambours battaient, et les dames de l'assistance criaient des bravos en jetant sur la scène des fleurs et des bonbons.

« Je t'aime toujours », dit Tzu-Hsi.

Il ne tourna pas la tête.

« Tu sais que tu m'aimes aussi ! »

Il se taisait.

Les yeux de Tzu-Hsi quittèrent la scène pour se poser sur Jung Lu.

« N'est-ce pas ? »

Il gardait le regard fixé sur la scène, mais il lui répondit : « Je ne veux pas causer votre chute, maintenant que vous voilà parvenue si haut. »

Elle sourit et reporta sur les acteurs ses grands yeux brillants. « Quand tu seras grand conseiller, je pourrai te convoquer aussi souvent que je voudrai, car tu partageras avec moi le fardeau des affaires de l'Empire. Les régents s'appuient toujours sur les princes, les grands conseillers et les ministres.

— Je n'obéirai point à de telles convocations si ce n'est en présence d'autres conseillers.

— Tu obéiras !

« — Pour ternir votre réputation ?

— Je sauvegarderai ma réputation, car tu épouseras une femme de mon choix. Si tu as une épouse jeune et belle, qui pourra médire ?

— Je ne me marierai pas ! » Il serrait les dents et parlait d'une voix sifflante.

Sur la scène, la vedette vint saluer et retourna s'asseoir. On lui apporta un bol de thé. L'acteur enleva son casque pesant et se passa un mouchoir de soie sur le visage. Dans le petit théâtre, des eunuques présentaient aux spectateurs des linges trempés dans l'eau chaude parfumée et essorés. L'eunuque Li Lien-ying apporta, sur un plat d'or, à l'impératrice douairière une serviette chaude parfumée. Elle en effleura délicatement ses tempes et ses paumes ; l'eunuque parti, elle reprit à voix basse :

« Je t'ordonne d'épouser Lady Mei. Non, tu ne parleras pas. C'est la femme la plus douce et la plus pure de la cour et elle t'aime.

— Pouvez-vous imposer des ordres à mon cœur ?

— Tu n'as pas besoin de l'aimer, trancha-t-elle, cruelle.

— Si elle a les qualités que vous dites, je lui ferai du tort, ce qui est contre ma nature.

— Et si elle sait que tu ne l'aimes pas et veut quand même t'épouser ? »

Il réfléchit un moment. Sur la scène, un jeune acteur débutant s'évertuait à chanter tandis que les eunuques circulaient parmi l'auditoire avec des plateaux de sucreries. Nul n'écoutait l'acteur inconnu, et tous les yeux se dirigeaient vers l'impératrice douairière. Elle sentit ces regards sur elle et comprit qu'il fallait renvoyer Jung Lu.

Les dents serrées, elle décréta : « Tu ne me désobéiras pas. Tu accepteras ce mariage, et le même jour tu prendras place parmi les conseillers. Et maintenant retire-toi ! »

Il se leva et salua profondément. Par son silence, il donnait son consentement. Elle inclina la tête, puis la releva d'un geste gracieux et parut s'absorber dans le spectacle.

Dans la solitude de la nuit, elle revécut la scène. Elle ne se rappelait même pas quelles pièces avaient jouées les acteurs après le départ de Jung Lu. Elle était restée à sa place, l'éventail à la main, posant sur la scène un regard qui ne voyait rien, envahie d'une souffrance aiguë. Elle n'aimait qu'un seul homme et elle l'aimerait jusqu'à la mort. C'était lui l'amant qu'elle désirait, le mari qu'elle se refusait.

Tandis que son esprit voletait çà et là comme un oiseau en cage qui se heurte aux barreaux, elle pensait à la reine d'Angleterre, dont le prince Kung lui avait parlé. Ah ! l'heureuse reine qui avait pu épouser l'homme qu'elle aimait ! Mais Victoria n'était pas une concubine, ni la veuve d'un empereur. Le trône lui revenait de droit, et elle pouvait y faire accéder l'homme de son choix. Mais aucune femme ne recevait en héritage le trône du Dragon : elle devait le conquérir.

Voilà pourquoi, pensa l'impératrice douairière, je suis bien plus forte que la reine anglaise. Moi, je me suis emparée de mon trône !

Mais la force sied-elle aux femmes ? Elle restait étendue dans son vaste lit, sans pouvoir dormir. Le gong du veilleur de nuit résonna deux fois : deux heures après minuit. Elle restait immobile, le corps douloureux, le souffle court. Pourquoi n'était-elle pas entièrement femme ? Pourquoi ne pouvait-elle se contenter d'épouser l'homme qu'elle aimait et abandonner le trône ? Pour-

quoi l'ambition la dévorait-elle? En quoi le destin de
la dynastie la concernait-il?

Elle se vit enfin telle qu'elle était : féminine dans
ses désirs et ses aspirations secrètes, mais virile dans
sa soif de puissance. Grandeur et autorité lui étaient
absolument nécessaires. Mais son amour pour son fils
était-il au moins purement féminin? Clairvoyante et
impitoyable, elle se répondit à elle-même : certes les
liens du sang unissaient la mère et le fils, mais il s'y
ajoutait un autre lien : il était l'empereur et elle l'impératrice douairière. Les joies de la féminité ne lui suffisaient donc pas. Oh! quelle malédiction de naître
avec un tel cœur et un tel cerveau! Elle se retourna
sur son oreiller et pleura sur elle-même. Je ne sais
pas aimer, pensa-t-elle. Je ne sais pas aimer suffisamment
pour me permettre de céder à l'amour. Et pourquoi?
Parce que je me connais trop bien. Si je devais me limiter
à l'amour, mon cœur se dessécherait et, après lui avoir
tout donné, je n'aurais plus que haine pour celui
que j'aime!

Le gong résonna de nouveau et la voix du veilleur
cria : « Trois heures passé minuit! »

Elle réfléchit encore à l'amour, pleurant quand ses
pensées devenaient trop tristes. Si, une fois que Jung Lu
aurait épousé Lady Mei, elle pouvait le persuader de
la rencontrer dans une chambre secrète du palais...
Son eunuque monterait la garde, elle le paierait généreusement et, si sa loyauté était sujette à caution, un
mot d'elle suffirait à lui planter un poignard dans
le cœur. Si quelques rares fois, dans sa vie entière, elle
pouvait rencontrer, comme une simple femme, l'homme
qu'elle aimait, alors elle serait vraiment heureuse,
car, à défaut de tout, elle posséderait du moins un
trésor durable. Ne régnait-elle pas sur son cœur? Oui,
mais pour combien de temps? Tandis qu'elle serait sur

son trône, une femme dormirait aux côtés de Jung Lu.
Il n'était au fond qu'un homme; se rappellerait-il
toujours que son cœur appartenait à l'impératrice et
non pas à la femme qu'il tenait dans ses bras?

Des larmes de soudaine jalousie lui brûlèrent les
paupières. Elle se redressa dans son lit, rejeta son
édredon de soie et posa son front sur ses genoux repliés,
pour sangloter en silence.

Le gong résonna encore et la voix du veilleur cria :
« Quatre heures passé minuit! »

Épuisée par les sanglots, elle se recoucha. Elle ne
pouvait rien changer à ce qu'elle était : une femme,
mais pas une femme ordinaire. Une femme dont le
génie causerait la perte. De nouveau, les larmes lui
montèrent aux yeux.

Mais, tout à coup, elle sentit sourdre en elle une
énergie nouvelle. Sa perte? Si elle se laissait dominer
par son amour et sa jalousie, c'est que son cœur n'était
plus à la mesure de son caractère!

« Pourtant je suis forte », murmura-t-elle. Eh bien, sa
force même la soutiendrait! Ses larmes séchèrent et
elle reprit son habituelle confiance en soi. Elle fit un
bilan de ses pensées et en écarta la lie. Sottise, folie,
vaine présomption que d'imaginer une chambre secrète
dans un palais désert! Jamais il n'accepterait... Si pour
lui elle n'abandonnait pas tout, il refuserait par fierté
de l'aimer en secret. Oui, il avait accepté une fois, mais
une fois seulement, en ce jour lointain... Il était encore
si jeune et intact. Eh bien, elle l'avait eu cette primeur,
elle en garderait le souvenir dans les replis de sa mémoire.
Il ne céderait pas une deuxième fois.

Elle connut brusquement une pensée si nouvelle
qu'elle en fut stupéfaite. A supposer qu'elle ne pût
pas aimer suffisamment un homme pour abandonner
tout et le suivre, ne lui offrait-elle pas, cependant, un

don incomparable en se laissant aimer totalement et servir par amour ?

Il se peut que mon amour trouve toute sa valeur, pensa-t-elle, si j'accepte qu'il m'aime et que je trouve refuge dans cette fidélité. Après cette découverte, une paix étrange l'envahit tout entière et son cœur agité se calma.

De nouveau le gong résonna, et le veilleur psalmodia : « C'est l'aube, tout est bien ! »

Elle fixa une date très proche pour le mariage. Plus tôt l'irrévocable serait accompli, mieux cela vaudrait ! Un problème se posait : Lady Mei n'avait pas de famille, et il lui fallait un autre domicile de jeune fille que le palais impérial.

L'impératrice douairière fit venir le chef des eunuques. Celui-ci, dans ses appartements, absorbait avec délices son repas de onze heures. Il se consolait de la mort de son souverain dans les plaisirs de la table.

L'impératrice douairière leva les yeux de son livre, quand il se présenta devant elle, et lui dit avec dégoût :

« An Teh-hai ! Comment oses-tu te laisser aller ainsi ? Tu grossis tous les jours ! »

Il essaya de prendre un air triste : « Vénérable, je suis une outre pleine d'eau : qu'on me pique, et il en sortira du liquide. Ce n'est pas de la graisse, Majesté, je suis malade. » Elle l'écouta avec l'air sévère qu'elle prenait pour réprimander ses inférieurs. Aucun détail ne lui échappait et, malgré les préoccupations de son esprit et de son cœur, elle savait accorder son attention aux moindres petites choses.

« Je sais que tu te laisses aller à trop boire et trop manger, affirma-t-elle. Et puis tu t'enrichis. Prends

garde de ne pas devenir trop riche. Et n'oublie pas
que j'ai l'œil sur toi. »

Le chef des eunuques répondit humblement :
« Majesté, nous savons que vous voyez tout. »

Elle continuait à fixer sur lui le regard sévère de ses
grands yeux brûlants. Les convenances interdisaient à
An Teh-hai de lever les yeux sur sa souveraine, mais il
sentait son regard sur lui et il se mit à transpirer. Alors,
elle sourit.

« Tu es trop beau pour te laisser envahir par la graisse,
reprit-elle, tu ne pourras plus jouer les rôles de jeune
premier au théâtre si tu n'arrives pas à fermer ta
ceinture ! » Il rit. Il aimait en effet jouer ce genre de
rôle.

« Majesté, promit-il, je vais me rationner pour vous
faire plaisir. »

Mise de bonne humeur, elle reprit : « Je ne t'ai pas
appelé ici pour parler de toi, mais pour t'ordonner de
t'occuper du mariage de Lady Mei avec Jung Lu, le
commandant de la garde. Tu sais qu'il doit l'épouser ?

— Oui, Majesté. »

Il savait tout ce qui se passait dans l'enceinte du
palais. De Li Lien-ying au dernier des eunuques et à
la plus jeune des servantes, tous lui rapportaient ce
qu'ils savaient. L'impératrice douairière ne l'ignorait
pas.

« Cette jeune fille n'a pas de parents, il faut donc
que tu lui tiennes lieu de famille. Mais, en tant que régente, je représente aussi le jeune empereur et il ne serait
pas séant de lui octroyer des prérogatives de princesse en
me rendant à son mariage. C'est donc toi qui l'em-
mèneras dans la maison de mon neveu, le duc de Hui.
Qu'elle soit escortée avec tous les honneurs possibles.
C'est dans cette maison que mon cousin la recevra.

— Majesté, quel jour avez-vous fixé ?

— Demain, tu l'escorteras chez le duc. Aujourd'hui même, tu iras avertir mon neveu de préparer sa maison. Il a deux vieilles tantes qui représenteront les compagnes du côté maternel. Ensuite, tu iras chez le commandant pour lui annoncer que j'ai fixé à après-demain la date du mariage. La cérémonie terminée, tu viendras m'en rendre compte. Ne me dérange pas avant que tout soit accompli.

— Majesté, je suis votre serviteur. » Il s'inclina et se retira. Mais, déjà replongée dans sa lecture, elle ne leva pas la tête.

Pendant les deux jours qui suivirent, elle sembla uniquement absorbée par ses livres. Tard dans la nuit, alors que les eunuques remplaçaient les bougies en bâillant derrière leur manche, elle lisait lentement, avec attention. Décidée à tout savoir, elle choisissait des ouvrages qui traitaient de sujets inconnus pour elle non seulement par soif de connaissances, mais aussi par besoin d'en savoir plus que tout son entourage. C'est ainsi que, pendant les deux jours où se déroulaient les cérémonies du mariage ordonnées par elle, l'impératrice étouffait son imagination en étudiant un traité de médecine légale.

Elle apprit que le corps humain est fait de trois cent soixante-cinq os, nombre égal à celui des jours de l'année solaire ; les hommes ont douze côtes de chaque côté, huit longues et quatre courtes, alors que les femmes en possèdent quatorze. Elle apprit que si des parents et leurs enfants, ou un mari et sa femme, laissent couler leur sang dans un récipient, le mélange se fait intégralement, mais que le sang de deux personnes étrangères l'une à l'autre ne se mêle jamais. Elle apprit aussi les secrets des poisons.

Pendant deux jours, elle ne quitta la bibliothèque impériale que pour dormir et se nourrir. Le matin du troisième jour, l'eunuque Li Lien-ying s'annonça de loin par une toux. Elle leva la tête et demanda :

« Que veux-tu ?

— Majesté, le chef des eunuques est de retour. »

Elle ferma son livre et prit son mouchoir de soie, retenu à son épaule par un bouton de jade.

« Qu'il approche ! »

Le chef des eunuques s'approcha et salua.

« Tiens-toi derrière moi pour me dire ce que tu as à me dire. »

Il se posta derrière elle. Elle l'écouta, contemplant par les portes ouvertes la grande cour où les chrysanthèmes flamboyaient, écarlates et or, sous le brillant soleil de ce jour d'automne.

« Majesté, tout a été accompli selon les usages et avec beaucoup de décorum. Le commandant a envoyé la chaise à porteurs nuptiale au palais du duc de Hui et les porteurs se sont retirés. Les deux tantes âgées du duc, obéissant aux ordres de Votre Majesté, ont accompagné l'épousée, l'ont installée dans la chaise à porteurs et en ont fermé la porte à clef, après avoir tiré le rideau. Les porteurs sont revenus et ils se sont rendus au palais du commandant ; les deux dames âgées suivaient dans une autre chaise à porteurs. Au palais du commandant, deux autres dames âgées, cousines du père du commandant, sont venues à la rencontre du cortège nuptial, et les quatre dames ont accompagné l'épousée dans le palais. Le commandant l'y attendait, entouré des parents de sa propre génération, son père et sa mère étant défunts.

— N'a-t-on pas mis de la poudre de riz sur le visage de l'épousée ? »

Le chef des eunuques se hâta de répondre : « Si, Majesté ; on a couvert l'épousée de son voile virginal de soie rouge, on l'a fait passer au-dessus d'une selle, ainsi que l'exige le rite — c'était la selle mongole que le commandant a héritée de ses ancêtres —, ensuite elle a enjambé des tisons de charbons de bois, et enfin elle est entrée au palais, entourée des dames âgées. Là, un chanteur de noces a fait agenouiller le couple pour rendre grâces au Ciel et à la Terre. Pour finir, les dames âgées ont accompagné les époux dans la chambre nuptiale pour les faire asseoir ensemble sur le lit.

— A qui appartenait la robe du dessus ?

— Au commandant, répondit le chef des eunuques avec un rire. C'est lui, Majesté, qui gouvernera dans sa maison.

— Je le sais bien ! Il a toujours été obstiné. Continue !

— On a donné au couple deux bols de vin chaud couverts de satin rouge ; ils ont bu, échangé leurs bols, et ont bu de nouveau. Ensuite, ils ont mangé des gâteaux de riz. Après quoi tout le monde s'est installé pour le repas de noce.

— Était-ce un grand festin ?

— Juste ce qui convenait, répondit prudemment le chef des eunuques. Ni trop ni trop peu.

— Et naturellement ils ont terminé avec des beignets et du bouillon de poule, symbole de longue vie. »

Le chef des eunuques attendait la question qui ne manquerait pas de venir, la plus importante, celle qui se posait dans tout le pays, au lendemain des mariages. Elle vint après une longue pause.

« Le mariage a-t-il été... consommé ? » L'impératrice parlait d'une voix menue et changée.

« Oui. Je suis resté toute la nuit et, à l'aube, la servante de l'épousée est venue se rendre compte. A minuit, le commandant a soulevé le voile nuptial avec un couteau de fléau de balance, selon les rites. La servante s'est retirée et, une heure avant l'aube, les cousines âgées lui ont remis le drap taché. L'épousée était vierge. »

L'impératrice douairière gardait le silence. Le chef des eunuques toussa pour indiquer qu'il attendait. Elle tressaillit, comme si elle avait oublié.

« Va, lui dit-elle, tu as fait ce qu'il fallait. Je te récompenserai demain.

— Majesté, vous êtes trop bonne. »

Elle resta immobile, le regard fixé sur les fleurs baignées de soleil. Un papillon s'attardait en frémissant sur un pétale cramoisi : ses ailes étaient d'un jaune impérial. Un présage ? Elle le demanderait au Conseil des Astrologues ; ce ne pouvait être qu'un bon présage pour paraître au moment où son cœur se brisait. Mais elle refusait de se laisser aller. Elle souffrait, mais d'une blessure qu'elle s'était infligée.

Elle se leva, referma son livre et, suivie de loin par ses fidèles eunuques, elle retourna dans son palais.

A partir de ce jour, l'impératrice douairière n'agit, ne pensa et ne travailla plus que pour son fils. Il était sa consolation et sa guérison. La nuit, quand elle ne pouvait dormir et que son imagination la tourmentait dans sa solitude, elle se levait et se rendait au chevet de son petit garçon. Elle profitait de toutes les occasions pour le prendre dans ses bras et l'endormir sur sa poitrine.

Il était fort et beau, avec une peau si blanche que les dames d'honneur s'exclamaient toujours : « Quel dommage que ce ne soit pas une fille ! » Il possédait plus que la beauté, l'impératrice décelait déjà en lui une intelligence brillante et très ouverte. Lorsqu'il eut quatre ans, elle lui choisit des précepteurs et, à cinq ans, il savait déjà lire non seulement le mandchou, sa langue maternelle, mais aussi le chinois. Il tenait le pinceau en artiste, et son écriture enfantine révélait une fermeté et même une hardiesse qui un jour feraient de lui un calligraphe de classe. Il possédait une mémoire prodigieuse, et il lui suffisait d'entendre lire une page pour la savoir par cœur. Toutefois, sa mère défendait aux précepteurs de lui faire trop de compliments, de peur de le gâter.

« Je vous interdis de le comparer aux autres enfants, disait-elle. Il ne faut juger ses résultats que d'après ses propres possibilités. Dites-lui que son ancêtre Ch'ien Lung le surpassait de beaucoup au même âge. »

Malgré ses recommandations, elle inculquait à l'enfant un immense orgueil. Aucun de ses professeurs n'avait le droit de s'asseoir devant lui. S'il lui arrivait d'éprouver de l'antipathie pour l'un d'entre eux, elle le renvoyait aussitôt, sans qu'il lui fût permis de se plaindre.

« C'est la volonté de l'empereur », se contentait de dire Tzu-Hsi.

Elle aurait gâté une nature moins généreuse, mais rien n'altérait cet être de génie. Il acceptait son rang comme une chose naturelle et il savait se montrer compatissant. Qu'un eunuque reçût le fouet pour avoir commis quelque faute, que l'impératrice tirât les oreilles à l'une de ses servantes coupable d'une sottise, le petit empereur éclatait en sanglots, ou réclamait la grâce du coupable.

A ces moments-là, Tzu-Hsi se demandait s'il posséderait la force nécessaire pour gouverner un peuple aussi immense, mais elle se rassurait lorsqu'elle le voyait, en certaines occasions, manifester une colère véritablement impériale. Elle avait même dû intervenir un jour en faveur de l'eunuque Li Lien-ying, objet du courroux de Sa Majesté. L'empereur lui avait ordonné de lui acheter une boîte à musique au magasin de jouets étrangers. L'eunuque en avait référé à l'impératrice douairière, comme il se devait, mais celle-ci s'était opposée à ce désir :

« Je ne veux pas de jouets étrangers pour mon fils. Mais, comme il ne faut pas le contrarier, tu iras au marché et tu lui rapporteras des tigres et d'autres petits animaux articulés pour l'amuser. Il oubliera la boîte à musique. »

Il obéit et rapporta au petit empereur une corbeille d'animaux articulés, en prétextant qu'il n'avait pas trouvé le magasin étranger.

Le petit empereur comprit le stratagème et se transforma aussitôt en tyran. Il repoussa les jouets, se leva de son trône en miniature et se mit à arpenter sa chambre, les bras croisés sur la poitrine, les yeux agrandis et rendus plus noirs par la colère.

« Jette-les ! Me prends-tu pour un bébé ? Crois-tu que je joue avec ces jouets ? Comment oses-tu, Li Lien-ying, désobéir à ton souverain ? Je te ferai découper en morceaux ! Qu'on m'envoie mes gardes ! »

Et il ordonna le plus sérieusement du monde de faire découper l'eunuque pour insubordination au trône. Nul n'osait lui désobéir. Les gardes hésitaient, indécis, et il fallut l'intervention de l'impératrice douairière pour sauver le condamné.

« Mon fils ! s'écria-t-elle, mon fils, tu ne peux pas ordonner la mort d'un homme ! Pas encore... mon fils !

— Mère, répondit l'enfant d'un air majestueux, ce n'est pas à moi que votre eunuque a désobéi, mais à l'empereur de Chine. »

Elle fut tellement frappée par cette distinction entre sa personne et son rang qu'elle resta sans réponse. Enfin, elle essaya de l'attendrir.

« Mon fils, pense à ce que tu fais ! Cet eunuque,

c'est Li Lien-ying, qui te sert si fidèlement ! As-tu
oublié ? »

Le petit monarque ne cédait pas, décidé à faire mourir
l'eunuque, et l'impératrice douairière dut simplement
interdire l'exécution.

Néanmoins, ce petit incident lui fit comprendre
qu'il fallait un homme pour remplacer le père que
l'enfant n'avait jamais eu.

Sans hésiter, elle envoya chercher Jung Lu, maintenant grand conseiller de par ses ordres. Elle ne l'avait
pas vu en privé depuis son mariage ; aussi, pour dissimuler ses réactions à son regard pénétrant, elle revêtit
sa robe d'apparat et le reçut dans la salle du trône,
entourée de ses dames d'honneur.

Jung Lu entra, non plus en tenue militaire, mais
vêtu en conseiller : robe de satin broché or, chaussures
de velours ; autour du cou, il portait une grande chaîne
enrichie de joyaux, et sur la tête un chapeau orné
d'un bouton de jade rouge. Elle lui avait toujours
connu un aspect royal, mais en le voyant si majestueux
son cœur frémit comme un oiseau dans la main qui
l'emprisonne. Plus que jamais, il lui fallait juguler ce
cœur qui seul connaissait son secret. Elle laissa son
cousin agenouillé devant elle, sans le faire relever,
et lui parla d'une voix presque indifférente, les yeux
las et impérieux.

« Mon fils a maintenant l'âge de monter à cheval
et de tirer à l'arc, dit-elle après les salutations d'usage.
Il me souvient que tu montes bien à cheval et je crois
avoir entendu vanter ton talent de chasseur. Je vais
donc t'imposer une tâche nouvelle : enseigner à mon
fils, l'empereur, à tirer à l'arc.

— Bien, Majesté », répondit-il sans lever les yeux.

« Comme il est fier et impassible ! songea-t-elle. Il
prend sa revanche : jamais il ne me révélera s'il éprouve

pour sa femme de l'amour ou de la haine. Que je suis malheureuse ! »

Impassible extérieurement, elle lui ordonna : « Commence dès demain. Je ne veux pas de retard. Emmène mon fils avec toi au champ de tir à l'arc. Chaque mois, je vérifierai ses progrès et la façon dont tu assumes ta tâche.

— J'obéirai, Majesté. »

A dater de ce jour, après sa matinée de travail avec ses précepteurs, le petit empereur passa ses après-midi avec Jung Lu. Cet homme, taillé en athlète, se donnait une peine infinie pour former le petit garçon, inquiet dès que son élève trop hardi faisait prendre le galop à son cheval arabe noir, mais cachant son inquiétude parce que cet enfant ne devait pas connaître la peur. Il était fier de trouver dans son royal élève un œil sûr et une main ferme qui en faisaient un excellent archer. Lorsque l'impératrice douairière, accompagnée de ses dames d'honneur, venait constater les progrès de l'enfant, avec quelle confiance il faisait parade de son élève ! Elle, voyant se resserrer chaque jour les liens entre l'homme et l'enfant, ne proférait que des louanges modérées : « Mon fils fait des progrès, mais ce n'est que naturel. »

De son cœur assoiffé, elle ne montrait rien. Elle le laissait brûler de souffrance et de joie en voyant les deux êtres qu'elle aimait le plus aussi proches l'un de l'autre qu'un père et son fils.

« Majesté, dit le prince Kung un certain jour, j'ai convoqué à la capitale les deux généraux Tseng Kuo-fan et Li Hung-chang. »

L'impératrice, qui se disposait à se rendre au terrain

de tir — comme elle le faisait maintenant chaque jour —, s'arrêta sur le seuil de sa salle d'audiences privée, entourée de ses dames d'honneur. Le prince Kung était le seul homme à qui elle parlât face à face, tout en n'enfreignant pas les usages puisque des liens de parenté l'unissaient au frère de l'empereur défunt. Cependant, elle fut irritée : il se présentait devant elle sans convocation et elle ne permettait pas à personne de prendre de telles libertés.

Dominant sa colère soudaine, elle se détourna avec sa grâce et sa dignité habituelles pour retourner s'asseoir sur son trône. Elle y prit sa pose d'impératrice. Elle voulait laisser le prince debout et sa colère augmenta lorsque, après son salut, il s'assit sans permission, à la droite du trône. Elle resta muette pour marquer sa froideur. Comme il n'eût pas été séant qu'elle le regardât en face, elle fixait les yeux sur un bouton de jade vert au cou du prince.

Le prince n'attendit même pas qu'elle lui adressât la parole en premier; il exposa aussitôt le but de sa visite :

« Majesté, je n'ai jamais voulu vous importuner avec des affaires d'une importance minime dont je pouvais m'occuper seul. C'est ainsi que j'ai reçu régulièrement les courriers du Sud qui m'apportaient les nouvelles de la guerre contre les rebelles.

— Je suis au courant de cette guerre, constata l'impératrice d'une voix glaciale. N'ai-je pas ordonné, il y a un mois, à Tseng Kuo-fan d'investir la ville de Nankin ?

— Certes, répliqua le prince Kung sans deviner sa colère, mais les rebelles l'ont repoussé. Il y a quinze jours, ils ont annoncé leur intention d'attaquer la ville même de Shanghaï. Les riches marchands de cette ville — aussi bien les Chinois que les Blancs —, inquiets et dénués de confiance en nos soldats, mettent sur pied

leur propre armée pour défendre leur ville. C'est pourquoi j'ai fait venir nos deux généraux pour connaître
leurs plans. »

Pour marquer son déplaisir, elle répondit : « Vous
prenez trop d'initiatives. »

Ce reproche stupéfia le prince Kung. L'impératrice,
toujours gracieuse à son égard, approuvait en général
ses décisions ; dans son ardeur à servir le trône, il avait,
en effet, assumé des responsabilités chaque jour crois-
santes. D'ailleurs, elle n'était malgré tout qu'une femme
et, d'après lui, aucune femme ne pouvait diriger une
guerre aussi sanglante qui ébranlait les fondements
de la nation tout entière. Les rebelles gagnaient du
terrain dans les provinces du Sud, détruisaient les villes
et les bourgs, brûlaient les villages et les moissons,
et les habitants fuyaient en désordre. Les victimes se
comptaient par millions et, après des années de combat,
la troupe impériale restait impuissante devant la rébellion qui s'étalait comme un incendie de forêt. Harcelé
de soucis, le prince Kung avait convoqué les deux généraux Tseng Kuo-fan et Li Hung-chang, et c'est seulement à leur arrivée qu'il s'était demandé si cette
initiative plairait à la fière impératrice douairière.
Il ne voulait pas reconnaître que, dans le fond de son
cœur, il était jaloux de l'importance que l'impératrice
douairière accordait aux conseils de Jung Lu. Il avait
entendu dire que l'opinion de ce dernier primait
aux yeux de Tzu-Hsi et il n'osait pas vérifier cette
rumeur en interrogeant le chef des eunuques, entièrement dévoué à l'impératrice douairière.

« Majesté, dit-il avec un effort d'humilité, si j'ai
dépassé mes attributions, je vous en demande pardon,
mon excuse étant d'avoir agi dans votre intérêt. »

Cette manière trop fière de se justifier lui déplut.
De sa voix la plus froide, elle rétorqua : « Je ne vous

excuse pas. Peu importe, par conséquent, l'excuse que vous vous trouvez à vous-même. »

Stupéfait, il se leva et la salua, son orgueil ne le cédant en rien devant celui de l'impératrice. « Je me retire, Majesté. Veuillez me pardonner d'être venu de ma propre initiative. »

Il sortit, la tête haute. Elle le suivit du regard, pensive. Qu'il s'en aille! Elle pouvait toujours le rappeler. En attendant, elle se renseignerait sur la situation dans le Sud, de façon à accepter ou à refuser ses conseils en pleine connaissance de cause. Elle envoya Li Lien-ying chercher le chef des eunuques qui arriva, les yeux encore lourds de sommeil, cachant ses bâillements.

« Convoque, dès demain, à la salle d'audiences, les deux généraux Tseng et Li, lui dit-elle. Informe le prince Kung et le grand conseiller Jung Lu que leur présence sera indispensable. Invite l'impératrice du palais oriental à venir une heure plus tôt que d'habitude. Nous avons des décisions importantes à prendre. »

Elle se tourna vers Li Lien-ying : « Dis au grand conseiller que je ne me rendrai pas au champ de tir aujourd'hui et recommande-lui de surveiller la nourriture du cheval noir de mon fils, car je crains qu'il ne devienne trop rétif.

— Bien, Majesté », dit l'eunuque en saluant. Il revint quelques minutes plus tard, alors qu'elle réfléchissait toujours aux paroles du prince Kung.

« Qu'y a-t-il encore? Pourquoi me déranges-tu?

— Majesté, le jeune empereur pleure parce que vous n'êtes pas venue voir sa selle neuve; le conseiller vous demande de venir. »

Elle se leva immédiatement, car elle ne pouvait supporter que l'enfant pleurât. Suivie de ses dames d'honneur, elle se dirigea vers le champ de tir où le jeune empereur l'attendait aux côtés de Jung Lu.

Comme son fils était beau et racé! L'impératrice s'arrêta pour le regarder avant qu'il l'aperçût. Il était assis bien droit sur sa selle neuve de cuir fauve, posée sur une couverture de feutre noir brodée de couleurs vives. Sur le grand cheval noir, ses courtes jambes s'écartaient et seul le bout de ses chaussures de velours touchait les éperons d'or. Une ceinture incrustée de joyaux retenait à la taille sa robe écarlate, fendue sur les côtés pour montrer ses pantalons de brocart jaune. Il avait retiré sa coiffure impériale et sa chevelure était séparée en deux nattes bien raides, nouées d'une cordelière de soie rouge. Il parlait à Jung Lu d'une voix claire et joyeuse, et l'amour se lisait sur le visage que ce dernier tournait vers l'enfant. Soudain le petit empereur aperçut sa mère.

« Ma mère! Voyez la selle que Jung Lu m'a donnée! »

Elle dut regarder la selle et s'exclamer sur sa splendeur, et son regard rencontra celui de Jung Lu dans une communion de fierté amusée. Tandis que l'enfant brandissait son fouet, elle dit tout à coup, à voix basse :

« Sais-tu que les deux généraux sont arrivés du Sud?

— Je l'ai entendu dire.

— Ils se proposent de laisser les marchands de Shangaï lever une armée commandée par les étrangers. Qu'en penses-tu?

— La tâche la plus urgente est de juguler la rébellion. Nous faisons deux guerres à la fois : contre les rebelles et contre les étrangers. Entre les deux, nous risquons d'être écrasés. Supprimons d'abord les rebelles; pour cela, tous les moyens seront bons. Ensuite, nous ferons donner toutes nos forces contre les Blancs. »

Elle approuva d'un signe de tête, sans cesser de sourire, comme s'il n'était question que de l'enfant, qui galopait maintenant sur la piste. Jung Lu monta à cheval et le rejoignit, laissant Tzu-Hsi seule avec ses dames d'honneur à une distance respectueuse. Elle contemplait ces deux êtres qu'elle aimait : l'enfant si petit mais si courageux, l'homme grand et vigoureux, tous deux souples et droits sur leur cheval au galop. L'homme gardait le visage tourné vers l'enfant, prêt à lui prodiguer des conseils, ou à le retenir s'il tombait. Mais l'enfant, la tête haute, regardait droit devant lui, tenant les rênes avec une telle maîtrise qu'elle pensa : « Il est né pour être empereur, et c'est mon fils ! » Ils s'arrêtèrent à l'autre extrémité du champ; Tzu-Hsi leur fit un signe d'adieu avec son mouchoir et, suivie de ses dames d'honneur, retourna à son palais.

Dans le petit jour gris et froid du lendemain, les deux impératrices douairières présidaient la séance du grand conseil. A travers le rideau de soie jaune, elles virent sans être vues les conseillers entrer, précédés par le prince Kung, premier de par son rang. Or, c'était le rôle du chef des eunuques d'annoncer chaque conseiller, et le prince Kung lui-même devait attendre son appel; mais ce jour-là il s'en dispensa, et Li Lien-ying se pencha pour murmurer à l'oreille de l'impératrice douairière :

« Majesté, je me permets de vous faire remarquer, non par indiscrétion, mais par souci de votre dignité, que le prince Kung est entré sans attendre l'appel de son nom. »

Cet eunuque percevait si bien les moindres variations d'humeur de sa souveraine qu'il avait flairé la disgrâce du prince Kung.

Malgré l'air impassible de l'impératrice, il savait qu'elle l'avait entendu. En fait, elle avait déjà gravé dans sa mémoire impitoyable cette seconde faute de la part du prince. Comme elle était trop avisée pour agir précipitamment, elle attendait de plus amples informations. Se pouvait-il qu'il fût son ennemi ? Elle n'accordait une confiance complète qu'à Jung Lu, et celui-ci était maintenant l'époux d'une autre.

Elle repoussa aussitôt de telles pensées. Il lui fallait toujours craindre les intrigues et les complots. Le prince Kung vivait hors de la Ville interdite, libre d'aller et venir comme il lui plaisait, alors qu'elle devait rester enfermée dans son palais. Ne pouvait-il pas comploter derrière son dos ? Sa parole exceptée, quelle garantie possédait-elle de son honneur ? Elle soupira, reprise par la tragédie de sa solitude. Mais cela aussi il fallait l'accepter : c'était son destin.

A côté d'elle, Sakota se laissait aller à ses rêveries, sans prêter aucune attention à la séance. Elle détestait se lever à l'aube et, à demi assoupie, n'attendait que le moment de retourner se coucher. Devant le grand conseil au complet, après s'être agenouillé au pied du trône du Dragon, le front contre le sol, le prince Kung commença la lecture du rapport qu'il tenait à la main. Il lisait d'une belle voix grave et sonore, en détachant chaque parole, comme s'il égrenait des pierres précieuses sur une chaîne d'or.

Derrière son rideau de soie, l'impératrice douairière se mordit les lèvres. Elle n'était pas contente que ce fût le prince Kung qui lût le rapport. D'une voix claire et ferme, elle ordonna :

« Nous voulons entendre ce que les deux généraux eux-mêmes veulent déclarer devant le trône du Dragon. »

Ainsi rabroué, le prince Kung ne put qu'enjoindre au général Tseng de se prosterner devant le trône du Dragon.

Quoique le premier par l'âge, le général Tseng se récusa : « Je demande à ce que mon frère d'armes, le général Li Hung-chang, parle en notre nom à tous deux, car c'est lui le gouverneur de la province de Kiangsu et son quartier général se trouve dans la ville de Shanghaï. Bien qu'âgé de trente-neuf ans à peine, Li Hung-chang est le plus brillant de mes jeunes généraux, et j'ose le recommander au trône du Dragon. »

Le prince Kung prit de nouveau l'initiative, sans attendre l'ordre de l'impératrice, et dit :

« Que Li Hung-chang s'avance ! »

Derrière son rideau, l'impératrice douairière sentait croître sa colère. Toutefois elle se dominait en attendant que les affaires publiques fussent réglées. Li Hung-chang s'avança et, prosterné au pied du trône du Dragon vide, il exposa la situation.

L'impératrice douairière écouta son rapport avec la plus grande attention. Elle ne voyait pas très bien Li Hung-chang à travers son rideau, mais elle entendait sa voix claire, précise et grave, et appréciait son vocabulaire simple et le choix judicieux de ses mots. Cet homme lui serait sans doute utile ; elle en prit note mentalement. Toutefois, elle ne dit rien, tant l'irritait l'intervention du prince Kung.

Après un silence, elle posa une question, et sa voix, qui s'éleva soudain derrière le rideau jaune, fit tressaillir les deux hommes. « Quelle décision prendrezvous au sujet de ces mercenaires que les étrangers ont rassemblés pour défendre Shanghaï ?

— Majesté, répondit Li, les soldats sont bien entraînés et, malgré leur arrogance, nous ne pouvons pas nous permettre de refuser leur aide. Je me propose d'offrir le commandement de cette armée à l'Anglais nommé Gordon.

— Qui d'entre vous connaît ce Gordon ? » demanda l'impératrice.

Le prince Kung s'inclina devant le trône. « Majesté, le hasard m'a fait le rencontrer.

— Quel hasard ? » Tous devinèrent son mécontentement dans sa voix glaciale, sauf le prince Kung qui répliqua : « Majesté, lorsque les envahisseurs ont détruit le palais de Yüan Ming Yüan, je me suis rendu en toute hâte sur place pour voir s'il existait un moyen de sauver le trésor national. Hélas ! les flammes montaient déjà jusqu'au ciel et aucun homme ne pouvait plus rien. Tandis que je me tenais là, écrasé de désespoir, je vis à côté de moi un homme grand et pâle, en uniforme d'officier anglais, qui s'appuyait sur une canne de bambou. J'observai son visage et je vis, à ma grande stupéfaction, que lui aussi éprouvait de la peine. Lorsqu'il m'aperçut, il s'approcha et, dans un chinois très correct, il me confia sa honte de voir ses compatriotes et les autres européens piller et détruire nos trésors. Les miroirs, les horloges, les montres, les paravents sculptés, les écrans d'ivoire et de corail, les monceaux de soieries, les trésors des réserves...

— Silence ! » La voix de l'impératrice sembla s'étrangler à demi derrière le rideau de soie jaune.

« Majesté, insista le prince Kung, j'ai vu un soldat français acquérir d'un pillard, pour une poignée de menue monnaie, un collier de perles impériales qu'il a revendu le lendemain pour des milliers de dollars d'argent. Des ornements d'or ont été fondus comme du cuivre et les plaques qui garnissaient la salle du trône...

— Silence ! »

Le prince Kung, trop fier pour céder, persista dans ses explications.

« Majesté, je réclame le droit de parler. Alors j'ai demandé à Gordon : « Ne pouvez-vous retenir vos « soldats ? » Il m'a répondu : « Pourquoi votre empereur « a-t-il autorisé son général à torturer et à mettre à « mort quatorze de nos officiers et de nos hommes.

« envoyés avec confiance sous la protection du drapeau
« de la trêve? » Majesté, qu'avais-je à répondre?

— Taisez-vous! » cria l'impératrice, exaspérée, car
elle devinait le sens des paroles du prince : il osait
lui reprocher publiquement sa décision d'envoyer le
prince Seng, le général mongol, tendre une embuscade
aux délégués étrangers. Elle se mordit les lèvres et
garda le silence pendant une minute entière. Le prince
Kung s'inclina devant le trône et retourna à sa place.
Tous attendaient la voix qui donnerait ses ordres
derrière le rideau jaune.

« Nous accordons la permission à cet Anglais de nous
servir », proféra enfin l'impératrice d'une voix calme
et résolue. Elle fit une pause et conclut : « Il nous
faut, je le vois, accepter même les services de l'ennemi. »

Sur ces mots, elle suspendit l'audience.

Revenue dans son palais, elle resta immobile, à réfléchir, pendant des heures, sans que nul osât la déranger.
Elle trouvait inquiétant que le prince Kung, en qui elle
avait mis sa confiance, pût présumer de son rang.
Était-ce l'annonce du déclin de la puissance impériale?
Elle passa en revue dans sa mémoire les événements de
l'année précédente, y cherchant tous les signes et
présages bons et mauvais. Alors elle se rappela que, le
vingt-sixième jour du quatrième mois solaire, une
étrange tempête de sable avait ravagé la région. Si
bien qu'en plein après-midi le ciel était devenu noir,
tandis que des bourrasques poussaient sur la ville
d'épaisses colonnes de sable. Le canal entre Pékin et
Tien-Tsin — soixante-quinze kilomètres de long, six
mètres de large et trois mètres de profondeur — avait
été comblé par le sable, au point que les bateaux reposaient sur de véritables dunes. Cet orage avait duré
seize heures, et provoqué la perte de nombreux voyageurs : les uns précipités dans les fossés par la force

du vent y étaient morts étouffés, d'autres étaient restés
aveugles ou fous. Au palais, on avait allumé les lampes
dès trois heures de l'après-midi, mais — fait étrange —
entre deux cyclones de sable, le soleil avait brillé dans
le ciel redevenu clair.

La tempête terminée, il avait fallu plusieurs jours
pour nettoyer les amoncellements de sable. Le Conseil
des Astrologues adressa au trône un rapport, précisant
le sens de cette tempête, présage important étant donné
sa conjonction avec les étoiles : on pouvait s'attendre
à une grande lutte à l'intérieur du pays, à un nombre
élevé de victimes, mais un étranger venu de l'ouest —
comme ces bourrasques impétueuses — apporterait la
victoire aux armées impériales.

Le souvenir de ce signe réconforta Tzu-Hsi. Elle avait
pris la bonne décision. La victoire avait été prédite :
de quelle victoire s'agissait-il, sinon de celle qui devait
réduire à néant les rebelles du Sud ? Et ce Gordon
n'était-il pas l'étranger venu de l'ouest ? Elle n'avait
rien à craindre ! Elle agirait de façon que le prince
Kung comprît qu'elle entendait exercer seule la Régence.

Tandis que sa volonté lui rendait de l'assurance, une
pensée la frappa soudain, comme si les nuages s'ouvraient au-dessus d'elle, laissant briller dans un rayon
de soleil l'Œil du Ciel. Elle ferait plus qu'infliger une
rebuffade à un prince imbu de lui-même : le jour même,
elle mettrait son fils sur le trône du Dragon. Il siégerait
en tant qu'empereur, mais c'est elle, derrière le trône,
qui lui soufflerait ses réponses.

Elle se hâta d'autant plus de réaliser son plan que le
chef des eunuques vint, en secret, l'informer d'un événement significatif : le prince Kung s'était récemment
présenté à deux reprises devant Sakota pour lui reprocher sa faiblesse et lui conseiller de ne pas toujours se

plier aux commandements de l'impératrice douairière, sa cousine.

Le chef des eunuques se complaisait dans l'intrigue et il n'omit aucun détail. Malgré son air scandalisé, il savourait ses révélations : « Et alors, Majesté, le prince Kung a dit que, du moment que vous acceptiez quotidiennement les conseils de Jung Lu et que vous lui permettiez d'agir en père vis-à-vis du jeune empereur, oui, le prince a dit qu'à son grand regret il commençait à accorder quelque crédit à une rumeur déjà ancienne...

— Tais-toi ! » L'impératrice se leva dans un envol de robes, et le chef des eunuques n'eut plus qu'à disparaître devant la fureur qu'exprimaient ses grands yeux noirs. Il se retira, satisfait de la graine de discorde semée dans la vive imagination de l'impératrice.

Celle-ci se rendit aussitôt chez sa cousine Sakota et, d'une voix aimable, commença par lui parler de choses et d'autres sans épargner les flatteries. Tout à coup, changeant de voix et d'attitude, elle dit :

« Ma sœur, le véritable but de ma visite, le voici : je réclame ton aide pour abaisser le prince Kung à qui l'orgueil fait oublier sa place. Il perd toute mesure et veut diminuer notre pouvoir. Je ne parle que pour toi et non pour moi. »

Elle sentit tout de suite que sa corégente la comprenait. Quelque chose de son enfance subsistait dans ce corps décharné et dans ce visage maladif, soudain empourpré.

« Je vois que tu partages mon sentiment, dit l'impératrice. Tu as sûrement remarqué que le prince a pris la parole avant moi lors de la dernière audience. D'autres détails me reviennent à l'esprit, au fur et à mesure que j'y réfléchis. Il est même entré dans la salle du trône sans attendre que le chef des eunuques l'annonce. »

L'impératrice du palais oriental essaya faiblement

de défendre le prince Kung : « Il a donné la preuve de sa fidélité.

— S'il croit qu'il m'a sauvé la vie, rétorqua l'impératrice douairière, est-ce une raison pour se permettre de telles libertés ?

— Mais ne t'a-t-il pas réellement sauvé la vie ?

— S'il l'a fait, il ne devrait même pas s'en souvenir. » Les lèvres rouges de l'impératrice esquissèrent une moue de mépris. « Un homme à l'esprit large se vante-t-il du devoir accompli ? Après tout, comment m'a-t-il sauvé la vie ? En se rendant à Jehol sur mon ordre ? Je ne le crois pas. » Elle se tut un moment, puis ajouta hardiment : « C'est notre Jung Lu qui a écarté le poignard de l'assassin. »

Tsu-Hsi fit semblant de ne pas remarquer le silence de son interlocutrice et continua, ses grands yeux lançant des éclairs, ses belles mains ébauchant des gestes éloquents : « As-tu remarqué que le prince Kung élève la voix quand il nous parle ? comme si nous étions des femmes stupides ! »

Sakota sourit faiblement. « Je suis stupide, je le reconnais.

— Moi pas ! Ni toi d'ailleurs et je ne veux pas que tu le dises. Et, à supposer que nous le fussions, puisque les hommes trouvent toutes les femmes stupides — bien que cela trahisse leur propre sottise — eh bien, malgré tout le prince Kung est tenu d'agir avec humilité et courtoisie devant les régentes, impératrices de droit et, par là, bien supérieures à des femmes ordinaires. Sœur Aînée, il faut mettre ce prince Kung au pas de peur qu'un jour il n'usurpe la régence et ne nous fasse emprisonner dans une chambre secrète dont nul ne viendra nous retirer. Seules femmes devant tous ces hommes, nous péririons et nul ne le saurait. Sakota, il faut que tu m'aides à agir. »

Tout en prononçant ce nom de leur enfance, elle
fronça les sourcils comme autrefois, et Sakota se hâta
d'approuver.

« Fais comme tu le jugeras bon, ma sœur. »

Ayant extorqué cette timide permission, l'impératrice douairière se leva et se retira après un salut,
observée de loin par les dames d'honneur de Sakota
qui n'avaient pu entendre un mot.

Cette belle femme audacieuse savait attendre son
heure en perfectionnant son plan. Elle attendit donc,
pendant toute une année, la victoire sur les rebelles
du Sud. L'Anglais Gordon ne se hâtait pas d'engager
la bataille. Désireux de ne pas risquer la moindre
défaite, il voulut d'abord étudier le terrain autour de
Shanghaï, afin de mettre toutes les chances de son
côté. Malgré son impatience, l'impératrice douairière
lui laissa rendre son temps. Malheureusement, tandis
que Gordon achevait ses préparatifs, un autre Blanc,
orgueilleux et ambitieux, prit sa place à la tête de cette
armée de deux mille cinq cents mercenaires doublée
d'une brigade impériale de cinq mille hommes. Il
voulut faire le siège de la ville forte de T'aitan, près
de Shanghaï, avec l'intention d'attaquer ensuite Nankin.
Des mandarins chinois lui ayant affirmé que le fossé
entourant la ville était à sec et peu profond, il eut la stu-
pidité de les croire sans aller se rendre compte en personne. Le matin de l'attaque, il se trouva devant un fossé
de dix mètres de large plein d'eau à ras bord et, naturellement, démuni de bateaux. Il donna quand même
l'ordre à ses hommes de le traverser sur des échelles
de bambou, apportées pour escalader les murs; mais
les échelles se brisèrent par le milieu et de nombreux
soldats se noyèrent, tandis que, du haut des remparts,
les rebelles tiraient sur les survivants.

Lorsque l'impératrice douairière eut connaissance de

ce désastre, elle fut saisie de colère et ordonna à Gordon
de prendre immédiatement la tête des armées mercenaires et impériales pour venger le trône et la perte
de T'aitan. Gordon ne voulait pas borner son action
à une revanche de détail. En fait, il n'obéissait à personne,
mais prenait le temps qu'il lui fallait pour frapper
avec certitude au cœur même de la rébellion. Il entraînait ses hommes à des attaques brusquées, à de rapides
volte-face, qui obligeaient les rebelles à se défendre
et se terminaient toujours par leur défaite. En liaison
avec Li Hung-chang, il faisait converger leurs forces
sur les villes-clefs de Chanzu et de Quinsan, proches
de Shanghai, et progressait par étapes vers la victoire
totale.

Quant au prince Kung, rassuré par l'attitude affable
de l'impératrice qu'il croyait bien connaître, oublieux
des rebuffades antérieures, et submergé de soucis,
il continuait à se montrer trop familier et à omettre
certaines courtoisies de détail. L'impératrice voyait
tout et ne disait rien, jusqu'au jour où, agenouillé
devant elle au cours d'une audience privée et absorbé
par une affaire importante, il se leva sans permission.
Prompte comme une tigresse, elle bondit sur lui.

Le sourcil froncé, elle tonna majestueusement :
« Prince, vous vous oubliez! La loi et la coutume de nos
ancêtres n'exigent-elles pas que tous restent agenouillés
devant le trône du Dragon? Le but de cette loi est de
protéger le trône contre les attaques soudaines. Osez-
vous vous lever alors que tous doivent rester agenouillés?
Vous fomentez une trahison contre les régentes! »
Elle se tourna vers les eunuques : «Qu'on appelle
les gardes et qu'on s'empare du prince Kung! »

Abasourdi, et croyant à une plaisanterie, le prince
Kung se contenta de sourire. Mais déjà les eunuques
avaient obéi et les gardes impériaux l'entouraient.

Il protesta : « Comment... Après tant d'années... »

Elle ne le laissa même pas se défendre. « Nul, quels que soient le nombre de ses années de service, ou ses liens de parenté avec le trône, nul n'a le droit de violer la sécurité du trône du Dragon. »

Il la couvrit d'un long regard et se laissa emmener. Le même jour, elle promulgua un édit, scellé du sceau impérial et signé du nom des deux régentes.

Considérant que le prince Kung s'est montré indigne de Notre confiance et a fait preuve d'une injuste faveur envers ses propres neveux en les nommant à des hautes charges, il est relevé de ses fonctions de grand conseiller et de toutes les autres charges importantes qu'il assumait. Par cet acte, Nous réprouvons sévèrement son esprit de rébellion et son ambition usurpatrice.

Personne n'osa plaider auprès d'elle la cause du prince, mais nombreux furent ceux qui intercédèrent en sa faveur auprès de Jung Lu. Pourtant ce dernier ne voulait pas encore prendre sa défense.

« Qu'on laisse parler le peuple, leur conseilla-t-il. Quand l'impératrice se verra désapprouvée par la nation, elle reviendra sur sa décision. Elle est bien trop sage pour s'opposer à la volonté populaire. »

On attendit donc pendant un mois. En effet, des plaintes s'élevaient partout dans le peuple au sujet de l'injustice de l'impératrice envers le frère de l'empereur, son loyal sujet. On se rappelait que le prince Kung avait risqué sa vie pour rester dans la capitale après la fuite de l'empereur, et qu'il avait habilement négocié un traité de paix avec les étrangers.

L'impératrice douairière avait connaissance de ces protestations, mais elle ne paraissait pas s'en soucier. Elle écoutait, son beau visage aussi calme qu'une fleur de lotus, mais elle mesurait en secret la portée exacte de sa puissance et, lorsqu'elle vit que le prince Kung se soumettait à la sentence sans révolte — acceptant ainsi son blâme avec docilité — elle publia deux édits, tous deux signés des impératrices régentes. Le premier expliquait au peuple qu'elle se devait de punir avec une sévérité égale tous ceux qui manquaient d'humilité devant le trône. Dans le second, elle écrivait :

Le prince Kung se repent de ses fautes et les reconnaît pleinement. Poussées à agir par un pur besoin de justice, Nous ne lui tenons pas rigueur de son orgueil. Ce n'était pas Notre intention de traiter trop durement un conseiller si habile, ni de Nous priver de l'aide d'un tel prince. Nous lui rendons sa place au grand conseil mais non point celle de conseiller privé du trône. Nous lui recommandons de récompenser Notre clémence par une plus grande fidélité dans l'accomplissement de ses devoirs et Nous lui conseillons de se purifier de ses mauvaises pensées et de ses jalousies.

Le prince Kung revint donc à la cour et se conduisit dès lors avec une fière dignité et toutes les prévenances voulues.

Comme elle l'avait décidé, l'impératrice douairière mit son fils sur le trône du Dragon pour présider aux audiences. Elle lui apprit à tenir la tête haute, les mains immobiles sur les genoux et à écouter les ministres qui présentaient leur rapport au trône. Le petit garçon devait rester assis, vêtu de sa robe d'apparat de satin jaune brodée de dragons à cinq griffes, ornée d'un bouton de rubis à l'épaule, et coiffé du chapeau impérial. Tôt le matin en hiver, et avant l'aube en été, l'impératrice faisait réveiller le petit empereur et l'emmenait à pied, lorsque le temps le permettait, à la salle d'audiences où ils prenaient place, lui sur le trône, et elle derrière le rideau jaune, mais si près de lui qu'elle pouvait lui parler à l'oreille.

Lorsqu'un vieux prince ou un vénérable ministre avait lu d'une voix monotone un très long rapport, le petit empereur tournait la tête pour murmurer : « Que dois-je dire, mère ? » Et il répétait, mot pour mot, la phrase soufflée par Tzu-Hsi.

Les audiences duraient parfois des heures et l'enfant fatigué oubliait alors son rôle au point de s'amuser avec son bouton de rubis, ou de suivre du doigt le contour des dragons brodés sur sa robe. Mais la voix de sa mère le rappelait brusquement à l'ordre :

« Tiens-toi tranquille ! Oublies-tu que tu es l'empereur ? Ne te conduis pas comme un enfant ordinaire ! »

Effrayé par cet aspect inconnu d'une mère habituellement si tendre pour lui, il se redressait en sursaut.

« Que dois-je dire maintenant, mère ? »

Telle était la question qu'il lui posait constamment, et elle y répondait toujours.

L'impératrice douairière lisait les rapports quotidiens de son puissant général Tseng Kuo-fan avec autant d'avidité que des lettres d'amour. Elle savait reconnaître et attirer vers elle les êtres de son entourage dont la grandeur approchait de la sienne. Après Jung Lu, ce général était l'homme qu'elle estimait le plus. Loin d'être, comme beaucoup de militaires, tout en muscles et en vantardises, ce lettré, digne de la tradition de culture de sa famille, ajoutait la sagesse à son habileté militaire. Elle n'éprouvait aucun sentiment personnel pour ce général et ne s'intéressait qu'à ses résultats, partageant en imagination l'excitation du combat, le risque de l'échec, l'orgueil de la victoire.

Tandis que les années de deuil fixées par les astrologues touchaient à leur fin et qu'approchait le jour des funérailles, l'impératrice douairière se consacrait entièrement à écraser les rebelles du Sud pour obtenir la paix avant les cérémonies funèbres. Ses courriers accomplissaient chaque jour, par relais, la route Pékin-Nankin et retour, avec une telle célérité que ce trajet de six cents kilomètres était accompli dans la journée par des coureurs à pied. Chaque jour avant l'aube, à l'heure de l'audience, l'impératrice douairière se rendait au temple du Grand Bouddha Blanc — le Bouddha aux mille têtes et aux mille bras — et, devant cette statue des Mystérieuses Origines, elle s'agenouillait pour rendre grâces et demander la victoire de Tseng Kuo-fan. Les prêtres restaient prosternés tandis qu'elle priait et allumait de l'encens dans l'urne d'or. Bouddha entendit ses prières : au cours de l'été suivant, au sixième mois de l'année lunaire (ou septième mois de l'année solaire), le seizième jour exactement, Tseng Kuo-fan s'emparait de la ceinture de remparts extérieurs de Nankin. De là, il fit placer de grandes bombes, pleines de poudre à canon, sous les murs de la ville et, par les brèches qu'elles firent en explosant, ses hommes se déversèrent par milliers dans la ville. Ils trouvèrent le palais du roi céleste entouré par une poignée de défenseurs décidés à se faire tuer sur place. Une autre bombe de fer remplie de poudre à canon eut raison d'eux et, quand le palais fut en flammes, tous les défenseurs se précipitèrent au-dehors comme les rats d'une maison en feu. Ils furent tous mis à mort, excepté leur chef. Questionné, ce dernier avoua que le roi céleste s'était empoisonné un mois auparavant, mais qu'on avait caché sa mort à ses partisans afin de proclamer roi son fils à sa place. Mais, maintenant, le fils aussi était tué.

Quand l'impératrice douairière reçut ces rapports

de Tseng Kuo-fan, elle rédigea plusieurs édits pour tenir le peuple au courant et, afin de célébrer la mort des rebelles, décréta un mois de réjouissances. Elle fit exhumer le corps du roi céleste et promener sa tête tranchée par toutes les provinces, afin de montrer à ses sujets le sort des rebelles. Elle ordonna que les chefs des rebelles survivants fussent mis à la question dans la ville impériale, puis exécutés par découpage. Quant à elle, elle déclarait qu'elle accompagnerait le jeune empereur à tous les temples impériaux, afin de rendre grâce aux dieux pour leur aide, et aux ancêtres impériaux pour leur protection.

Lorsque Tseng Kuo-fan, en personne, vint présenter son rapport au trône, il lui décrivit la conduite étrange et pitoyable du roi céleste, ou du moins tout ce qu'en avaient révélé les confessions de prisonniers condamnés à mort. Le roi céleste — en réalité un homme très ordinaire, à l'esprit malade — ne cessait de se vanter, même lorsqu'il savait sa cause perdue, et il proclamait à ses fidèles, de moins en moins nombreux : « Le Très-Haut m'a fait connaître sa décision sacrée. Dieu le Père et mon divin Frère Aîné, Jésus-Christ, m'ont ordonné de prendre ce corps de chair pour devenir seul vrai seigneur de toutes les nations et de toutes les races terrestres. Je n'ai personne à craindre. Servez-moi, ou quittez-moi, à votre guise ; d'autres protégeront mon empire, car un million d'anges — une armée céleste — combattent à mes côtés. Comment cent mille de ces misérables soldats impériaux réussiraient-ils à s'emparer de ma ville ? »

Néanmoins, vers le milieu du cinquième mois de l'année lunaire, se sentant perdu, le roi céleste avala du poison. « Ce n'est pas Dieu le Père qui m'a trompé, s'était-il écrié, mais moi qui Lui ai désobéi ! » Après sa mort, son corps enveloppé de satin jaune brodé de dragons fut enterré, sans cercueil, en secret et la nuit, dans un coin des jardins impériaux. Ses disciples voulaient mettre sur le trône son fils âgé de seize ans, mais les rebelles apprirent la mort de celui-ci et, tout espoir perdu, ils se rendirent.

Tseng Kuo-fan rapporta tous ces détails à l'audience impériale, devant le trône du Dragon occupé par le jeune empereur. Derrière le rideau de soie jaune, l'impératrice douairière ne perdait pas un mot de son discours.

« Le cadavre de ce roi rebelle n'est-il pas en état de décomposition ? interrogea l'impératrice douairière.

— Non, Majesté, il était étrangement bien conservé. La soie épaisse, d'une qualité exceptionnelle, qui enveloppait le corps de la tête aux pieds, avait protégé la chair.

— Et quelle apparence avait ce rebelle ?

— Il était très grand et massif, avec une tête ronde et lourde, un crâne chauve, une barbe presque grise. La tête, coupée selon les ordres impériaux, va faire le tour des provinces ; quant au corps, je l'ai fait brûler devant moi. Les deux frères aînés du roi céleste, capturés vivants, avaient perdu l'esprit et ne savaient que murmurer sans cesse : « Dieu le Père... Dieu le « Père... » De sorte que je les ai fait décapiter tous les deux. »

Avant que la tête du rebelle fît le tour des provinces, l'impératrice douairière manifesta l'intention de la voir de ses propres yeux.

« Voilà des années, déclara-t-elle, que je fais la guerre à ce roi rebelle, et je l'ai enfin vaincu. Je veux avoir devant les yeux la preuve de ma victoire. »

Un cavalier, transportant la tête du vaincu dans une corbeille attachée à sa selle, la remit à Li Lienying, enveloppée de satin jaune, taché et souillé, et de ses propres mains l'eunuque la porta à l'impératrice douairière.

Celle-ci, du haut de son trône, commanda à Li Lien-ying de poser la tête sur le sol et de la découvrir. Li Lien-ying obéit; l'impératrice douairière ne quitta pas du regard le satin jaune qui s'écarta, révélant l'horrible spectacle. Elle resta immobile, le regard prisonnier de ces yeux morts, dont personne n'avait clos les paupières. Dans le visage, drainé de son sang, les yeux noirs, à l'expression tragique, la fixaient. La bouche paraissait plus pâle au-dessus de la barbe noire striée de poils gris, et les lèvres écartées montraient des dents blanches et solides.

Les dames d'honneur se couvrirent les yeux de leur manche et l'une d'elles, prise de vomissements, faillit s'évanouir. Li Lien-ying lui-même ne put s'empêcher de pousser un grognement.

« Un traître, murmura-t-il, et qui a l'air d'un traître, même mort. »

L'impératrice douairière leva la main pour lui imposer silence. «C'est un étrange visage, fit-elle remarquer. Un visage désespéré et d'une tristesse désespérante. Mais ce n'est pas un visage de traître. Tu ne comprends rien, eunuque! Ce n'est pas le visage d'un criminel, mais celui d'un poète que la perte de sa foi a rendu fou. Hélas! cet homme se savait perdu dès sa naissance. »

Elle soupira, baissa la tête et se couvrit les yeux de la main pendant un moment. Puis elle releva le front. «Qu'on emporte la tête de mon ennemi, ordonna-t-elle à Li Lien-ying, et qu'on la montre partout à mon peuple. »

Li Lien-ying reprit la tête que le cavalier plaça dans la corbeille. Le long voyage commença. Dans chaque ville de chaque province, la tête fut promenée sur une pique et montrée au peuple jusqu'à ce que la peau, desséchée tombât en lambeaux, laissant le crâne à nu. Partout où ce cérémonial eut lieu, la paix fut restaurée.

C'est ainsi qu'en l'année solaire 1865 prit fin la révolte de T'ai P'ing. En quinze ans, cette guerre cruelle avait ravagé neuf provinces et provoqué la mort de vingt millions de personnes. Le roi céleste ne s'arrêtait nulle part pour bâtir son royaume, mais, suivi de ses disciples, il écumait le pays, tuant et brûlant tout sur son passage. De nombreux Blancs déracinés, véritables épaves, se mêlaient aux bandes de rebelles. Quelques-uns, bien rares il est vrai, croyaient au roi céleste, parce qu'ils étaient chrétiens et que celui-ci se réclamait du nom du Christ. Mais eux aussi furent tués.

Après leur victoire sur les rebelles, les armées impériales, grâce à l'habile entraînement de Gordon, écrasèrent également deux rébellions secondaires : une dans la province de Yunnan, et l'autre dans la province de Shensi. L'impératrice douairière voyait enfin son empire jouir de la paix et de la prospérité. Son peuple lui en rendait grâces. Sa puissance en fut accrue et elle se hâta de consolider sa position à la cour, pour assurer la sécurité de la dynastie.

Elle n'oubliait pas l'Anglais Gordon. Pendant qu'à la tête de l'armée impériale Tseng Kuo-fan s'emparait de Nankin, Gordon, appuyé par Li Hung-chang et ses soldats impériaux, conduisait son armée de mercenaires contre les rebelles de la région du Yangtsé inférieur. C'est à ses victoires qu'on devait la chute de Nankin, et Tseng Kuo-fan avait la noblesse de le reconnaître devant le trône.

L'impératrice douairière éprouvait l'envie de voir cet Anglais, mais aucun étranger n'était reçu à la cour impériale. Elle lisait attentivement tous ses rapports et écoutait ce qu'on disait de lui.

La force de Gordon, écrivait Li Hung-chang dans un rapport, *réside surtout dans sa droiture. Il déclare qu'il est de son devoir de battre les rebelles dans l'intérêt de notre peuple. En vérité, je n'ai jamais vu un homme comme lui. Il dépense sa fortune personnelle pour améliorer le sort de ses hommes et aider les victimes des rebelles. Nos ennemis eux-mêmes lui reconnaissent « une grande âme » et se déclarent honorés d'être vaincus par un tel homme.*

Quand l'impératrice reçut ce rapport, elle fit octroyer à Gordon l'ordre du Mérite de Première Classe, en plus d'un présent de dix mille taels, représentant sa part des honneurs de la victoire. Mais, lorsque les porteurs impériaux se présentèrent devant lui, ployant sous le faix des lingots, Gordon refusa le présent impérial et renvoya à coups de canne les porteurs abasourdis.

La nouvelle de ce refus se répandit dans le pays tout entier, mais nul ne pouvait croire qu'un homme fût capable de refuser un tel trésor. Alors Gordon expliqua la raison de son refus : après la capture de la grande ville de Sou-Tchéou, Li Hung-chang, enivré par son triomphe, avait fait exécuter de nombreux chefs ennemis qui s'étaient rendus. Or, Gordon leur avait promis la vie sauve s'ils se rendaient; apprenant que Li Hung-chang l'avait fait manquer à sa promesse, il s'était mis dans une telle fureur que Li, effrayé, s'était retiré dans sa maison de Sanghaï.

« Je ne te pardonnerai pas de ma vie tout entière », avait hurlé Gordon, le visage blême, les yeux durs.

C'est sans esprit de pardon, en effet, que Gordon envoya une lettre très fière au trône du Dragon.

Le commandant Gordon reçoit avec gratitude la distinction accordée par Sa Majesté, mais il regrette très sincèrement de ne pouvoir l'accepter, étant donné les circonstances de la

*prise de Sou-Tchéou. C'est pourquoi il prie respectueusement
Sa Majesté de recevoir l'expression de sa reconnaissance
et de l'autoriser à refuser Ses bontés.*

L'impératrice douairière lut ce document dans son
jardin d'hiver du palais marin du milieu. Elle le lut
deux fois. Puis elle réfléchit. Quel genre d'homme
était ce Gordon pour refuser un aussi immense trésor
et de si grands honneurs, au nom d'une telle raison ?
Pour la première fois de sa vie, il lui vint à l'idée que,
parmi ces barbares de l'Occident, on comptait des
hommes qui n'étaient ni sauvages, ni cruels, ni vénaux.
Dans le calme de son jardin, cette découverte l'ébranla
jusqu'au fond de l'âme. S'il existait des hommes de cette
valeur dans les rangs des ennemis, alors, vraiment,
elle pouvait les craindre. Cette crainte, profondément
cachée en elle, ne devait plus la quitter.

L'impératrice douairière garda Tseng Kuo-fan dans
la ville de Pékin pendant plusieurs jours, tandis qu'elle
hésitait sur la récompense à lui accorder. Comme cette
âme fière ne demandait plus conseil à quiconque,
princes ou ministres, elle décida de son propre chef
de le nommer vice-roi de la province de Chihli ; il résiderait dans la ville de Tien-Tsin. Le sixième jour de la
première lune de l'année nouvelle, elle présida un
banquet impérial d'une somptuosité inouïe donné
en l'honneur de Tseng Kuo-fan.

Mais Tseng Kuo-fan ne devait pas trouver le repos
à Tien-Tsin, car, peu après son arrivée, éclata dans la
ville une émeute soudaine, dirigée contre des religieuses
françaises. Ces religieuses tenaient un orphelinat
et offraient des récompenses en argent pour tout enfant
abandonné qu'on leur confiait. Mais des misérables

en profitaient pour voler des enfants et les vendre aux religieuses, qui les prenaient sans poser de questions ; de sorte que, lorsque les parents venaient les réclamer, elles refusaient de les rendre.

L'impératrice douairière convoqua de nouveau Tseng Kuo-fan.

« Mais pourquoi, lui demanda-t-elle, pourquoi ces étrangères veulent-elles acheter des enfants chinois ?

— Majesté, lui répondit cet homme sage, je crois, pour ma part, qu'elles désirent les convertir à leur religion, mais, hélas ! le peuple ignorant et plein de superstitions s'imagine que les médicaments magiques des étrangers sont fabriqués avec les yeux, les cœurs et les foies d'êtres humains et que c'est pour leur fournir ces ingrédients que les religieuses achètent les enfants. »

Horrifiée, elle s'écria : « Est-ce possible ? »

Mais il la rassura. « Je ne crois pas. Les religieuses recueillent souvent les enfants des mendiants, à moitié morts de faim dans les rues, ou les nouveau-nés de sexe féminin abandonnés par les pauvres. Elles sauvent donc ces enfants d'une mort certaine, mais c'est pour les baptiser et les compter au nombre de leurs convertis. Ceux qui meurent sont enterrés dans des cimetières chrétiens, pour le plus grand mérite des religieuses. »

L'impératrice ne savait dans quelle mesure croire Tseng Kuo-fan, car cet homme tolérant ne voyait pas le mal, même chez ses ennemis. Mais, le cinquième mois de la même année, une malédiction des dieux frappa les religieuses de Tien-Tsin et provoqua la mort de nombreux enfants de l'orphelinat français. Une horde de vauriens et de fauteurs de troubles proclama partout que les religieuses étrangères tuaient les enfants confiés à leur garde. Le peuple en conçut une grande colère et les religieuses, effrayées, acceptèrent de faire visiter leurs orphelins par certains délégués choisis. Hélas! le consul français considéra cette inspection comme une offense et il vint en personne chasser les délégués, malgré les avertissements de Chung Hou, le surveillant des douanes de Tien-Tsin. Cet étranger, trop fier pour parlementer avec lui, exigeait l'envoi au consulat d'un officiel de haut rang. Le magistrat de la ville s'efforça de calmer la foule, mais celle-ci, dans sa rage, se rendit à l'église et à l'orphelinat où elle menaça les religieuses; sur ce, le stupide consul français eut l'idée de se précipiter dans la rue au secours des religieuses, le pistolet à la main. Mais il fut saisi par la populace et mis à mort — nul ne sait comment — car personne ne le revit jamais plus.

Le prince Kung vint alors à l'aide de Tseng Kuo-fan et le seconda dans ses négociations avec les Français. Par un heureux hasard, à ce moment même, la France entrait en guerre contre la Prusse et avait intérêt à se libérer de cette préoccupation secondaire. Néanmoins, l'impératrice douairière dut payer à la France quatre mille taels d'argent pour compenser la mort du Français et la peur causée aux religieuses, et Chang Hou, le surveillant des douanes de Tien-Tsin, reçut l'ordre de se rendre personnellement en France pour présenter les excuses du trône.

Avant que Tseng Kuo-fan n'en eût fini avec ces troubles, l'impératrice douairière le convoqua de nouveau au reçu de mauvaises nouvelles du Sud. Malgré la mort du roi céleste, le désordre régnait encore à Nankin et dans les quatre provinces où la populace, rétive et habituée à la révolte, avait assassiné le vice-roi. L'impératrice douairière ordonna à Tseng Kuo-fan de prendre la place de ce dernier à Nankin. Malgré la fatigue, le vieux général fut obligé de se rendre à

Pékin et de s'agenouiller à l'aube devant le trône où siégeait le jeune empereur.

Quand le général entendit la voix de l'impératrice lui ordonner de retourner dans le Sud et de prendre le poste de vice-roi à Nankin, il lui demanda de considérer son état de santé, son âge, et sa vue qui baissait, et de ne pas le charger d'une tâche aussi lourde. Elle l'interrompit, refusant de se laisser attendrir : « Même si votre vue baisse, vous pouvez toujours surveiller ceux qui commanderont sous vos ordres. »

Il lui rappela alors qu'il n'avait pas encore réglé la question du meurtre du consul français par la populace chinoise.

« N'avez-vous donc pas exécuté ces misérables ?

— Majesté, le ministre français et son ami le ministre russe veulent à tout prix envoyer des délégués pour assister à l'exécution. Ceux-ci n'étaient pas encore arrivés, j'ai laissé mon général, Li Hung-chang, en charge de l'affaire. L'exécution devait se faire hier.

— Oh ! ces prêtres et ces missionnaires étrangers ! Comme je voudrais leur interdire l'accès de notre Empire ! Lorsque vous prendrez votre poste à Nankin, il vous faudra maintenir sur pied d'activité une armée forte et disciplinée pour mater le peuple qui hait les étrangers.

— Majesté, j'avais l'intention de bâtir des forts tout le long du fleuve Yangtsé.

— Ces traités que le prince Kung a signés avec les étrangers sont par trop irritants ! Mais les Chrétiens le sont encore plus, car ils circulent dans l'Empire comme chez eux.

— Majesté, cela est bien vrai ! » Le vieux général était toujours agenouillé sur ses coussins et, comme la coutume l'obligeait à rester découvert, le froid de cette aube glaciale le pénétrait jusqu'à la moelle. Il reprit :

« Il est vrai que ces missionnaires sont cause de désordres ; leurs disciples tyrannisent ceux qui refusent d'embrasser la religion étrangère ; or, les missionnaires protègent leurs disciples et les consuls protègent les missionnaires. L'année prochaine, au moment de reconduire le traité avec la France, il nous faudra reconsidérer toute la question de la propagande religieuse. »

Exaspérée, l'impératrice douairière s'écria : « Je ne comprends vraiment pas pourquoi il y aurait une religion étrangère dans notre pays alors que nous en avons déjà trois.

— Moi non plus, majesté. »

Comme Tseng Kuo-fan devait, cette année-là, fêter son soixantième anniversaire, l'impératrice douairière donna encore un grand banquet en son honneur et le combla de présents.

Tseng Kuo-fan jouissait d'un tel prestige que le calme revint à Nankin, dès son entrée au palais du vice-roi. Sa première mesure fut de découvrir l'assassin de son prédécesseur et de le condamner à la mort par découpage. Il rendit l'exécution publique, trouvant salutaire que le peuple observât de ses propres yeux le sort réservé à un tel criminel. La foule contempla en silence le bourreau qui, à l'aide de sa lame effilée, découpait l'homme vivant en lanières de chair et en fragments d'os.

Après quoi, le peuple retourna à son travail et à ses distractions habituels. L'on vit de nouveau, sur le lac des Lotus, les bateaux fleuris chargés de ravissantes courtisanes, qui chantaient en s'accompagnant de leurs luths, pour le plus grand plaisir de leurs clients. Tseng Kuo-fan se réjouissait de voir revenir l'ancien mode de vie et il signala au trône que le Sud avait retrouvé l'existence paisible qu'il menait avant la révolte de T'ai P'ing.

Poutant, en dépit de sa droiture, de son rang et de ses honneurs, Tseng Kuo-fan ne devait plus jouir longtemps de la vie. Au début du printemps de l'année suivante, il fut frappé par les dieux alors qu'il se rendait en chaise à porteurs à la rencontre d'un ministre venu de Pékin pour lui remettre un message de l'impératrice douairière. Selon son habitude, lorsqu'il était seul, il se récitait certains passages des classiques confuciens, lorsque sa langue se paralysa soudain. Il fit signe à ses serviteurs de le ramener à son palais. En proie au vertige, les idées confuses et le regard vitreux, il resta couché pendant trois jours.

Après avoir subi deux attaques, il fit venir son fils et lui donna ses ordres :

« Je ne vais pas tarder à partir pour les Sources Jaunes. Hélas ! je laisse derrière moi bien des tâches inachevées et des problèmes non résolus. Je compte sur toi pour recommander à l'impératrice douairière mon collègue Li Hung-chang. Quant à moi, je suis comme la rosée du matin : éphémère. Quand la fin sera venue et que je serai dans mon cercueil, fais célébrer le service funèbre avec les rites anciens et les chants bouddhistes.

— Père, ne parlez pas de mort ! » Le fils se mit à pleurer.

Tseng-Kuo-fan sembla reprendre ses esprits et demanda à être transporté dans le jardin pour voir les pruniers en fleur. C'est là qu'il subit une dernière attaque, mais cette fois il ne voulut pas retourner dans son lit. Il se fit transporter dans la salle d'audiences du vice-roi et installer sur le trône ; alors, seulement, il mourut.

Au moment de sa mort, une grande rumeur s'éleva dans la ville, car une étoile filante, très visible dans le ciel, fit craindre une catastrophe. Chacun ressentit la mort du vice-roi comme la perte d'un proche parent.

L'impératrice douairière apprit la mauvaise nouvelle deux jours plus tard et pleura en silence. Puis elle décréta trois jours de deuil et la construction d'un temple, dans chaque province, en l'honneur de ce grand homme à qui l'Empire devait la paix.

Le soir du troisième jour, elle fit venir Jung Lu dans sa salle d'audiences privée.

« Que penses-tu, lui demanda-t-elle, de ce Li Hung-chang que Tseng Kuo-fan me demande de mettre à sa place ?

— Majesté, vous pouvez avoir confiance en Li Hung-chan plus qu'en tout autre Chinois. Il est brave et cultivé et plus vous vous appuierez sur lui, plus il se montrera attaché au trône. Néanmoins, récompensez-le souvent avec générosité. »

Elle l'écouta, pensive, ses grands yeux fixés sur le visage de son cousin, puis elle dit :

« Toi seul ne cherches jamais de récompense malgré tout ce que tu fais pour moi. » Comme il restait agenouillé silencieux devant elle, elle lui effleura l'épaule de son éventail replié en ajoutant :

« Mon cousin, je t'en prie, veille sur ta santé. Après toi, c'est Tseng Kuo-fan que j'appréciais le plus et le voilà disparu. Je tremble que les dieux, dans leur colère mystérieuse, ne s'acharnent à me priver de tous mes soutiens.

— Majesté, vous resterez pour moi ce que vous avez toujours été, depuis les jours de notre enfance.

— Relève-toi, ordonna-t-elle. Relève-toi et montre-moi ton visage. »

Il se leva, vaillant et vigoureux, et, l'espace d'un instant, leurs regards se rencontrèrent.

A l'automne de l'année suivante, le Conseil des Astrologues Impériaux fixa le jour des funérailles de l'empereur. Depuis sa mort, le cercueil serti de joyaux reposait dans un temple de la Ville interdite. En signe de confiance, l'impératrice douairière avait octroyé au prince Kung la mission de rassembler les fonds nécessaires à la construction du mausolée funéraire, construction qui dura cinq ans. Sans se plaindre, le prince Kung accomplit sa tâche, d'autant plus lourde que les provinces du Sud, les plus riches de l'Empire, qui auraient dû fournir la contribution la plus importante, se trouvaient trop appauvries par les guerres et les révoltes pour payer leur part. Le prince Kung réussit, par la force et la persuasion, à réunir dix millions de taels d'argent en imposant des taxes à toutes les provinces et à toutes les corporations, taxes dont il devait retrancher les commissions destinées aux officiels de tous rangs, depuis les ministres, les princes et les vice-rois, jusqu'aux eunuques et aux collecteurs d'impôts.

Chacun devait recevoir une récompense pour ses efforts et, dans le secret de ses appartements privés, le prince Kung se plaignait à sa douce épouse, car, en sa seule présence, il pouvait ouvrir son cœur.

« Il faut pourtant que j'obéisse à ce dragon femelle, soupirait-il, car, si je la mécontente de nouveau, elle nous anéantira tous.

— Hélas ! mon seigneur, répondait son épouse, si seulement nous n'étions que de pauvres gens, nous serions tranquilles. »

Mais il était né prince et il se devait aux devoirs de sa charge.

Le prince Kung consacra cinq années à la construction du mausolée, car il fallait beaucoup de temps non seulement pour rassembler les fonds, mais aussi pour sculpter les grandes statues de guerriers et les animaux de marbre qui montaient la garde à l'entrée du tombeau. Des carrières de marbre situées à cent cinquante kilomètres de la Ville impériale, on faisait venir des blocs

énormes transportés sur des chariots à six-roues, tirés
par six cents chevaux et mulets harnachés ensemble
entre deux cordes de chanvre épais renforcées par des
fils de fer et longues de cinq cents mètres chacune.
Sur chaque chariot, un porte-étendard impérial, entouré de quatre eunuques, tenait une bannière aux armes
de la dynastie. Le cortège s'arrêtait toutes les demi-
heures et repartait au son d'un gong de cuivre. Un
garde chevauchait en tête avec une autre bannière.
Cinquante gigantesques blocs de marbre, transportés
de cette façon, furent déposés à leur place, où les plus
célèbres sculpteurs se mirent immédiatement au travail.

Le mausolée, tout en marbre, abritait en son centre un
piédestal d'or incrusté de joyaux, destiné au cercueil
impérial. C'est là que, par un clair et froid matin d'automne, le corps de l'empereur fut déposé dans son cercueil en bois de catalpa poncé et ciré. On sema des
pierres précieuses sur le corps desséché de l'empereur :
rubis, jades, émeraudes des Indes et perles d'un orient
parfait ; puis on scella le couvercle du cercueil avec de
la poix et de la colle de tamaris, qui prend en séchant
une dureté à toute épreuve. Les flancs du cercueil portaient gravés des *sutras* de Bouddha. Autour du mort,
les eunuques placèrent, montées sur une armature de
bambou, des figurines de soie et de papier représentant
les êtres humains tenus d'accompagner leur seigneur
aux Sources Jaunes. Dans les temps anciens, moins civilisés, on choisissait des victimes vivantes, qu'on enterrait
avec l'empereur défunt, pour lui tenir compagnie. La
première princesse consort, sœur aînée de Sakota, dont
le corps reposait depuis quinze ans dans un temple
des environs, où il attendait la mort de l'empereur, fut
emportée dans le mausolée et placée aux pieds de son
seigneur sur un piédestal plus modeste.

Quand les prêtres eurent terminé leurs chants funèbres, les régentes et le jeune empereur se prosternèrent devant le tombeau, puis tous se retirèrent. On laissa brûler les cierges, dont les flammes clignotantes arrachaient des étincelles aux joyaux du piédestal et aux peintures des murs. Les grandes portes de bronze furent scellées et le cortège impérial retourna au palais.

Le lendemain des funérailles, l'impératrice douairière publia un édit accordant plein pardon au prince Kung.

Le soir du même jour, l'impératrice se promenait seule dans son jardin d'hiver. Il faisait beau. Le soleil couchant teintait de rose le ciel d'un gris très doux. Elle était mélancolique, mais non point triste, car elle ne ressentait aucune douleur. La solitude pesait sur son esprit, mais elle était habituée. Ce tribut de la grandeur, elle le payait jour après jour, nuit après nuit. Elle restait femme pourtant et, emportée par son imagination trop vive, elle pensait à un certain foyer, où une femme vivait avec son époux et engendrait des enfants. Car, en ce jour de deuil, son eunuque l'avait informée qu'un fils était né à Jung Lu. A trois heures du matin, Lady Mei avait donné le jour à un bel enfant mâle. A plusieurs reprises, pendant cette journée de tristesse, l'impératrice douairière avait pensé à cet enfant. Jung Lu se tenait parmi l'assistance en deuil sans que son visage trahît le moindre signe de joie. Certes, cela faisait partie de ses devoirs, mais ce soir, en rentrant chez lui, pourrait-il réprimer sa joie? Elle ne le saurait jamais.

Elle allait et venait lentement dans les sentiers du jardin, entre les chrysanthèmes tardifs, suivie par ses chiens fidèles. Enfin, comme d'habitude, elle fit appel à sa volonté pour imposer silence à son imagination et affronter de nouveau les tâches de son rang.

Deux ans plus tard, par un jour d'été, alors que l'impératrice douairière assistait, au palais marin, à une représentation théâtrale, elle vit l'eunuque Li Lien-ying se lever brusquement et essayer de sortir à la dérobée. Mais l'impératrice douairière, à qui rien n'échappait, lui fit signe de s'approcher et lui demanda :

« Où vas-tu? En quittant le théâtre, ne manques-tu pas de respect à ton supérieur qui joue sur la scène?

— Majesté, répliqua Li Lien-ying dans un murmure, je me suis soudain rappelé une promesse faite hier au jeune empereur, et que j'ai failli oublier.

— Quelle promesse?

— Il a appris, je ne sais où, l'existence d'une voiture étrangère qui marche toute seule et il m'a ordonné d'en acheter une. Mais où pourrai-je en trouver? Je me suis renseigné auprès du chef des eunuques qui m'a indiqué un magasin tenu par un étranger dans la rue des Légations, c'est là que je me rends. »

L'impératrice douairière fronça ses beaux sourcils noirs et s'exclama : « Je te l'interdis!

— Je vous en prie, Majesté, n'oubliez pas que le jeune empereur se mettra en colère et me fera fouetter.

— Je lui dirai moi-même que je lui ai interdit d'acheter des jeux étrangers. D'ailleurs, il n'est plus un enfant!

— Majesté, c'est moi qui ai prononcé le mot de jouet, car je n'avais pas l'espoir de trouver une vraie voiture magique dans notre pays.

— Jouet ou pas, c'est un objet de provenance étrangère, et je l'interdis. Assieds-toi. »

Li Lieng-ying ne pouvait qu'obéir. Il se rassit. La pièce avait perdu tout intérêt pour l'impératrice douairière qui, au bout d'une heure, se retira dans son palais.

Après un certain temps de réflexion, elle fit venir le chef des eunuques.

En dépit de sa corpulence, il restait beau et, s'il voilait devant l'impératrice le regard audacieux de ses yeux noirs, elle savait qu'il pouvait se montrer impudent. On chuchotait qu'An Teh-hai n'était pas un véritable eunuque, et qu'il engendrait même des enfants à l'intérieur du palais, mais l'impératrice préférait tout ignorer. Elle le considéra avec sévérité.

« Comment oses-tu comploter avec Li-Lien-ying ?

— Majesté... » An Teh-hai en avait le souffle coupé. « Moi, comploter ? Majesté !

— Oui, tu voulais procurer à mon fils une voiture étrangère ! »

Il essaya de rire : « Majesté, vous appelez ça un complot ? Je ne pensais qu'à l'amuser.

— Tu sais que je ne veux pas qu'on lui donne d'objets étrangers ! Pourquoi détourner son esprit de son propre pays ?

— Majesté, supplia le chef des eunuques, je vous assure que ce n'était pas mon intention. Nous obéissons tous aux désirs de l'empereur, n'est-ce pas là notre devoir ?

— Non, pas s'il désire quelque chose de nuisible, rétorqua l'impératrice, implacable. Je t'ai déjà dit que je ne veux pas lui voir acquérir les mêmes vices que son père. Si tu as la sottise de lui céder sur ce point, sur combien d'autres n'as-tu pas déjà cédé ?

— Majesté... »

L'impératrice fronça les sourcils : « Retire-toi de ma vue, serviteur infidèle ! »

Le chef des eunuques prit peur. Il était le favori de l'impératrice depuis bien longtemps, mais tout eunuque sait que la faveur d'un maître est moins stable que l'éclat du soleil au début du printemps. A tout moment, elle peut disparaître en moins de temps qu'il n'en faut pour couper une tête.

Il se jeta à ses pieds en pleurant : « Alors que toute ma vie vous appartient! Alors que vos ordres priment pour moi!... »

Elle le repoussa du bout du pied. « Retire-toi de ma vue! Retire-toi de ma vue! »

Il s'éloigna en rampant, mais, dès qu'il fut sorti, il se précipita chez le seul homme capable de lui épargner la colère de l'impératrice : il courut chez Jung Lu.

A cette heure-là, Jung Lu avait l'habitude d'étudier les rapports qu'il devait, le lendemain, présenter au trône. Il reçut An Teh-hai et lui promit son appui, mais à condition qu'il se montrât moins indulgent envers le jeune empereur.

Jung Lu resta longtemps dans sa bibliothèque, si longtemps que sa tendre épouse vint l'observer à la dérobée entre les rideaux, sans oser lui parler, tant son visage était grave. Elle savait très bien, la pauvre femme, qu'elle ne posséderait jamais tout son cœur, mais elle l'aimait tant qu'elle se contentait de ce qu'il lui donnait : une certaine affection, une tendresse toujours courtoise et patiente. Elle ne le sentait jamais complètement proche d'elle, pas même quand il dormait près d'elle et la tenait dans ses bras. Elle ne le craignait point pourtant, car sa bonté était inaltérable, mais elle ne pouvait l'atteindre à travers le désert qui les séparait.

Ce soir-là, comme les heures passaient et qu'il se faisait tard, l'anxiété la poussa à s'approcher de lui; elle lui posa la main sur l'épaule, si légèrement qu'il ne la sentit pas.

« Il fait presque jour, dit-elle, ne viens-tu pas te coucher? »

Il tressaillit et tourna vers elle un visage dépouillé

de tout masque, où se lisait une telle douleur qu'elle lui
entoura le cou de ses bras.

« Oh! mon amour, s'écria-t-elle, que se passe-t-il? »

Il se raidit et se libéra presque aussitôt en répondant :
« Oh! de vieux soucis, de vieux problèmes à jamais
insolubles! C'est sottise d'y penser. Allons dormir. »

Ils s'en furent côte à côte et il la quitta à la porte de
sa chambre, en lui disant, comme s'il venait seulement
d'y penser : « Te sens-tu mieux pour porter cet enfant
que le premier? » Car elle attendait son second enfant.

« Je te remercie, je me sens bien. » Il sourit et ajouta :
« Alors, ce sera une fille, car, si j'en crois les histoires de
bonnes femmes entendues dans mon enfance, ce sont
les fils qui donnent le plus de mal aux mères.

— Serez-vous fâché si je vous donne une fille?

— Pas si elle te ressemble », répondit-il, très courtois,
et il s'inclina en la quittant.

Le lendemain, quand la clepsydre marqua trois heures
après midi, l'eunuque Li Lien-ying, plein de zèle,
annonça la présence du grand conseiller Jung Lu, qui
demandait une audience à Sa Majesté, si l'heure lui
convenait.

Elle répondit aussitôt : « Quelle heure ne me convien-
drait pas pour recevoir mon cousin? Prie-le de venir. »

Peu après, Jung Lu se présentait dans la salle d'audiences privée où Tzu-Hsi le reçut sur son trône. Elle
fit signe à l'eunuque de s'écarter et demanda à Jung Lu
de se relever et de s'asseoir près du trône.

« Je t'en prie, dit-elle, ne faisons pas de cérémonies.
Pour une fois, parle-moi sans détour; tu sais que derrière l'impératrice il y a toujours celle que tu as connue
enfant et jeune fille. »

La salle était si vaste que nul ne pouvait entendre ce
que sa bien-aimée lui disait à voix presque basse, sur un
ton très doux. Pourtant, par crainte des espions, il se

contenta d'échanger avec elle un long regard en se couvrant la bouche de sa main droite.

« Retire ta main de ta bouche », dit-elle.

Il laissa retomber sa main et elle vit qu'il se mordait les lèvres.

« Tes dents sont blanches et solides comme celles d'un tigre. Épargne tes pauvres lèvres, ne les mords pas si cruellement ! »

Il se força à détourner les yeux. « Je suis venu vous parler de l'empereur. »

Il employa cette ruse, sachant que seule la pensée de son fils pouvait distraire de son visage le regard de ces prunelles d'acier.

« Que lui arrive-t-il ? »

Il respira plus librement, dès qu'il sentit se relâcher pour un instant ce lien qui les unissait à jamais.

« Je ne suis pas satisfait, dit-il. Les eunuques, eux-mêmes pervertis, et prêts à encourager tous les vices, risquent de corrompre le jeune empereur. Vous savez ce que je veux dire, majesté. Vous avez vu sur l'empereur défunt le résultat de leurs infâmes manœuvres. Il faut sauver votre fils avant qu'il soit trop tard. »

Elle rougit sans répondre. Puis elle dit calmement : « La surveillance paternelle manque à mon fils ; je suis contente que tu me parles de lui comme un père. Je suis également inquiète à son sujet, mais je ne suis qu'une femme : que puis-je faire ? Puis-je souiller ma langue en parlant de choses que je ne suis pas même censée connaître ? Ce sont des affaires d'hommes.

— C'est pourquoi je suis ici. Je vous conseille de fiancer votre fils le plus tôt possible... Laissez-le choisir une épouse, avec votre consentement, et bien que sa jeunesse lui interdise de se marier avant deux ans encore — c'est-à-dire lorsqu'il aura seize ans — je crois que l'image de la femme de son choix l'aidera à rester pur.

— Et comment sais-tu cela?

— Je le sais », répondit-il d'un ton bref. Il ne voulut rien ajouter de plus et, quand elle chercha de nouveau son regard, il détourna la tête.

Elle soupira enfin, cédant à son intraitable droiture. « Eh bien, il en sera fait comme tu le conseilles. Que l'on rassemble bientôt les jeunes filles et qu'on les prépare, comme je l'ai été moi-même. Oh! Ciel! comme les années passent! Et c'est moi qui préside maintenant, en tant qu'impératrice douairière, aux côtés de l'empereur! Te souviens-tu qu'au début la défunte impératrice douairière ne m'aimait pas?

— Vous l'avez conquise, comme tout votre entourage », marmonna-t-il, sans tourner la tête vers elle.

Elle rit doucement, et ses lèvres rouges frémirent, comme si elle voulait le taquiner, mais elle s'en abstint et reprit sa pose d'impératrice.

« Bien, mon cousin, qu'il en soit ainsi! Je te remercie pour ton conseil. »

Elle parla d'une voix claire, et Li Lien-ying l'entendit; il s'approcha pour accompagner le grand conseiller. Jung Lu salua jusqu'au sol, l'impératrice douairière inclina la tête et ils se séparèrent encore une fois.

Le chef des eunuques était fort inquiet. Il avait cru sa position aussi inébranlable que le trône lui-même. Les empereurs passent, les eunuques restent... surtout les chefs des eunuques. Cependant, l'impératrice douairière se fâchait même contre lui! Il en était fort troublé, et il lui tardait de sortir un peu de l'enceinte de la Ville interdite où il avait passé sa vie entière.

Il murmurait : « Je vis ici, et je ne sais même pas ce qu'il y a de l'autre côté de la muraille. » Il sentit renaître en lui un vieux rêve oublié et il se présenta devant l'impératrice douairière.

« Majesté, dit-il, je sais qu'il est contraire aux coutumes

de la cour qu'un eunuque quitte la capitale, cependant, depuis bien des années, je caresse le désir de descendre en bateau le Grand Canal, pour admirer les splendeurs de notre pays. Je vous demande de me laisser faire ce voyage, et je reviendrai certainement. »

L'impératrice douairière écouta sa requête en silence. Elle savait que les princes, les ministres et les dames de la cour critiquaient souvent, derrière son dos, les honneurs et les attentions qu'elle accordait aux eunuques. L'histoire de la dynastie ne signalait qu'un seul autre règne où les eunuques eussent reçu tant de marques de faveur. C'était celui de l'empereur Fu Lin, deux cent cinquante ans auparavant. Cet empereur, amateur de lectures et de méditations, n'aspirant qu'à la vie monacale, laissait les eunuques avides contrôler les affaires du palais et corrompre tout ce qu'ils touchaient. Un jour, le prince Kung, sans mot dire, avait tendu à l'impératrice un livre relatant les méfaits des eunuques sous le règne de l'empereur Fu Lin. L'impératrice l'avait lu, bouleversée de colère, et l'avait rendu au prince Kung en silence, avec un regard sévère.

Elle réfléchit à sa conduite envers les eunuques ; elle les utilisait comme espions et les récompensait généreusement. Elle avait comblé d'honneurs An Teh-hai non seulement pour sa fidélité, mais à cause de sa beauté, de ses dons d'acteur et de musicien. C'est ainsi qu'elle se trouvait des excuses pour protéger les eunuques, se disant qu'elle n'était, hélas ! qu'une femme, et qu'une femme au pouvoir ne peut faire confiance à personne. Elle a donc besoin d'espions pour déjouer les projets de ses ennemis.

« Quel ennui tu me causes ! Si je te permets de partir, tout le monde me critiquera, car j'enfreindrai la loi et les traditions. »

Il soupira tristement. « J'ai pourtant fait un lourd

sacrifice en renonçant à la vie d'un homme normal avec une femme et des enfants, et voilà que je dois me contenter, jusqu'à la fin, des murs d'une seule ville. »

Il était encore assez jeune pour avoir conservé sa beauté et son air brave et fier. Pourtant, la corruption avait fait son œuvre en creusant les contours de sa bouche, et en rendant flasques les traits de son visage; il avait trop grossi. Mais l'impératrice aimait sa voix mélodieuse, sa prononciation d'une perfection classique et la grâce de son maintien et de ses gestes.

L'impératrice douairière n'ignorait pas qu'elle se laissait influencer par la beauté d'An Teh-hai, mais elle se rappelait aussi son inébranlable loyauté envers elle et ses constants efforts pour la distraire et la réconforter.

D'un ton rêveur, en examinant le protègle-ongle d'or de son petit doigt, elle dit : « Je pourrais t'envoyer à Nankin inspecter la fabrication des tapisseries impériales. J'en ai commandé de spéciales pour le mariage de mon fils. Malgré la précision de mes ordres, je crains des erreurs d'exécution. Je me rappelle qu'une fois les tisserands de Nankin ont envoyé des pièces de satin d'un jaune trop pâle pour être impérial. Oui, c'est cela, va à Nankin t'assurer que le jaune choisi est un jaune d'or franc, et que le bleu n'est pas trop pâle, car tu sais que le bleu clair est ma couleur préférée. »

Sa décision prise, comme d'habitude, l'impératrice douairière ne se permit pas la moindre hésitation et tint tête à toutes les critiques. Quelques jours après, le chef des eunuques partit pour Nankin avec une grande escorte et une flottille de six barques, battant pavillon impérial; sur celle qu'il occupait, il fit monter l'insigne du Dragon lui-même.

Mais les débauches et les excès auxquels il se livra au cours de son voyage scandalisèrent les magistrats des provinces traversées. Le prince Kung, au reçu des rapports secrets, en fut outré et, s'assurant l'appui de Sakota, fit signer à celle-ci un décret ordonnant la mise à mort de l'infâme eunuque.

Quand l'impératrice apprit l'exécution de son favori et loyal serviteur, elle en fut malade pendant quatre jours. Incapable de manger, ni de dormir, elle se laissait consumer par sa rage contre sa corégente, mais surtout contre le prince Kung.

« Lui seul a pu transformer cette souris en lionne ! » s'écria-t-elle, et il s'en fallut de peu qu'elle n'ordonnât l'exécution du prince Kung lui-même. Mais Li Lien-ying, terrorisé par son accès de folie, courut en secret avertir Jung Lu.

Le conseiller se rendit au palais sans hésiter. Au seuil de la chambre où l'impératrice douairière s'agitait dans son lit aux rideaux tirés, il dit d'une voix ferme et froide :

« Si vous tenez à votre trône, vous ne ferez rien. Vous vous lèverez et agirez comme à l'habitude. Car le chef des eunuques était réellement un être malfaisant et vous l'avez trop honoré. De plus, vous avez enfreint la loi et les traditions en lui permettant de quitter le palais. » Elle accepta son verdict, non sans remarquer son ton triste et patient, mais elle essaya de plaider sa cause :

« Tu sais pourquoi je paie mes eunuques : je suis seule dans ce palais... une femme... seule... »

Il se contenta de dire : « Majesté... » et il se retira. Elle se leva enfin, se laissa baigner et habiller et prit quelque nourriture. Ses dames d'honneur se mouvaient autour d'elle en silence, car nulle n'osait parler. L'impératrice se rendit à sa bibliothèque d'un pas lent et fatigué. Pendant plusieurs heures, elle étudia les rapports posés sur sa table. A la fin du jour, elle fit venir Li Lien-ying et lui dit :

« Désormais tu seras chef des eunuques, mais ta vie dépend de ta loyauté envers moi et envers moi seule. »

Envahi de joie, Li Lien-ying, agenouillé en signe d'obéissance, leva la tête et lui jura une inaltérable fidélité.

Dès lors, l'impératrice douairière ne contint plus sa haine pour le prince Kung. Elle continuait à accepter ses offices, mais elle le détestait et attendait l'occasion d'écraser définitivement son orgueil.

Malgré tous ces bouleversements, l'impératrice douairière n'oubliait pas le conseil de Jung Lu de fiancer bientôt le jeune empereur. Plus elle réfléchissait, plus elle le trouvait à son goût, pour une certaine raison, tout à fait personnelle. Son fils, qui lui ressemblait par sa beauté et sa fierté, savait lui infliger une peine profonde, dont elle ne pouvait s'ouvrir à personne, pas même à son auteur, de peur de préciser ce qu'elle craignait de formuler. Depuis son enfance, il préférait la compagnie de Sakota à celle de sa mère. De plus en plus souvent, on le trouvait chez Sakota.

Trop fière pour montrer son chagrin, l'impératrice douairière ne lui adressait jamais de reproches, mais elle se demandait, en son for intérieur, pourquoi son fils lui préférait l'autre. Elle l'aimait d'une passion exclusive, mais elle ne voulait pas lui poser de questions, ni s'humilier en se confiant au prince Kung, ou à Jung Lu. D'ailleurs, point n'était besoin de demander. Elle savait dans le secret de son cœur pourquoi son fils s'attardait dans le palais de Sakota, alors qu'il ne venait voir sa mère que sur convocation. Comme on est cruel à cet âge! Elle, sa mère, devait souvent le contrarier afin de former son caractère et de le préparer à son avenir. De cet enfant indiscipliné, qui lui résistait, elle devait faire un empereur et un homme. Mais la douce Sakota n'était pas obligée de le reprendre, ni de faire son éducation, et, en sa présence, il pouvait se montrer naturel. S'il se permettait un caprice, elle pouvait toujours céder, elle qui n'avait envers lui aucune responsabilité.

La colère et la jalousie ravageaient l'impératrice douairière. Il se pouvait que Sakota eût acheté ce jouet, ce train étranger, et l'eût caché dans son palais afin qu'il pût jouer en secret. Était-ce possible ? Sans doute, car ce matin, après l'audience, son fils n'avait qu'une hâte : en finir avec ses obligations et se retirer ; mais elle l'avait contraint à rester avec elle dans sa bibliothèque, afin de vérifier ce qu'il retenait des rapports présentés devant lui ce jour-là. Comme elle lui reprochait son inattention manifeste, il s'était écrié d'une voix méchante :

« Faut-il que je me rappelle chaque jour ce qu'un vieil homme marmonne devant moi dans sa barbe ? »

Outrée de son insolence, l'impératrice douairière l'avait giflé. Sans dire un mot, ses grands yeux pleins de rage, il s'était détourné pour sortir. Il était certainement allé chercher près de Sakota des consolations et des caresses. Et Sakota n'avait probablement pas manqué de lui parler du mauvais caractère de sa cousine, qui se manifestait déjà au temps de leur enfance commune.

La fière impératrice douairière éclata en sanglots. Si elle perdait le cœur de son fils, il ne lui restait plus rien. Hélas ! qu'un enfant apporte peu de réconfort ! Elle qui lui avait consacré sa vie ! Elle qui avait sauvé le pays pour lui et gardé le trône intact !

Elle pleura un moment, puis sécha ses larmes avec le mouchoir de soie attaché sur son épaule à un bouton de jade. Elle se mit à réfléchir sur la conduite à tenir.

Il lui fallait supplanter Sakota par une autre femme ; jeune et belle, une épouse qui enchanterait en son fils l'homme qui se formait déjà. Oui, elle trouvait sage le conseil de Jung Lu ; elle fiancerait son fils non pour combattre l'action des eunuques, ces hommes incomplets, mais pour lutter contre la femme douce et silencieuse, trop maternelle envers l'enfant de sa cousine.

« Je ne veux pas que Sakota serve de mère à mon fils, se dit-elle, Sakota, qui n'a été capable de mettre au monde qu'une fille faible d'esprit ! » Raffermie comme toujours par sa colère, elle frappa dans ses mains et envoya chercher Li Lien-ying, le nouveau chef des eunuques.

Elle lui donna des ordres au sujet du défilé des vierges, de la date, du lieu et des conditions d'admission. Les jeunes filles devaient être belles, appartenir aux clans impériaux mandchous et ne pas dépasser de plus de deux ans l'âge de l'empereur.

Le chef des eunuques écouta les ordres, répondit qu'il connaissait les goûts du jeune empereur et qu'il demandait six mois environ pour tout préparer. Mais l'impératrice refusa d'attendre si longtemps, lui octroya la moitié du temps demandé et le renvoya.

Une fois la décision prise à l'égard de son fils, elle se consacra de nouveau aux affaires de l'Empire. Un problème l'irritait surtout : l'entêtement des envahisseurs occidentaux qui demandaient toujours à envoyer des émissaires au trône du Dragon et refusaient d'obéir aux usages de la courtoisie et de se prosterner en présence de l'empereur. A plusieurs reprises, elle s'était mise en colère contre leurs prétentions.

« Comment pouvons-nous recevoir des émissaires qui refusent de s'agenouiller ? Devrons-nous déshonorer le trône du Dragon en permettant à nos inférieurs de rester debout devant nous ?

Comme d'habitude, elle avait écarté de son esprit ces questions insolubles et, lorsqu'un certain Wu K'o-tu, membre du Conseil des Censeurs, voulut faire un rapport au trône en faveur des émissaires étrangers, elle refusa d'y consentir en prétextant que ces problèmes attendaient depuis trop longtemps pour qu'une solution hâtive fût envisagée.

Elle déclara avec fermeté : « J'interdis l'approche du trône du Dragon à quiconque ne manifestera pas le respect nécessaire, car ce serait encourager les rebelles. » Elle était décidée à ne jamais permettre à un étranger de franchir l'enceinte de la Ville interdite. Ces étrangers devenaient de plus en plus encombrants ! Elle se souvint que son général, Tseng Kuo-fan, lui avait raconté le soulèvement des habitants de Hang Tchéou contre les missionnaires qui enseignaient à la jeunesse à désobéir aux parents et aux dieux locaux pour n'obéir qu'au dieu étranger. Elle se rappellait aussi la colère des habitants de Tien-Tsin, quand les prêtres français, voulant transformer un temple en consulat, avaient jeté aux ordures les statues des dieux.

Ces questions, auxquelles l'impératrice n'avait pas prêté une attention particulière, apparaissaient maintenant sous leur jour véritable ; l'invasion chrétienne représentait le plus grand danger de son royaume. On trouvait les Chrétiens partout et ils répandaient leur enseignement, en proclamant que seul leur dieu était le vrai dieu. Quant aux femmes chrétiennes, elles n'étaient pas moins dangereuses que les hommes, car, au lieu de rester à la maison, elles se promenaient librement partout, même en présence des hommes, et se conduisaient comme des femmes de mauvaise vie. Jamais on n'avait vu dans le pays affirmer la supériorité d'une religion sur une autre. Depuis des centaines d'années, les disciples de Confucius, de Bouddha et de Lao Tsé vivaient ensemble dans la paix et la courtoisie, chacun honorant les dieux et l'enseignement des autres. Mais les Chrétiens s'obstinaient à rejeter toutes les autres divinités. Et tous savaient maintenant que, là où se trouvaient des missionnaires chrétiens, les marchands, puis les bateaux de guerre ne tardaient pas à suivre.

Un jour, l'impératrice douairière déclara au prince Kung :

« Tôt ou tard, il nous faudra nous débarrasser de ces étrangers et, avant tout, de ces Chrétiens. » Mais le prince Kung, qui prenait peur lorsqu'elle parlait de débarrasser le royaume des étrangers, lui prêcha de nouveau la prudence :

« Majesté, n'oubliez pas que les étrangers possèdent des armes inconnues de nous. Permettez-moi d'établir un règlement pour limiter l'action des Chrétiens sur notre peuple. »

Elle lui donna son accord et, huit jours plus tard, il lui soumit son projet. Mais elle lui dit :

« Aujourd'hui, j'ai mal à la tête. Lisez-moi ce que vous avez écrit. »

Elle ferma les yeux et écouta.

« Majesté, depuis le soulèvement de la population de Tien-Tsin contre les religieuses étrangères, je demande à ce que les Chrétiens n'aient le droit de prendre dans les orphelinats que les enfants de leurs adeptes. » Sans ouvrir les yeux, elle acquiesça d'un signe de tête.

« Je demande aussi, continua le prince Kung, la tête baissée, qu'on ne laisse pas les Chinoises s'asseoir dans les temples en présence des hommes. Ceci est contraire aux coutumes et à la tradition.

— C'est la plus élémentaire décence.

— De plus, je demande à ce que les missions étrangères ne dépassent pas les limites de leur office en protégeant leurs adeptes coupables de crimes. C'est-à-dire que les prêtres étrangers ne se mêlent pas, comme ils le font actuellement, des actions intentées en justice contre leurs adeptes.

— Cela est vraiment raisonnable.

— Ensuite, il serait souhaitable que les missionnaires ne se réclament pas de l'immunité accordée aux officiels de leur nation.

— Certainement pas.

— Les personnages douteux ne devraient pas recevoir dans les églises l'abri qui leur permet d'échapper à un juste châtiment.

— La Justice doit agir librement, en effet.

— Voilà les requêtes que j'ai soumises aux émissaires étrangers résidant dans notre capitale.

— Ce ne sont que des requêtes justifiées. »

Le visage plus grave que jamais, le prince Kung répondit : « Majesté, il m'est pénible de vous avouer que les émissaires étrangers ne les ont pas acceptées. Ils persistent à demander pour tous leurs ressortissants la liberté de se déplacer partout dans le pays et d'agir à leur guise. Pis encore : ils refusent de lire ma requête, envoyée à leurs légations avec toutes les courtoisies voulues. Le ministre des États-Unis seul à répondu, sinon pour l'accepter, du moins pour en accuser poliment réception. »

L'impératrice douairière ne put retenir sa colère devant une offense aussi monstrueuse. Elle ouvrit grands les yeux, frappa des mains et, se levant de son trône, arpenta la pièce en marmonnant des paroles furieuses. Elle se tut soudain et regarda le prince Kung : « Leur avez-vous dit qu'ils construisent un État étranger dans notre pays ? Pis encore : plusieurs États, car chaque secte de leurs diverses religions fait chez nous ses propres lois, sans aucune considération pour les nôtres. »

Le prince Kung répondit d'un air découragé : « Je l'ai dit aux ministres résidents de ces nations.

— Et leur avez-vous demandé, s'écria l'impératrice douairière, ce qu'ils nous feraient si nous nous conduisions de la même façon dans leur pays, refusant d'obéir aux lois et exigeant la liberté comme si tout nous appartenait ?

— Je le leur ai demandé.

— Et qu'ont-ils répondu ? » Ses yeux lançaient des éclairs, ses joues étaient cramoisies.

« Ils ont répondu qu'on ne peut comparer leur civilisation à la nôtre, que nos lois ne valent pas les leurs et que, par conséquent, ils doivent protéger leurs ressortissants. »

Elle grinça des dents. « Cependant, ils vivent chez nous, ils s'accrochent à notre pays, ils refusent de le quitter ! » Elle s'assit pesamment sur son trône. « Je vois qu'ils ne seront satisfaits que le jour où ils s'empareront de notre pays tout entier, comme ils se sont emparés des Indes, de la Birmanie, des Philippines et de Java. » Le prince Kung ne répliqua rien, car il partageait les mêmes craintes.

Elle leva son beau visage durci et pâli.

« Je vous dis qu'il faut nous débarrasser des étrangers !

— Mais comment ?

— Il le faut... par n'importe quel moyen ! Je m'y consacrerai désormais jusqu'à ma mort. »

Elle se redressa et garda un froid silence. Le prince Kung comprit que l'audience était levée.

Dès lors, la vie de l'impératrice fut obsédée par cette nécessité : débarrasser l'Empire des étrangers.

Dans l'automne de la seizième année du jeune empereur T'ung Chih, l'impératrice douairière décida qu'il choisirait son épouse.

La décision prise, elle consulta le grand conseil, les membres des clans et les princes. Le jour fixé par le Conseil des Astrologues, six cents jeunes filles de toute beauté furent convoquées dans la Ville interdite, et parmi elles Li Lien-ying, le chef des eunuques, en choisit cent une.

Par ce beau jour ensoleillé, les cours et les terrasses étaient chatoyantes de chrysanthèmes multicolores. L'impératrice douairière et sa corégente siégaient au palais du printemps éternel pour passer en revue les candidates. L'impératrice aimait beaucoup ce palais aux murs garnis de fresques inspirées du *Rêve de la chambre rouge,* si habilement exécutées qu'elles semblaient vivantes.

Trois trônes se dressaient au centre de la salle : l'empereur, encadré par les régentes, occupait celui du milieu, plus élevé que les autres. Il portait sa robe impériale de couleur jaune, brodée de dragons, son chapeau rond orné d'une plume de paon sacré retenue par un bouton de jade rouge. Il se tenait bien droit, la tête haute, mais sa mère devinait sa joie et son agitation à ses joues rouges et à ses grands yeux noirs très brillants. L'impératrice était fière de son extraordinaire beauté. Elle craignait, dans sa jalousie, qu'une des jeunes filles trop belles ne le lui prît, tout en désirant lui donner la plus belle pour le rendre heureux.

Trois coups de trompette résonnèrent pour annoncer le début du défilé. Le chef des eunuques se prépara à lire la liste des noms, chaque jeune fille s'arrêtant un instant devant le trône pour s'incliner profondément, puis lever le visage. On les voyait s'avancer au fond de la salle, où elles ne formaient qu'une masse confuse et bigarrée, leurs tiares couvertes de bijoux étincelant au soleil qui pénétrait par les portes grandes ouvertes.

De nouveau, la trompette résonna... L'impératrice douairière écoutait, sans tourner la tête, les yeux fixés sur les fleurs de la grande terrasse, reprise par le souvenir si lointain — tout en ne remontant pas à vingt ans — où elle-même faisait partie du défilé des jeunes filles soumises au choix de l'empereur. Ah! quelle différence entre l'empereur actuel, si beau, et celui qu'elle avait connu! Quelle déception n'avait-elle pas éprouvée en voyant ce corps desséché et ces joues blêmes! Mais le bel et jeune empereur assis à ses côtés, quelle jeune fille pourrait résister à son charme? Elle le regarda de côté, mais il n'avait d'yeux que pour le fond de la salle. Les jeunes filles s'avançaient à la file, d'un pas lent, ondulantes et scintillantes, plus belles les unes que les autres. Li Lien-ying lisait leur nom à haute voix, et l'impératrice douairière vérifiait les renseignements fournis sur chacune : nom, âge, titres de noblesse de la famille, etc.

Impossible de retenir le nom de toutes ces beautés, les unes grandes, les autres petites, fières ou enfantines, délicates ou vigoureuses... Le jeune empereur les regardait attentivement, sans rien manifester. La matinée passa; le soleil montait au zénith; les larges rayons qui balayaient le sol s'amenuisèrent et disparurent. Une douce lumière grise emplit la salle; les chrysanthèmes, retenant les derniers rayons du soleil, flamboyaient autour des terrasses. La dernière jeune fille passée, la trompette sonna trois fois pour indiquer la fin du défilé. L'impératrice douairière prit la parole :

« Y en a-t-il une qui te plaise, mon fils? »

L'empereur feuilleta les pages qu'il tenait à la main et, de l'index, désigna un nom. « Celle-ci. »

Sa mère lut la notice concernant la jeune fille :

« Alute, âgée de seize ans, fille du duc Chung Yi, un

des principaux porte-étendard, éminent lettré. Famille de sang purement mandchou dont les origines remontent à quatre siècles. La jeune fille elle-même satisfait à toutes les exigences de la beauté absolue : proportions parfaites, excellente santé, haleine pure. De plus, elle est cultivée. Elle possède une bonne réputation, un caractère doux et — résultat de sa modestie naturelle — elle aime à garder le silence. » L'impératrice douairière lut ces paroles favorables. « Hélas ! mon fils, dit-elle, je ne me souviens pas spécialement d'elle. Qu'on la fasse revenir devant nous. » L'empereur se tourna vers l'autre impératrice, à sa gauche. « Ma seconde mère, vous souvenez-vous d'elle ? » A la surprise générale, l'impératrice répondit : « Je m'en souviens. Son visage ne révèle que la bonté et aucun orgueil. »

L'impératrice douairière fut secrètement irritée que Sakota montrât une meilleure mémoire, mais elle resta courtoise : « Comme ta vue est meilleure que la mienne, ma sœur ! Il faut donc que je revoie cette jeune fille. »

Elle fit signe à un eunuque, qui transmit son ordre au chef des eunuques et Alute se présenta de nouveau dans la salle. Elle s'avança vers les trois personnages impériaux qui ne la quittaient point du regard. Svelte et délicate, la tête basse et les mains à demi cachées dans ses manches, elle marchait gracieusement et semblait à peine effleurer le sol.

« Approche encore, mon enfant », ordonna l'impératrice douairière.

Sans gaucherie, avec une modestie exquise, la jeune fille obéit. L'impératrice douairière lui prit la main et la serra doucement. Elle la trouva lisse et ferme, fraîche mais non froide, avec sa paume sèche, ses ongles lisses et transparents. Ensuite l'impératrice examina son visage ovale aux contours doucement arrondis, ses grands yeux aux cils longs et raides, son teint pâle sans défaut, sa peau transparente. La bouche n'était pas trop petite, les lèvres au dessin délicat s'incurvaient doucement. Le cou était long et gracieux, mais pas trop maigre. Cette jeune fille possédait une beauté aux proportions parfaites.

« Est-ce là un choix judicieux ? » demanda l'impératrice douairière, hésitante.

Elle continua à regarder fixement la jeune fille, se demandant si le menton ne trahissait pas trop de fermeté. Ce visage lui semblait trop mûr pour une jeune fille de seize ans.

« Si je ne me trompe, reprit l'impératrice douairière, ce visage révèle une nature obstinée. Même pour un homme ordinaire, mieux vaut une femme obéissante, et l'épouse d'un empereur doit avant tout se montrer soumise. »

Alute restait immobile, la tête levée, les paupières baissées. La corégente se hasarda à dire : « Elle a l'air intelligent, ma sœur.

— Je ne tiens pas à ce que mon fils soit affligé d'une femme intelligente, rétorqua l'impératrice douairière.

— Oh ! vous êtes assez intelligente pour nous tous, mère », dit le jeune empereur en riant.

L'impératrice douairière ne put s'empêcher de rire également et, voulant se montrer généreuse en un tel jour, elle dit : « Eh bien, mon fils, choisis cette jeune fille et ne m'accuse pas si tu la trouves volontaire. »

La jeune fille s'agenouilla de nouveau et posa la tête sur ses mains plaquées au sol. Elle s'inclina trois fois devant l'impératrice douairière, trois fois devant l'empereur, maintenant son seigneur, et trois fois devant la corégente. Puis elle se leva et s'éloigna comme elle était venue, d'un même pas lent et gracieux.

« Alute, prononça l'impératrice douairière d'un ton rêveur, c'est un nom agréable... » Elle se tourna vers son fils. « Et pour les concubines ? » demanda-t-elle, car la coutume voulait que les quatre plus jolies filles après celle qu'on avait choisie pour épouse fussent désignées comme concubines impériales.

« Choisissez-les pour moi, mère, je vous en prie », répondit l'empereur, indifférent.

L'impératrice en fut satisfaite, car, si elle voulait un jour affaiblir les liens entre la princesse consort et son fils, elle pourrait toujours placer entre eux la concubine choisie par elle.

« Demain, promit-elle. Aujourd'hui, je suis rassasiée de virginales beautés. » Elle se leva, sourit à son fils, et ce fut la fin de ce jour décisif.

Le lendemain, l'impératrice douairière choisit les quatre concubines. Le Conseil des Astrologues interrogea le ciel et les étoiles pour décider la date favorable au mariage. Il fixa le seizième jour du dixième mois de l'année solaire, à minuit très exactement.

Ce jour-là, un membre du conseil marchait devant la chaise à porteurs nuptiale qui emportait Alute, derrière ses rideaux rouges tirés, vers le palais de l'empereur. Ce haut dignitaire tenait à la main une épaisse bougie rouge où des encoches marquaient les heures, de façon à saisir le moment exact. A l'heure fixée, à une minute et à une seconde près, l'empereur, entouré de ses courtisans et des deux impératrices douairières, reçut son épouse. Alute descendit de la chaise nuptiale, encadrée par deux femmes âgées ; deux autres femmes s'approchèrent pour l'accueillir et la présenter à l'empereur.

Les fêtes du mariage durèrent trente jours. Le jeune empereur et son impératrice devenaient les souverains de la nation, mais il fallait d'abord que les deux régentes abandonnent la place qu'elles occupaient depuis douze ans. De nouveau le Conseil des Astrologues choisit un jour favorable pour cette cérémonie et fixa le vingt-sixième jour du premier mois de l'année lunaire. Le vingt-troisième jour de ce mois, l'impératrice douairière publia un édit, signé par l'empereur et scellé avec le grand sceau qu'elle gardait encore, déclarant l'intention des deux impératrices douairières de mettre fin à leur régence et demandant à l'empereur d'assumer les charges du trône. L'empereur répondit également par un édit où il acceptait, par piété filiale, l'ordre des deux régentes. « Par respect et obéissance aux commandements de leurs majestés, en ce vingt-sixième jour de la première lune de la douzième année du règne de T'ung Chih, Nous assumons la charge importante qui Nous est désormais dévolue. »

Alors, l'impératrice douairière annonça qu'elle se retirait pour jouir en paix des années qui lui restaient à vivre. Elle déclara qu'elle laisserait gouverner son fils, que son but était atteint, son devoir rempli, car elle remettait à l'empereur un royaume intact.

Alors commença pour elle une existence paisible et agréable. Elle ne se levait plus le matin au petit jour pour donner des audiences. Elle ne s'occupait plus des affaires nationales, ne distribuait plus punitions et récompenses.

Elle dormait tard, se levait quand elle le désirait, et jouissait à l'avance des agréables journées, vides d'obligations, qu'elle occupait à sa guise. Après toutes ces années où, dès le réveil, elle ployait sous les soucis du gouvernement, elle pouvait maintenant ne penser qu'à ses pivoines. Dans la plus grande de ses cours, elle avait fait installer une colline artificielle toute couverte de ces fleurs. Les jeunes feuilles commençaient à pousser et l'on voyait déjà s'ouvrir des bourgeons roses, cramoisis, ou d'un blanc pur. Chaque matin, des centaines de fleurs nouvelles attendaient sa visite, et l'impératrice marquait bien plus d'empressement pour aller voir

ses plantations qu'autrefois pour se rendre à la salle
du trône.

Ce jour-là, elle se leva tard comme à l'habitude, enleva ses vêtements de nuit — de longs pantalons coulis-
sés aux chevilles et une tunique de soie à larges manches
—, prit son bain et mit d'autres pantalons et une autre
tunique de soie rose recouverts d'une robe de soie brochée bleue qui s'arrêtait aux chevilles, car elle désirait
passer la journée entière entre ses fleurs et ses oiseaux,
et ne voulait pas s'encombrer d'une robe longue. Tandis qu'un eunuque âgé la coiffait, elle surveillait ses
dames d'honneur qui faisaient son lit. Elle ne permettait
ni aux servantes, ni aux eunuques, ni aux vieilles dames
d'honneur d'y toucher, car elle les trouvait sales et malo-
dorants. Elle réservait cette tâche aux plus jeunes et aux
plus saines de ses suivantes, et les surveillait toujours
afin qu'aucun détail ne fût oublié. D'abord, il fallait
porter dans la cour les trois matelas et les édredons pour
les aérer toute la journée au soleil. Puis on enlevait la
plaque de feutre qui recouvrait le sommier de corde
tressée et on balayait celui-ci au balai de crin. L'impératrice exigeait qu'on balayât également chaque jour les
moindres recoins des lourds montants de bois du lit
et le baldaquin d'où pendaient les rideaux de satin.
Il fallait alors remettre les trois matelas aérés la veille et
recouverts de satin broché jaune, puis des draps de soie
très fins et très doux, et enfin six couvertures de soie :
mauve, bleue, verte, rose, grise et ivoire. Un dessus de
lit de satin jaune brodé de dragons d'or et de nuages
bleus recouvrait le tout. Entre les plis des rideaux, on
cousait des petits sachets de fleurs séchées avec du musc,
qu'on renouvelait quand ils perdaient leur parfum.

Quand l'eunuque eut fini de la coiffer, partageant sa
chevelure en deux nattes qu'il rassembla au sommet de
la tête, il posa la grande tiare mandchoue retenue par

deux longues épingles piquées dans le chignon. L'impératrice douairière choisissait toujours elle-même les fleurs dont s'ornait sa tiare ; ce jour-là, c'étaient de petites orchidées au parfum délicat. Sa coiffure achevée, elle se lava le visage au savon parfumé, puis le rinça à l'eau très chaude et enduisit sa peau claire d'une crème faite avec du miel, du lait d'ânesse et de l'essence d'orange. Enfin, elle se poudra avec une poudre d'un rose pâle, très fine et parfumée.

Il lui restait à choisir les bijoux de la journée. Elle se fit apporter ses listes et désigna un numéro de coffret. Une dame d'honneur, spécialement chargée des bijoux, alla chercher ce coffret dans une pièce voisine dont les murs couverts de casiers abritaient les écrins d'ébène numérotés, fermés avec une clef et un cadenas d'or, et portant nomenclature des bijoux. Il y avait en tout un millier d'écrins, mais ce n'étaient que les bijoux ordinaires. Dans une autre pièce, solidement verrouillée, on gardait les bijoux d'apparat que l'impératrice douairière arborait dans les grandes occasions. Puisqu'elle portait une robe bleue, elle choisit des saphirs et des perles, pour orner ses oreilles, ses doigts, son cou et ses poignets.

Ainsi parée, il restait à apporter une dernière touche à sa toilette en choisissant un mouchoir. Elle se décida pour une gaze des Indes blanche, imprimée de fleurs jaunes et bleues, qu'elle attacha au bouton de saphir de sa robe. Elle était enfin prête pour son repas du matin. Chaque plat était posé sur une petite lampe destinée à le maintenir au chaud. Elle choisit selon son caprice et goûta à une vingtaine de plats, puis absorba un bol de bouillie de millet. Ses dames d'honneur, qui se tenaient à l'écart, s'avancèrent alors pour prendre leur repas, évitant soigneusement de toucher aux plats qu'elle avait choisis.

Mais, aujourd'hui, l'impératrice douairière était de

bonne humeur. Elle ne faisait de reproches à personne, elle était gentille avec ses chiens et attendait même pour les nourrir que les dames d'honneur eussent fini leur repas. Lorsqu'elle était en colère, pour un motif quelconque, elle nourrissait les chiens avant les dames d'honneur, disant qu'elle ne pouvait avoir confiance que dans les bêtes, dont la loyauté restait à toute épreuve.

Le repas terminé, elle sortit et se dirigea vers sa colline de pivoines. C'était la saison du retour des oiseaux, et l'impératrice douairière se complaisait à écouter leurs chants délirants. Lorsque l'un d'eux appelait, elle lui répondait, les lèvres arrondies, imitant son chant de façon si parfaite qu'un oiseau ne tardait pas à se poser sur sa main. L'impératrice douairière, ayant écarté les dames d'honneur, immobile, le bras tendu, appela un pinson qui, attiré malgré sa crainte, quitta sa branche de bambou pour venir se poser sur son doigt. Le visage de l'impératrice prit alors une expression si tendre et si charmante que ses dames d'honneur en furent émues, s'étonnant que le même visage pût parfois devenir dur et cruel. L'oiseau enfui, l'impératrice douairière appela ses dames d'honneur et leur dit : « Vous voyez comme la bonté et l'affection ont raison de la peur, même chez les animaux. N'oubliez jamais cette leçon.

— Non, majesté », murmurèrent-elles, émerveillées une fois de plus du caractère changeant de leur impériale maîtresse, si généreuse et douce aujourd'hui, mais impitoyable et assoiffée de vengeance en d'autres occasions.

Par cette belle journée, l'impératrice était de bonne humeur. Elle eut tout à coup envie de voir une pièce de théâtre qu'elle avait écrite, car, maintenant que son fils supportait les lourdes charges de l'État, elle employait ses loisirs à peindre, à faire de la calligraphie et à écrire des pièces de théâtre. Cette femme altière, aux dons multiples, au génie si divers, aurait pu se distinguer dans un art, mais, comme elle les aimait tous, elle les pratiquait tous et y excellait. Elle semblait avoir oublié ses anciennes préoccupations de souveraine, depuis que son fils occupait le trône du Dragon, mais, par les eunuques, ses espions, elle restait au courant de tout.

Elle se promena pendant une heure dans ses jardins, prit un autre repas et proposa aimablement à ses dames d'honneur : « Il fait beau, aujourd'hui, le vent ne souffle pas, le soleil est chaud, vous plairait-il de voir nos acteurs jouer ma pièce, *La Déesse de miséricorde ?* »

Les dames d'honneur applaudirent, mais le chef des eunuques, Li Lien-ying, s'adressa à l'impératrice : « Majesté, je me permets de vous informer que les acteurs ne savent pas encore bien leur rôle. Dans cette pièce subtile, il faut beaucoup de sûreté et de clarté dans la diction si on ne veut pas en gâcher tout l'humour et la légèreté. »

L'impératrice douairière fronça le sourcil. « Les acteurs ont eu assez de temps, déclara-t-elle. Va leur dire immédiatement que j'attends le lever du rideau avant le commencement de la prochaine période sur la clepsydre. En attendant, je vais dire mes prières quotidiennes. »

L'impératrice douairière se dirigea, de son pas toujours gracieux, vers son temple privé où un Bouddha de jade blanc, assis sur une grande feuille de lotus en jade vert, tenait à la main droite une fleur de jade rose. A sa droite se dressait une Kuan Yin, et à sa gauche le dieu de la Longévité. L'impératrice douairière se tenait devant le Bouddha sans s'agenouiller, mais elle inclinait sa tête orgueilleuse en récitant son chapelet.

O mi t'o fu, murmurait-elle à chaque grain de son chapelet. Quand elle eut fini les cent huit grains sacrés, elle posa sur l'autel son chapelet de bois de santal et alluma un bâton d'encens. Elle n'oubliait jamais ses devoirs religieux quotidiens envers le Bouddha, seigneur céleste, mais aussi envers la déesse de la Miséricorde qu'elle révérait à l'extrême. Dans le secret de son cœur, elle s'imaginait qu'elles étaient sœurs : l'une reine du Ciel et l'autre reine de la Terre ; quelquefois, au milieu de la nuit, elle lui parlait :

« Ma sœur du Ciel, vois mes soucis... Ces eunuques... Mais as-tu des eunuques au ciel, ma sœur ? J'en doute, car il n'y en a aucun à mériter le ciel. Mais pourtant, qui vous sert, toi et tes anges, ma sœur du Ciel ? Certainement pas un homme, car aucun homme ne serait assez pur pour t'approcher au ciel. »

Maintenant qu'elle avait le temps d'évoquer des souvenirs, il lui arrivait aussi de poser une question à la déesse : « Serait-il possible de recevoir au ciel un amant fidèle ? » Elle alla même jusqu'à préciser son nom.

« Ma sœur du Ciel, tu connais mon cousin Jung Lu et tu sais que je devais l'épouser. Dis-moi, pourrons-nous nous marier lors d'une incarnation ultérieure, ou mon destin me placera-t-il encore trop haut ? Si tu me mets au ciel à ta droite, ma sœur, je te demande de l'élever jusqu'à moi pour que nous soyons enfin égaux, comme la reine d'Angleterre, Victoria, a élevé jusqu'à elle son consort. »

C'est ainsi qu'elle se confiait à la déesse et, contemplant ce visage pur et pensif, elle se demandait si sa sœur céleste savait la part de vérité qu'elle lui cachait.

Lorsqu'elle sortit du temple, ses dames d'honneur la suivirent dans une cour où, dans deux immenses corbeilles de cèdre, poussaient des glycines pourpres d'un âge respectable. Les grappes en pleine floraison embaumaient le jardin et même le pavillon et l'entrée du palais. Tous les jours, l'impératrice douairière venait les voir.

Elle traversa cette cour, toujours suivie de ses dames d'honneur, et, par un passage voûté, pénétra dans son théâtre.

Ce théâtre ne ressemblait à aucun autre de l'Empire ni, croyait-elle, du monde entier. Ce grand édifice circulaire de huit étages, bâti en briques, donnait sur une cour. Les trois étages du haut servaient à ranger les costumes et les décors ; les deux du bas formaient deux scènes superposées. La scène supérieure était consacrée aux pièces religieuses que l'impératrice affectionnait particulièrement, car elle s'intéressait à l'existence des êtres célestes. Un autre bâtiment extérieur, contenant des salles de repos, se dressait en arc de cercle autour de la scène inférieure et, à travers sa paroi de verre, l'impératrice pouvait regarder le spectacle quel que fût le temps. En été, on remplaçait ces vitres par des rideaux de gaze assez fins pour assurer la vision, mais à la trame assez serrée pour interdire le passage aux moustiques et aux mouches. L'impératrice ne pouvait pas supporter celles-ci et, si elle en voyait une approcher d'un bol de nourriture, elle ne voulait même pas le donner à ses chiens. Dans ce bâtiment extérieur, trois pièces étaient réservées à son usage exclusif : l'une, aménagée en bibliothèque, lui permettait de se distraire lorsque la pièce l'ennuyait, et les autres lui servaient de salles de repos, où elle pouvait dormir si l'envie lui en prenait.

Ce jour-là, elle s'installa dans la salle de repos, sur un trône garni de coussins, entourée de ses dames d'honneur, pour assister une fois de plus à sa pièce et en perfectionner la mise en scène. Les acteurs se plaignaient qu'elle fût trop difficile, mais il fallait bien lui obéir et ils se surpassèrent. Ils avaient même réussi à faire s'élever au milieu de la scène une grande fleur de lotus, d'où sortait une déesse de la Miséricorde vivante, entourée par deux jouvenceaux : des eunuques au visage fin et délicat, parfaitement choisis pour ce rôle. D'après la légende, cette déesse pouvait ressusciter les morts à l'aide d'une branche de saule trempée dans une fiole de jade. Dans ses pièces, l'impératrice douairière n'épargnait pas la magie, car elle s'y intéressait beaucoup et cherchait toujours à apprendre davantage sur ce sujet. Elle aimait particulièrement les récits de magie hindoue importés plus de mille ans auparavant par des pèlerins bouddhistes : si l'on connaissait ces incantations, ces talismans et ces formules secrètes, on pouvait rendre le corps humain insensible aux blessures causées par les armes. Elle n'était pas loin de croire à tous ces sortilèges, malgré son scepticisme et sa finesse naturels, car elle se sentait instinctivement trop forte pour mourir ; elle songeait souvent à une magie qui écarterait la mort et lui assurerait la vie éternelle. C'est ainsi qu'elle étoffait son théâtre de ses espoirs, de son besoin de croire en une puissance céleste, et de ses débordements d'imagination, exigeant de ses acteurs une perfection presque surhumaine. Elle assurait elle-même les mises en scène, imaginait des décors, faisait installer des toiles de fond et des perspectives, artifices qu'elle croyait avoir découverts, parce qu'elle n'avait jamais entendu parler de rien de semblable.

La représentation terminée, elle applaudit, satisfaite du jeu des acteurs et de son propre art de dramaturge. La satisfaction lui donnait toujours faim, et elle fit signe à un eunuque de lui apporter un repas, fidèle à son habitude de manger, quel que fût le lieu. Elle se mit à bavarder avec ses dames d'honneur, leur posant des questions sur la pièce, encourageant la critique, trop large d'esprit pour la craindre, toujours désireuse d'atteindre à la perfection. Quand la table fut mise, les eunuques du service de bouche firent la chaîne pour se passer les plats depuis la cuisine. Les dames d'honneur se tenaient à l'écart tandis que l'impératrice douairière faisait son choix et mangeait de bon appétit. D'humeur gaie, elle eut pitié de ses dames d'honneur qui attendaient son départ pour satisfaire leur faim. Elle se retira dans sa bibliothèque pour y boire son thé. Deux eunuques la suivirent, l'un portant sa tasse de jade protégée par un couvercle d'or et posée sur une soucoupe d'or massif, et l'autre portant un plateau d'argent avec une paire de baguettes en ivoire serti d'or et deux bols de jade remplis de pétales de rose et de fleurs de chèvrefeuille séchées. L'impératrice douairière aimait à mélanger ces fleurs séchées avec son thé, mais elle seule connaissait les bonnes proportions.

Pendant qu'elle dégustait son thé, l'ombre qui devait marquer sa vie tomba tout à coup sur elle. Son eunuque Li Lien-ying se présenta, la salua et resta incliné.

« Pourquoi me déranges-tu? »

L'eunuque releva la tête : « Majesté, je demande à vous parler sans témoin. »

Elle posa son bol de thé et fit un geste de la main droite pour renvoyer tous les eunuques présents.

« Lève-toi, ordonna-t-elle à Li Lien-ying, et assieds-toi là. Qu'a fait l'empereur? » Le grand eunuque décharné obéit et s'assit timidement, en détournant son visage ridé d'une exceptionnelle laideur. « J'ai volé ce document aux archives, dit-il, je dois le rendre dans une heure au plus tard. »

Il se leva, tira de sa poche un papier plié dans une longue enveloppe et s'agenouilla pour le lui présenter à deux mains. Elle reconnut tout de suite l'écriture de Wu K'o-tu, membre du Conseil des Censeurs impériaux, à qui elle avait déjà refusé de présenter un rapport au trône sur l'admission des étrangers dans la Ville interdite. Cette fois-ci, le rapport s'adressait spécialement à l'empereur :

En très humble serviteur du Trône, je présente ce rapport secret à l'Empereur, Le suppliant de mettre fin au conflit politique en octroyant la permission aux ministres des gouvernements étrangers d'être reçus debout devant le Trône du Dragon. Ce faisant, le Trône du Dragon manifesterait une générosité véritablement impériale et démontrerait le prestige de l'Homme Supérieur. Jusqu'à présent, le strict attachement aux traditions n'a réussi qu'à provoquer l'inimitié des ministres étrangers.

L'impératrice douairière fut saisie de colère : allait-on contrecarrer sa volonté? Allait-on dresser contre elle son propre fils? Si l'on ne vénérait plus comme il se doit le trône du Dragon, quel honneur lui resterait-il?

Elle parcourut du regard les lignes suivantes et aperçut une citation d'un sage ancien : « Comme le dit Mencius : « Pourquoi l'homme supérieur se commettrait-il « dans des querelles avec les espèces inférieures des « oiseaux et des bêtes? »

Furieuse, elle s'exclama : « Ce maudit censeur s'arrange pour tronquer à son profit les paroles classiques d'un ancien! » Elle termina sa lecture non sans être tentée de déchirer en mille morceaux ce document plein d'audace. Mais elle était trop prudente pour céder à sa colère. Ce Wu K'o-tu était un homme avisé, chargé d'ans et d'honneurs. Il ne se bornait pas à recommander l'obéissance aux devoirs, il l'observait lui-même avec une extrême rigueur. Ainsi, lors de la fuite de la cour à Jehol, lors de la prise de la capitale par les étrangers, Wu K'o-tu avait tenu à assister sa vieille mère dans son agonie. Malgré le danger, il était resté jusqu'à la fin, pour s'occuper des derniers détails des funérailles.

L'impératrice douairière savait le prix et la rareté d'une telle vertu, et elle mit un frein à sa colère.

« Remets ce document où tu l'as trouvé », dit-elle en

tendant le rapport au chef des eunuques, et elle le renvoya sans daigner faire le moindre commentaire.

Mais sa bonne humeur s'était envolée. Ce jour-là, le théâtre ne pouvait plus la distraire. Tandis que les acteurs jouaient, elle restait plongée dans ses réflexions, sans lever la tête ni écouter les chants. A la fin de la dernière scène, la troupe entière se produisit dans un déploiement de splendeurs, sous la forme d'êtres célestes, groupés autour de la reine du Ciel, tandis qu'à leurs pieds s'attroupaient une vingtaine de singes vivants dressés pour tenir le rôle des démons vaincus par la puissance divine. L'impératrice douairière se leva sans un mot et s'éloigna si vite que ses suivantes, absorbées par le tableau final, ne s'aperçurent de sa disparition qu'au dernier moment et se précipitèrent en désordre derrière elle. Mais, d'un geste impérieux, elle les tint à distance et retourna seule à son palais, où elle fit appeler Li Lien-ying.

Le chef des eunuques obéit immédiatement et la trouva dans sa bibliothèque, immobile, le visage pâle et les yeux fixes.

« Ordonne à mon fils de se présenter devant moi », lui dit-elle d'une voix tranchante.

Il salua et se retira. Toujours immobile, l'impératrice attendait, mais les minutes passaient et le chef des eunuques ne revenait pas. Au bout d'une heure, il n'était toujours pas là et l'empereur n'avait pas même envoyé de message. Dans la cour, la lumière déclina et, quand le crépuscule eut envahi la vaste bibliothèque, les serviteurs entrèrent à pas de loup pour allumer les grandes lanternes ; alors seulement, l'impératrice parla : « Où est le chef des eunuques ? »

— Majesté, répondit un eunuque en tombant à genoux, il est dehors dans le Pavillon d'Attente.

— Pourquoi n'entre-t-il pas ?

— Majesté, il a peur.

— Envoie-le-moi. »

Li Lien-ying se glissa à l'intérieur comme une ombre sortie du jardin obscur. Il se jeta par terre et elle baissa le regard vers son corps prosterné.

« Où est mon fils? demanda-t-elle d'une voix glaciale mais unie.

— Majesté, je n'ose pas...

— Tu n'oses pas me rapporter sa réponse?

— Majesté, il vous fait dire qu'il est souffrant. » Il parlait d'une voix étouffée par ses grandes mains qui lui cachaient le visage.

« Est-il vraiment souffrant?

— Majesté... Majesté...

— Je vois : ce n'est qu'un prétexte. »

Elle se leva, impassible et gracieuse. « S'il ne veut pas venir à moi, je dois aller à lui. » Elle s'éloigna d'un pas si rapide que l'eunuque dut se précipiter pour la suivre. Elle ne faisait aucune attention à lui et ne jetait pas un regard en arrière. Les eunuques de service dans les pavillons, les corridors ou les entrées restaient pétrifiés en la voyant passer d'un pas rapide, le visage tendu, les yeux brûlants, et se bornaient à échanger des regards atterrés. Li Lien-ying courait derrière elle, n'osant s'arrêter nulle part pour expliquer ce qui se passait, s'appliquant à suivre cette silhouette majestueuse qui semblait voler dans sa robe bleu et or.

Elle se dirigea droit vers le palais de l'empereur. Elle monta les marches de marbre et traversa la terrasse. La porte était fermée, mais elle regarda à travers les rideaux de mousseline transparente. Son fils était installé dans un grand fauteuil garni de coussins et Alute, penchée au-dessus de sa bouche, lui tendait des cerises, les premières cerises qui viennent du Midi, celles qu'il aimait. La tête rejetée en arrière, il essayait de les attraper et riait comme jamais sa mère ne l'avait vu rire. Ses eunuques et les suivantes de la jeune princesse consort riaient tous avec eux comme des enfants.

Elle ouvrit brusquement la porte et resta debout sur le seuil, étincelante comme une déesse sur le fond sombre de la nuit. Les flammes des mille bougies faisaient scintiller sa robe et sa tiare et révélaient son beau visage furieux. Ses grands yeux brillants observaient le spectacle. Quand ils tombèrent sur son fils et Alute, elle dit d'une voix à la fois douce et cruelle :

« Mon fils, j'ai entendu dire que tu es souffrant. Je suis venue voir comment tu te portes. »

Il bondit sur ses pieds tandis qu'Alute restait immobile comme une statue, tenant encore les cerises à la main.

« Je vois que tu es très souffrant, en vérité, dit l'impératrice sans quitter son fils des yeux, je vais demander au médecin de la cour de s'occuper immédiatement de toi. »

Incapable de parler, il regardait sa mère, malade en effet, mais de frayeur.

« Quant à toi, Alute, continua l'impératrice d'une voix coupante, je trouve que tu ne prends pas soin de la santé de ton seigneur. Il ne devrait pas manger de fruits lorsqu'il est malade. Tu seras punie pour ta négligence. »

L'empereur ferma la bouche et avala sa salive. « Mère, bégaya-t-il, je vous en prie, ce n'est pas la faute d'Alute. J'étais vraiment fatigué, car l'audience a duré presque toute la journée. »

Elle fixa sur lui le regard terrible de ses yeux brûlants et fit trois pas en avant. « A genoux ! cria-t-elle. Crois-tu, parce que tu es empereur, que tu n'es plus mon fils ? » Alute ne bougeait toujours pas, mais elle se tenait droite et fière, sans manifester aucune crainte. Elle laissa tomber les cerises et saisit le bras de l'empereur. « Non, protesta-t-elle à mi-voix. Ne t'agenouille pas. »

L'impératrice fit encore deux pas et tendit le bras droit, l'index pointé au sol.

« A genoux! »

Le jeune empereur hésita un long moment, puis il se libéra de l'étreinte d'Alute.

« C'est mon devoir », dit-il, et il tomba à genoux.

Dans un silence dramatique, l'impératrice douairière le contempla. Lentement, sa main droite retomba le long de son flanc.

« Il est bon que tu te souviennes de ton devoir envers tes aînés. L'empereur lui-même n'est qu'un enfant devant sa mère tant qu'elle est vivante. » Elle releva la tête et fit des yeux le tour de l'assistance.

« Sortez, vous tous, cria-t-elle, laissez-moi seule avec mon fils. »

Tous se glissèrent au-dehors, mais Alute resta dans la pièce.

« Toi aussi », insista l'impératrice, impitoyable.

Alute hésita, puis s'éloigna tristement au pas silencieux de ses souliers de satin.

Seule avec son fils, l'impératrice changea aussi brusquement que le temps, un jour d'avril. Elle sourit et caressa de sa paume parfumée la joue de son fils.

« Lève-toi, mon fils, dit-elle doucement, asseyons-nous et raisonnons ensemble. » Mais elle prit le fauteuil impérial et il dut s'asseoir sur la chaise d'Alute. Il tremblait; elle voyait frémir ses lèvres et bouger ses mains.

« Même dans un palais, il faut de l'ordre, commença-t-elle d'une voix calme et musicale. Je me devais d'établir la préséance des générations devant les eunuques et en présence de l'impératrice consort. Pour moi, celle-ci n'est que la femme de mon fils. »

Il ne répondit rien, mais passa nerveusement sa langue sur ses lèvres trop sèches.

« Maintenant, mon fils, continua-t-elle, on m'a dit

que tu as la secrète intention d'enfreindre ma volonté ? Est-il exact que tu veuilles recevoir les ministres étrangers debout ? »

Il fit appel à tout son orgueil. « On me le conseille, répondit-il, en particulier mon oncle, le prince Kung.

— Et le feras-tu ? » Qui mieux que lui pouvait discerner l'éclat métallique et dangereux de sa voix charmante ?

« Je le ferai, affirma-t-il.

— Je suis ta mère, je te l'interdis. »

Elle fut attendrie malgré elle par son beau visage jeune, sa bouche trop tendre, ses grands yeux liquides et, malgré son obstination, elle devina, comme autrefois lorsqu'il était enfant, la peur secrète qu'elle lui inspirait. Une affreuse tristesse lui étreignit le cœur. Elle aurait voulu qu'il fût assez fort pour ne craindre personne, pas même elle, car la peur est une faiblesse. S'il avait peur d'elle, il pourrait aussi avoir peur d'Alute et, un jour, sa femme deviendrait peut-être la plus forte. N'allait-il pas, autrefois, chercher du réconfort auprès de Sakota ? Maintenant, trouvait-il un refuge auprès d'Alute par crainte de sa mère qui l'aimait pourtant mieux que sa jeune femme ? Elle avait sacrifié pour lui sa vie de femme et fait sien le destin de son fils.

Il baissa de nouveau les yeux devant son regard scrutateur. Ses beaux cils, trop longs pour un homme, c'est d'elle qu'il les tenait ! Si une femme peut transmettre sa beauté à son fils, ne peut-elle pas aussi lui transmettre sa force ?

Elle soupira, se mordit les lèvres et parut céder.

« Après tout, que m'importe si les étrangers se prosternent ou non devant le trône du Dragon ! Je ne pense qu'à toi, mon fils.

— Je le sais, je le sais, mère. Tous vos actes ne tendent qu'à mon bien. Je voudrais tellement faire quelque chose pour vous. Non pas en matière de politique, mais pour votre propre satisfaction. Un jardin? Une colline transformée en jardin? Je pourrais faire déplacer une montagne et... »

Touchée malgré sa colère, elle répondit : « Je possède déjà des jardins et des montagnes. » Elle ajouta très lentement : «Ce à quoi j'aspire, on ne peut le recréer.

— Quoi donc? » Il manifestait trop clairement le besoin d'obtenir son approbation, d'échapper à sa colère.

« A quoi bon? répliqua-t-elle, pensive... Peux-tu rendre la vie à des cendres? »

Il comprit. Elle pensait aux ruines du palais d'Été. Combien de fois ne lui avait-elle pas décrit ses pagodes, ses pavillons, ses jardins et ses rocailles! Jamais elle ne pardonnerait ces destructions aux étrangers.

« Et si nous vous construisions un nouveau palais d'Été, mère? Nous le ferions aussi semblable à l'ancien que vos souvenirs le permettraient. Je demanderai une taxe spéciale aux provinces, car nous ne devons pas toucher aux fonds du trésor public.

— Ah! dit-elle finement, tu essaies de m'acheter pour pouvoir agir à ta guise.

— Peut-être. » Il releva les yeux et la regarda de côté. Elle rit soudain. « Eh bien, après tout, pourquoi me charger de soucis? Un palais d'Été? Pourquoi pas? »

Elle se leva et il l'imita aussitôt. Elle esquissa de nouveau le geste de lui caresser la joue, puis elle s'éloigna. Li Lien-ying sortit de l'ombre pour se glisser à sa suite.

Que de chagrins les enfants ne causent-ils pas à leurs parents, qu'ils soient princes ou mendiants!

L'impératrice douairière ne tarda pas à apprendre par ses espions que son fils avait menti en se réclamant des conseils du prince Kung pour permettre aux ministres étrangers de se présenter debout devant le trône.

Au contraire, le prince Kung avait rappelé à l'empereur que ses ancêtres ne voulaient pas accorder aux étrangers un privilège refusé à leurs propres concitoyens. C'est ainsi qu'au temps du Vénérable Ancêtre Ch'ien Lung un lord anglais, Macartney, fut prié de s'incliner jusqu'au sol devant le trône du Dragon, mais, par réciprocité, l'Anglais exigeait d'un prince mandchou qu'il s'inclinât devant le portrait de son monarque, le roi George. Quand les émissaires étrangers insistèrent pour être reçus à la Cour, le prince Kung trouva prétexte sur prétexte pour retarder la décision ; cette manœuvre durait depuis quatre mois, quand l'empereur en personne y mit fin en ordonnant que les ministres occidentaux se présentent devant le trône du Dragon, manifestant ainsi une indulgence et une faiblesse impardonnables.

L'été commençait ; l'impératrice douairière n'avait pas envie de s'occuper des affaires de l'État. Installée dans sa bibliothèque, elle dressait un plan du nouveau palais d'Été avant de convoquer les architectes et les entrepreneurs qui réaliseraient son rêve en briques et en marbre. C'est là qu'elle apprit par Li Lien-ying la conduite de son fils.

« Va me chercher le prince Kung », ordonna-t-elle, agacée. Elle posa ses pinceaux sur la table.

Il la trouva en train d'arpenter la salle devant les portes grandes ouvertes sur le jardin. Dans les grenadiers, le feuillage épais d'un vert foncé s'émaillait du rouge des fleurs épanouies. Le prince Kung connaissait le faible de l'impératrice pour les fleurs et les fruits du grenadier et ses premières paroles, après l'avoir saluée, furent :

« Majesté, vos arbres sont très beaux. Je n'en ai jamais vu de pareils. Tout ce qui vous touche prend une vie nouvelle. »

Il avait appris à lui parler sur un ton soumis et légèrement flatteur.

Elle inclina la tête, contente de recevoir des compliments et prête à se montrer généreuse envers lui parce qu'il désapprouvait l'empereur. « Allons plutôt dehors », proposa-t-elle. Elle prit place sur un fauteuil de jardin en porcelaine et lui, après le refus d'usage, sur un banc de bambou.

« Je ne devrais pas vous faire perdre votre temps, commença l'impératrice, mais j'apprends que l'empereur, mon fils, désire recevoir les ministres étrangers sans les obliger à se prosterner, et j'en suis très troublée.

— Majesté, il est curieux comme un enfant, expliqua le prince Kung, et très impatient de voir enfin un étranger de près.

— Les hommes resteront-ils donc toujours des enfants ! » s'exclama-t-elle. Elle leva le bras pour cueillir une fleur cramoisie qu'elle effeuilla et laissa tomber.

Il ne répondit rien, et son silence finit par irriter l'impératrice. « Eh bien, s'écria-t-elle, vous ne le lui avez pas défendu ? C'est vous qui représentez l'ancienne génération. » Le prince Kung leva les sourcils. « Moi, défendre quelque chose à l'empereur, alors qu'il peut me faire couper la tête ?

— Vous savez très bien que je ne le lui permettrais pas.

— Majesté, je vous en remercie. Mais vous devez savoir, je pense, que la princesse consort exerce sur lui une influence croissante... bonne d'ailleurs, puisqu'elle le soustrait à la compagnie des eunuques et à la fréquentation des bouges où ceux-ci l'entraînaient.

— Ah ! oui, mais qui a de l'influence sur la princesse consort ? s'enquit l'impératrice douairière d'une voix tranchante. Je ne reçois d'elle que de rares visites de politesse, et elle ne me parle jamais.

— Majesté, je ne sais pas. » D'un revers de main, elle repoussa les pétales tombés sur le satin de sa robe. « Vous le savez très bien. C'est l'impératrice douairière : ma cousine Sakota. » Il baissa la tête et resta encore silencieux. Puis il dit pour l'apaiser : « Du moins, ne faudrait-il pas recevoir les émissaires étrangers dans la salle d'audiences impériale.

— Certainement », approuva-t-elle. Il avait réussi à lui changer les idées. Elle contempla un moment les rayons du soleil qui glissaient à travers les branches des grenadiers; soudain elle sourit.

« J'ai une idée. Recevons-les dans le pavillon de la lumière pourpre. Ils ne seront pas dans l'enceinte du palais, mais ils l'ignoreront. Ainsi nous leur laisserons leurs illusions, mais nous ne céderons pas. »

Malgré sa répugnance à lui obéir, il ne put résister au plaisir de jouer ce tour aux étrangers. En effet, le pavillon de la lumière pourpre se trouvait à l'extrémité du lac du Milieu, qui fait partie de la frontière occidentale de la Ville interdite. C'est là qu'une fois par an seulement : le jour du Nouvel An, l'empereur recevait les envoyés des tribus étrangères au pays.

« Majesté, s'exclama le prince Kung, vous êtes plus intelligente que le plus intelligent des hommes, j'admire votre habileté et votre esprit. Je donnerai des ordres en ce sens. »

De très bonne humeur maintenant, et ravie par ses louanges, elle l'invita à la suivre pour voir les plans du palais d'Été.

Pendant une heure, le prince Kung examina les projets de l'impératrice. Il l'écouta décrire avec enthousiasme ses réalisations futures : rivières serpentant entre les rochers et formant des lacs de-ci de-là, collines amenées tout entières des provinces de l'Ouest et garnies d'arbres et d'étangs, palais aux toits d'or et pagodes scintillantes érigées sur les hauteurs, au bord d'un vaste lac. Le désarroi du prince Kung fut tel qu'il en resta muet. D'ailleurs, s'il avait osé ouvrir la bouche pour se plaindre de la ponction que ces réalisations causeraient au trésor public, elle aurait pu se mettre en colère et le condamner à mort. Il se força à murmurer entre ses dents :

« Qui d'autre que vous, Majesté, pourrait concevoir un tel palais ? »

Il lui demanda la permission de se retirer et s'en alla directement chez le grand conseiller Jung Lu, ce que l'impératrice douairière devina aussitôt quand, le soir même, avant le couvre-feu, Jung Lu demanda une audience.

Elle était penchée sur ses cartes et dessinait à ce moment, avec un pinceau extrêmement pointu, une grande pagode aux lignes harmonieuses.

« Fais entrer le grand conseiller », dit-elle sans lever la tête. Sachant que Jung Lu n'approuverait pas son caprice, elle le laissa debout pendant un moment, sans se retourner.

« Qui est là ? demanda-t-elle finalement.

— Majesté, vous le savez. »

Comme d'habitude, le son de sa voix grave la toucha directement au cœur, mais elle feignit l'indifférence.

« Ah ! et pourquoi viens-tu ? Tu ne vois pas que je suis occupée ?

— C'est la raison de ma visite. Et je vous demande, majesté, de m'écouter, car il reste très peu de temps avant le couvre-feu. »

Elle retrouvait en lui l'autorité qu'elle lui connaissait depuis si longtemps. C'était le seul homme qu'elle craignît, parce qu'il l'aimait et ne voulait point lui céder. Mais il restait aussi volontaire maintenant qu'au temps de leurs fiançailles enfantines. Délibérément, pour le faire attendre, elle posa le couvercle de jade sur la plaque d'encre, lava son pinceau dans une petite coupe et s'affaira à ces menus détails dont elle se déchargeait ordinairement sur un eunuque. Il attendit, connaissant très bien la raison de cette attitude et sachant qu'elle ne le croyait pas dupe.

Enfin elle traversa la vaste pièce et prit place sur son trône. Il s'agenouilla devant elle comme le réclamaient les usages, et elle le laissa agenouillé, le regardant de ses yeux noirs à la fois cruels, moqueurs et tendres.

Au bout d'un moment, elle demanda : « As-tu mal aux genoux ?

— Cela n'a aucune importance, majesté, répondit-il d'une voix calme.

— Lève-toi. Je n'aime pas te voir à genoux devant moi. »

Il se leva avec dignité et resta immobile pendant qu'elle l'observait de la tête aux pieds. Enfin, leurs regards se rencontrèrent et restèrent unis puisque aucun témoin ne pouvait les surprendre et que l'eunuque se tenait à bonne distance dans le corridor.

« Eh bien, qu'ai-je fait de mal ? » Elle l'interrogea de la voix douce d'un enfant qui demande pardon.

« Vous savez ce que vous faites. »

Elle haussa les épaules : « Je ne t'ai pas parlé du palais d'Été, car je savais bien que quelqu'un s'en chargerait... le prince Kung sans aucun doute. Ce nouveau palais d'Été, c'est mon fils qui me le donne. Telle est sa volonté. »

Jung Lu répondit très gravement : « Vous savez que le trésor ne possède pas actuellement de fonds pour construire un palais luxueux. Le peuple ploie sous les charges. Pour construire ce palais, il faudrait lever de nouveaux impôts dans chaque province. »

Elle haussa de nouveau les épaules : « Il n'est pas

nécessaire de rassembler de l'argent. Les provinces peuvent donner leur tribut sous forme de pierres, de bois, de jade et d'artisans. On en trouve partout.

— Il faut payer les hommes.

— Cela non plus n'est pas nécessaire. Le premier empereur n'a pas payé les paysans qui ont bâti la Grande Muraille. Quand ils mouraient, il faisait incorporer leurs ossements aux briques et épargnait ainsi l'argent des funérailles.

— Dans ce temps-là, la dynastie était forte. Le peuple n'osait pas se révolter. L'empereur, chinois et non mandchou, destinait ces murs à protéger son propre peuple contre les invasions des ennemis du Nord. Mais, maintenant, le peuple accepterait-il d'envoyer des hommes et des marchandises uniquement dans le but de vous construire un palais d'Été ? Et vous-même, seriez-vous heureuse dans un palais aux murs remplis d'ossements d'innocents ? Je ne vous crois pas si dure. »

Lui, et lui seul au monde, pouvait faire monter les larmes aux yeux de l'impératrice. Elle détourna la tête pour les cacher. « Je ne suis pas dure... » Sa voix n'était plus qu'un murmure. « Je suis... seule. »

Elle s'essuya les yeux avec son mouchoir de gaze fleurie. Les liens se resserrèrent encore entre eux. Elle désirait ardemment qu'il se rapprochât, qu'il lui prît au moins la main.

Mais il ne bougeait pas. La voix toujours grave, il reprit : « Vous auriez dû dire à votre fils, l'empereur, qu'il lui sied mal de vous faire un tel don, alors que le pays est écrasé sous les menaces de guerre, la misère et les inondations des provinces du Centre. Il était de votre devoir de le lui rappeler. »

Elle tourna vers lui ses yeux pathétiques brillants de larmes. « Oh ! cet empire ! Il y a toujours de la misère ! » Ses lèvres tremblaient, elle se tordait les mains. « Et pourquoi ne lui dis-tu pas toi-même? Tu es un père pour lui...

— Chut! Ne parlons pas de l'empereur! »

Elle baissa la tête et ses larmes tombèrent sur sa robe de satin rose.

« Pourquoi vous désolez-vous? Vous possédez tout ce que vous désiriez. Que vous manque-t-il? Y a-t-il au monde une femme plus puissante que vous? »

Elle ne lui répondit pas, mais ses larmes continuèrent à couler.

« La sécurité de la dynastie est assurée, tout au moins de votre vivant. Vous avez formé un empereur, vous lui avez trouvé une épouse. Comme ils s'aiment et qu'ils sont jeunes, elle lui donnera un héritier. »

Elle releva la tête, interloquée.

« Déjà?

— Je n'en sais rien, mais cela ne saurait tarder dans le cas d'un si grand amour. »

Il posa sur elle un regard plein de compassion. « Je les ai aperçus, par hasard, il y a quelques jours. Il était tard, et je me hâtais de gagner le portail avant le couvre-feu. Je passais devant le pavillon des vents favorables...

— Trop près du palais de ma cousine..., murmura-t-elle.

— Le portail était ouvert, enchaîna-t-il, et j'y plongeai inconsciemment le regard. Dans le crépuscule, je les vis enlacés comme deux enfants. »

Elle se mordit les lèvres, son menton trembla de nouveau, les larmes débordèrent de ses yeux. Devant ce visage, si beau dans son chagrin, il ne put se dominer.

Il fit trois pas en avant, puis deux, et se trouva plus près d'elle qu'il ne l'avait été depuis des années.

« Mon amour, dit-il si bas que nul n'aurait pu l'entendre, ils possèdent ce qui nous est refusé à tous deux. Aidez-les à le garder. Guidez-les. Ajoutez toutes vos forces et votre puissance à ce nouveau règne, car il est bâti sur l'amour. »

Incapable d'en supporter plus, elle cacha son visage dans ses mains et sanglota. « Oh! va-t'en! Laisse-moi... Laisse-moi seule comme je l'ai toujours été! » Elle était secouée de sanglots si bruyants qu'il fut forcé de lui obéir, de peur qu'on l'entendît. Il hésita, soupira, et fit un pas en arrière pour la quitter comme elle l'exigeait.

Mais, tout en pleurant, elle l'observait à travers ses doigts écartés et, quand elle le vit s'éloigner sans un mot de réconfort, elle releva la tête avec une telle colère qu'instantanément ses larmes séchèrent.

« Je suppose... Je suppose... que tu n'aimes personne d'autre que tes enfants! Combien d'enfants as-tu eu avec... avec... »

Il s'arrêta et croisa les bras. « Majesté, j'en ai trois.

— Des fils?

— Je n'ai pas de véritable fils. »

Pendant un long moment, leurs regards, chargés de tristesse et de regrets, restèrent unis. Puis il s'en alla et elle resta seule.

A la fin du sixième mois de l'année solaire, l'empereur T'ung Chih reçut les émissaires de l'Ouest. L'impératrice douairière écouta le rapport complet de Li Lien-ying.

L'audience eut lieu à six heures du matin, au pavillon de la lumière pourpre. L'empereur, les jambes croisées derrière une table basse, était assis sur une estrade. Il observait les étranges visages de ces Blancs à la haute taille : ministres d'Angleterre, de France, de Russie, de Hollande et des États-Unis. Tous, sauf les Russes, portaient des vêtements simples, de tissu foncé, leurs jambes étaient enfermées dans des pantalons étroits et leur buste pris dans un curieux vêtement court; ils ne portaient pas de robes. Ils saluèrent l'empereur, en s'inclinant, mais sans se prosterner, ni frapper le sol de leur front, et chacun à son tour remit au prince Kung un message à lire à haute voix, rédigé en chinois, et de teneur presque toujours identique : les compliments de leurs pays à l'empereur à l'occasion de son ascension au trône et des souhaits pour un règne paisible et prospère.

L'empereur répondit à chacun de la même façon. Le prince Kung montait sur l'estrade, se prosternait avec beaucoup de cérémonie, posait le front au sol et prenait des mains de son impérial neveu un message rédigé sur parchemin. Devant ces étrangers, il s'appliquait à suivre dans les moindres détails l'étiquette imposée depuis des siècles par les enseignements du sage Confucius. Chaque fois qu'il se prosternait, ses bras s'élevaient comme des ailes, sa robe virevoltait autour de lui, et son visage exprimait un désir passionné de servir son souverain. Il remit successivement à chaque étranger un exemplaire du message impérial. Puis les ministres posèrent leurs lettres de créance sur une table et se retirèrent à reculons, satisfaits sans doute de penser qu'ils l'emportaient enfin, mais ignorant qu'ils se trouvaient non pas au palais impérial, mais dans un simple pavillon.

L'impératrice douairière écouta le récit de Li Lien-ying, en silence, avec une moue de dédain et le cœur durci. Comment son fils osait-il lui désobéir à ce point ? C'était assurément d'Alute qu'il tirait cette force, Alute, qu'il écoutait maintenant plus que sa propre mère. Elle les imaginait tels que Jung Lu les avait vus, enlacés, et la souffrance durcit encore plus son cœur. Ah! pourquoi n'aurait-elle pas aussi ce qu'elle désirait ? Elle ne renoncerait pas à son palais d'Été, mais, au contraire, en augmenterait la magnificence, puisque son fils aimait Alute. Tout à coup, comme une flèche tombée du ciel, une pensée terrible lui traversa l'esprit : si Alute donnait le jour à un fils — comme Jung Lu le supposait, puisque le fruit d'un grand amour était toujours un fils —, Alute deviendrait l'impératrice douairière !

« Oh ! comme je suis stupide ! murmura-t-elle. Pourquoi n'ai-je pas songé qu'elle ne pensait qu'à me déposer ? Que serai-je, alors, de plus qu'une vieille femme dans le palais ? »

Elle renvoya brutalement son eunuque.

Restée seule, immobile comme une statue, elle mit au point un plan destiné à lui conserver le pouvoir : elle détruirait l'amour que Jung Lu lui avait demandé de protéger.

Elle se souvenait soudain des quatre concubines choisies par elle pour l'empereur et qui vivaient au palais de l'élégance accumulée, dans l'attente d'un signe de l'empereur. Mais, comme Alute avait gagné son cœur, il les négligeait. Pourtant, l'impératrice douairière se rappelait que l'une d'elles possédait une beauté peu commune. Elle en avait choisi trois à cause de leur noble naissance et de leur caractère raisonnable, et la quatrième uniquement pour son charme. Pourquoi ne s'entourerait-elle pas de ces concubines ? Elle ferait leur éducation et s'arrangerait pour les mettre en présence de l'empereur sous prétexte qu'il lui fallait du changement et des distractions, qu'Alute était trop sérieuse, trop acharnée à le lier à ses devoirs d'État, trop consciencieuse pour un homme aussi jeune et assoiffé de plaisirs. Cette quatrième concubine, d'une extraction trop basse même pour une concubine, ne devait sa présence au palais qu'à sa grande beauté. A l'impératrice d'utiliser cette beauté.

Si la jeune fille pouvait redonner à l'empereur ses habitudes de vie dissolue, il serait perdu pour Alute.

Tout en élaborant ces projets, l'impératrice savait qu'elle faisait le mal, mais elle n'y renonçait pas pour si peu. N'était-elle pas complètement seule au monde? Nul n'osait l'aimer, la peur était son arme unique, et, si elle y renonçait, elle ne serait plus qu'une vieille femme, lentement recouverte par le voile épais des années, cachant son cœur et son esprit sous sa peau flétrie. C'était maintenant, alors qu'elle possédait encore la jeunesse et la beauté, qu'il lui fallait regagner le trône, pour s'épargner une mort vivante.

Elle évoqua sa jeunesse. Elle se revit petite fille, toujours surchargée de tâches domestiques dans la maison de son oncle Muyanga, où sa mère n'était qu'une belle-sœur veuve, et elle à peine plus qu'une esclave. Partout où allait cette petite fille, elle devait porter sur son dos un des plus jeunes enfants et elle ne pouvait jamais courir ou s'amuser comme elle le voulait. Comme elle était vive et intelligente, on l'employait à des tâches variées. Ses journées se passaient à aider au ménage, à la cuisine, à la couture; elle devait aussi courir au marché pour débattre le prix d'un poisson ou d'une volaille. La nuit, elle s'endormait comme une masse dans le lit qu'elle partageait avec sa sœur. Jung Lu lui-même ne pouvait alléger son fardeau quotidien, car il n'était alors qu'un jeune garçon. Si elle l'avait épousé, il serait resté simple garde impérial, et c'est dans sa maison qu'elle aurait repris les travaux de cuisine et de ménage, porté ses enfants, surveillé serviteurs et esclaves. En devenant sa souveraine au lieu de son épouse, elle avait apporté tellement plus à l'homme qu'elle aimait! Pourtant, il ne lui montrait aucune reconnaissance, mais se servait de son ascendant sur elle pour lui faire des reproches.

Son fils, qui lui devait tout son amour, par devoir aussi bien que par gratitude, préférait maintenant sa femme à sa mère. Déjà, dans son enfance, ne préférait-il pas Sakota à sa propre mère ? Elle qui avait supporté l'empereur débile et impuissant dans le but unique de garder le trône pour son fils ! Oh ! comme elle se rappelait les heures passées auprès de l'empereur ! Le souvenir de ce visage blême, de ces mains chaudes et maladives toujours égarées sur son corps, lui soulevait le cœur.

Pendant les douze années de sa régence, elle avait gouverné d'une main ferme pour que son fils, devenu empereur, ne connût pas les dangers des révoltes et des conquêtes ! Elle seule avait réussi à mettre un frein aux ambitions des Blancs, à obtenir l'obéissance même des tribus sauvages de Mongolie. Elle avait écrasé les révoltes des Musulmans dans les provinces du Yunnan et de Shen-kan. Le règne de son fils débutait dans la paix et la sécurité. Mais, bien qu'il connût la sagesse de sa mère, il ne venait pas la consulter, elle, qui seule était capable de le guider.

De telles pensées instillaient dans son esprit une force obscure et brutale. Tout son être se dressait, troublé, blessé, pour réagir contre le sort qui l'attendait : elle en oubliait son amour et se forgeait une volonté tranchante et meurtrière comme un sabre pour se frayer de nouveau un chemin jusqu'au pouvoir.

Pourtant, elle avait trop le sentiment de la justice pour ne céder qu'à la vengeance : il lui fallait trouver une raison plus valable. Un an plus tôt, au début du règne de son fils, pour la première fois depuis une vingtaine d'années, l'empire connaissait la paix. Maintenant, de nouveaux désordres s'accumulaient. Dans l'île lointaine de Taiwan, des tribus sauvages avaient massacré des marins japonais naufragés. L'empereur du

Japon avait envoyé des bateaux de guerre et des soldats pour venger ses sujets, puis déclaré que cette île et les îles environnantes lui appartenaient. Quand le prince Kung, alors ministre des Affaires étrangères à Pékin, avait protesté contre cette invasion, l'empereur du Japon avait menacé de déclarer la guerre à la Chine.

Ce n'était pas tout. Depuis quinze siècles, les empereurs de Chine gouvernaient le pays d'Annam, à la grande satisfaction des habitants, qui profitaient de la protection du très puissant Empire de Chine que nul n'osait attaquer. Nul, sauf les Blancs! En effet, au cours du dernier siècle, les Français s'étaient insidieusement introduits en Annam. Depuis vingt ans, leurs prêtres et leurs marchands leur assuraient sur le pays une emprise si forte que les Français avaient obligé l'empereur d'Annam à signer un traité pour leur abandonner la province Nord-Est du Tonkin, infestée par les bandits chinois.

L'impératrice douairière n'ignorait rien de tout cela, mais elle avait préféré n'y plus songer pour s'occuper uniquement de son nouveau palais. Elle décida tout à coup que ces affaires la concernaient de nouveau. Elle résolut de dénoncer l'inaction de son fils, la frivolité des princes et le danger couru par l'empire qui l'obligeaient à reprendre en main les rênes du gouvernement.

Au début de l'été, elle fit un jour venir les jeunes concubines qui avaient renoncé depuis longtemps à voir l'empereur et à qui la convocation de l'impératrice douairière rendait l'espoir. Légères et scintillantes, elles l'entourèrent comme des oiseaux libérés de leur cage. L'impératrice ne pouvait s'empêcher de sourire et d'apprécier leurs flatteries, mais elle les savait intéressées. Elle seule pouvait leur ouvrir la chambre impériale. Prise de pitié pour ces jeunes filles si belles, elle leur fit signe d'approcher et leur dit :

« Mes petits oiseaux, vous savez que je ne peux pas vous introduire toutes à la fois chez l'empereur. La princesse consort en serait fâchée et vous seriez toutes renvoyées. Alors, puisqu'il faut commencer par une, soyons raisonnables et prenons la plus jolie. »

Elle ne pouvait s'empêcher de penser au temps où elle aussi, toute jeune encore, était venue s'enfermer derrière les murs de ce palais. Devant ces regards brillants posés sur elle avec espoir et confiance, elle n'eut pas le courage d'en blesser trois. « Comment pourrais-je choisir la plus jolie ? C'est vous qui devez me l'indiquer. »

Toutes quatre éclatèrent d'un rire joyeux. « Vénérable ancêtre, s'écria la plus grande et la moins jolie, comment pouvez-vous ne pas le voir ? La plus jolie, c'est Jasmine. »

Tous les regards se tournèrent vers Jasmine qui rougit, secoua la tête et cacha son visage derrière son mouchoir.

« Es-tu la plus jolie ? » demanda l'impératrice en souriant.

Jasmine ne put répondre qu'en secouant la tête, sans se découvrir le visage, tandis que les autres riaient autour d'elle.

« Bon, mon enfant, dit l'impératrice douairière, enlève tes mains de ton visage, afin que je me rende compte par moi-même. » Les autres jeunes filles dégagèrent le visage de Jasmine, et l'impératrice douairière l'examina. Elle ne le trouva pas timide, mais plutôt malicieux, ou peut-être seulement gai. Point de douceur dans ce beau visage, mais de la hardiesse dans les lèvres charnues, les grands yeux, les narines frémissantes et le petit nez retroussé. C'était en tout point l'antithèse d'Alute. Alute tenait de son père — ancien assistant du précepteur de l'empereur — la beauté délicate de son visage et de son corps mince et élancé. Jasmine, plutôt petite et bien en chair, possédait un teint admirable : une peau de bébé d'un blanc velouté, où ressortaient ses joues roses et sa bouche rouge.

Après cet examen, l'humeur de l'impératrice changea brusquement. Elle écarta les concubines d'un geste de la main et bâilla derrière ses doigts couverts de bijoux.

« Je t'enverrai chercher le jour voulu », dit-elle d'un ton presque indifférent à Jasmine, et les concubines se retirèrent, leurs grandes manches brodées repliées comme des ailes scintillantes.

Il ne restait plus qu'à demander au chef des eunuques d'interroger la servante d'Alute pour connaître les jours où la princesse consort ne pouvait approcher l'empereur. Dès qu'elle sut qu'il lui restait une semaine avant cette date, l'impératrice douairière fit prévenir Jasmine de se trouver prête pour ce moment-là. Elle lui ordonna de revêtir alors une robe couleur pêche et de ne point se parfumer, car elle y veillerait elle-même.

Au jour dit, Jasmine se présenta, selon ses instructions. L'impératrice douairière l'observa soigneusement de la tête aux pieds. Elle commença par lui faire enlever ses bijoux bon marché.

« Qu'on m'apporte mon écrin à bijoux numéro trente-deux ! » Du coffret que lui apporta une des dames d'honneur, elle sortit deux pivoines en perles et en rubis que Jasmine se piqua dans les cheveux, au-dessus des oreilles. Elle lui donna des bracelets et des bagues, si bien que la jeune fille, extasiée, mordait ses lèvres rouges et lui lançait des regards éperdus de reconnaissance.

Ensuite, l'impératrice douairière se fit apporter un parfum musqué et ordonna à Jasmine d'en mettre sur ses paumes, sous son menton, derrière ses oreilles, entre ses seins et sur ses reins.

« Bien, décréta l'impératrice douairière, maintenant, venez avec moi, vous toutes, nous allons chez mon fils, l'empereur. »

Mais elle se ravisa. Pourquoi irait-elle chez l'empereur ? Alute apprendrait sa présence, car elle avait sans doute des espions, et elle viendrait aussi, sous prétexte de saluer sa belle-mère. Mais elle ne pouvait se présenter sans ordre dans le propre palais de l'impératrice.

« Non... Puisque je sais que mon fils est seul aujourd'hui, je vais l'inviter ici. Mes cuisiniers lui prépareront ses plats préférés, il déjeunera avec moi. Il fait beau ; que l'on dresse au jardin les tables sous les arbres, et que les musiciens de la cour se tiennent prêts. Après le déjeuner, les acteurs impériaux nous donneront une représentation. »

Elle lançait ses ordres rapidement. Eunuques et dames d'honneur se hâtaient de lui obéir.

« Toi, Jasmine, tu resteras près de moi et tu t'occuperas de me servir du thé, en silence, jusqu'à ce que je t'ordonne de parler.

— Bien, Vénérable Ancêtre. »

C'est ainsi qu'une ou deux heures plus tard les clairons annoncèrent l'arrivée de l'empereur dont le palanquin entra dans la cour, où déjà des eunuques s'affairaient autour des tables et où les musiciens se préparaient à jouer.

L'impératrice douairière était installée dans sa salle d'audiences privée. Jasmine se tenait près d'elle, la tête baissée, un éventail à la main. Les dames d'honneur faisaient un demi-cercle autour d'elles.

L'empereur entra, vêtu d'une robe de satin bleu ciel brodée de dragons d'or, coiffé de son chapeau à glands et tenant à la main un morceau de jade pour se rafraîchir les paumes. Il s'inclina devant sa mère sans se prosterner, puisqu'il était empereur, et elle accepta le salut de son fils sans se lever. Une telle rencontre comportait un sens caché, car tous, sans exception, devaient se lever pour saluer l'empereur. Les dames d'honneur se jetèrent des regards interrogateurs. Mais l'empereur fit semblant de ne rien remarquer ; il s'assit à droite de sa mère sur un trône moins élevé et fit signe à ses gardes de se retirer dans la cour.

« J'ai appris que tu étais seul, aujourd'hui, mon fils, dit l'impératrice douairière ; pour t'éviter la mélancolie jusqu'au retour de la princesse consort, j'ai voulu t'aider à passer le temps. Il ne fait pas trop chaud et nous pouvons déjeuner dehors sous les arbres, tandis que les musiciens joueront pour nous. Choisis la pièce que tu voudras, mon fils, afin que les acteurs puissent nous distraire ensuite. Ainsi le soir arrivera vite et la journée sera passée. »

Elle lui parlait d'une voix douce et tendre, posant sur lui ses grands yeux pleins d'affection et tendant sa belle main vers la sienne.

L'empereur sourit, étonné, car depuis quelque temps sa mère ne lui épargnait ni ses critiques, ni sa dureté. Il aurait bien refusé son invitation, mais, privé d'Alute, il n'avait pas la force de supporter seul sa colère.

« Je vous remercie, ma mère, dit-il, soulagé de la voir de bonne humeur. J'étais seul, il est vrai, et je ne savais pas comment passer la journée. »

L'impératrice douairière s'adressa à Jasmine : « Sers du thé à ton seigneur, mon enfant. » L'empereur leva la tête et regarda Jasmine, sans pouvoir détacher d'elle ses yeux, tandis qu'elle se dirigeait gracieusement vers un eunuque, recevait de lui un bol de thé et le présentait des deux mains à son seigneur.

« Qui est-elle ? interrogea l'empereur, comme s'il ne parlait pas en sa présence.

— Comment ! s'écria l'impératrice douairière en

feignant la surprise, tu ne reconnais pas ta propre concubine? C'est une des quatre que j'ai choisies pour toi. Se peut-il que tu ne les connaisses pas encore? »

Un peu confus, l'empereur secoua la tête et sourit. « Je ne les ai pas encore convoquées. Le moment n'était pas venu! »

L'impératrice douairière pinça les lèvres.

« Par courtoisie, tu aurais dû les convoquer chacune au moins une fois. Alute ne devrait pas se montrer trop égoïste pendant que ses jeunes sœurs dépérissent dans l'attente. »

L'empereur ne répondit rien. Il leva son bol et attendit, pour commencer, que l'impératrice eût approché son bol de ses lèvres. Jasmine, agenouillée, reçut de ses mains le bol vide. Il regarda un instant ce visage si gai et si vivant, ce teint d'enfant velouté et rose, cette douce chevelure noire.

Tout au long de la journée, l'impératrice douairière fit appel à Jasmine pour servir l'empereur, l'éventer, chasser une mouche, lui apporter du thé et des douceurs pendant le spectacle, lui mettre un tabouret sous les pieds, des coussins sous les genoux, etc. Le manège dura jusqu'au coucher du soleil. A la fin, l'empereur souriait ouvertement à Jasmine et celle-ci lui souriait en retour, ni timide, ni hardie, mais avec le sourire d'un enfant pour un camarade de jeux.

L'impératrice douairière se réjouit de voir ces sourires et, la journée finie, elle dit à l'empereur :

« Avant que tu nous quittes, mon fils, je voudrais te demander une faveur.

— Parle, mère. » Il était de bonne humeur, après un bon déjeuner, le cœur léger, son désir allumé par cette jolie fille qui lui appartenait, qu'il pouvait prendre quand bon lui semblerait.

« Tu sais combien j'aime à quitter la ville dès le

printemps, dit l'impératrice douairière. Depuis des mois, je suis enfermée derrière ces murs. Pourquoi ne partirions-nous pas ensemble, toi et moi, pour aller rendre nos devoirs aux tombeaux de nos ancêtres ? Ce n'est qu'un voyage de cent vingt kilomètres et je pourrais demander au vice-roi de la province, Li Hung-chang, de nous envoyer des gardes du corps. Toi et moi, mon fils, représentons les deux générations, mais il ne sied pas que tu emmènes la princesse consort pour un voyage aussi solennel. »

Elle était décidée à emmener Jasmine, sous le prétexte de la servir ; elle trouverait alors le moyen de l'envoyer, la nuit, dans la tente de son fils.

L'empereur réfléchit. « Quand partirions-nous ?

— Dans un mois exactement, car tu seras seul alors, comme maintenant, et nous ferons le voyage pendant ces jours où la princesse consort ne peut t'approcher. Son accueil sera d'autant plus chaleureux quand tu reviendras. »

L'empereur se demanda en quoi sa mère avait tellement changé, pour parler ainsi d'Alute. Mais qui pouvait deviner ses raisons ? Elle savait se montrer aussi cruelle et haïssable envers lui que bonne et aimante ; toute sa vie, entre ces deux extrêmes, il avait été ballotté.

« Nous irons, mère, car c'est vraiment mon devoir de prier sur ces tombeaux.

— Qui pourrait le nier ? » répliqua l'impératrice douairière enchantée de sa propre adresse.

Tout se passa comme elle l'avait prévu. Une certaine nuit, loin des murs de Pékin, à l'ombre des tombeaux ancestraux, l'empereur se fit chercher Jasmine par un eunuque. Il avait passé la journée à prier sur les tombeaux aux côtés de sa mère. La journée, commencée au soleil, s'était terminée par un orage, et il pleuvait depuis des heures. Derrière les parois de cuir de sa tente, le jeune empereur connaissait l'insomnie et la solitude. Il ne pouvait décemment pas demander à un eunuque de chanter ou de jouer du violon, par respect pour les huit empereurs, ses ancêtres, qui l'entouraient dans leurs tombeaux. Étendu, il écoutait tomber la pluie, et il pensait aux morts en se disant qu'un jour il les rejoindrait pour occuper le neuvième tombeau. Saisi d'une profonde mélancolie, il eut soudain peur de mourir jeune... il fut pris de frissons et regretta sa jeune femme demeurée si loin de lui. Lié par sa promesse de lui rester fidèle, il avait jusqu'alors négligé ses concubines. Mais il n'avait pas renouvelé cette promesse avant son départ de Pékin, car ni lui ni Alute ne pouvaient deviner que sa mère emmènerait Jasmine. Au long de cette journée solennelle, il avait feint de ne pas remarquer la jeune fille, mais maintenant il ne pouvait écarter d'elle ses pensées.

Il se plaignit du froid à son eunuque : « Je suis glacé jusqu'à la moelle des os, jamais je n'ai ressenti un tel froid, étrange comme la mort. » Li Lien-ying avait soudoyé les eunuques de l'empereur, si bien que celui-ci répondit aussitôt :

« Seigneur, pourquoi ne faites-vous pas venir la première concubine ? Elle réchauffera votre lit et vous oublierez ce froid mortel. »

L'empereur se fit prier. « Comment ? Si près des tombeaux de mes ancêtres ?

— Une concubine, répliqua l'eunuque, cela ne compte pas.

— Bien... bien. » L'empereur l'approuva, mais à contrecœur, semblait-il.

Il resta étendu, frissonnant, tandis que l'eunuque courait dans la nuit humide et obscure et que la pluie tambourinait sur le toit de cuir de la tente. Peu après, la porte s'écarta et Jasmine se trouva devant ses yeux, protégée de la pluie par une mante de soie huilée. Des gouttes d'eau brillaient sur ses joues, ses cils, et sur quelques mèches de cheveux échappées de sous la mante. Ses lèvres étaient rouges et ses joues brûlantes.

« Je t'ai envoyé chercher parce que j'ai froid, murmura l'empereur.

— Me voici, mon seigneur. » Elle enleva sa mante, puis ses vêtements, et se glissa dans son lit. Il sentit la chaleur de son corps contre sa peau glacée.

Dans sa tente, l'impératrice douairière, le cœur et l'esprit en paix, informée du succès de sa ruse par l'eunuque, écoutait aussi tomber la pluie. Il ne lui restait qu'à attendre : entre Jasmine et Alute commencerait la rivalité d'amour et, connaissant son propre fils, elle savait déjà que Jasmine vaincrait.

L'été passa. L'impératrice douairière soupirait souvent qu'elle se sentait vieillir, que, le palais d'Été bâti, elle s'y retirerait pour la fin de ses jours. Elle prétendait que ses os lui faisaient mal, que ses dents se déchaussaient, et que, certains matins, elle ne pouvait pas se lever. Ses dames d'honneur ne savaient que croire, car l'impératrice leur semblait toujours aussi belle et aussi jeune. Quand elle restait au lit et se plaignait d'une migraine, ses yeux brillants, son teint clair, sa jeunesse et sa vigueur inspiraient des doutes à son entourage qui s'interrogeait sur les mobiles secrets de l'impératrice. Jamais la prétendue malade n'avait mangé de si bon appétit, aux repas comme au cours de la journée. Elle ne se déplaçait pas avec une lourdeur de malade, mais d'un pas léger et élastique.

Pourtant, elle insistait sur sa maladie et, quand Jung Lu ou le prince Kung demandaient une audience, elle refusait.

Elle fit venir le chef des eunuques et l'interrogea :
« Que me veut ce tyran de prince ? »

Le chef des eunuques sourit. Il savait très bien que
cette fatigue cachait un plan quelconque, inconnu
même de lui. « Majesté, dit-il, le prince Kung est très
troublé par la conduite actuelle de l'empereur.

— Et pourquoi ? demanda-t-elle alors qu'elle le savait
très bien.

— Majesté, tout le monde murmure que l'empereur
a changé. Il passe ses journées à dormir et à jouer et,
la nuit, il parcourt les rues de la ville, travesti en homme
du peuple, accompagné de deux eunuques et de la première concubine. »

L'impératrice feignit d'être scandalisée. « La première
concubine ? Impossible ! »

Elle se leva sur ses oreillers, puis retomba en gémissant. « Je suis malade, sais-tu, très malade... Dis au prince
Kung que ces mauvaises nouvelles causeront ma mort.
Mais je n'y peux rien. Mon fils est empereur maintenant,
et c'est au prince de lui donner des ordres. Il ne m'écoute
plus. Que fait donc le Conseil des Censeurs impériaux ? Ils sont là pour le surveiller. »

Elle continua de refuser une audience au prince
Kung.

Ce dernier prit la consigne au pied de la lettre et
s'opposa à l'empereur, provoquant en lui une fureur
extrême ; le dixième jour du neuvième mois de l'année
solaire, l'empereur publia un décret signé de son nom
et portant le sceau impérial, aux termes duquel il dépouillait le prince Kung et son fils Ts'ai Ch'ing de
toutes les prérogatives de leur rang pour punir le prince
Kung d'avoir employé un langage malséant en présence
du trône du Dragon.

L'impératrice douairière se décida enfin à agir : elle publia un autre édit signé de son nom et de celui de Sakota,

à titre de corégentes, rendant au prince Kung et à son fils tous les honneurs dont l'empereur les dépouillait. Elle ne demanda même pas l'avis de Sakota, sachant que sa faible cousine n'oserait pas protester. L'impératrice douairière était si révérée que nul n'osa contrecarrer ses ordres; par cette mesure énergique prise en faveur du prince Kung qui représentait l'ancienne génération, elle gagna le respect général et accrut de beaucoup son prestige.

Quant à l'empereur, avant de pouvoir prendre une décision, il attrapa la variole dans un des bouges de la ville où il aimait s'amuser la nuit dans l'incognito.

Le dixième mois de l'année solaire, après bien des jours de fièvre, au début de l'éruption, son état était devenu inquiétant. L'impératrice douairière passait de longues heures à son chevet, ne craignant pas la contagion, car elle avait eu la variole dans son enfance, mais n'en portait aucune trace. Un chagrin étrange lui serrait le cœur. Elle aurait voulu s'y abandonner entièrement, ce qui l'eût soulagée de son tourment secret. Mais, même en ces circonstances tragiques, elle ne pouvait pas réagir uniquement en mère, de même qu'elle n'avait jamais pu réagir uniquement en épouse.

Le vingt-quatrième jour de ce même mois, l'état de l'empereur s'améliora, sa température tomba, sa peau devint moins douloureuse et l'impératrice publia un édit informant le peuple que l'espoir était à nouveau permis. Le même jour, l'empereur envoya chercher la princesse consort qu'on avait dû éloigner jusqu'alors de la chambre du malade, car elle était enceinte. Maintenant, le médecin impérial ne craignait plus la contagion et elle se hâta de rendre visite, après une désolante séparation, à son mari tant aimé. Elle avait passé ses journées à prier au temple et perdu, pendant plusieurs semaines, le sommeil et l'appétit. Elle pénétra, pâle et amaigrie, dans la chambre impériale. Sa beauté délicate était toujours à la merci de sa santé ou de son humeur. Elle n'avait même pas pris le temps de se parer et portait une robe grise qui ne lui allait pas. Elle entra, impétueuse, brûlant d'embrasser l'homme qu'elle aimait, mais, dès le seuil, elle s'arrêta court. Près du grand lit où reposait son seigneur, veillait l'impératrice douairière.

« Hélas ! murmura Alute, portant les mains à son cœur.

— Pourquoi hélas ? répliqua sèchement l'impératrice douairière ! Pourquoi hélas ! alors que la guérison est en vue ? C'est de toi qu'il faut dire hélas, car tu es pâle et jaune comme une vieille femme. Et c'est un grand tort pour toi qui portes son enfant. Je t'assure que je suis très irritée contre toi.

— Mère, plaida l'empereur faiblement, je vous demande de l'épargner... »

Mais Alute ne pouvait plus résister à sa colère. Après ces jours d'attente et d'angoisse, sa patience habituelle lui fit défaut. D'ailleurs, la patience convenait mal à sa nature énergique, à son esprit clair et discipliné, à son besoin peu commun de vérité.

« Ne m'épargnez pas, déclara-t-elle en se dressant, mince et droite, sur le seuil. Je ne demande aucune faveur à l'impératrice douairière. Que sa colère tombe donc sur moi, et non sur vous, mon seigneur, puisqu'il faut la subir et que nous ne pouvons pas plaire à l'impératrice. » Elle prononça ces paroles d'une voix claire, les lèvres serrées.

L'impératrice douairière bondit sur ses pieds et, les deux mains tendues, se précipita sur la malheureuse jeune femme. Elle la gifla sur les deux joues à plusieurs reprises, jusqu'à ce que ses protège-ongles incrustés de joyaux fissent couler le sang sur le visage amaigri.

L'empereur se mit à sangloter de désespoir et de faiblesse. « Oh! laissez-moi mourir, vous deux. Pourquoi vivrais-je, alors que je suis pris entre vous comme comme le doigt entre l'arbre et l'écorce? »

Il tourna le visage contre le mur, sans s'arrêter de sangloter. Les deux femmes se précipitèrent à son chevet, les eunuques accoururent, et l'impératrice douairière envoya chercher le médecin de la cour, mais nul ne put arrêter ses terribles sanglots. Il en fut secoué pendant des heures jusqu'à en perdre les sens, ayant oublié la raison de sa peine, mais ne pouvant plus s'arrêter. Soudain, son extrême faiblesse eut raison de lui, son cœur cessa de battre. Le médecin principal se prosterna devant l'impératrice et lui dit tristement :

« Majesté, je crains maintenant qu'aucune science humaine ne puisse quoi que ce soit. Le Fils du Ciel est victime d'une malédiction et nous ne pouvons empêcher son départ. Les médecins de la cour et moi-même avions craint ce dénouement funeste, car, le neuvième jour du dixième mois de l'année solaire, il y a quarante-huit heures à peine, deux étrangers, deux Américains, sont venus dans notre ville. Ils ont installé au sol un instrument bizarre muni d'un long tube par lequel ils essayaient de regarder le ciel. Au même moment, majesté, l'étoile du soir s'est levée dans un éclat radieux et nous y avons distingué une tache noire plus accentuée qu'une ombre. Alors nous avons chassé les étrangers. Hélas! il était trop tard. Ils avaient déjà jeté un sort sur cette étoile et nous ne pouvions que craindre l'événement tragique d'aujourd'hui. »

L'impératrice douairière poussa un cri et convoqua Li Lien-ying en affirmant qu'elle ne croyait pas ce récit. Mais le chef des eunuques ne put que le confirmer, en frappant sa tête contre le sol.

Ainsi se termina la brève existence de l'empereur. Après son dernier souffle, quand le froid de la mort eut fait son œuvre, l'impératrice douairière renvoya tout le monde, princes et ministres, qui étaient venus comme témoins de cette mort, aussi bien que les eunuques et les serviteurs. Elle renvoya même Alute.

« Va-t'en, ordonna-t-elle à la jeune veuve. Laisse-moi seule avec mon fils. » Point de cruauté dans ce regard, mais une froide désolation, comme si le chagrin d'une mère surpassait de loin celui d'une épouse.

Alute ne pouvait qu'obéir. La mère de son seigneur défunt était maintenant sa souveraine.

Restée seule, l'impératrice s'assit près de son fils et réfléchit à sa vie et à sa mort. Elle ne pouvait pas encore pleurer. Elle pensa d'abord à elle-même, qui possédait de nouveau le pouvoir absolu. Seule et supérieure à tous, femme et plus que femme, plus puissante qu'aucun homme avant elle, mais terriblement solitaire, elle contempla le visage du fils qu'elle avait porté, ce beau visage jeune, fier et calme dans la mort. Elle retrouva en lui le petit garçon, l'enfant qu'elle avait adoré. Alors des larmes brûlantes gonflèrent ses paupières, et son cœur, enfin touché, se mit à palpiter comme un vrai cœur de chair. Elle sanglotait, les larmes coulaient sur ses joues et tombaient sur le couvrepied de satin. Elle prit la main du mort dans les siennes, la caressa et la posa contre sa joue, comme elle le faisait dans sa petite enfance. Des paroles étranges montaient de son cœur comme un flot de sang.

« Oh! mon enfant, gémissait-elle, si seulement je t'avais donné ce petit train — le petit train étranger — ce jouet dont tu avais tant envie et que tu n'as jamais obtenu! » Soudain, sans raison apparente, son chagrin se cristallisa autour de ce jouet refusé des années auparavant, et l'impératrice se laissa aller à ses larmes, oubliant le reste, comme toute mère qui a perdu son seul enfant.

Au milieu de la nuit, la porte s'ouvrit soudain et un homme entra. Penchée sur le lit, pleurant en silence, elle n'avait pas entendu les pas. Elle sentit une main sur son épaule, qui l'obligea à se lever. Elle tourna la tête.

« Toi, murmura-t-elle.

— Moi, répliqua Jung Lu. J'attends à cette porte depuis trois heures. Pourquoi tardez-vous ? Les clans s'agitent pour mettre un héritier sur le trône avant l'aube, avant que le peuple connaisse la mort de l'empereur. A vous d'agir la première. »

Elle imposa immédiatement silence à son cœur et se rappela le plan préparé depuis si longtemps pour une éventualité de ce genre.

« Le fils aîné de ma sœur a trois ans, dit-elle. Je l'ai choisi comme héritier. Son père est le septième frère de mon seigneur défunt. »

Il la regarda fixement, observant ses yeux noirs qui brillaient dans son visage pâle et résolu, et ses lèvres au dessin ferme.

« Cette nuit, vous possédez une beauté effrayante. » Il parlait d'une voix étrange et perplexe. « Le danger vous rend plus belle. Un pouvoir mystérieux est en vous... »

Elle releva la tête, ses lèvres tristes s'écartèrent et son regard pathétique s'adoucit.

« Continue, murmura-t-elle. Oh! mon amour, continue ! »

Il secoua la tête et lui prit doucement la main. Côte à côte, les mains unies, ils abaissèrent leur regard sur ce grand lit où gisait l'empereur mort. Elle le sentit trembler tout entier.

« Oh! mon amour, murmura-t-elle, notre...

— Chut! nous n'avons pas le droit de parler du passé. Les murs ont des oreilles. »

Non, ils ne devaient pas parler, ils ne devraient jamais parler ; après un long moment de silence, l'étreinte de leurs mains se relâcha, il fit un pas en arrière et se prosterna. Elle était de nouveau l'impératrice et lui son sujet.

« Majesté, dit-il à voix basse à cause des espions, allez immédiatement chercher l'enfant. En prévision d'un tel moment j'ai convoqué en votre nom le vice-roi, Li Hung-chang. Ses armées approchent déjà des portes de la ville. Nul ne le sait. J'ai fait envelopper de chiffons les sabots des chevaux et mettre des bâillons aux hommes pour les empêcher de parler. Au lever du soleil, vous aurez l'enfant dans votre palais et vos soldats fidèles dans les rues de la ville. Alors, qui pourra se révolter contre vous ? »

Soutenus par leur énergie, par l'harmonie de leur amour secret, un même mobile les animait. Li Lien-ying attendait l'impératrice à la porte et, lorsqu'elle sortit, il la suivit, en compagnie de quelques eunuques et de ses dames d'honneur fidèles. Nul ne demanda comment Jung Lu était entré dans la Ville interdite après le couvre-feu, car, en cette nuit de chaos, on ne posait point de questions.

L'impératrice ne fut pas longue à agir.

« Qu'on aille me chercher ma chaise à porteurs, ordonna-t-elle à Li Lien-ying. Défense absolue de prononcer un mot ou de faire du bruit. Que les porteurs enveloppent leurs pieds dans des chiffons. »

Elle revêtit un manteau et, passant en silence devant ses dames d'honneur, elle entra dans son palanquin et on tira les rideaux. On ouvrit pour elle une porte secrète à l'arrière du palais, et le chef des eunuques la précéda dans les rues sombres et désertes de la ville. Il avait neigé toute la journée, et une épaisse couche blanche étouffait leurs pas. Elle arriva ainsi au palais du prince Ch'un. Le chef des eunuques frappa au portail; dès que le vantail s'ouvrit, il se précipita sur le gardien et lui mit la main sur la bouche. L'impératrice le suivit dans un envol de robes et se hâta de traverser les nombreuses cours qui menaient aux appartements. Tous dormaient, sauf le gardien, rendu muet par la terreur.

Le chef des eunuques courut en avant de l'impératrice pour réveiller le prince et sa femme, qui sortirent aussitôt, effrayés et habillés à la hâte. Ils se prosternèrent devant leur visiteuse.

« Ma sœur, dit l'impératrice, je n'ai pas le temps de t'expliquer, mais mon fils est mort... Donne-moi le tien pour qu'il devienne son héritier... »

Le prince Ch'un poussa un cri :

« Oh ! Majesté, je vous en supplie, épargnez à cet enfant un tel destin...

— Comment osez-vous ? s'écria l'impératrice, existe-t-il un destin supérieur à celui d'empereur ?

— Oh! malheur à moi! Moi, son père, je devrai me prosterner chaque jour devant mon propre fils..., les générations seront confondues à cause de moi et le Ciel punira ma famille entière. »

Il pleurait et frappait le sol du front, tant et si bien qu'il se blessa à la tête et s'évanouit.

Mais l'impératrice douairière ne se laissa arrêter ni par lui, ni par personne. Elle se précipita dans la chambre de l'enfant et emporta celui-ci dans ses bras, enveloppé dans des couvertures. Il gémit, mais ne se réveilla pas.

Sa mère courut derrière l'impératrice et la saisit par sa manche.

« L'enfant pleurera en se réveillant dans un endroit inconnu, je vous supplie de me laisser venir au moins quelques jours.

— Suis-moi, jeta l'impératrice par-dessus son épaule, mais ne m'arrête pas. Il faut que je sois rentrée au palais avant l'aube. »

Elle y réussit. Lorsque le soleil se leva et que, sur leur gong de cuivre, les prêtres annoncèrent la prière du matin, les hérauts de la cour se répandirent dans les rues pour annoncer la mort de l'empereur Mu Tsung — nom dynastique de T'ung Chih — et proclamèrent en même temps l'accession d'un nouvel empereur au trône du Dragon.

Dans sa chambre inconnue, le petit empereur criait de peur. Sa mère elle-même, qui le tenait dans ses bras, ne réussissait pas à l'apaiser. Chaque fois qu'il levait la tête de son sein, il voyait sur le plafond sculpté ramper des dragons dorés, et la terreur le reprenait; mais il ne pouvait s'empêcher de regarder. Deux jours plus tard, sa mère envoya un eunuque à l'impératrice pour l'avertir que son fils se rendait malade à force de pleurer.

« Qu'il pleure », répondit l'impératrice. Occupée dans sa bibliothèque à tracer les plans de son nouveau palais, elle ne tourna même pas la tête. « Qu'il apprenne dès maintenant qu'il n'obtiendra rien en pleurant, bien qu'il soit empereur. »

Elle continua à travailler sans désemparer jusqu'à ce que tombât le crépuscule précoce de cette journée d'hiver. Alors, elle posa son pinceau et resta plongée dans ses pensées. Enfin, elle fit un signe à un eunuque.

« Va me chercher la princesse consort, dit-elle, et ordonne-lui de venir seule. »

L'eunuque courut pour obéir à son ordre, et, quelques minutes plus tard, Alute se prosternait devant elle. L'impératrice renvoya l'eunuque et fit signe à la jeune veuve de s'asseoir dans un fauteuil près d'elle. Elle observa un moment la silhouette gracile, enveloppée dans un vêtement de deuil en bure blanche.

« Tu n'as pas mangé, dit-elle enfin.

— Vénérable Ancêtre, je ne peux pas, répondit Alute.

— Il ne reste rien pour toi sur cette terre.

— Rien, Vénérable Ancêtre.

— Et il n'y aura jamais rien, de sorte que, si j'étais toi, je m'arrangerais pour rejoindre mon seigneur. »

Alute releva la tête, regarda cette femme belle et sévère, assise si calme sur son trône. Elle se leva lentement, resta debout un moment, puis se laissa tomber à genoux de nouveau.

« Je vous demande la permission de mourir, murmura-t-elle.

— Je te l'accorde. »

Les deux femmes échangèrent un long regard, et Alute se dirigea vers la porte, qu'un eunuque referma derrière ce pitoyable fantôme.

L'impératrice douairière resta immobile comme une statue de marbre, puis elle frappa dans ses mains pour appeler l'eunuque.

« Qu'on allume toutes les lumières, ordonna-t-elle. J'ai du travail. »

Elle reprit son pinceau. Tandis que les heures passaient et que la nuit devenait plus obscure, elle maniait son pinceau, parachevait ses plans. Enfin, elle posa son pinceau et regarda son œuvre terminée. Des palais de rêve se groupaient autour d'un vaste lac, séparés par des jardins remplis de fleurs, et des ponts de marbre enjambaient les ruisseaux qui se jetaient dans le lac. Elle sourit devant la beauté de ce tableau, puis, au bout d'un long moment, elle reprit son pinceau. Elle le plongea dans la plus vive de ses couleurs et, au flanc de la montagne, derrière les palais, elle dessina une pagode à la silhouette élancée, aux murs de porcelaine bleu ciel, aux toits d'or.

A minuit, le chef des eunuques toussa à la porte. Elle se leva et lui ouvrit silencieusement. Il dit :

« Alute n'est plus.

— Comment est-elle morte ?

— Elle a pris de l'opium. »

Leurs yeux se rencontrèrent dans un long regard secret.

« Je suis contente qu'elle n'ait pas souffert. »

CHAPITRE IV

L'IMPÉRATRICE

C'EST au cours du quatrième mois de l'année lunaire que la glycine se met à fleurir. Le chef jardinier de la cour avait pour mission de signaler à l'impératrice le moment exact où commençait cette floraison. Ce jour-là, l'impératrice décréta qu'elle ne se rendrait pas dans la salle d'audiences et qu'elle ne s'occuperait pas des affaires de l'État, mais passerait la journée dans les jardins avec ses dames d'honneur pour jouir du parfum et des couleurs des fleurs. Par courtoisie, elle invita sa cousine Sakota — de nouveau sa corégente — à se joindre à elle.

Elle s'installa donc au pavillon des glycines, dans un confortable fauteuil sculpté surélevé comme un petit trône. Elle ne feignait même plus de considérer Sakota comme son égale, car elle savait que sa puissance ne dépendait que d'elle-même et de sa propre force.

« Amusez-vous, petites, dit-elle à ses dames d'honneur, promenez-vous où vous voudrez, regardez les poissons rouges dans les étangs, parlez à voix basse ou à haute voix ; mais rappelez-vous une seule chose :

nous sommes ici pour jouir de la glycine et les sujets tristes sont bannis. »

Elles la remercièrent dans un murmure. Leurs robes de couleurs vives chatoyaient sous les rayons du soleil qui baignaient leur visage au teint parfait, leurs petites mains, leurs grands yeux noirs et leurs tiares fleuries.

Elles s'appliquaient à laisser toujours la moitié d'entre elles autour de l'impératrice. Mais celle-ci ne semblait pas y prendre garde. Elle ne quittait pas des yeux le petit empereur, son neveu, qui, sur une terrasse toute proche, jouait sous la surveillance de deux jeunes eunuques. Soudain, elle leva la main droite et fit signe à l'enfant d'approcher.

« Viens ici, mon fils », dit-elle.

Ce n'était pas son fils et, en prononçant ces paroles, son cœur se durcissait contre lui. Pourtant elle l'avait elle-même choisi pour occuper le trône du Dragon.

L'enfant la regarda, puis s'approcha lentement, poussé en avant par un des jeunes eunuques.

« Ne le touche pas, ordonna l'impératrice d'une voix sèche. Je veux qu'il m'approche spontanément. »

Mais l'enfant ne venait pas à elle volontiers. Il mit un doigt dans sa bouche, fixa ses yeux sur elle et laissa tomber son jouet sur le sentier pavé de briques.

« Ramasse-le, dit-elle, et viens me le montrer. »

Son beau visage restait impassible. Elle attendit jusqu'à ce que, contraint à l'obéissance par sa volonté, l'enfant se baissât et prît le jouet pour le lui porter. Malgré sa jeunesse, il s'agenouilla devant elle pour le lui tendre.

« Qu'est-ce que c'est ? demanda-t-elle.

— Une locomotive, répliqua-t-il d'une voix si basse qu'elle l'entendit à peine.

— Ces locomotives... Et qui te l'a donnée ?

— Personne.

— Quelle sottise! Elle n'est pas venue toute seule dans ta main?» Elle fit signe au jeune eunuque de répondre pour l'enfant.

«Très Haute Majesté, répondit l'eunuque, le petit empereur est toujours seul. Au palais, il n'y a pas d'enfants pour jouer avec lui. Pour le distraire, nous lui apportons beaucoup de jouets. Ceux qu'il préfère viennent du magasin étranger du quartier des Légations.

— Des jouets étrangers?

— C'est un Danois qui tient le magasin, expliqua l'eunuque, et il fait venir des jouets de toute l'Europe pour notre petit empereur.

— Une locomotive», répéta l'impératrice. Elle prit le jouet : il était en métal assez lourd, muni de roues et d'une cheminée.

«Comment joues-tu avec cet objet?» demanda-t-elle au petit empereur.

Il oublia sa peur et bondit sur ses pieds.

«Vénérable mère, comme ceci!» Il le saisit et ouvrit une petite porte. «Là-dedans, j'allume du feu avec des petits morceaux de bois. Là, je mets de l'eau et, quand l'eau bout, il sort de la vapeur qui fait marcher les roues. J'accroche des wagons et la voiture les tire. On appelle cela un train, Vénérable mère.

— En effet... »

Elle observa l'enfant d'un air songeur. Trop pâle, trop maigre, trop faible : un gringalet...

«Qu'est-ce que tu as d'autre? demanda-t-elle.

— Encore des trains, répondit l'enfant avec enthousiasme. Il y en a qu'on remonte avec une clef, et j'ai aussi une armée de soldats.

— Quels soldats?

— Des tas de soldats différents, Vénérable mère. » Dans son ardeur, il s'appuya contre ses genoux. Elle ressentit une étrange douleur à son contact, et son cœur se serra à la pensée de ce qu'elle avait perdu.

« Mes soldats portent des fusils, expliqua-t-il, et des uniformes, peints naturellement, parce qu'ils sont en plomb.

— As-tu des soldats chinois ?

— Non, pas de soldats chinois, mais des Anglais, des Français, des Allemands, des Russes et des Américains. Les Russes portent...

— Les reconnais-tu les uns des autres ? »

Il éclata de rire. « Oh ! très facilement, Vénérable mère. Les Russes ont de longues barbes jusque-là... » Il désigna sa taille de la main. « Les Français ont des barbes jusque-là... Quant aux Américains...

— Et tous ont le visage blanc, dit-elle de la même voix étrange.

— Comment le savez-vous ?

— Je le sais. »

Elle le repoussa. Il recula ; ses yeux avaient perdu leur éclat. A ce moment, Sakota entra, suivie de quatre dames d'honneur, sa tête menue ployant sous la lourde tiare.

Le petit empereur courut à sa rencontre. « M'ma ! Je croyais que tu n'arriverais jamais ! » Il lui prit la main et la posa sur sa joue. Sakota leva les yeux et, par-dessus la tête de l'enfant, elle vit le regard impérial fixé sur elle.

« Lâche-moi, mon petit », murmura-t-elle.

Mais il ne voulait pas la lâcher. Il la suivit, accroché à un pan de sa robe de soie grise.

Le petit empereur restait toujours près d'elle. L'impératrice le vit, comme elle voyait tout, mais elle ne dit rien. Son regard calme se posa sur l'enfant, puis sur les glycines. Elles s'enroulaient autour de deux pagodes jumelles et, dans une mousse de floraison blanche et

pourpre, retombaient sur le toit recouvert de tuiles
vernissées. Le soleil dardait ses rayons et les abeilles,
enivrées de parfums, bourdonnaient autour des fleurs.

« Ces abeilles, fit remarquer l'impératrice, nous viennent de tous les coins de la ville.

— En effet, ma sœur », répliqua Sakota. Mais elle ne
regardait pas les fleurs. Elle caressait la main de l'enfant,
une main trop maigre, aux veines saillantes sous la peau
trop fine.

« Ce petit Fils du Ciel, murmura-t-elle, il ne mange pas
assez.

— Il ne mange pas ce qu'il faudrait », rétorqua l'impératrice.

C'était un ancien sujet de dispute entre les deux
femmes. L'impératrice ne trouvait saines que les nourri-
tures simples, les légumes peu cuits, les viandes maigres,
et elle réprouvait l'abus des sucreries. Mais elle savait
très bien que le petit empereur refusait les menus indi-
qués par elle et courait chez Sakota dès qu'elle avait
tourné le dos, pour se bourrer de beignets de rôti de
porc, et de douceurs. Sakota soignait ses maux d'estomac en lui faisant prendre des bouffées d'opium de sa
pipe. L'impératrice lui en tenait rigueur et la méprisait
de céder à ces coutumes étrangères. Sakota, la sotte,
croyait aimer le petit empereur mieux que sa cousine.

De telles pensées obscurcissaient pour l'impératrice
l'éclat du soleil... Sakota, voyant le visage impérial
s'assombrir, fut effrayée. Elle fit signe à un eunuque.

« Emmène le petit empereur jouer ailleurs », murmura-t-elle.

Mais l'impératrice entendit, comme elle entendait
tout. Aussitôt elle ordonna : « N'emmène pas l'enfant. »
Elle tourna la tête. « Tu sais, ma sœur, que je ne veux
pas le laisser avec ces petits eunuques, dont pas un
ne reste pur. L'empereur risque d'être corrompu avant

sa maturité. Combien d'empereurs n'ont-ils pas été ainsi dépravés ! »

Le jeune eunuque de quinze ou seize ans qui l'entendit s'exprimer en ces termes s'éloigna furtivement, l'air confus.

« Ma sœur..., murmura Sakota, son visage pâle envahi par la rougeur.

— Qu'y a-t-il ?

— Parler ainsi devant tout le monde..., protesta faiblement Sakota.

— Je dis la vérité ! Je sais que tu crois que je n'aime pas cet enfant. Mais, entre nous, qui l'aime le mieux : toi, qui le gâtes en lui passant tous ses caprices, ou moi, qui voudrais améliorer sa santé grâce à une bonne nourriture et à des jeux innocents ? Toi, qui l'abandonnes à ces petits démons d'eunuques, ou moi, qui voudrais lui épargner leurs vices ? »

Sakota se mit à pleurer doucement derrière sa manche. Ses dames d'honneur se précipitèrent vers elle, mais l'impératrice les maintint à l'écart et, prenant Sakota par la main, elle l'emmena au palais. Elle s'assit sur un divan recouvert de tissu broché d'or et l'attira près d'elle.

« Maintenant, nous sommes seules. Dis-moi pourquoi tu es fâchée contre moi. »

Sakota se taisait, doucement obstinée. Elle continua de sangloter tandis que l'impératrice attendait. Mais Tzu-Hsi, peu patiente, se fatigua vite des sanglots et des gémissements de sa faible cousine.

« Pleure donc, puisque cela te fait plaisir, siffla-t-elle sans pitié. Je crois que tu te complais à verser des larmes. Je me demande comment tu ne t'es pas rendue aveugle. »

Elle se leva et sortit du pavillon pour retourner dans sa bibliothèque. C'est là qu'elle passa le reste de cette belle journée de printemps, volontairement seule, en compagnie de ses livres et du parfum des glycines qui pénétrait par les portes grandes ouvertes. Elle ne parvenait pas à discipliner ses pensées et à les fixer sur ses lectures. Quoi qu'elle fît, ne l'aimerait-on jamais ? Cette question revenait trop souvent, malgré ses occupations multiples. Des millions d'êtres dépendaient de sa sagesse. Au palais, nul n'avait le droit de vie sans son consentement. Elle était juste, prudente, et ne punissait que les coupables. Pourtant, elle ne voyait aucun amour dans les visages qui l'entouraient, pas même dans celui de cet enfant, son propre neveu, son fils adoptif, choisi par elle. Jung Lu lui-même, cet être solitaire qu'elle aimait toujours au fond de son cœur, Jung Lu ne lui avait pas parlé depuis trois ans, en dehors des devoirs de sa charge. Il ne cherchait plus à la voir, ne profitait d'aucun prétexte pour demander une audience ; quand elle le convoquait, il restait hautain, obstinément respectueux. Mais il restait un homme incomparable et, pour les jeunes filles de la ville, il représentait, disait-on, l'idéal masculin. L'impératrice lui avait octroyé le titre de prince sans réussir pour cela à le rapprocher d'elle. Elle connaissait son inébranlable loyauté, mais cela ne suffisait pas. Ne parviendrait-elle donc pas à guérir son cœur de ce désir secret ?

Elle soupira et ferma ses livres. De tout son entourage, c'était elle-même qu'elle connaissait le moins. Pourquoi s'était-elle montrée si cruelle aujourd'hui envers Sakota ? Trop honnête pour se dérober devant ses propres questions, inflexible envers elle-même comme envers les autres, elle comprit que la préférence marquée de l'enfant pour Sakota la rendait jalouse. Cette jalousie remontait au passé, au temps où son fils, comme cet enfant vivant, lui échappait parce qu'il préférait Sakota à sa propre mère.

« Pourtant c'est moi qui l'aimais le mieux, pensa-t-elle,

moi qui avais pour devoir de former son caractère.
S'il avait vécu plus longtemps, peut-être aurait-il
compris... »

Mais il n'avait pas vécu. Elle se leva, incapable de
supporter la pensée de son fils couché dans sa tombe.
Elle sortit de nouveau dans son jardin de glycines
et ne parut même pas voir ses dames d'honneur qui
l'attendaient depuis des heures avec patience. Le crépuscule apportait la fraîcheur et dissipait le parfum
des fleurs. Elle resta un moment immobile devant la
spendeur du paysage : les étangs chatoyants, les grappes
pourpres mêlées de blanc, les toits d'or scintillants,
ornés de dragons sculptés, les allées pavées et les murs
cramoisis. Tout cela lui appartenait. N'était-elle pas
comblée ? Il fallait pourtant qu'elle s'en persuadât.
Elle avait son héritier, choisi par elle : le petit empereur
de neuf ans, mince, élancé comme un jeune bambou.
Malgré son teint pâle et sa peau délicate, il manifestait
une volonté ferme et ne cachait pas qu'il préférait
Sakota à sa mère adoptive. Le seul être plus fier que lui
était l'impératrice elle-même. Elle ne pouvait se résoudre
à acheter les bonnes grâces de l'enfant, pas plus qu'elle
ne pouvait cacher l'antipathie grandissante qu'il lui
inspirait, ni sa déception. L'antagonisme naissant
entre la belle impératrice vieillissante et le jeune empereur gagnait la cour tout entière, dressant courtisans
et eunuques les uns contre les autres. C'est alors que
Sakota, cette pauvre sotte, conçut des rêves de puissance.
Elle, la plus timide et la plus faible des créatures du
palais, se mit à nourrir de tels rêves. Par Li Lien-ying,
l'impératrice apprit que sa cousine projetait de s'octoyer
la prééminence en tant que princesse consort de l'empereur défunt.

L'impératrice savait encore rire à grands éclats, et
l'idée que Sakota se prétendît évincée par sa cousine

l'amusait beaucoup. « Un chaton qui menace un tigre de ses griffes ! » dit-elle en riant. Et elle laissa rire son eunuque sans le réprouver.

Cette année-là, Sakota essaya de lui porter un faible coup. C'était le jour sacré où la cour tout entière devait se prosterner devant les tombeaux ancestraux. En arrivant à midi avec son cortège, l'impératrice fut stupéfaite de voir Sakota décidée à tenir la première place dans les cérémonies de la journée. L'impératrice s'était soigneusement préparée à cette journée de deuil. Elle avait jeûné la veille, et médité toute la nuit pour se lever dès l'aube. Puis elle s'était fait porter en palanquin aux tombeaux impériaux. Pénétrée de respect et de gravité, consciente du poids de son rôle, et de sa responsabilité vis-à-vis de tant d'êtres humains, elle voulait demander aux ancêtres impériaux de la guider dans ses charges de chef d'État.

Aussi quel choc ce fut pour elle, dans cette humeur solennelle, de trouver la faible Sakota (dressée contre elle par le prince Kung, jaloux de Jung Lu) installée devant l'autel de marbre, à la place centrale, et lui désignant sa droite avec un petit sourire méchant.

L'impératrice lui accorda un regard altier et, méprisant cette invitation, se dirigea d'un pas calme vers un pavillon voisin. Elle fit signe à Jung Lu de s'approcher d'elle. « Je ne me commettrai pas à interroger qui que ce soit, lui dit-elle, porte ce message à ma corégente : si elle ne me cède pas sa place immédiatement, je commanderai aux gardes impériaux de se saisir d'elle et de la jeter en prison. »

Jung Lu se prosterna puis se releva, son beau visage marqué par l'âge, toujours froid et fier, pour porter le message à Sakota. Il revint bientôt rendre sa réponse à l'impératrice :

« La corégente a reçu votre message, sublime majesté.

et vous fait dire qu'elle occupe de droit la place d'honneur, car vous n'êtes que la première concubine. La place de gauche, restée vide, est celle de sa sœur, la princesse consort défunte, qui, après sa mort, a reçu le titre d'impératrice Aînée. »

L'impératrice fixa au loin son regard sur la silhouette sombre des pins et des statues de marbre. De sa voix la plus calme, elle répondit :

« Retourne auprès de la corégente avec le même message que tout à l'heure. Si elle s'obstine, ordonne aux gardes impériaux d'exécuter mon ordre et de saisir également le prince Kung, à qui j'ai montré toujours trop d'indulgence. Désormais, je n'en aurai plus pour quiconque. »

Jung Lu se releva et, entouré de ses gardes, il s'approcha de Sakota. Quelques secondes plus tard, il revenait annoncer à l'impératrice que celle-ci avait cédé.

« Sublime majesté, dit-il d'une voix froide et unie. Votre place attend. La corégente occupe celle de droite. »

L'impératrice descendit de son trône et se dirigea majestueusement vers les tombeaux, sans regarder d'un côté ni de l'autre. Elle accomplit toutes les cérémonies avec grâce et solennité. Ensuite, elle retourna au palais en silence, sans saluer quiconque.

Cette querelle s'effaça dans la vie quotidienne du palais. Mais tous savaient qu'aucune paix n'était plus possible entre les deux femmes, l'une soutenue par Jung Lu et le chef des eunuques, et l'autre par le prince Kung, vieilli maintenant, mais toujours fier et indomptable.

Le dénouement n'était que trop prévisible, mais comment serait-il survenu si Jung Lu n'avait point commis une imprévisible folie ? Un jour d'automne de la même année, tel un miasme de fièvre dans un marécage, une rumeur prit naissance : Jung Lu le fidèle, le noble cœur, l'être pur et digne de confiance, s'abandonnait aux avances d'une jeune concubine, restée vierge parce que son seigneur n'avait aimé qu'Alute. Lorsque l'impératrice apprit des lèvres épaisses de son eunuque cette incroyable nouvelle, elle s'exclama :

« Quoi... mon cousin ? Je suis sûre de lui comme de moi-même.

— Vénérable, murmura Li Lien-ying avec un odieux sourire, je vous jure que c'est vrai. La concubine impériale lui fait les yeux doux chaque fois qu'elle le voit. N'oubliez pas qu'elle est jeune et encore belle, assez jeune pour être sa fille, et que le prince atteint précisément l'âge où les hommes aiment les femmes jeunes. N'oubliez pas non plus qu'il n'a jamais aimé l'épouse que vous lui avez donnée. Je vous assure que deux et deux font quatre. »

Mais l'impératrice se contentait de rire en secouant la tête. Pourtant, lorsque l'eunuque, quelques mois plus tard, lui apporta une preuve, elle cessa de rire. C'était une lettre fixant un rendez-vous à Jung Lu.

« Majesté, lisez-la vous-même », dit l'eunuque. L'impératrice prit la missive parfumée :

« Venez me rejoindre à une heure après minuit. J'ai soudoyé le gardien et il vous ouvrira le troisième portail. Ma servante sera cachée derrière un arbre et elle vous amènera jusqu'à moi. Je suis une fleur assoiffée de pluie. »

L'impératrice lut la lettre, la replia et la glissa dans sa manche. Li Lien-ying attendait à genoux tandis qu'elle réfléchissait. Pourquoi tergiverser, se demandat-elle, puisqu'elle tenait la preuve ? De tels liens unissaient son cœur et sa chair à Jung Lu que rien ne restait inexpliqué entre eux. Quels que fussent le moment et les circonstances, leurs cœurs se comprenaient. Elle ne pouvait pas lui pardonner cette trahison.

« Appelle-moi le grand conseiller, ordonna-t-elle à l'eunuque. Quand il viendra, ferme toutes les portes, tire les rideaux et interdis à quiconque d'entrer avant de m'entendre frapper sur ce gong de bronze. »

Il se releva et, toujours zélé pour faire le mal, il s'enfuit dans un envol de robes. En moins de temps qu'il ne lui en fallait pour calmer sa rage, l'impératrice vit entrer Jung Lu, vêtu de sa longue robe bleue, brodée d'or, coiffé d'un chapeau du même tissu et portant à la main un morceau de jade. Mais elle ne voulait pas voir l'éclat de sa beauté. Elle trônait dans sa vaste bibliothèque, sa robe de satin cramoisi brodée de dragons d'or retombant jusqu'à ses pieds. Sa tiare, garnie de fleurs de jasmin fraîches, répandait un parfum incomparable. Elle s'apprêtait à le recevoir en ennemi. Lui !

Jung Lu voulut s'agenouiller, mais l'impératrice l'en empêcha.

« Asseyez-vous, prince, dit-elle de sa voix la plus charmante, et déposez votre plaque de jade. Ce n'est pas là une convocation officielle. C'est à l'homme que je m'adresse, au sujet de cette lettre parvenue dans mes mains il y a une heure, grâce à mes espions, qui, vous le savez, sont partout. »

Il refusa de s'asseoir, même quand elle le lui commanda, mais il ne s'agenouilla pas. Il resta debout devant elle et, lorsqu'elle tira de sa manche la lettre parfumée, il ne tendit pas la main pour la prendre.

« Tu sais de quoi il s'agit ? demanda-t-elle.

— Je le vois.

— Tu ne ressens aucune honte ?

— Aucune. »

Elle laissa tomber la lettre par terre et croisa les mains sur ses genoux. « Tu ne te sens pas coupable d'un manque de loyauté envers moi ?

— Non, car je ne vous trahis en rien. Ce que vous me demandez, je vous le donne. Ce que vous ne demandez pas ou ce dont vous n'avez pas besoin m'appartient. »

Stupéfaite, l'impératrice ne trouvait rien à répondre. Jung Lu attendit en silence. Puis il s'inclina et sortit sans en demander la permission ; elle n'essaya pas de le rappeler.

Restée seule, elle réfléchit à ses paroles. Toujours préoccupée de justice, elle soupesait scrupuleusement les paroles de Jung Lu. Ne disait-il pas la vérité ? Elle n'aurait pas dû prêter l'oreille aux ragots d'un eunuque. Il n'était pas une femme dans tout le royaume dont le cœur ne battît point au seul nom de Jung Lu. En était-il responsable ? Certes pas, car il était bien au-dessus des passions mesquines du palais : amours ou haines. Elle se montrait injuste en le taxant de trahison envers elle, sa souveraine. En toute équité, pouvait-elle lui en vouloir d'être un homme ? Aussitôt, elle chercha par quel nouvel honneur elle pourrait le récompenser et l'obliger à lui rester fidèle.

Pendant un jour ou deux, elle traita Li Lien-ying avec brusquerie et celui-ci se tint à l'écart pour laisser passer l'orage, mais il s'activait dans l'ombre. Quelques semaines plus tard, un eunuque porta à l'impératrice un rapport secret du précepteur de l'empereur : Weng T'ung-ho. L'impératrice se douta aussitôt qu'il s'agissait encore de la jeune concubine, car ce précepteur détestait Jung Lu pour des raisons personnelles.

Le rapport avertissait l'impératrice que, si elle voulait se rendre à une certaine heure dans l'appartement d'une certaine concubine, elle y verrait un spectacle propre à la surprendre. Weng T'ung-ho ne risquerait pas sa tête, disait-il, s'il n'avait conscience de faire son devoir en révélant ce secret. En effet, si l'on tolérait le scandale au palais impérial, quelles en seraient les répercussions à l'échelle nationale et dans le peuple, pour lequel l'impératrice était une déesse ?

L'impératrice renvoya l'eunuque d'un geste et, suivie de ses dames d'honneur, elle se dirigea d'un pas rapide vers le palais des concubines oubliées.

Elle ouvrit doucement la porte de la concubine qu'elle avait choisie autrefois pour son propre fils, tandis qu'autour d'elle servantes et eunuques, pétrifiés par son apparition inattendue, ne pouvaient que tomber à genoux et se cacher le visage dans leurs manches. La porte ouverte lui révéla l'horrible spectacle qu'elle craignait : Jung Lu, assis dans un grand fauteuil, près d'une table servie ; la concubine agenouillée à ses côtés, les mains posées sur les genoux de l'homme qui abaissait un regard souriant sur le joli visage empourpré d'amour.

L'impératrice sentit son cœur transpercé d'une telle douleur qu'elle y porta les mains. Jung Lu leva les yeux et la vit. Il la regarda un instant, puis il écarta les mains de la jeune fille, se leva, et attendit, les bras croisés sur la poitrine, que tombât sur lui la colère impériale.

Mais l'impératrice ne pouvait pas parler. Ces deux êtres d'élite se regardaient, immobiles, conscients de s'aimer d'un amour éternel, sans espoir, mais d'une force invincible. L'impératrice sentit chez cet homme une fierté intacte, un amour immaculé, et comprit que ce qui se passait dans cette pièce n'entamait en rien leur communion. Elle ferma la porte aussi doucement qu'elle l'avait ouverte et retourna dans son palais.

Elle s'enferma seule pour réfléchir. Non, elle ne doutait plus de son amour, ni de sa loyauté, mais cette révélation lui laissait une blessure : Jung Lu était jusqu'à un certain point un homme ordinaire, un homme de chair comme les autres. La chair lui imposait ses exigences, et il leur cédait. « Ah! murmura-t-elle, Jung Lu lui-même n'est pas assez grand pour supporter comme moi la solitude. »

Une douleur lui serrait les tempes. Elle posa sa lourde tiare sur la table et passa les mains sur son front.

Il eût été doux de penser que pour l'amour d'elle il renonçait aux désirs de l'homme ordinaire. En supportant comme elle la solitude intégrale, il serait devenu son égal en grandeur d'âme, sinon sur le plan social.

Elle pensa tout à coup à Victoria, la reine anglaise, qu'elle considérait comme sa sœur, bien qu'elle ne l'eût jamais vue. Elle lui enviait même son veuvage, car la mort avait emporté intact celui qu'elle aimait, sans lui laisser l'amertume de se voir frustrer par une femme insignifiante.

L'impératrice soupira, des larmes coulèrent sur ses joues et tombèrent comme des joyaux sur son sein; l'amour déserta son cœur.

« Je me croyais seule avant, se dit-elle sombrement, mais maintenant je connais l'abîme sans fond de la véritable solitude. »

Le temps passa, tandis qu'elle réfléchissait, et ce tragique isolement inonda son âme d'une amertume affreuse. Elle soupira de nouveau, essuya ses larmes et, comme si elle sortait d'une transe, elle se mit à arpenter la grande salle. Elle pouvait maintenant penser à son devoir et à la juste punition que méritait Jung Lu. Or, elle désirait se montrer juste en tout temps et envers tous.

Le lendemain, à l'audience matinale, elle annonça par un édit impérial que le grand conseiller Jung Lu était relevé de toutes ses fonctions et qu'il quittait la cour impériale. Aucun crime ne lui était imputé; la rumeur publique avait déjà diffusé à tous les échos l'incident de la veille.

Sur le trône du Dragon, qu'elle occupait depuis la mort de son fils, elle dominait ses ministres et ses princes, qui, face à elle, l'écoutaient dans le plus grand silence condamner un des leurs. Ils avaient l'air grave. Si on pouvait monter aussi haut que Jung Lu et tomber aussi bas, nul n'était à l'abri. L'impératrice, sans rien trahir de ses pensées, vit leur expression. Il lui fallait bien s'appuyer sur la peur, puisque l'amour ne la protégeait pas. Elle régnerait donc dans la solitude.

Lors de la seconde lune de l'année suivante, le prince Kung se chargea d'une mission fort désagréable, mais qu'il se prétendait obligé d'accomplir.

Par un beau matin de printemps, après le conseil, le prince Kung demanda à être reçu seul, faveur qu'il n'avait pas sollicitée depuis longtemps. L'impératrice avait hâte de quitter la salle d'audiences et de retourner à son palais, car elle voulait passer la journée dans son jardin, où les pruniers commençaient à fleurir. Néanmoins elle fut obligée de céder à ce prince, son principal conseiller, et son intermédiaire avec les Blancs qui devenaient de plus en plus exigeants. Les étrangers aimaient le prince Kung et lui faisaient confiance. L'impératrice en profitait. Le prince Kung se présenta devant elle et, après un bref salut, révéla l'objet de sa visite :

« Majesté, je ne suis pas venu pour moi-même, car votre générosité s'est déjà suffisamment manifestée envers moi. Maintenant, c'est votre grandeur que j'invoque pour l'impératrice douairière, votre corégente.

— Est-elle malade ?

— On pourrait dire, majesté, qu'elle est malade d'une détresse de l'esprit.

— Et quelle détresse ?

— Majesté, je ne sais pas si vous êtes au courant de l'arrogance croissante de votre eunuque, Li Lien-ying.

Il se fait même appeler « Seigneur des neuf mille années », titre que s'attribua, pour la première fois, le dangereux eunuque de l'empereur Chu Yu-chiao, de la dynastie Ming. En se parant de ce titre, l'eunuque Li Lien-ying ne se considère inférieur qu'à l'empereur lui-même, seigneur des dix mille années. »

L'impératrice eut un sourire froid. « Dois-je prendre la responsabilité d'un titre que les inférieurs du palais donnent à leur maître ? Cet eunuque les gouverne pour moi. C'est là son devoir, car je ne pourrais m'occuper des petits détails intérieurs du palais alors que je supporte les fardeaux de la nation et du peuple. Qui gouverne bien est toujours détesté. »

Le prince Kung, les bras croisés, les yeux baissés, serrait les lèvres. « Majesté, dit-il, si seuls les inférieurs se plaignaient, je ne me tiendrais pas devant le trône du Dragon. Mais la personne envers qui cet eunuque se montre le plus grossier, le plus cruel, le plus arrogant, c'est la corégente, l'impératrice douairière. »

— Vraiment ! Et pourquoi ma sœur régente ne se plaint-elle pas à moi elle-même ? Ne suis-je pas assez généreuse envers elle ? Ai-je jamais manqué à mes devoirs vis-à-vis d'elle ? Je ne le pense pas ! Si j'ai dû la soulager de toutes les responsabilités officielles, c'est pour épargner sa santé fragile. J'ai bien été obligée d'assumer les tâches trop lourdes pour elle. Si elle se plaint, que ce soit à moi directement. » Elle renvoya le prince Kung en levant la main droite et il ne put que s'éloigner, conscient de l'avoir offensée.

Pour l'impératrice, la journée était gâchée. Elle n'avait plus envie de se promener dans son jardin, bien que l'air fût rafraîchi par un orage récent et que le soleil brillât dans un ciel sans nuages. Elle se rendit dans un palais écarté où elle s'enferma, isolée dans les voiles noirs de sa profonde solitude. D'amour, elle ne rêvait plus ;

il ne lui restait que la crainte. Nul ne devrait désormais se plaindre d'elle ou de ceux qui la servaient. Elle réduirait au silence tous ceux qui ne la couvriraient pas de louanges. Pourtant, elle préférait la pitié, si cela ne l'entraînait pas trop loin. Elle sortit, entourée de ses dames d'honneur, pour se rendre au temple bouddhiste, où elle fit brûler de l'encens devant sa favorite Kuan Yin. Là, dans le secret de son propre cœur, elle pria la déesse de l'inspirer, de lui donner le sens de la miséricorde et de rendre Sakota consciente d'une telle miséricorde, afin de n'avoir pas à lui ôter la vie.

Réconfortée par ses prières, l'impératrice envoya des messagers au palais oriental pour annoncer sa visite. Elle s'y rendit au crépuscule et trouva Sakota couchée.

« Je me lèverais, ma sœur, si je le pouvais, se plaignit Sakota, mais aujourd'hui mes jambes me refusent tout service. J'ai de telles douleurs dans les articulations que je ne peux pas bouger. » L'impératrice prit le grand fauteuil préparé pour elle et renvoya tout le monde pour rester seule avec sa cousine. Elle lui parla sans détour, comme elle le faisait autrefois dans leur enfance.

« Sakota, je ne veux pas accepter tes doléances par des intermédiaires. Si tu n'es pas contente, viens me le dire toi-même et je te donnerai ce que je pourrai, mais je ne veux pas que tu détruises l'unité intérieure de mon palais. »

Le prince Kung avait-il insufflé quelques forces à cette cervelle d'oiseau, ou bien Sakota était-elle poussée par le désespoir, qui saurait le dire ? Toujours est-il qu'elle se releva sur un coude et regarda l'impératrice d'un air maussade.

« Tu oublies, Orchidée ! que j'occupe officiellement un rang plus élevé que toi. L'usurpatrice, c'est toi, et je ne suis pas seule à le dire. J'ai des amis et des partisans, quoi que tu en penses ! »

L'impératrice n'eût pas été plus surprise de voir un chaton se transformer en tigresse. Elle se leva brusquement, courut vers Sakota et la prit par les oreilles.

« Espèce de ver de terre ! s'écria-t-elle en grinçant des dents, ingrate, petite sotte, envers qui je me suis montrée trop bonne... »

Mais Sakota, piquée au vif, tendit le cou et mordit l'impératrice au pouce. Elle ne voulait pas lâcher prise, et l'impératrice dut lui écarter les mâchoires de force, tandis que le sang coulait le long de son poignet et sur sa robe jaune impérial.

« Et je ne regrette rien, siffla Sakota. Je suis contente. Maintenant tu sais que je ne suis pas sans défense. »

L'impératrice prit à son épaule son mouchoir de soie et l'enroula autour de son pouce blessé. Puis elle se retira et sortit immédiatement. Dehors, les eunuques et les suivantes se pressaient contre les portes, l'oreille collée au panneau. Tous s'écartèrent sur son passage, avec des mines graves et des airs inquiets, car qui oserait se dresser sur le chemin d'une tigresse royale en plein combat ?

L'impératrice retourna à son palais. Au milieu de la nuit, après de longues réflexions solitaires, sa main douloureuse appuyée contre sa poitrine, elle frappa sur le gong d'argent qui appelait Li Lien-ying. Il se présenta sur-le-champ. Il savait déjà ce qui était arrivé.

« Majesté, votre main vous fait mal ?

— Les dents de cette femme recèlent un poison de vipère.

— Laissez-moi vous soigner. Je possède une science léguée par un oncle médecin. »

Elle lui tendit la main ; il enleva le mouchoir de soie, versa de l'eau chaude dans une cuvette et y ajouta de l'eau froide. Il lava la plaie et l'essuya avec un linge.

« Majesté, pouvez-vous supporter encore une douleur supplémentaire ?

— Est-il besoin de le demander ?

— Non. » De ses doigts épais, il prit un morceau de charbon dans le brasero et le posa sur la plaie pour l'aseptiser. Elle ne gémit, ni ne broncha. Il prit un mouchoir propre dans une boîte qu'elle lui désigna et la pansa.

« Un peu d'opium ce soir, majesté, et demain il n'y paraîtra plus.

— Bien. »

Il restait immobile, comme s'il attendait quelque chose. Enfin elle parla.

« Quand on trouve une mauvaise herbe dans un jardin, que faire, sinon l'arracher ?

— Oui, en effet.

— Hélas ! je ne peux compter que sur un serviteur entièrement loyal.

— Ce serviteur, c'est moi. » Ils échangèrent un long regard, un seul ; il la salua et s'éloigna.

L'impératrice appela ses dames d'honneur pour lui préparer une pipe d'opium, et elle s'abandonna à un sommeil sans rêves.

Le dixième jour de ce même mois, Sakota, impératrice douairière, fut prise d'une maladie étrange et soudaine, dont aucun médecin de la cour ne vint à bout. Elle mourut bientôt, convulsée par des douleurs internes. Une heure avant sa mort, sachant sa fin prochaine, elle trouva assez de forces pour dicter ses dernières volontés.

Malgré ma constitution encore solide et l'espoir que je formais d'atteindre la vieillesse, une maladie inconnue m'a frappée hier, qui m'inflige de terribles douleurs et rend certain mon départ de ce monde. La nuit approche, tout espoir est perdu. Je n'ai que quarante-cinq ans. Depuis vingt ans, j'occupe la

haute position de régente de l'Empire. J'ai reçu de nombreux
honneurs pour récompenser ma conduite vertueuse. Pourquoi
donc craindrais-je la mort? Je ne demande qu'une chose. Que
les vingt-sept mois de deuil officiel soient réduits à vingt-sept
jours afin que, comme ma vie entière, ma mort soit marquée
de sobriété et de discrétion. Je n'ai jamais désiré de vaines
pompes ni de gloire dans mon existence et je n'en veux pas
non plus pour mes funérailles.

Le prince Kung envoya cet édit au nom de la disparue,
et l'impératrice ne fit aucun commentaire, bien qu'elle
lût entre les lignes le blâme infligé par sa cousine à son
extravagance et à l'amour de la beauté. Néanmoins, elle
ajouta ce motif de rancune à ceux qu'elle accumulait
au fond de son cœur et lorsque, une année plus tard,
un nouveau désastre s'abattit sur la nation, elle saisit
l'occasion d'en rendre le prince Kung responsable. Les
Français s'étaient attribué la province du Tonkin comme
butin de guerre et avaient détruit la flotte de jonques
envoyée par l'impératrice pour les repousser. L'impératrice en conçut une grande rage et rédigea, de sa
propre main, un édit qui accusait le prince Kung d'in-
compétence, sinon de trahison. Elle employait des termes
mesurés et pleins d'indulgence, mais le coup n'en était
pas moins sévère :

Nous reconnaissons les mérites passés du prince Kung,
c'est pourquoi, dans Notre clémence, Nous lui permettons
de garder ses titres héréditaires et les émoluments y afférents,
mais Nous le privons par la présente de toutes ses charges et
aussi de sa double rente.

Avec le prince Kung, l'impératrice renvoya aussi plusieurs de ses collègues. Elle les remplaça par le prince
Ch'un, le mari de sa sœur, père du petit empereur, et

par des princes de son choix. Les membres de son clan
en furent irrités, car ils craignaient que le prince Ch'un,
ainsi élevé par les ordres de l'impératrice, n'instaurât
sa propre dynastie, en usurpant celle de T'ing Chih.
Mais l'impératrice ne craignait personne sur terre ni
au ciel. Débarrassée de ses ennemis, enfermée dans son
orgueil solitaire, elle imposait silence à tous ceux qui
lui tenaient tête. Toutefois, elle ne voulait pas se voir
accuser de tyrannie. Lorsque le censeur Erh-hsün lui
envoya un rapport, déclarant que les pouvoirs accordés
au prince Ch'un rendaient inutile le grand conseil, elle
se rappela les qualités de cet homme, ex-vice-roi de
Mandchourie et présentement vice-roi de la province
de Szecheun, et lui répondit avec beaucoup de ména-
gements. Dans un édit envoyé aux quatre coins du
royaume, elle expliqua qu'un prince du sang n'aurait
jamais dû détenir une puissance égale à celle du prince
Kung, mais qu'elle avait été obligée de faire appel à
toutes les aides possibles pour rendre au pays sa force
et sa gloire passées. De plus, assurait-elle, le rôle dévolu
au prince Ch'un n'était que temporaire. Elle termina son
édit sur ces mots :

*Princes et ministres, ne comprenez-vous pas l'ampleur des
problèmes que Nous devons résoudre seule? Quant aux membres du grand conseil, qu'ils prennent garde de ne point saisir prétexte de la position du prince Ch'un pour échapper à
leurs responsabilités. Pour conclure, Nous souhaitons qu'à
l'avenir Nos ministres respectent davantage les motifs des
actes de leur souveraine et qu'ils s'abstiennent de Nous troubler par leurs réclamations. Par la présente, Nous refusons la
demande de l'auteur du rapport.*

Elle s'exprimait, comme d'habitude, dans un langage
ferme et simple sans perdre de temps en paroles de

politesse; les princes et les ministres accueillirent cet
édit dans un silence atterré. C'est dans ce silence que
l'impératrice gouverna pendant encore sept années en
tyran absolu et en gracieuse souveraine.

Le pays vécut des années de prospérité. Princes et
ministres se taisaient et l'impératrice donnait peu
d'audiences. Néanmoins, elle pratiquait scrupuleusement tous les rites religieux, n'oubliait aucune fête,
et prenait en considération les désirs de son peuple.
Le Ciel semblait favorable à son règne, car, pendant
plusieurs années, le pays ne connut ni inondations, ni
sécheresses, mais une température clémente et de riches
moissons. Pas de guerres non plus; les étrangers restaient sur leurs positions acquises. Comme l'impératrice régnait par la terreur, ses sujets ne lui rapportaient
aucune rumeur et ses conseillers lui cachaient leurs
inquiétudes.

Dans ce climat de tranquillité, l'impératrice pouvait
se consacrer à son rêve : terminer le nouveau palais
d'Été. Comme elle prit soin de faire connaître ses intentions, le peuple lui envoya des dons en or et en argent;
et les provinces doublèrent le montant de leur tribut.
En revanche, l'impératrice publia des édits pour remercier le peuple de ses dons et expliquer qu'une fois le
trône occupé par son héritier légal, Kwang Hsü, le jeune
empereur, son neveu et fils adoptif — c'est-à-dire
lorsqu'il aurait achevé sa dix-septième année —, elle
se retirerait au palais d'Été.

L'impératrice s'arrangeait donc pour justifier son
caprice aux yeux du peuple et aux siens. Elle s'adonnait
à l'agréable devoir qu'elle s'était fixé : faire bâtir, pour
satisfaire son âme, des palais magnifiques dans un site
splendide.

En choisissant cet emplacement pour y dresser le
palais de ses rêves, l'Impératrice réalisait le désir des

ancêtres impériaux. Avec un goût parfait, elle intégra dans ses plans le temple des Dix Mille Bouddhas, construit par Ch'ien Lung et épargné par les destructeurs, et aussi les pavillons de bronze qui avaient résisté aux incendies, ainsi que le beau lac aux eaux calmes. Quant aux ruines, elle ne voulait ni les relever, ni les supprimer. Qu'elles restent là, disait-elle, en guise de souvenir, pour que méditent les hommes sur la fragilité de la vie et des œuvres humaines.

Elle fit ériger son propre palais et celui de l'empereur au sud-est du lac, point trop éloignés, mais suffisamment pour leur permettre de vivre séparément. Elle y fit aussi construire un grand théâtre pour distraire sa vieillesse. Près du portail de marbre de l'entrée, on installa la salle d'audiences, car, même pendant les vacances, disait-elle, le chef de l'État doit recevoir ses ministres et ses princes. Cette salle, immense et imposante, décorée de sculptures, contenait des bibelots et des meubles anciens laqués. Ses portes vitrées, où se détachait en couleurs vives l'emblème de la longévité, s'ouvraient sur une terrasse de marbre d'où quelques marches, également de marbre, menaient au lac. Des statues d'animaux en bronze se dressaient sur la terrasse et, en été, des stores de soie donnaient de l'ombre aux profondes vérandas.

Le palais de l'impératrice renfermait des salles majestueuses, entourées de galeries, où l'impératrice aimait à se promener en méditant. Lorsqu'il pleuvait, son regard plongeait sur la surface brumeuse du lac et les cyprès chargés de gouttelettes. En été, elle faisait parsemer de foin odorant les sentiers de ses jardins remplis de rocailles et de fleurs. Sa fleur préférée restait la petite orchidée verte dont elle portait le nom dans son enfance. Sur les rives du lac, elle fit dresser, sur un kilomètre et demi, une galerie couverte, soutenue par des piliers de marbre. De là, elle pouvait admirer sa colline de pivoines, ses pommiers sauvages, ses lauriers-roses et ses grenadiers. Sa passion pour la beauté augmentait avec les années, car, à ses yeux, seule la beauté restait pure, bonne et digne d'amour.

Encouragée par l'indulgence de son peuple, l'impératrice s'abandonna sans frein à son goût des magnificences. Les rideaux de son lit impérial étaient de satin jaune brodé avec un art infini d'un nuage de phénix volants. D'Occident, elle faisait venir des horloges de tout genre pour augmenter sa collection.

Ces objets destinés à la distraire ne lui faisaient pas oublier son goût des livres, et elle se constitua une bibliothèque digne des plus grands érudits.

Où qu'elle se trouvât, dans son palais, elle voyait toujours les eaux bleues du lac. Sur une île se dressait un temple, où l'on accédait par un pont de marbre de dix-sept arches. L'île comportait une petite plage où, à demi enterrée par le sable, la vache de bronze placée par Ch'ien Lung pour protéger le palais des inondations bravait les siècles. Parmi les nombreux ponts que l'impératrice fit bâtir, celui qu'elle préférait, pour sa belle courbe, surplombait l'eau de dix mètres. Elle aimait particulièrement s'y tenir et laisser son regard glisser sur l'eau vers les pagodes et les terrasses de ses vastes terrains.

Bercée par cette ambiance de beauté, elle laissait couler les années, mais, un jour, son eunuque lui rappela que le jeune empereur terminait sa dix-septième année et qu'il fallait lui choisir une princesse consort. Elle comprit tout de suite que Li Lien-ying avait raison et qu'il ne fallait pas retarder plus longtemps le mariage de l'héritier. Quels soins n'avait-elle pas donnés autrefois au choix d'une épouse pour son fils ! Certes, elle n'y accorderait pas maintenant autant d'intérêt, mais elle choisirait une femme qui lui serait soumise et n'aimerait pas son seigneur avec autant de passion qu'Alute.

« Je ne veux que la paix, dit l'impératrice à Li Lien-ying. Indique-moi quelques jeunes filles qui n'aimeront pas mon neveu comme Alute aimait mon fils. Je ne peux pas supporter les rivalités. Je ne veux pas être importunée par l'amour ou la haine. »

Li Lien-ying avait beaucoup engraissé et l'impératrice, le voyant mal à l'aise à genoux, le fit asseoir pour lui donner ses suggestions. Le gros eunuque lui obéit volontiers, s'assit en haletant, et commença à s'éventer, car la température était trop chaude pour ce début de printemps.

« Majesté, dit-il après un moment de réflexion, pourquoi ne pas choisir la fille de votre frère, le duc Wei Hsiang, qui est bonne et laide ? »

L'impératrice approuva ce choix et jeta un regard affectueux au visage épais de son eunuque. « Pourquoi n'y ai-je pas pensé plus tôt ? Parmi mes dames d'honneur, c'est la plus silencieuse, la plus modeste, et elle m'est entièrement dévouée. Elle me plaît... parce que je peux oublier son existence !

— Et pour les concubines impériales ? s'enquit Li Lien-Ying.

— Nomme-moi quelques jolies filles, répondit-elle, indifférente, mais qu'elles soient stupides. » L'eunuque s'empressa de répondre : « Le vice-roi de Canton mérite une récompense, car il maintient en échec la rébellion dans les provinces du Sud. Il a deux filles, une jolie et l'autre grosse, toutes les deux stupides.

— Je les choisirai. Prépare le décret. »

Li Lien-ying se leva avec force soupirs et gémissements, tandis qu'elle se moquait de lui, ce qui ne manquait pas de lui plaire. Il marmonna que point n'était besoin pour son vieux Bouddha de se mettre en souci, car il s'occuperait de tout et elle n'aurait qu'à paraître le jour du mariage.

« Toi ! tu oses m'appeler ton vieux Bouddha ! » Elle prit un air fâché, en le menaçant de son petit doigt où scintillait le protège-ongle couvert de rubis.

« Majesté, c'est ainsi que le peuple vous nomme depuis que, l'été dernier, vos prières ont amené la pluie. »

En effet, la neige n'était pas tombée l'hiver précédent et le ciel, d'un bleu de saphir, était resté sans nuages pendant tout le printemps et même l'été. Alors l'impératrice avait ordonné des jeûnes et des prières dont elle donna l'exemple elle-même avec toute la cour. Le troisième jour, Bouddha avait cédé et la pluie était tombée. Les gens s'étaient précipités tout heureux dans les rues, pour boire la pluie bénie, en humecter leur visage et leurs mains et rendre grâce à l'impératrice, qui faisait obéir même les dieux, en s'écriant : « C'est notre vieux Bouddha ! »

Depuis lors, le chef des eunuques l'avait toujours appelée ainsi. C'était une grossière flatterie et elle le savait, mais elle s'y prêtait. Vieux Bouddha : le plus beau surnom que le peuple pût accorder à son souverain, puisqu'il le comparait à un dieu. Quant à l'impératrice, elle ne se rappelait même pas qu'elle eût jamais été femme. A l'âge de cinquante-cinq ans, elle se sentait si loin du commun des mortels qu'on pouvait en effet la comparer à une puissance céleste.

« Va-t'en, dit-elle en riant, sans quoi je me demande ce que tu pourras encore bien me dire, monstre ! » Il se retira et elle reprit sa promenade solitaire dans les merveilleux jardins tracés par elle, les rayons du soleil se jouant sur son beau visage vieillissant et sur les robes chatoyantes qu'elle aimait. Ses dames d'honneur la suivaient à distance, comme elle l'exigeait, semblables à un envol de légers papillons.

Le jour du mariage approchait : un jour néfaste, car le ciel boudait et les présages restaient mauvais. La nuit précédente, une grande tempête venue du nord avait emporté les nattes posées en guise de toit sur la cour d'entrée de la Ville interdite pour le jour de la cérémonie. L'aube se leva, grise et sombre, la pluie commença à tomber d'un ciel impitoyable. Les rouges bougies nuptiales ne voulaient pas s'allumer, les pâtisseries du banquet étaient molles d'humidité. Lorsque l'épousée entra dans la vaste cour et prit place à côté de l'époux, il détourna la tête pour manifester son antipathie. Le voyant ainsi offenser celle qu'elle avait choisie pour lui, l'impératrice ne réussit à cacher sa rage qu'au prix d'un effort surhumain. Sa colère rentrée lui durcit le cœur et, de ce moment, elle voua à son neveu, qui osait la défier, une haine mortelle. C'était donc là l'héritier qu'elle avait mis sur le trône : un gringalet, pâle, imberbe, aux mains trop délicates et tremblantes, au caractère obstiné ! Dans cette faiblesse, elle voyait un blâme à son adresse, et dans cette obstination, un danger. Pendant qu'elle essayait de réprimer sa colère, la jeune mariée laissait couler les larmes sur ses joues blafardes.

L'impératrice resta indifférente pendant toute la durée de la cérémonie, et, le même soir, elle retourna au palais d'Été où elle devait vivre désormais.

C'est de là que, dans la première lune de sa cinquante-sixième année, elle adressa à la nation un décret manifestant une fois de plus sa volonté de se retirer, maintenant que l'empereur occupait le trône du Dragon. Elle indiquait son intention de ne plus se rendre à la Ville interdite, d'où elle fit transporter tous ses trésors au palais d'Été. Princes et ministres la supplièrent de ne pas abandonner les rênes du commandement à un empereur faible et obstiné.

« Il subit trop l'influence de ses précepteurs K'ang
Yu-wei et Liang Ch'i-Ch'ao », se plaignirent-ils.

« Et puis, Majesté, il aime trop les jouets étrangers,
ajouta le chef des censeurs. Le jeune empereur, devenu
homme et marié, s'amuse encore avec ses trains, qu'il
remonte avec une clef ou qu'il fait marcher à l'aide du
feu. Nous ne croyons pas qu'il s'agisse seulement
d'un jeu. Nous craignons qu'il n'ait l'intention de construire sur notre terre antique ces lignes de chemin
de fer étrangères. »

L'impératrice se moquait d'eux, toute joyeuse à l'idée
d'échapper aux soucis et aux responsabilités. « Seigneurs,
tout cela vous regarde à présent. Agissez comme vous
l'entendrez avec votre jeune souverain, et laissez-moi
en repos. »

Ils en furent très troublés, d'autant plus que le prince
Kung et Jung Lu étaient bannis de la cour, et ils insistèrent : « Majesté, nous permettrez-vous de venir
à vous si le jeune empereur ne veut pas nous écouter ?
Rappelez-vous, majesté, qu'il ne craint que vous.

— Je ne vivrai pas dans un pays lointain, dit-elle,
ironique ; je ne suis qu'à douze kilomètres du palais
impérial. Je garde mes eunuques, mes espions et mes
courtisans. Je ne laisserai pas l'empereur vous faire
décapiter tant que vous me resterez loyaux. »

Ses grands yeux brillaient et ses lèvres, aussi rouges
que dans sa jeunesse, frémissaient dans un sourire
taquin. La voyant de si bonne humeur, ils s'en furent
rassurés.

Elle laissa de nouveau couler les années, sans toutefois
renoncer complètement au pouvoir puisqu'elle gardait
des espions dans les palais. C'est ainsi qu'elle eut connaissance des querelles qui divisaient le couple impérial.
L'empereur offrait à ses deux concubines, la Perle et
la Satinée, l'amour dont il privait son épouse.

« Mais elles sont stupides, lui assura Li Lien-ying dans son rapport quotidien, nous n'avons pas à les redouter.

— Elles le débaucheront, affirma-t-elle, indifférente, je ne fonde aucun espoir sur lui, ni sur aucun homme. » Ses grands yeux noirs perdirent leur éclat un moment, puis elle soupira et détourna la tête.

Elle savait pourtant rester aussi péremptoire dans son commandement qu'une souveraine. Lorsque les princes de son propre Clan Yehonala lui demandèrent de promouvoir le prince Ch'un afin que l'empereur pût manifester sa piété filiale en plaçant son père plus haut que lui et obéir ainsi à la loi des générations, elle s'y refusa. La lignée impériale devait passer par elle, et par elle seule. Kwang Hsü était son fils adoptif et elle restait l'ancêtre impériale. Toutefois, elle mit des formes à sa réponse, pour ne pas offenser le prince Ch'un qu'elle avait choisi elle-même comme mari pour sa sœur, bien des années auparavant. Elle octroya beaucoup de compliments au prince, mentionna sa loyauté à toute épreuve et prétexta que lui-même refusait tous les honneurs, si modestes fussent-ils. « Chaque fois que j'ai voulu lui accorder un honneur particulier, disait-elle dans un édit royal, il l'a refusé les larmes aux yeux. Ainsi je lui ai accordé depuis longtemps la permission de mettre des rideaux jaunes, insigne du rang impérial, à la chaise à porteurs, mais il n'a pas profité de cette autorisation. Il fait preuve par là d'une modestie parfaite et d'une grande loyauté envers Mon peuple et Moi-même. »

Les années passaient. Enfin vint le jour mémorable où l'impératrice devait célébrer son soixantième anniversaire. Grâce à son énergie exceptionnelle, la retraite où elle voulait passer sa vieillesse, le palais d'été, était maintenant terminée. Elle avait exigé et obtenu des fonds du trésor public sans que l'empereur lui-même osât refuser. Maintenant, caprice final, elle demandait qu'on lui construisît au milieu du lac un vaste bateau de marbre blanc, relié à la terre par un pont également de marbre. Quand il apprit cette nouvelle exigence, l'empereur soupira en se demandant où il trouverait les fonds nécessaires.

Cette fois-là, il se décida à lui exprimer son inquiétude en termes extrêmement respectueux et filiaux. Mais elle se mit dans une de ses épouvantables rages, déchirant son message en mille morceaux qu'elle fit ramasser par un eunuque et jeter dans un feu de cuisine.

« Mon neveu, ce paresseux, sait très bien où trouver l'argent », hurla-t-elle. Elle ne pouvait supporter les contrariétés qui la faisaient retomber dans les colères de son enfance. Seul Li Lien-ying pouvait calmer ses accès de fureur.

« Majesté, dites seulement où vous pensez trouver l'argent, et vous l'aurez.

— Voyons, espèce de vieux sac-à-vent, s'écria-t-elle, tu sais bien que le trésor public recèle des fonds destinés à la Marine. »

En effet, des millions de dollars en lingots d'argent attendaient leur emploi dans la marine impériale. Les « nains », comme les Chinois appelaient les Japonais, menaçaient les côtes chinoises. Or, c'était un peuple de marins, qui possédait des cuirassés armés de canons et copiés sur les bateaux de guerre occidentaux, alors que les Chinois, peuple de terriens, n'avaient que de vieilles jonques où vivaient les familles des pêcheurs. Les bourgeois chinois, très inquiets des prétentions des Japonais, avaient spontanément levé un impôt spécial pour la construction d'une flotte puissante copiée, comme celle des Japonais, sur les Occidentaux.

« Mais pourquoi aurions-nous peur de ces nains ? protestait l'impératrice, méprisante. Ils ne peuvent faire que de brèves incursions sur nos côtes, car notre peuple ne les laissera jamais pénétrer à l'intérieur du pays. Quelle sottise de dépenser du bon argent pour construire ces bateaux étrangers ! Ils ne seront, pour mon neveu, qu'un jouet de plus. Car, si j'en crois les rumeurs, il continue, comme par le passé, à s'amuser avec des jouets étrangers. C'est ainsi qu'il dilapide le trésor impérial. »

En désespoir de cause, l'empereur finit par céder, contre la volonté de son précepteur, et l'impératrice obtint son bateau de marbre. C'était là qu'elle voulait célébrer les cérémonies de son soixantième anniversaire. Tout était prêt pour le dixième mois lunaire : trente jours de fêtes, des congés pour le pays tout entier, et de nombreuses distributions de récompenses et d'honneurs pour ses loyaux sujets. Pour célébrer dignement un tel événement, l'impératrice invita les fonctionnaires à lui céder un quart de leur traitement annuel ; elle déclara aussi qu'elle ne refuserait pas les dons d'argent à l'occasion de son anniversaire.

Dans le secret de son cœur, l'impératrice songeait à s'offrir un grand cadeau. Jung Lu était banni pour avoir accepté autrefois l'amour d'une concubine solitaire ; depuis des années, elle ne l'avait pas revu. Maintenant, la concubine morte et sa rancune disparue avec elle, l'impératrice ne voyait plus de raison de souffrir en punissant celui qu'elle aimait toujours par-dessus tout. L'âge de l'amour était passé pour elle et elle pouvait reprendre avec Jung Lu des relations d'amitié. Elle se laissa enfin aller aux sentiments et une douce chaleur monta des cendres accumulées dans son cœur. Il lui était doux de penser qu'elle reverrait son visage, qu'ils auraient oublié les folies d'autrefois, et qu'ils pourraient parler du présent : elle, prête à fêter sa soixantième année, et lui, ayant dépassé ce cap. Elle lui envoya une missive.

Ceci n'est pas un décret, lui écrivait-elle de sa belle écriture aux caractères fermes et droits. *C'est plutôt un salut, une invitation, qui exprime l'espoir que nous pourrons bientôt nous rencontrer le cœur et l'esprit assagis. Viens donc la veille des cérémonies de mon soixantième anniversaire, afin que nous puissions passer une heure ensemble avant de nous retrouver avec toute la cour.*

Elle fixa comme lieu de rencontre sa bibliothèque. Sachant que Jung Lu méprisait les eunuques, elle renvoya jusqu'à Li Lien-ying sous prétexte de lui faire examiner, en ville, des pièces de jade arrivées du Turkestan. L'automne tirait à sa fin, c'était une belle journée chaude et sans vent. Le soleil baignait les cours du palais et les milliers de chrysanthèmes encore en fleur. Bien qu'on fût au dixième mois de l'année, les jardiniers impériaux empêchaient les boutons de s'ouvrir, afin que les fleurs s'épanouissent pour l'anniversaire impérial. L'impératrice, vêtue de satin jaune brodé de phénix bleus, attendait sans sa bibliothèque, les mains croisées calmement sur les genoux.

A la troisième heure, elle entendit un bruit de pas. Ses dames d'honneur ouvrirent toutes grandes les portes et, dans un corridor, elle vit s'avancer la haute silhouette de Jung Lu. A son grand désarroi, son vieux cœur se remit à palpiter.

« Oh! tais-toi, mon cœur », murmura-t-elle en le regardant s'approcher, mais son cœur criait : il reste le plus beau de tous les hommes! Elle remarqua tout

de suite son expression grave, ses vêtements sombres :
une longue robe de satin bleu foncé et une coiffure
de satin noir. Il portait sur la poitrine un bijou de jade
rouge ; le spectre princier qu'il tenait à la main dressait
un mur entre elle et lui. Elle resta immobile jusqu'à
ce qu'il fût devant elle. Leurs yeux se rencontrèrent
et il voulut se prosterner comme autrefois. Mais elle
étendit la main pour l'en empêcher et, désignant
deux chaises, descendit de son trône, saisit Jung Lu
par la manche et l'y conduisit. Ils prirent place l'un à
côté de l'autre.

« Dépose ton jade », dit-elle, impérieuse.

Il le déposa sur une petite table, comme une épée
glissée entre eux, et attendit qu'elle prît la parole.

« Comment te portes-tu ? demanda-t-elle en le couvrant d'un regard devenu soudain tendre et doux.

— Majesté...

— Ne m'appelle pas majesté. »

Il baissa la tête et reprit : « C'est plutôt à moi de
demander comment vous vous portez. Mais je le vois
de mes propres yeux. Vous n'avez pas changé. Ce visage
est celui que j'ai porté pendant toutes ces années dans
mon cœur. » Ni l'un ni l'autre ne voulait parler des
années écoulées. Point ne leur était besoin de parler
du passé. Nul être humain ne pouvait se glisser entre
leurs âmes. Nul n'existait en dehors d'eux lorsqu'ils
étaient seuls. Oui, pensait-elle, le regard de ses yeux
restés jeunes malgré l'âge, ouvertement fixé sur lui,
oui, il lui appartenait toujours : le seul être humain
qui lui appartînt par la chair et à qui sa chair appartînt.
Elle trouvait étrange de l'aimer toujours autant mais
sans désir, d'un amour apaisé et apaisant. Elle soupira
et se sentit envahie d'un bonheur très doux.

« Pourquoi soupirez-vous ? interrogea-t-il.

— Je pensais avoir beaucoup à te dire, mais maintenant, en face de toi, j'ai l'impression que tu sais tout de moi.

— Et vous savez également tout de moi. Je n'ai point changé... depuis le premier jour où nous avons compris ce que nous étions l'un pour l'autre. »

Elle ne répondit pas. Ils en avaient dit assez. Les années passées entre les murs indiscrets du palais leur avaient imposé l'habitude du silence et ils se taisaient tous deux, simplement réunis, l'âme allégée par leur communion de pensée. Lorsqu'elle parla pour lui poser une question, ce fut d'une voix douce et humble.

« As-tu des conseils à me donner ? Depuis tant d'années que je n'ai plus tes avis, je n'en ai demandé à aucun prince. »

Il secoua la tête. « Je ne vois rien à critiquer. »

Pourtant, elle sentit une réticence dans son ton, des paroles qu'il ne voulait pas prononcer.

« Allons, dit-elle, toi et moi nous sommes toujours parlé sans détour, n'est-ce pas ? Que trouves-tu à me reprocher ?

— Rien, rien! Je ne veux pas gâcher votre anniversaire. Le dernier de vos sujets a le droit de jouir de son soixantième anniversaire, pourquoi pas vous ?

— Allons, le pressa-t-elle. Dis-moi la vérité, la vérité!

— Je me fie à votre propre sagesse, répondit-il à contrecœur. Si, par hasard, nos armées étaient vaincues par les ennemis japonais retranchés dans la faible Corée, après l'invasion de l'été dernier, il se pourrait qu'un désastre national vous empêche de célébrer votre anniversaire. »

Elle réfléchit un moment. Immobile et pensive, les yeux baissés, elle laissa échapper un soupir. Puis, lentement, elle se leva et lentement elle traversa la salle dallée pour retourner s'asseoir sur son trône. Il se leva aussi et attendit qu'elle fût sur son trône pour se prosterner devant elle, et cette fois-ci elle ne l'en empêcha pas. Le regard fixé sur son large dos baissé, elle dit : « Je prévois de tels troubles que je ne sais où me tourner pour obtenir des secours. Dans les ténèbres de mes nuits, je me réveille et je pense à l'avenir. Alors, aussi proches de moi que ma propre main, je vois des nuages noirs. Que deviendra mon Empire ? Je me demande si, après mon anniversaire, je ne devrais pas convoquer des devins pour connaître les malheurs que je sens imminents. »

Il répondit de sa voix profonde et grave : « Majesté, soyez prête, cela vaut mieux que d'écouter les devins.

— En ce cas, prends toi-même le commandement de mon armée dans la capitale, reste près de moi et protège-moi comme autrefois. Je n'oublierai jamais la nuit où tu es entré dans ma tente au milieu des montagnes sauvages, près de Jehol. Ton épée, cette nuit-là, a sauvé ma vie..., et celle de mon fils. »

Un désir poignant la saisit d'exprimer ses pensées à haute voix : c'est notre fils que tu as sauvé. Mais elle ne voulut rien dire. Il était mort, ce fils, et enterré en empereur, fils d'empereur. Qu'il repose dans sa tombe impériale.

« J'accepte cette responsabilité », répondit Jung Lu en se levant. Il saisit le sceptre princier fermement dans ses deux mains et sortit.

Hélas ! cet anniversaire ne devait jamais être célébré ! Le peuple avait donné beaucoup d'argent pour faire élever des arcs de triomphe tout le long de la route, entre la Ville impériale et le palais d'Été. Des autels avaient été dressés où les prêtres bouddhistes devaient réciter des *sutras*. Le pays tout entier, les populations de toutes les provinces et des territoires extérieurs se préparaient à un mois entier de réjouissances, pour célébrer le jour le plus honorable de l'existence de leur souveraine. Mais soudain, avant le début des réjouissances, l'ennemi japonais attaqua à l'improviste la flotte de jonques chinoise et la détruisit complètement; et le peuple de Corée envoya des appels à l'aide à son suzerain du trône du Dragon, car les guerriers japonais opprimaient son pays, lequel risquait d'être anéanti s'il ne lui venait pas de secours.

L'impératrice, recevant de tels messages de désastre, par des courriers qui arrivaient toutes les heures, et cela à quelques jours seulement de son anniversaire, fut bouleversée de colère. Sans pitié ni pour elle, ni pour les autres, elle reconnaissait sa propre faute : elle avait dépensé pour son palais d'Été les fonds grâce auxquels on aurait pu construire une flotte capable de résister à l'ennemi. Mais, fidèle à sa nature, elle ne voulait pas admettre son erreur devant les autres, de peur d'affaiblir sa puissance. Le trône devait rester infaillible, suprême. Elle se prépara à foudroyer ses ennemis. D'abord, elle refusa de manger pendant une journée entière, puis de dormir, ou de se reposer. Elle passait les journées à jeûner et à arpenter les pièces de son palais. Elle refusait de regarder ses animaux favoris, ses fleurs ou ses oiseaux. Elle détournait la tête quand on lui présentait un livre ou un parchemin. Finalement, la nouvelle se répandit dans la Ville interdite comme un vent d'orage : l'impératrice était en fureur et nul ne savait sur qui elle l'assouvirait. Dans son esprit en ébullition, ses pensées tournoyaient autour de la froide certitude qu'elle était la principale coupable. Néanmoins, elle choisit deux victimes pour cible de sa colère. Pour commencer, elle accablerait Li Hung-chang, le général en qui elle avait mis toute sa confiance. Aussitôt, elle le fit convoquer par le chef des eunuques et le reçut dans sa salle d'audiences privée, toutes portes ouvertes, afin que nul n'ignorât l'intensité de son courroux et que les échos en pénétrassent tout le palais, la ville et le pays.

« Vous ! » cria-t-elle dès que le général se présenta à elle. Elle ne daigna même pas pointer vers lui ses index, mais se contenta de ses deux auriculaires. « Vous osez laisser couler nos bateaux et ce bon transport de troupes, le *Kowshing* ! Et maintenant il repose au fond de la mer ! Où trouverons-nous les fonds pour le remplacer ? Voyez dans quel état votre incapacité met notre Empire ! »

Le général se gardait bien de prononcer un mot. Il restait prosterné dans les plis de sa robe magnifique. Comme elle savait qu'il n'oserait pas répliquer, elle repartit à l'attaque.

« Vous ! » cria-t-elle de nouveau sur le ton de la malédiction, et l'auriculaire toujours pointé vers lui comme pour le transpercer. « A quoi pensiez-vous, depuis quelques années ? Vous aviez oublié l'intérêt du pays ! Vous ne pensiez qu'à vos navires marchands qui sillonnaient nos fleuves et aux voies ferrées que vous aviez fait installer tout en sachant à quel point je hais ces instruments étrangers. Il paraît même que vous avez fait construire à Shanghaï une usine de tissage étrangère dont vous empochez les profits ! Ne savez-vous pas que le devoir envers le trône du Dragon réclame votre temps et vos pensées ! Vous osez ne penser qu'à vous ? » Il ne répondait toujours pas et l'impératrice restait figée dans sa pose. Elle reprit ses invectives en faisant le geste de le poignarder de ses deux petits doigts.

« Depuis dix années, combien n'avons-nous pas perdu à cause de votre avidité et de votre égoïsme ! La France a pris l'Annam et attaqué Taïwan, et nous avons eu beaucoup de mal à nous libérer d'une guerre avec ce pays au moment même où les Japonais nous attaquaient en Corée. Comment se fait-il que ces peuples étrangers osent nous assaillir et nous menacer ? Tout simplement parce que nos armées et notre marine sont faibles, et à qui la faute si ce n'est à vous ? Vous resterez à votre poste, misérable traître, car vous devrez faire maintenant ce que vous n'avez pas su accomplir jusqu'à présent. Mais vous serez privé de tous vos honneurs, puni comme un esclave, et comme un esclave privé de tout repos. »

Elle baissa les mains et respira profondément à plusieurs reprises. Puis elle le chassa.

« Levez-vous, allez faire votre devoir. Il vous faut réparer. Obtenez la paix et sauvez, dans la mesure du possible, l'honneur de votre souveraine. » Il se leva, essuya ses genoux et se retira à reculons, en s'inclinant. Tout à coup elle vit sur son visage carré une expression de patience, qui la saisit au cœur. Cet homme lui avait rendu d'immenses services, il était toujours resté obéissant et elle le savait encore loyal. Elle se montrerait indulgente envers lui, mais plus tard, pas aujourd'hui. Pour le moment, elle ne voulait pas s'attendrir et le pire de sa colère attendait encore de se manifester. En effet, ce fut l'empereur qu'elle convoqua ensuite, par une note écrite de sa main, à laquelle elle apposa le sceau impérial.

Mais, le jour même où elle envoya cet ordre, un événement étrange bouleversa le palais d'Été. Vers le soir, alors qu'elle se reposait au pavillon des orchidées, une de ses dames d'honneur accourut, les pans de sa robe volant autour d'elle et la chevelure en désordre. La servante agenouillée auprès de l'impératrice pour l'éventer leva la main en signe de silence, car l'impératrice dormait. Mais la dame était trop épouvantée pour y prêter attention, et elle criait d'une voix aiguë :

« Majesté, Majesté... J'ai vu... j'ai vu... »

Immédiatement, l'impératrice s'éveilla, tout de suite lucide, comme d'habitude. Elle se redressa sur sa chaise et transperça la dame du regard.

« Qu'as-tu vu ?

— Un homme rasé comme un prêtre », bégaya la

dame d'honneur. Les mains crispées sur la poitrine, elle commença à pleurer de terreur.

« Bon, bon, répondit l'impératrice, eh bien, c'était un prêtre, je suppose...

— Non, non, majesté, il était rasé comme un prêtre... C'était peut-être un moine du Tibet, mais non ! Il ne portait pas de robe jaune... Il était en noir de la tête aux pieds, plus grand qu'aucun homme que j'aie jamais vu. Et ses mains, elles étaient énormes ! Pourtant, majesté, les portes sont fermées ; aucun homme ne devrait se trouver dans nos murs ! »

L'impératrice tourna les yeux vers le ciel : le soleil était caché et une douce lumière rouge baignait la cour et le pavillon. En effet, aucun homme n'aurait dû se trouver là.

« Tu rêves, dit-elle à la femme affolée. Les eunuques montent la garde. Aucun homme ne peut entrer.

— Je l'ai vu, majesté, je l'ai vu, insista la dame d'honneur.

— En ce cas, je le trouverai moi-même », déclara l'impératrice, intrépide. Elle se fit escorter par vingt eunuques armés d'épées et portant des lanternes, et partit à la recherche du mystérieux personnage. Celui-ci demeura introuvable.

« Nous sommes stupides, s'écria enfin l'impératrice. Cette femme a eu un cauchemar ou bien elle était ivre. Li Lien-ying, ordonne aux eunuques de continuer à chercher et raccompagne-moi avec ta lanterne. »

Il la précéda, la lanterne au poing, jusqu'à sa bibliothèque. A peine avait-elle franchi le seuil que, levant la tête, elle vit sur sa table une grande feuille de papier rouge, portant ces mots en grands caractères :

« Je tiens ta vie dans le creux de ma main. »

Elle saisit le papier, le relut deux fois et le jeta à l'eunuque.

« Regarde ! s'écria-t-elle. Il se cache ici... un assassin...
continue à chercher ! »

Maintenant, toutes ses dames d'honneur l'entouraient
et, tandis que Li Lien-ying se hâtait de lui obéir, elles
entreprirent de réconforter l'impératrice.

« Soyez sûre, majesté, que nos eunuques le trouve-
ront », disaient-elles, persuadées que, puisque cet homme
glabre n'était pas un rêve, on ne tarderait pas à le découvrir.

Elles allumèrent une quantité de bougies et accom-
pagnèrent l'impératrice à sa chambre, lui promettant
de rester avec elle toute la nuit, afin qu'elle dorme et
ne se fatigue point. Mais, dès leur entrée dans la chambre, elles virent une feuille de papier rouge épinglée à
l'oreiller de satin jaune, qui portait ces mots tracés de
la même écriture hardie :

« Quand l'heure viendra, mon épée te trouvera. Que
ce soit la nuit ou le jour, tu mourras. »

Les dames d'honneur poussèrent des cris, mais l'impératrice ne fit que s'irriter. Elle saisit le papier rouge,
le froissa et le jeta à terre. Puis elle rit, ses yeux noirs
étincelants. « Voyons, taisez-vous, mes enfants. Nous
avons affaire à un plaisantin qui se moque de nous.
Allez vous coucher et dormez ; je vais en faire autant. »

Elles protestèrent en chœur. « Non, majesté, non, non,
majesté, nous ne vous quitterons pas. »

Tout en souriant, elle leur céda et se laissa déshabiller
et mettre au lit avec sa grâce habituelle. Six de ses dames
d'honneur s'étendirent par terre sur des matelas, tandis que les autres dormiraient jusqu'à minuit pour prendre ensuite leur tour de garde. Pendant ce temps,
Li Lien-ying, l'épée au poing, entouré de ses eunuques,
gardait la chambre impériale.

A l'aube, l'impératrice s'éveilla, bâilla derrière sa
paume, sourit, et dit que cette aventure ne lui déplaisait

pas du tout. « Je me sens stimulée, déclara-t-elle, la beauté de notre palais nous avait rendues indolentes. »

Elle sortit de sa chambre, ce matin-là, pleine d'énergie, les cheveux garnis de fleurs fraîches, pour prendre son repas du matin, inspectant du regard les alentours. Soudain, sur les plats de son repas, elle vit la feuille de papier rouge portant la même écriture noire :

« Pendant que tu dormais, j'attendais. »

Les dames d'honneur poussèrent de nouveau des cris; quelques-unes se mirent à pleurer. Les servantes affolées ne savaient que dire : « Mais nous venons d'apporter les plats nous-mêmes et nous n'avons vu personne !

— On le trouvera », déclara l'impératrice d'un ton insouciant, et elle jeta le papier par terre. Elle ne permit pas qu'on enlevât les plats, malgré les craintes de ses suivantes qui parlaient de poison. Elle mangea de bon appétit, à son habitude, et il ne fut plus question de poison, mais, pendant toute la journée, les recherches se poursuivirent. Personne ne vit l'homme, mais on trouva encore quatre feuilles de menaces à des endroits différents.

Pendant deux mois, jour et nuit, les eunuques fouillèrent le palais, mais si, de temps à autre, on apercevait l'homme glabre, en noir de la tête aux pieds, on ne parvenait pas à le saisir. Une des suivantes de l'impératrice faillit perdre l'esprit parce que, en se réveillant un matin, elle vit le visage de l'homme suspendu à l'envers au-dessus d'elle; quand elle poussa des cris, la tête parut s'envoler.

Néanmoins, l'impératrice refusait de s'effrayer; elle avait défendu qu'on divulguât cette histoire, de peur de semer le trouble dans la ville et de fournir un prétexte aux malfaiteurs pour profiter du désordre. Nuit et jour, les eunuques montaient la garde.

Une nuit, pendant le sommeil de l'impératrice, les eunuques entendirent le craquement furtif d'une porte. Dans la pâle lueur de la lune, une jambe noire se glissa dans l'entrebâillement de la porte. Les eunuques bondirent tous ensemble pour s'en emparer. L'homme s'enfuit, mais les eunuques fouillèrent partout et, dans le jardin, derrière un grand rocher, ils mirent enfin la main sur l'homme glabre.

L'impératrice fut réveillée par les cris des eunuques. Elle se leva promptement, car elle avait ordonné que l'homme lui fût amené, quelle que fût l'heure de sa capture. Ses dames eurent vite fait de l'habiller et de la coiffer de sa tiare, et elle s'installa sur son trône dans la salle d'audiences. C'est là que les eunuques lui amenèrent l'homme, chargé de liens.

Il se tint devant l'impératrice, en refusant de s'incliner, et les eunuques durent lui faire plier le genou de force.

« Laissez-le debout », ordonna l'impératrice d'une voix calme.

Elle observa longuement cet homme jeune et fier, à la tête rasée, au curieux visage de tigre, avec son front fuyant, ses lèvres serrées, ses yeux obliques. Un vêtement noir très ajusté, comme une deuxième peau, adhérait à son corps mince.

« Qui es-tu ? interrogea-t-elle.

— Personne, je n'ai pas de nom, pas d'importance.

— Qui t'a envoyé ici ?

— Vous pouvez me tuer, répondit l'homme, indifférent, mais je ne dirai rien. »

Devant une telle insolence, les eunuques s'exclamèrent et tirèrent leur épée, mais l'impératrice leva la main.

« Fouillez-le », commanda-t-elle.

Ils obéirent, et l'homme se laissa faire sans broncher, mais ils ne trouvèrent rien.

« Majesté, dit Li Lien-ying, je vous demande de m'abandonner cet homme. Sous la torture, il parlera et je veillerai à ce qu'il soit battu lentement avec des bambous fendus et tranchants. Nous l'attacherons au sol, les membres écartelés, et il faudra bien qu'il parle. »

Tous savaient que Li Lien-ying s'y connaissait en tortures, et on l'approuva à grands cris.

« Prends-le et fais-en ce que tu voudras », dit l'impératrice. Elle rencontra le regard du prisonnier et vit qu'il n'avait pas les yeux noirs comme tout le monde, mais jaunes et impudents, comme des yeux de bête sauvage qui ne craint pas l'homme. Elle pouvait à peine détacher son regard de ces yeux jaunes haïssables, pourtant doués d'une étrange beauté.

« Ne l'épargnez pas », ordonna-t-elle aux eunuques.

Deux jours plus tard, Li Lien-ying revint pour faire son rapport.

« A-t-il donné des noms ?

— Non, majesté.

— Eh bien, continue la torture, mais deux fois plus lentement. » Li Lien-ying secoua la tête.

« Majesté, il est trop tard, il n'a pas parlé et il est mort, volontairement eût-on dit. »

Pour la première fois de sa vie, l'impératrice eut peur. Elle tendit la main, cueillit une fleur de jasmin dans une plante en pot et retrouva le calme en respirant son parfum.

« Maintenant, n'y pensons plus », déclara-t-elle.

Cependant elle ne pouvait pas oublier l'homme glabre. Il laissait derrière lui les ténèbres de l'inquiétude et du doute. La beauté de son palais en était obscurcie et, malgré ses promenades quotidiennes dans les jardins, malgré la joie que lui donnaient les fleurs et les fruits, malgré les fréquentes représentations des acteurs de la cour, son esprit restait pesant. Non qu'elle craignît la mort, mais elle ne parvenait pas à secouer une lourde tristesse, à la pensée que certains lui voulaient du mal. Si elle pouvait trouver ses ennemis, elle les supprimerait; mais ils restaient introuvables.

Un jour, à la fin de l'après-midi, alors qu'elle se trouvait parmi ses dames d'honneur sur le grand bateau de marbre, elle vit s'approcher Li Lien-ying. Son bol de thé à la main, elle faisait une partie de dés. « Majesté, votre thé refroidit », dit l'eunuque. Il prit le bol et le fit remplir par une servante. En le posant près d'elle, sur la table, il lui murmura qu'il lui apportait des nouvelles.

Elle ne parut pas l'entendre et termina sa partie, puis, d'un regard, elle lui fit signe de la suivre.

Lorsqu'ils furent seuls dans le palais, ses dames d'honneur restant hors de portée de voix, elle lui ordonna de parler, tout en le dispensant de s'agenouiller.

« Majesté », commença-t-il d'un ton sifflant, la bouche près de son oreille.

Elle le frappa de son éventail en s'écriant d'un ton impérieux : « Arrière! ton haleine sent la chair pourrie. »

Il mit sa main sur sa bouche et reprit :

« Majesté, j'ai découvert un complot. »

Elle détourna le visage, son éventail devant son nez. Oh! maudite délicatesse qui rendait son odorat doublement sensible aux mauvaises comme aux bonnes odeurs! Si cet eunuque ne l'avait pas servie de tout son cœur, elle n'aurait pu le garder près d'elle.

« Majesté », reprit-il. Et il lui révéla la conjuration. Le jeune empereur subissait l'influence de son précepteur Weng T'ung-ho. Ce dernier lui conseillait de rendre des forces au pays pour l'empêcher de tomber aux mains des ennemis qui attendaient, l'eau à la bouche, le moment de dévorer le peuple chinois. Il recommandait aussi d'écouter les conseils de K'ang Yu-wei, lettré très savant en histoire et habitué aux coutumes occidentales. Lui seul pouvait les aider à construire des bateaux, des chemins de fer et des écoles pour les jeunes gens désireux de moderniser la nation. L'empereur avait donc fait venir K'ang Yu-wei. L'impératrice tournait légèrement la tête, tout en interposant son éventail entre le visage de l'eunuque et le sien. « Ce K'ang est-il déjà dans la Ville interdite ?

— Majesté, il reste continuellement près de l'empereur. Ils passent des heures enfermés ensemble, et je l'ai entendu déclarer que, pour commencer les réformes, les Chinois devaient couper leur natte. »

L'impératrice en laissa tomber son éventail. « Mais la natte est le symbole de la domination deux fois séculaire de notre dynastie mandchoue ! » Li Lien-ying acquiesça de la tête. « Majesté, ce K'ang est un révolutionnaire chinois, un homme de Canton. Il complote contre votre majesté ! Hélas ! ce n'est pas tout. Il conseille à notre jeune empereur de faire venir Yuan Shih-k'ai, le général qui commande vos armées sous Li Hung-chang, comme vous le savez, majesté. Ce Yan, majesté, a reçu l'ordre impérial de vous arrêter et de vous garder en prison. »

L'eunuque poussa un grand soupir, et son haleine pestilentielle fit sursauter l'impératrice. « Mon neveu a certainement l'intention de me tuer, dit-elle d'une voix trop douce.

— Non, non, notre empereur n'est pas si méchant. Il se peut que K'ang le lui ait conseillé, mais, d'après mes espions, l'empereur a défendu qu'aucun mal fût infligé à votre personne sacrée. Il demande simplement que vous soyez prisonnière dans votre palais d'Été. Aucun de vos plaisirs habituels ne vous sera supprimé, mais vous perdrez votre puissance.

— Ah ! vraiment ? » Une force délicieuse envahit tout

son corps. Elle aimait tant le combat ! Cette fois encore elle remporterait la victoire.

« Tiens, tiens », dit-elle en riant. Li Lien-ying, étonné d'abord de sa bonne humeur, l'approuva d'un rire silencieux, son hideux visage rendu plus laid encore par son rictus.

« Vous êtes unique au monde, dit-il tendrement. Majesté, vous n'êtes ni homme ni femme, mais plus que l'un ou l'autre et plus grande que les deux. »

Ils échangèrent un regard malicieux, elle le frappa légèrement au visage de son éventail replié et le renvoya.

« Et garde la bouche fermée, dit-elle, car ton haleine infecte imprègne l'atmosphère autour de toi.

— Bien, majesté », répondit-il gaiement en posant sa grosse patte d'ours sur sa bouche.

L'impératrice n'avait pas l'habitude d'agir précipitamment. Elle médita longuement sur les révélations de son espion, tout en laissant passer les jours dans un calme parfait. L'été s'écoula, dans les plaisirs habituels. L'impératrice se faisait suivre partout de son grand chien du Nord au pelage blanc comme la neige, qui ne reconnaissait que la main de sa maîtresse. Ses petits chiens de manchon couleur cannelle se montraient jaloux. Elle riait beaucoup de les voir sauter comme des diablotins à la tête du grand chien. Mais où qu'elle fût : en promenade dans ses jardins, en pique-nique au bord du lac, ou au théâtre, elle réfléchissait toujours aux affaires de son royaume, et au prix qu'elle devrait payer pour conserver la paix et l'harmonie.

A plusieurs reprises, on avait réussi à éviter une guerre avec les hommes du Japon, soit en les achetant avec de l'or, soit en leur abandonnant des droits sur le peuple de Corée. Mais, hélas ! elle sentait que, dans ces circonstances, son fidèle vice-roi, Li Hung-chang, avait fait preuve de faiblesse. Si elle n'avait pas refusé de l'écouter, ces nains des îles ne rêveraient plus de s'approprier son Empire entier. C'était par la guerre, la guerre de front contre l'ennemi, et de courageuses attaques, sinon en mer, du moins sur terre, qu'il fallait se défendre. Que Yuan Shik-kai ouvre les hostilités non pas sur le sol chinois, mais en Corée. Et que, là, il repousse les Japonais à la mer, les rejette sur leurs îles rocheuses pour qu'ils y meurent de faim !

Par un bel après-midi d'été, elle prit sa décision, tout en écoutant le chant d'amour d'un eunuque costumé en femme. La pièce, *Le Conte du Pavillon occidental*, était ancienne. L'impératrice souriait et fredonnait cet air qu'elle connaissait si bien, mais son cœur et son esprit ne cessaient de préparer la guerre. Cette nuit-là, elle convoqua Li Hung-chang, lui donna ses ordres et fit la sourde oreille quand il se plaignit de la faiblesse de ses armées et du nombre insuffisant de ses bateaux.

« Vous n'avez besoin ni de grandes armées, ni de flotte puissante, affirma-t-elle. Si, au pire, les ennemis attaquent le sol chinois, le peuple se soulèvera et les rejettera à la mer, où ils se noieront.

— Ah ! Majesté, gémit-il, vous ne connaissez pas nos temps troublés ! Ici, dans votre palais, vous vivez en rêve dans un monde à part. »

Il s'éloigna en soupirant à fendre l'âme et en secouant la tête.

Hélas ! l'année n'était pas passée que la guerre était engagée et perdue. Après une avance rapide, l'ennemi traversa la mer. Le général Yuan Shik-kai fut chassé de Corée et bientôt le sol chinois fut envahi. Pour une fois, l'impératrice se trompait. Son peuple ne résista pas. Les paysans regardaient en silence défiler les troupes japonaises qui traversaient leurs villages et se dirigeaient vers la capitale. Les soldats étrangers portaient des

fusils ; or les paysans ne possédaient que des couteaux
et des faux, simples jouets auxquels, en gens prudents,
ils s'abstinrent de toucher. Lorsque l'ennemi réclamait
à boire ou à manger, les villageois le nourrissaient.

Au reçu de ces mauvaises nouvelles, l'impératrice
agit promptement. Elle aimait le jeu et la victoire, mais
elle savait s'arrêter à temps. Elle envoya à Li Hung-
chang l'ordre de se rendre avant la perte totale de
l'Empire et d'accepter les conditions de l'ennemi.
Il signa un traité humiliant, qui bouleversa même le
cœur altier de l'impératrice. Elle se retira trois jours
et trois nuits, refusant de manger ou de dormir, et
Li Hung-chang en personne se rendit au palais d'Été
pour la réconforter. Il reconnut la dureté du traité,
mais il lui assura que le trône possédait un nouvel
ami : le tsar de Russie, qui avait intérêt à freiner l'ambition du Japon.

L'impératrice fut encouragée. « Essayons de repousser ces étrangers jaunes de nos rives, dit-elle. A tout
prix, il faut les chasser. Désormais, je consacrerai
toutes mes forces à me débarrasser des étrangers,
blancs ou jaunes, et je ne permettrai pas à un seul de
remettre le pied sur notre sol. Non, pas un seul, jusqu'à
la fin des temps ! Quant aux Chinois, que gouverne
notre dynastie mandchoue, je vais les reconquérir,
sauf les jeunes gens qui ont respiré l'air étranger et
bu les eaux étrangères. Mon grand conseiller Kang
Yi me disait, l'autre jour encore, que nous n'aurions
jamais dû permettre aux Chrétiens de fonder des écoles
chez nous, car ils ont encouragé les Chinois à l'indépendance, à l'ambition, et les jeunes Chinois sont maintenant résolus, rebelles, et gonflés de fausses connaissances
étrangères. »

Elle frappa des mains et tapa du pied droit. « Je jure
que je ne mourrai pas et que je ne laisserai pas la vieil-

lesse m'atteindre avant d'avoir détruit toute puissance étrangère sur notre sol et rendu notre Empire à sa tradition historique ! »

Le général ne pouvait qu'admirer cette femme, sa souveraine. L'impératrice était encore belle et forte ; ses cheveux restaient noirs, ses grands yeux étincelaient comme dans sa jeunesse. Sa volonté n'avait en rien faibli.

« Si quelqu'un peut accomplir cet exploit, c'est vous et vous seule, majesté. » Il renouvela devant elle son serment de fidélité.

Le temps passa. L'impératrice occupait ses journées à peindre ou à composer des poèmes, à passer ses bijoux en revue, à dessiner de nouvelles montures pour ses émeraudes ou ses perles, et à acheter des diamants aux marchands arabes. Mais elle continuait à échafauder ses plans. Elle ne semblait pas s'intéresser à l'empereur, ni à ses précepteurs. Mais la nuit, quand tout dormait, elle écoutait dans la solitude de sa chambre les rapports de ses espions, et se tenait ainsi au courant, jour après jour, des complots de l'empereur et de ses conseillers. De cette façon elle était toujours prête. Sa première mesure fut d'élever Jung Lu au poste de vice-roi de la province, laissé vacant par la mort du prince Kung. Celui-ci n'était plus son ami depuis bien longtemps.

Ensuite, elle attendit. L'empereur venait de nommer Yuan Shih-kai général. Lorsque l'impératrice l'apprit, elle resta indécise. Était-ce le moment de s'emparer du trône, ou fallait-il attendre encore ? Elle se décida pour cette dernière solution, car il lui plaisait de paraître sur la scène au moment final, tel Bouddha, pour rendre son jugement. Peu après, elle apprit que Yuan Shih-kai avait quitté la ville en secret et que nul ne connaissait sa destination.

« Je vais attendre, pensa-t-elle. L'attente m'a toujours servie. Je connais mon propre génie et quelque chose me dit que l'heure n'est pas venue. »

Elle laissa de nouveau couler le temps. L'été passa, les premiers jours de l'automne arrivèrent, encore chauds, mais les nuits devenaient fraîches. Les fleurs d'automne s'ouvrirent, les derniers lotus fleurirent sur le lac, les oiseaux commencèrent à s'envoler vers le sud, et les grillons d'automne firent résonner les pins de leurs chants aigus.

Un jour, après l'enterrement solennel du prince Kung, l'impératrice, installée dans sa bibliothèque, composait un poème. L'air était doux ; tout en mélangeant ses encres de couleur, elle regarda par hasard le jardin ensoleillé et y vit une libellule bleue, aux ailes largement déployées. Elle s'étonnait de voir une libellule d'un bleu si intense dont les ailes impalpables restaient à ce point immobiles. C'était sûrement un présage, mais lequel ? Elle frissonna, car cette couleur bleu roi était la couleur de la mort. Elle se leva promptement pour chasser l'insecte, mais sans succès. Il lui échappa et s'éleva au-dessus de sa tête. Ses dames d'honneur, témoins de cette scène, voulurent l'aider en gesticulant et en agitant leur éventail, mais la libellule planait, hors d'atteinte. L'impératrice envoya chercher un eunuque armé d'une perche de bambou. Avant que son ordre fût obéi, une bousculade se produisit au portail et le chef des eunuques parut, sans être convoqué, pour annoncer l'arrivée d'un messager précédant le vice-roi Jung Lu.

Depuis le moment lointain où l'impératrice avait ordonné à Jung Lu d'épouser Lady Mei, il ne s'était pas souvent présenté devant elle de son propre chef.

A ses reproches, il avait répondu qu'il restait toujours son loyal serviteur et qu'il lui suffisait de recevoir un messager porteur de son insigne de jade pour que lui, Jung Lu, accourût quels que fussent l'heure et le lieu.

L'impératrice ordonna aux ennuques de se préparer à l'accueillir, et elle retourna s'asseoir. Mais elle ne put finir le poème commencé. La libellule représentait certainement un présage important qu'elle ne pouvait révéler aux devins de la cour avant de savoir pour quelle grave raison Jung Lu demandait audience. Vibrante d'impatience sous son calme apparent, elle rangea ses pinceaux et sortit se promener jusqu'à midi, incapable de prendre repos ou nourriture avant de connaître le motif de la visite de Jung Lu.

Il arriva le soir et l'on déposa son palanquin dans une des grandes cours extérieures. L'impératrice l'attendit dans sa cour centrale transformée, l'été, en abri de fraîcheur par des nattes de paille couleur miel, étendues en guise de toit sur des cadres de bambou. Des tables et des chaises étaient installées dans cette ombre agréable, et des quantités de fleurs en pot égayaient les nombreuses terrasses qui entouraient la cour.

Une brise du sud, chargée des parfums des derniers lotus, parvint jusqu'à l'impératrice qui ressentit, une fois de plus, une douleur aiguë, provoquée en elle par le contraste entre le calme de la beauté éternelle et le tumulte des conflits humains. Que n'aurait-elle donné en ce moment pour attendre Jung Lu comme un mari encore très aimé dans son vieil âge. Ils n'étaient plus jeunes, ni l'un ni l'autre, leur passion s'était apaisée sans s'extérioriser, mais le souvenir de leur amour restait éternel. Son cœur ému, plus gonflé que jamais de tendresse pour lui, ne gardait aucun sujet de rancune.

Dans le crépuscule, à la lueur des bougies cligno-

tantes, fixées dans des candélabres de bronze, elle le
vit approcher. Il était seul. Elle l'attendait, immobile.
Il se préparait à s'agenouiller, mais elle lui posa la main
sur le bras.

« Voici ta chaise », dit-elle en lui désignant un siège,
à sa gauche.

Il lui obéit et tous deux contemplèrent en silence
le lac illuminé par de nombreuses torches.

« Je voudrais, dit-il enfin, que vous puissiez vivre en
paix dans ce cadre qui vous convient si bien. Mais il
faut que je vous dise toute la vérité. Le complot dirigé
contre vous, majesté, atteint sa phase critique. »

Il serra les mains sur le brocart de sa robe et l'impératrice s'étonna de les voir encore si jeunes, grandes et
vigoureuses. Ne vieillirait-il donc jamais ?

« Il m'est difficile de le croire, murmura-t-elle, et
pourtant je dois le croire puisque tu le dis. »

Il continua : « Yuan Shih-kai en personne est venu
à moi, il y a quatre nuits, en secret, et je me suis hâté
de vous avertir. L'empereur l'a fait venir, il y a douze
jours, à minuit. Ils se sont rencontrés dans la petite
salle à droite de la salle d'audiences impériale.

— Qui d'autre assistait à l'entretien ?

— Le précepteur impérial Weng T'ung-ho.

— Ton ennemi, murmura-t-elle. Mais pourquoi
me rappeler maintenant cette femme et le passé ?
Je l'avais oubliée.

— Comme vous savez vous montrer cruelle ! Moi,
je lui pardonne, majesté, et vous pas. Le pauvre amour
qui avait jailli dans le cœur d'une femme solitaire
ne me concerne en rien. Néanmoins, j'en ai tiré une
leçon.

— Laquelle ?

— Que vous et moi restons très à l'écart des autres
humains, et que, si nous sommes aussi solitaires que

deux étoiles au firmament, il nous faut supporter cette solitude inéluctable. Quelquefois, je me dis que cette solitude elle-même a scellé notre union. »

L'impératrice se sentit mal à l'aise. « Je me demande pourquoi tu me parles ainsi, alors que tu es venu m'informer d'un complot !

— Je vous parle ainsi, car je profite de ce moment pour renouveler mon serment de fidélité envers vous. »

Elle mit son éventail contre sa joue, comme un écran entre eux deux.

« N'y avait-il personne d'autre dans la salle ? demanda-t-elle.

— La concubine Perle, la favorite de l'empereur. Vous savez, car vous êtes au courant des moindres bruits, que l'empereur ne veut pas recevoir la princesse consort que vous lui avez choisie. Elle est restée vierge. C'est pourquoi son cœur est empli de haine et qu'elle est votre alliée.

— Je le sais.

— Nous devons dénombrer tous nos alliés, car la cour est divisée. Même les gens de la rue sont au courant. Ils ont surnommé un parti « Mère Vénérable », et l'autre « Jeune Garçon ».

— C'est scandaleux, murmura-t-elle. Nous devrions garder nos secrets de famille entre nous.

— Impossible, répondit-il. Les Chinois sont comme des chats, ils s'introduisent par les moindres interstices, en flairant tout sur leur passage. Le pays est en effervescence et les rebelles chinois qui attendent l'occasion de détruire notre dynastie mandchoue sont prêts à saisir le pouvoir. Il vous faut reprendre le trône une fois de plus.

— Je savais que mon neveu était stupide, constata l'impératrice tristement.

— Mais ceux qui l'entourent ne sont pas stupides.

Ces édits qu'il lâche chaque jour comme des pigeons voyageurs, les avez-vous lus ?

— Qu'y puis-je ?

— Quand il vient vous faire sa visite hebdomadaire, ne lui demandez-vous rien ?

— Rien, j'ai mes espions.

— Une des raisons pour lesquelles il vous hait, déclarat-il sans ambages, c'est que votre eunuque le laisse attendre, agenouillé à votre porte. Est-ce vous qui ordonnez à l'empereur de s'agenouiller ?

— Il ne fait là que son devoir envers son Aînée », répondit l'impératrice, indifférente. Mais elle savait que Li Lien-ying, dans son impudence, laissait l'empereur attendre à genoux. Elle était coupable de feindre l'ignorance. Consciente de ses propres mesquineries comme de son génie, elle ne cherchait pas à modifier son caractère.

Jung Lu continua : « Je sais aussi que vos ennuques ont obligé le Fils du Ciel à les acheter pour obtenir de vous une audience, comme s'il n'était qu'un fonctionnaire du palais. Ceci n'est pas convenable, et vous ne l'ignorez pas.

— En effet, reconnut-elle avec un demi-rire. Mais il est si doux, il a tellement peur de moi qu'il m'encourage à le tourmenter.

— Il n'est pas si effrayé que vous le croyez, rétorqua Jung Lu. Les cent édits ne sont pas l'œuvre d'un faible. N'oubliez pas qu'il est votre neveu et que, dans ses veines, coule le sang du clan Yehonala. »

Les yeux graves de Jung Lu, sa voix solennelle obligeaient l'impératrice à oublier ses propres petitesses. Elle détourna la tête, refusant de le regarder. C'était le seul homme qu'elle craignît. Elle l'admit en tremblant, et les ardeurs de sa jeunesse perdue lui embrasèrent le sang. Brusquement, elle eut la bouche sèche, les paupières brûlantes. Avait-elle laissé passer la vie elle-même ? Elle était trop vieille maintenant, fût-ce pour les souvenirs de l'amour ! Ce qu'elle avait perdu était perdu sans retour.

« Ce complot, murmura-t-elle, tu disais que ce complot...

— Les conjurés veulent vous priver de vos prérogatives, de vos espions et du grand sceau impérial, et vous faire promettre de vous consacrer désormais à vos oiseaux, à vos chiens...

— Mais pourquoi ? » s'écria-t-elle. Son éventail lui échappa, et ses mains retombèrent sur ses genoux dans un geste d'impuissance.

« Vous représentez l'obstacle, lui expliqua-t-il ; à cause de vous, ils ne peuvent transformer la nation, la modeler comme ils le voudraient sur l'Occident... »

Elle cria : « Des chemins de fer, des canons, des flottes, une armée... des guerres, des conquêtes, des destructions... » Elle bondit de son trône et arracha sa tiare. « Non, non..., je refuse qu'on ravage notre Empire, le glorieux héritage de nos ancêtres ! J'aime le peuple que je gouverne. Il est fait de mes sujets et je ne suis point une étrangère pour eux. Voilà deux siècles que le trône du Dragon nous appartient, et je le garderai. Mon neveu m'a trahie et, en moi, tous nos ancêtres. »

Jung Lu se leva. « Donnez-moi vos ordres, majesté... »

Ces paroles lui rendirent le calme. « Écoute-moi : convoque immédiatement mon grand conseil dans le plus grand secret. Convoque aussi les chefs de notre clan impérial. Ils vont me supplier de déposer mon neveu et m'implorer de reprendre le trône du Dragon. Ils vont dire que mon neveu a trahi le peuple et l'a livré à ses ennemis. A ce moment-là, j'accepterai de me rendre à leurs raisons. Que ton armée remplace les gardes impériaux aux portes du palais interdit. Quand

l'empereur entrera à l'aube, pour accomplir les sacrifices d'automne, qu'on s'empare de lui et qu'on l'amène
ici dans la petite île du lac appelée Terrasse de l'Océan.
Qu'il m'attende là, en prisonnier. »

Elle était de nouveau elle-même, son esprit vigoureux
en pleine activité, son imagination lui représentant
d'avance l'exécution de ses ordres, comme si elle préparait la mise en scène d'une de ses pièces. Confondu
d'admiration, ses yeux brillants fixés sur elle, Jung Lu
murmura :

« O merveille, ô impératrice de l'Univers ! Est-il
un seul homme dont l'esprit pourrait, comme le vôtre,
franchir l'espace entre le passé et l'avenir ? Inutile de
vous questionner. Je n'ai aucune question à vous poser.
Votre plan est parfait. »

Ils échangèrent un long regard ; il resta immobile,
un moment, devant elle, puis il la quitta.

Deux heures plus tard, dans là nuit, les grands conseillers arrivèrent. L'impératrice les attendait sur son
trône, vêtue de sa robe impériale en satin brodé de
phénix d'or, la tiare incrustée de bijoux posée comme
une couronne sur sa tête. Deux grandes torches étincelaient à ses côtés et faisaient scintiller les fils d'or
de sa robe, ses bijoux et ses yeux. Chaque prince se
tenait entouré de ses hommes et, sur un signe des eunuques, tous s'agenouillèrent devant elle. Elle leur commu-
niqua l'objet de cette réunion.

« Grands Princes, parents, ministres et conseillers,
un complot se trame contre moi dans la Ville impériale.
Mon neveu, dont j'ai fait un empereur, désire me mettre
en prison et me tuer. Après ma mort, il vous dispersera
tous et vous remplacera par des hommes nouveaux à
sa solde. Nos coutumes anciennes sont condamnées,
notre sagesse raillée, nos écoles dénigrées. D'autres
écoles, d'autres coutumes, des pensées nouvelles les

remplaceront, nos ennemis étrangers seront nos guides. N'est-ce pas une trahison ?

— Trahison, trahison ! » s'écrièrent-ils d'une seule voix.

Elle leva les mains dans un gracieux geste d'apaisement. « Relevez-vous, je vous en prie. Cherchons ensemble le moyen de déjouer ce sinistre complot. Je ne crains pas la mort pour moi, mais pour mon pays, et je crains surtout la mise en esclavage de notre peuple. Moi disparue, qui le protégera ? »

Jung Lu se leva pour prendre la parole. « Majesté, votre général Yuan Shik-kai est là ; j'ai pensé qu'il fallait le convoquer, et maintenant je vous demande de lui laisser exposer lui-même le complot. »

L'impératrice inclina la tête et acquiesça. Yuan Shih-kai s'avança, vêtu en guerrier, son large sabre pendu à sa ceinture. Il se prosterna.

« Le matin du cinquième jour de cette lune, dit-il d'une voix unie, j'ai été convoqué pour la première fois chez le Fils du Ciel. Il m'avait déjà fait appeler à trois reprises, pour me parler du complot, mais c'était notre dernière entrevue avant l'exécution. L'heure était très matinale ; je distinguais à peine l'empereur dans l'obscurité presque totale, car la lumière du matin n'avait pas encore atteint la salle du trône. Il me fit signe d'approcher et me murmura ses ordres à l'oreille. Je devais me rendre à Tien-Tsin en toute hâte et mettre à mort le vice-roi Jung Lu. Cela fait, je devais revenir à Pékin et, avec la même hâte, entouré de mes soldats, m'emparer de vous, majesté et mère sacrée, et vous enfermer dans votre palais. Puis j'avais pour mission de rechercher le sceau impérial et de l'apporter moi-même au Fils du Ciel. Il se plaignait de ne l'avoir pas reçu au moment de son accession au trône. Il ne pouvait vous pardonner, majesté, de l'avoir gardé par devers vous, le forçant à envoyer ses édits avec son sceau privé, prouvant ainsi aux yeux du peuple que vous n'aviez pas confiance en lui. Pour confirmer ses ordres et son autorité, il me remit cette petite flèche d'or. »

Yuan Shik-kai tira de sa ceinture une flèche d'or qu'il montra à la ronde.

« Quelle récompense t'a-t-il promise ? demanda l'impératrice d'une voix douce, les yeux trop brillants.

— La vice-royauté de cette province, majesté.

— Mince récompense pour une telle mission ; sois assuré que la mienne sera plus conséquente. »

Les grands conseillers écoutaient le général en grondant d'indignation. Dès qu'il se tut, ils tombèrent à genoux pour supplier l'impératrice de reprendre le trône du Dragon et sauver le pays des barbares de l'Occident.

« Je vous promets de vous accorder ce que vous me demandez », répondit-elle gracieusement.

Ils se relevèrent tous et, après un bref débat approuvé par l'impératrice, décidèrent que Jung Lu retournerait en secret à son poste, aussitôt qu'il aurait remplacé les gardes de la cité impériale par des hommes loyaux. Lorsque l'empereur se présenterait à l'aube pour le sacrifice aux dieux tutélaires, les gardes et les eunuques s'empareraient de lui et le conduiraient à la Terrasse de l'Océan, où il attendrait l'arrivée de sa Vénérable Mère.

Il était minuit lorsque le plan fut mis au point. Les conseillers retournèrent en ville et Jung Lu à son poste. L'impératrice descendit du trône et, s'appuyant sur le bras de son eunuque, se retira dans sa chambre. Là, comme si rien d'extraordinaire ne marquait cette nuit, elle se laissa baigner et parfumer ; sa chevelure fut brossée et nattée et, vêtue de ses vêtements de nuit parfumés, elle se coucha. Elle ferma les yeux et s'endormit paisiblement au moment précis où ses hommes s'emparaient de l'empereur.

Elle s'éveilla dans un grand silence, le soleil était déjà haut dans le ciel, l'air frais et embaumé. En dépit des craintes et des conseils des médecins de la cour qui déclaraient nocif l'air de la nuit, l'impératrice dormait toujours les fenêtres ouvertes et ne fermait même pas les rideaux de son lit. Deux dames d'honneur montaient la garde dans sa chambre et, à sa porte, une vingtaine d'eunuques, ni plus ni moins nombreux que les autres jours. Elle ne changea rien à ses habitudes si ce n'est qu'elle mit peut-être un peu plus longtemps à choisir ses bijoux. Ce jour-là, elle prit des améthystes, une pierre sombre et triste qu'elle ne portait pas souvent. Elle choisit également une robe de couleur foncée et refusa de porter des orchidées dans ses cheveux, pour paraître encore plus majestueuse.

Elle déjeuna de bon appétit, joua avec ses petits chiens et taquina un oiseau en imitant son chant jusqu'à ce que la petite bête lui répondît à pleine gorge. Elle appela enfin Li Lien-ying, qui l'attendait dans le vestibule.

« Tout est-il en ordre ? demanda-t-elle, impérieuse.

— Majesté, vos ordres ont été obéis.

— Notre invité est-il dans l'île ? » Un rire intérieur semblait faire frémir ses lèvres rouges.

« Majesté, nous avons deux invités. La concubine Perle nous a poursuivis et s'est accrochée à son seigneur si fermement que nous n'avons pas osé les séparer, et nous n'avons pas pris la liberté de la tuer sans ordre de vous.

— Vous n'avez pas honte ? Vous ai-je jamais ordonné de... eh bien, la présence de cette femme importe peu. C'est lui que je vais confronter avec sa trahison. Toi seul m'accompagneras, je n'ai besoin d'aucun garde... il est inoffensif. »

D'un claquement de doigts, elle appela son chien préféré, et l'énorme bête blanche, semblable à un ours polaire, lui emboîta le pas. Li Lien-ying les suivait. En silence, ils se dirigèrent vers le lac et traversèrent le pont de marbre. L'impératrice ne manquait jamais de contempler cette beauté qu'elle avait créée : les érables flamboyants sur le versant de la colline, les derniers lotus rosés éclos sur le lac, les toits dorés, les pagodes élancées, les jardins en terrasses et les bosquets de pins. Tout cela lui appartenait, c'était la création de son cœur et de son esprit. Cependant que valait la beauté sans la puissance et la liberté ? Il ne lui plaisait guère d'infliger la détention à quiconque, mais il le fallait, sinon dans son intérêt personnel, du moins pour son peuple. Elle croyait en sa propre sagesse qui sauverait le pays des extravagances de son neveu.

Raffermie dans sa décision, elle pénétra dans l'île, son grand chien à ses côtés, suivie de son eunuque à la peau sombre.

L'empereur se trouvait dans le pavillon, revêtu de sa robe de prêtre. Il se leva à son entrée. Son visage mince était pâle, ses grands yeux tristes, et sa bouche féminine, aux lèvres trop sensibles, tremblait.

« A genoux ! » gronda-t-elle en s'asseyant au centre de la pièce. Dans tous les palais, les pavillons, dans toutes les salles, le siège central lui était réservé. Il tomba à genoux devant elle et posa son front sur le sol. Le grand chien le flaira de la tête aux pieds, puis se coucha aux pieds de sa maîtresse pour la protéger.

« Toi ! proféra l'impératrice en baissant le regard

sur l'homme agenouillé, on devrait t'étrangler et te découper en morceaux à jeter aux bêtes sauvages ! »

Il restait immobile et muet.

« Qui t'a mis sur le trône du Dragon ? » Elle n'avait pas besoin d'élever la voix, car ses paroles tombaient sur l'homme agenouillé, froides et coupantes comme de l'acier : « Qui t'a retiré de ton lit, en pleine nuit, pour faire d'un bébé vagissant un empereur ? »

Il murmura quelques paroles qu'elle n'entendit pas. Elle le poussa du bout du pied.

« Qu'as-tu dit ? Lève la tête si tu l'oses, et répète. »

Il releva la tête. « J'ai dit... qu'il eût mieux valu laisser cet enfant dans son berceau.

— Gringalet ! Toi à qui j'ai offert le trône le plus puissant du monde ! Un homme fort s'en serait réjoui, il m'aurait témoigné toute sa reconnaissance, à moi sa mère adoptive, et se serait montré digne de ma fierté ! Mais toi, avec tes jouets étrangers, tes jeux puérils, toi, que tes eunuques ont corrompu, toi, qui crains ton épouse et lui préfères d'insignifiantes concubines à elle, l'impératrice, je te le dis, il n'est pas un prince mandchou ou un homme du peuple qui ne souhaite me voir reprendre le trône ! Nuit et jour ils m'en supplient. Et qui te soutient, pauvre sot, si ce n'est les rebelles chinois ? Tu te laisses prendre à leurs conseils et à leurs flatteries, simple manœuvre pour mieux te dominer et, finalement, te déposer et mettre fin à notre dynastie. Tu as trahi non seulement ton impératrice, mais aussi nos ancêtres sacrés. Tu étais prêt à sacrifier tous ceux qui ont gouverné avant nous. Des réformes ! Je crache sur tes réformes ! Les rebelles seront exécutés... et toi, et toi... »

Son souffle se précipitait. Elle se tut et posa la main sur son cœur qui battait à se rompre. Son chien leva la tête et grogna. Elle esquissa un sourire.

« Les animaux sont plus fidèles que les humains,
dit-elle. Mais je ne te tuerai point, mon neveu. Tu
garderas même le titre d'empereur. Mais tu seras
prisonnier, surveillé, misérable. Tu m'imploreras
de te rendre ton trône et ton pouvoir et je céderai,
mais à contrecœur. Comme j'aurais été fière de toi
si tu avais gouverné avec énergie! Mais ta faiblesse
et ton incapacité m'obligent à prendre ta place. Désormais, et jusqu'à ta mort... » A ce moment, un rideau
s'écarta et la concubine Perle accourut se prosterner
à côté de son seigneur. Elle sanglotait, tout en accablant
l'impératrice de ses prières.

« Je vous assure, mère vénérable, il se repent d'avoir
encouru votre colère. Il ne voulait que bien faire, je
vous le promets. Il n'existe pas d'homme meilleur,
ni plus doux. Il est incapable de faire du mal, même à
une souris. C'est vrai, mère impériale, et l'autre jour,
justement, il a sauvé une souris des griffes de mon
chat!

— Tais-toi, stupide créature! » ordonna l'impératrice.
Mais la concubine Perle refusait de se taire. Elle releva
la tête, s'assit sur ses talons et, son joli visage couvert
de larmes, elle s'écria devant cette femme altière :

« Je ne me tairai pas, et vous pouvez me tuer! Vous
n'avez pas le droit de lui prendre le trône. Il est empereur par la volonté du Ciel, et vous n'êtes qu'un instrument du destin.

— Assez! » Le beau visage de l'impératrice était
empreint d'une mâle sévérité. « Désormais, tu ne verras
plus jamais ton seigneur. » L'empereur bondit sur ses
pieds. « Oh! mère sacrée, vous ne tuerez pas cette
innocente, la seule créature qui m'aime, la seule qui ne
me prodigue jamais ni flatteries, ni mensonges... »

La concubine se releva, le prit dans ses bras et posa
sa joue contre sa poitrine. « Qui te prépareras tes repas

comme tu les aimes ? sanglota-t-elle. Et qui te réchauffera quand ton lit est froid ?...

— Ma nièce, la princesse consort, viendra ici, affirma l'impératrice, nous n'avons pas besoin de toi. »

Elle se tourna vers Li Lien-ying d'un mouvement impétueux, et il s'avança. « Éloigne la concubine Perle. Qu'elle se retire dans la chambre la plus reculée du palais des concubines oubliées. Elle y restera jusqu'à sa mort. Elle gardera ses vêtements jusqu'à ce qu'ils tombent en lambeaux. Sa nourriture sera faite de riz grossier et de choux de mendiants. Qu'on ne mentionne jamais son nom en ma présence et qu'on ne m'informe pas de sa mort.

— Bien, majesté. » Mais le visage pâle et la voix étouffée de Li Lien-ying montraient que même ce fidèle serviteur désapprouvait la dureté de sa maîtresse. Il prit la femme par le poignet et la traîna au-dehors. Alors l'empereur s'effondra, évanoui, aux pieds de sa souveraine. Le grand chien blanc le flaira en grondant et l'impératrice resta immobile, en silence, les yeux fixés sur la porte ouverte.

CHAPITRE V

L'IMPÉRATRICE régnait de nouveau. A cause de son âge, et parce qu'aucune féminité ne subsistait plus en elle, elle renonça à se cacher aux regards masculins. Elle trônait comme un homme, en pleine lumière, auréolée de pompe et d'éclat. Étant arrivée à ses fins, elle pouvait s'offrir le luxe de la miséricorde. C'est pourquoi elle permettait parfois à son neveu de paraître en public. Ainsi, à l'occasion des fêtes de l'automne, lui laissa-t-elle accomplir les sacrifices rituels. Le huitième jour du huitième mois de l'année lunaire, elle le reçut dans la salle d'audiences, entourée de ses gardes nommés par Jung Lu. Là, devant le conseil au complet et les représentants des services impériaux, elle accepta de son neveu les neuf génuflexions qui consacraient sa domination sur lui. Dans la même journée, avec sa permission expresse et toujours sous bonne garde, il offrit les sacrifices impériaux sur l'autel de la lune et les actions de grâces au Ciel pour les moissons et la paix du pays. Qu'il s'occupe des dieux, pensait-elle, et qu'il la laisse s'occuper des hommes. Or, les hommes lui donnaient beaucoup de mal. Elle commença par faire mettre à mort les six rebelles chinois dont les conseils avaient influencé l'empereur et elle se mit dans une belle rage quand elle apprit que leur chef K'ang Yu-wei s'était échappé avec l'aide des Anglais. Elle n'épargna pas les hommes de son clan. Le prince Ts'ai, ami et allié de l'empereur, trahi par sa femme qu'il détestait et qui était une des nièces de l'impératrice, fut consigné dans la prison du clan. Une fois débarrassée de tous ses ennemis, l'impératrice se fixa une autre tâche : justifier ses actions aux yeux du peuple. Elle savait, en effet, que le peuple était divisé, les uns prenant le parti de l'empereur, et prêts à réformer le pays, à le doter d'une marine, d'une armée, de chemins de fer, et à se conformer aux temps nouveaux; les autres se déclarant partisans de Confucius et du retour à l'antique sagesse, au mépris des leçons de l'Occident.

L'impératrice s'attacha à rallier les deux partis. Par des édits, par des rumeurs habilement dosées, propagées par les eunuques et les gardes, le peuple fut informé des graves péchés de l'empereur : il avait comploté la mort de sa vieille tante et accepté l'aide des étrangers, trop naïf pour comprendre qu'ils voulaient faire de lui leur créature, afin de s'emparer du pays. Ces deux crimes suffisaient à convaincre le peuple tout entier que l'impératrice avait raison de reprendre le trône, car si les traditionalistes ne pouvaient approuver la conduite déloyale d'un jeune vis-à-vis d'un parent plus âgé, les réformateurs ne pouvaient, de leur côté, pardonner à un souverain de s'allier à des Blancs ou des rebelles chinois. En quelques mois, le peuple entier reconnut l'impératrice comme souveraine, et même les étrangers trouvèrent préférable de traiter avec une femme forte qu'avec un homme faible.

C'est alors que le Vieux Bouddha, dans sa finesse,

prit une mesure suprêmement habile. Elle connaissait la puissance des femmes, pour rallier les ambassadeurs et les ministres occidentaux à sa cause; elle invita leurs épouses à un banquet. Pour la première fois dans sa longue existence, l'impératrice allait voir des visages blancs; elle s'y préparait, malgré son dégoût. Mais elle savait très bien que, si elle gagnait la sympathie des femmes, celle des hommes lui serait acquise. Elle choisit comme jour celui de son anniversaire, non pas un anniversaire important, mais seulement celui de ses soixante-quatre ans, et elle invita sept femmes, épouses d'ambassadeurs étrangers.

La cour entière était en effervescence, les dames d'honneur très curieuses, les servantes affairées : pour la première fois, des étrangers allaient pénétrer dans la Ville interdite. Seule l'impératrice restait calme. C'est elle qui pensa à consulter les invitées sur leurs goûts : elle envoya des eunuques pour demander si leur religion leur permettait de manger de la viande, si elles aimaient le thé de Chine faible, ou le thé de Ceylan noir et fort, si elles préféraient les pâtisseries à la graisse de porc ou aux huiles végétales. En réalité, elle se préoccupait peu de leur réponse et organisait le menu à son idée, mais elle obéissait aux exigences de la courtoisie.

Elle n'oubliait d'ailleurs aucun détail. Au milieu de la matinée, elle envoya des cavaliers chinois en uniforme écarlate et jaune pour annoncer l'arrivée des chaises à porteurs. Une heure plus tard, celles-ci, portées par cinq hommes et encadrées de cavaliers, attendaient aux portes de la Légation britannique. Pour mettre le comble à sa courtoisie, l'impératrice envoya le chef des services diplomatiques, accompagné de quatre interprètes, de dix-huit cavaliers et de soixante gardes à cheval, pour escorter les invitées étrangères.

Au premier portail du palais d'Été, la procession

s'arrêta. Sept autres chaises à porteurs, capitonnées de satin rouge, transportées par six eunuques vêtus de satin jaune avec des ceintures cramoisies, attendaient à l'intérieur de la cour.

Au second portail, les invitées s'installèrent dans un petit train étranger, tiré par une machine à vapeur, que l'empereur avait acheté quelques années auparavant pour s'amuser et s'instruire. Il les conduisit à travers la Ville interdite jusqu'au palais central. Elles furent reçues par les princes du sang, qui leur offrirent du thé, avant de les mener à la salle du trône où les attendaient l'empereur et la princesse consort. L'impératrice, en diplomate consommé, avait fait, ce jour-là, asseoir son neveu à sa droite, afin d'offrir aux yeux des étrangers un tableau d'union familiale.

Les femmes des diplomates étrangers se placèrent devant le trône et un interprète les présenta successivement — l'ordre de préséance étant en fonction de la durée de leur séjour à Pékin — au prince Ch'ing qui, à son tour, les présentait à l'impératrice.

L'impératrice observait tous les visages, cachant sa stupéfaction. Elle se pencha en avant, les deux mains tendues, pour accueillir chacune de ses invités et leur glisser à l'index un anneau d'or massif, serti d'une belle perle.

Chacune remercia l'impératrice, qui répondit par un signe de tête. Puis, suivie de son eunuque, elle se leva et quitta la pièce, ses eunuques formant derrière elle un vivant écran.

Elle se dirigea vers son palais et, d'un geste du bras droit, renvoya l'empereur à sa prison.

L'impératrice prit son repas de midi entourée de ses dames d'honneur favorites, tandis que ses invitées étrangères déjeunaient dans la salle des banquets en compagnie des dames d'honneur les moins importantes, des interprètes et de quelques eunuques. L'impératrice était de fort bonne humeur et faisait de l'esprit aux dépens des étrangères. Elle trouvait très amusante la couleur de leurs yeux : gris pâle, jaune ou bleu comme les yeux des chats sauvages. Si elle raillait leur charpente épaisse, elle reconnaissait la beauté de leur peau blanche et rose, à l'exception de la Japonaise dont elle n'appréciait pas le teint foncé. D'après elle, c'était l'Anglaise la plus jolie, l'Allemande la mieux habillée. Mais elle se moquait de la coiffure en hauteur de la Russe. Quant à l'Américaine, elle lui trouvait une ressemblance avec une religieuse au visage durci. Ses dames d'honneur riaient et applaudissaient chacun de ses mots d'esprit et déclaraient qu'elles ne lui avaient jamais vu tant d'entrain. Après le repas, l'impératrice changea de parure et retourna à la salle d'audiences. Maintenant, c'était la jeune impératrice qui se tenait auprès d'elle. Les invitées entrèrent dans la salle et l'impératrice les présenta à sa nièce, contente de lire dans leurs yeux l'admiration que leur inspiraient les robes somptueuses et les bijoux de la jeune princesse consort. Jusqu'alors, l'impératrice n'avait pas revêtu ses plus beaux atours. Mais, comme ces étrangères semblaient apprécier à leur juste valeur les toilettes et les bijoux, elle décida de les surprendre par la somptuosité de sa parure à la troisième et dernière réception de la journée. Satisfaite de ses invitées, elle se leva pour les saluer à tour de rôle : elle leur prit la main, la posa sur sa poitrine et ensuite sur la leur, en répétant plusieurs fois les paroles du sage antique : « Tous les hommes sont frères sous la voûte du ciel. » Lorsque les interprètes eurent traduit en anglais et en français, elle envoya ses invitées au théâtre, en leur expliquant qu'elle avait choisi pour. elles sa pièce favorite et que les interprètes la leur expliqueraient au fur et à mesure.

Elle se retira de nouveau et retourna dans son palais où, légèrement fatiguée, elle prit un bain tiède et parfumé avant de se faire habiller. Alors, elle choisit la plus fastueuse de ses robes en satin broché d'or et brodée de phénix multicolores. Elle mit son fameux collier de perles incomparables et des protège-ongles d'or, sertis de rubis de Birmanie et de saphirs des Indes. Dans sa tiare ornée de perles, des rubis scintillaient au milieu des diamants d'Afrique. Jamais, affirmèrent ses dames d'honneur, jamais elle n'avait été plus belle. Et, vraiment, la fraîcheur de sa peau satinée, la couleur de ses lèvres rouges, l'éclat de ses yeux extraordinaires étaient ceux d'une femme en pleine jeunesse.

L'impératrice retourna à la salle du banquet, où ses invitées buvaient du thé et mangeaient des pâtisseries. Elle se fit amener en grande pompe, dans sa chaise à porteurs, et des eunuques la transportèrent sur son trône. Les invitées se levèrent, le visage souriant; l'admiration se lisait dans leurs yeux. L'impératrice éleva son bol de thé, puis en but une gorgée et, appelant à ses côtés chacune de ses invitées successivement, elle lui tendit l'autre côté du bol en répétant : « Tous les hommes sont frères sous la voûte du ciel. » Animée d'un sentiment d'exaltation et consciente de son triomphe, elle fit apporter à chacune des étrangères une série de cadeaux : un éventail, une peinture sur soie de sa propre main et un bijou de jade. L'entrevue se termina sur les transports de gratitude de ses invitées.

Les jours suivants, ses espions lui racontèrent que les dames étrangères avaient fait à leurs maris un récit enthousiaste de leur réception, affirmant qu'une femme aussi belle et aussi généreuse ne pouvait se montrer cruelle ou malfaisante. Très satisfaite, l'impératrice se persuada qu'elles disaient la vérité. Ayant conquis l'estime générale, elle s'appliqua à débarrasser la Chine de ses rebelles et ses réformateurs afin de réunir le peuple entier sous sa domination et consolider sa popularité. Plus elle réfléchissait à cette question, plus elle s'apercevait que la présence de l'empereur rendait sa tâche impossible. Sa mélancolie, ses manières pensives, sa docilité elle-même lui avaient gagné le cœur de son entourage. Une fois de plus, elle s'obligea à agir dans l'intérêt général, tandis que Li Lien-ying lui murmurait des conseils à l'oreille.

« Tant qu'il vivra, majesté, la nation restera divisée ; elle sera amenée à choisir entre vous et lui. Les Chinois sont factieux de naissance et se complaisent dans la division des intrigues. Les meneurs passent leur vie à comploter dans la clandestinité. Ils rappellent constamment au peuple que c'est un Mandchou et non un Chinois qui les gouverne. Vous seule saurez conserver la paix, bien que vous soyez Mandchoue, parce que le peuple vous connaît et fait confiance à votre sagesse.

— Si seulement mon neveu était un homme fort, soupira-t-elle, comme je lui confierais volontiers le destin du peuple !

— Mais il n'est pas fort, majesté, murmura l'eunuque. C'est un être faible et capricieux. Il écoute les rebelles chinois et se méprend sur leurs motifs. Il nuit à la dynastie sans s'en rendre compte. »

Elle ne pouvait que l'approuver, mais ne se laissait pas arracher l'ordre qu'il attendait avidement.

Ce jour-là, elle arpenta longuement la terrasse du palais, en contemplant l'île où son neveu vivait prisonnier, au milieu des eaux couvertes de lotus. Mais comment pouvait-on appeler prison ce palais confortablement meublé, situé dans un cadre agréable ! Elle voyait son neveu se promener dans l'île exiguë, suivi, à distance, par les eunuques vigilants.

Il était temps de changer ses gardiens qui se prenaient vite de sympathie pour leur jeune prisonnier. Jusqu'à présent, aucune trahison ne s'était produite parmi eux. Chaque soir, l'impératrice recevait la copie du journal de son neveu ; ainsi connaissait-elle ses pensées les plus intimes. Un seul d'entre les eunuques, un nommé Huang, lui inspirait des soupçons, car il envoyait toujours des rapports trop favorables : « L'empereur passe son temps à lire des ouvrages de valeur ; lorsqu'il est fatigué, il peint ou compose des poèmes. »

En réfléchissant aux paroles de son eunuque, l'impératrice décida brusquement que le moment n'était pas venu de tuer son neveu. Après l'avoir choisi pour occuper le trône, elle ne voulait pas porter la responsabilité de ce crime. Elle désirait sa mort, mais elle préférait laisser agir le Ciel.

Lorsqu'elle revit Li Lien-ying, elle le traita avec froideur et lui intima d'un ton sans réplique : « Ne me parle plus du voyage de l'empereur aux Sources Jaunes ; ce que le Ciel veut, le Ciel le fera. »

L'eunuque s'inclina en signe d'obéissance.

Pour improbable que cela parût, les rebelles chinois réussirent à entrer en contact avec le jeune empereur solitaire, par l'entremise de l'eunuque Huang. Un matin de la dixième lune, le jeune empereur échappa à ses gardes et s'enfuit, à travers un bois de pins, vers une petite baie située au nord de l'île, où l'attendait une barque. Mais un eunuque vit disparaître entre les arbres un pan de sa robe, et ses geôliers le rattrapèrent au moment où il allait s'embarquer.

« Fils du Ciel, nous vous supplions de ne pas vous

évader, sans quoi le vieux Bouddha nous fera tous décapiter. »

Aucune prière n'eût été plus efficace. L'empereur au cœur tendre hésitait, pendant que le batelier — un rebelle déguisé — lui criait de se hâter sans écouter les eunuques, dont la vie ne valait rien. Mais l'empereur regardait le visage de ses hommes qui l'imploraient, parmi lesquels se trouvait un jeune garçon, à peine sorti de l'enfance, doux et bon, qui l'avait toujours servi fidèlement. Les yeux fixés sur son visage en larmes, l'empereur ne pouvait se décider à monter dans la barque. Il secoua la tête, et le batelier, n'osant pas s'attarder plus longtemps, donna un coup de rame et disparut dans la brume silencieuse de l'aube.

Cette triste histoire parvint aux oreilles de l'impératrice et la disposa encore plus mal envers son neveu. Elle fit mettre à mort tous les rebelles, princes et ministres, qui avaient aidé l'empereur, mais elle laissa la vie à ce dernier, car elle possédait une arme contre lui. Par respect pour les enseignements de Confucius, les Chinois eussent condamné tout complot du jeune empereur contre sa tante âgée. L'empereur le savait d'ailleurs, car il avait une conscience délicate et le respect du Sage antique.

Jung Lu demanda de nouveau une audience privée, et il la supplia de se montrer miséricordieuse : « Majesté, si le peuple n'approuve pas un complot dirigé contre vous, il n'approuvera pas non plus que vous autorisiez la mort de l'empereur même accidentelle. Il faut le garder en prison, je le reconnais, pour qu'il ne devienne pas l'instrument de vos ennemis, mais ne lui refusez aucune marque de courtoisie. Gardez-le à vos côtés lorsque vous recevrez, dans dix jours, l'envoyé du Japon, et ceux des territoires extérieurs. Sublime majesté, vous pouvez vous permettre toutes les grâces et toutes les bontés. Laissez-moi vous suggérer même que la concubine Perle... » Elle leva brusquement les deux mains pour lui imposer silence. Elle refusait d'entendre prononcer ce nom honni en sa présence. Ce n'était plus une femme qui l'écoutait, mais l'impératrice au regard glacial. Il changea de sujet : « La paix règne actuellement dans l'Empire, mais le peuple s'agite. Sa colère contre les Blancs éclate par accès. Dans la province de Koueitchéou, la populace a assassiné un prêtre anglais. Voilà qui nous met de nouveau dans un guêpier. Les Anglais vont exiger de nouvelles indemnités et de nouvelles concessions. » L'impératrice entra dans une rage effroyable. Elle se frappait les genoux de ses poings serrés. « Encore ces prêtres étrangers ! s'écria-t-elle. Pourquoi ne restent-ils pas chez eux ? Est-ce que nous envoyons nos prêtres aux extrémités de la terre pour détruire les dieux étrangers ?

— C'est le résultat des défaites militaires que nous ont infligées les Occidentaux, lui rappela Jung Lu. Leurs traités nous obligent à laisser entrer les prêtres et les marchands.

— Je jure de m'en débarrasser », déclara l'impératrice. Elle resta pensive, ses beaux yeux assombris et ses lèvres rouges pincées. Elle fit semblant d'oublier la présence de Jung Lu. La voyant ainsi absorbée, il se prosterna et salua sans qu'elle levât la tête.

Le dernier mois de la même année, dans la province occidentale de Hupeh, un autre prêtre fut assassiné, avec un raffinement de cruauté. Des rumeurs qui accusaient une fois de plus les prêtres étrangers de sorcellerie, et précisaient qu'ils volaient les enfants pour fabriquer des philtres magiques avec leurs yeux et leurs os pilés, provoquèrent un soulèvement dans la province de Szechun.

L'impératrice était hors d'elle, car elle savait bien que

le meurtre de leurs ressortissants provoquait l'arrogance et les menaces des étrangers et faisait surgir à nouveau le spectre de la guerre. En fait, le monde entier semblait se liguer contre elle; l'Angleterre, la Russie, la France, l'Allemagne ne cachaient pas leur mécontentement. La France, pour venger les nombreux meurtres de ses missionnaires, exigeait, sous peine de guerre, une concession à Shangaï, le Portugal des terres autour de Macao, et la Belgique prétendait obtenir réparation du meurtre de deux prêtres par une concession de terrain à Hankéou. Quant aux Japonais, ils manœuvraient pour obtenir la fertile province de Fukien, et l'Espagne cherchait aussi à venger un de ses prêtres. C'était l'Italie qui se montrait la plus hargneuse, et son représentant exigeait la concession de la baie de Samoon, dans la province du Chékiang, un des plus beaux territoires chinois.

Devant cette situation désastreuse, l'impératrice réunit ses ministres et ses princes en audience spéciale et rappela son général Li Hung-chang, qui avait la mission de réparer les digues du fleuve Jaune menacées par la crue.

Le jour de l'audience, il faisait très chaud, et une tempête de sable soufflait du nord-ouest. Chargé de sable fin, l'air était irrespirable; les princes et les ministres attendaient l'Impératrice, le visage couvert de leur mouchoir. Mais l'impératrice paraissait insensible à la tempête. Vêtue de ses plus somptueux atours, elle descendit de sa chaise à porteurs impériale et se dirigea vers le trône du Dragon, appuyée sur le bras de Li Lien-ying. Sa noble impassibilité obligea les membres de son conseil à l'imiter. Ils se prosternèrent tous. Elle remarqua aussitôt l'absence de Jung Lu.

« Où est le grand conseiller, mon cousin ? demanda-t-elle à Li Lien-ying.

— Majesté, il fait dire qu'il est malade. Mais je crois que ce prétexte est dû à votre décision de faire venir Li Hung-chang. »

Cette parole insidieuse, plantée comme une flèche dans le cœur de l'impératrice, ne l'empêcha pas de déployer sa grâce coutumière. Elle appela ses ministres et ses princes un à un pour leur demander leur opinion sur la crise, et les écouta avec courtoisie. Son vieux général Li Hung-chang fut le dernier à faire son rapport; il s'avança d'un pas lourd et s'agenouilla avec difficulté devant sa souveraine. Deux eunuques durent l'aider, mais l'impératrice ne lui permit pas de s'asseoir. Ce jour-là, elle exigeait de tous une soumission totale et, ce qu'elle n'accordait pas, nul ne pouvait le prendre.

« Qu'avez-vous donc à dire, très honorable protecteur de notre trône? » demanda-t-elle d'une voix bien-veillante.

Li Hung-chang répondit sans lever la tête : « Sublime majesté, c'est là un problème que j'étudie depuis de nombreux mois. Nous sommes entourés d'ennemis, étrangers à nos coutumes et à notre mode de vie. Pourtant, il nous faut éviter à tout prix la guerre, car engager la lutte contre un adversaire si nombreux équivaudrait à se jeter dans le gueule du loup. La prudence nous conseille de chercher un allié parmi ces peuples hostiles : la Russie, par exemple, pays asiatique comme le nôtre.

— Et de quel prix devrons-nous payer une telle amitié? »

La voix douce et froide de l'impératrice fit trembler le vieil homme. Elle vit frémir ses épaules et ses mains serrées. Comme il restait muet, elle reprit d'une voix forte :

« Je répondrai moi-même à ma propre question : ce prix est trop élevé. A quoi nous sert de vaincre tous nos ennemis si nous devons devenir le vassal d'un autre pays?

Existe-t-il au monde une nation qui donne quelque chose pour rien ? Hélas ! je ne connais pas d'homme qui le fasse. Eh bien, nous repousserons tous nos ennemis. Je ne prendrai aucun repos avant que les Blancs, hommes, femmes et enfants, soient repoussés de nos rives. Je ne céderai point. Je reprendrai ce qui nous appartient. »

Elle se leva tout en parlant ; ses princes et ses ministres avaient l'impression de la voir grandir devant eux. Les yeux étincelants, les joues empourprées, elle étendit les bras ; sur ses doigts écartés, ses protège-ongles rehaussés de pierres précieuses ressemblaient à des serres. Une puissance suprême émanait d'elle. Sa fulgurante colère les électrisa. Ils tombèrent la face contre le sol, tous sans exception, et, tandis que l'impératrice regardait leurs corps prostrés, une brûlante ivresse lui parcourait les veines.

Elle pensa à Jung Lu qui n'était pas venu à son aide. Elle parcourut du regard ces dos courbés, ces robes somptueuses étalées sur les dalles, et ses yeux s'arrêtèrent sur le grand conseiller Kang Yi, un homme mûr, qui avait toujours consacré ses forces à préserver les traditions et à lutter contre les coutumes modernes.

« Vous, mon grand conseiller Kang Yi, prononça-t-elle d'une voix claire et forte, vous resterez en audience privée. Princes et seigneurs, vous pouvez vous retirer. »

Elle descendit de son trône ; Li Lien-ying s'avança pour lui offrir le bras, et elle s'éloigna d'un pas majestueux, laissant les membres de son conseil prosternés derrière elle. Sa décision était prise, sans idée de retour. Plus jamais elle ne céderait aux Blancs.

Le grand conseiller Kang Yi reçut les ordres de l'impératrice dans sa salle d'audiences privée, au milieu de l'après-midi, à l'Heure du Singe. Le chef des eunuques se tenait tout près d'eux, il écoutait à la dérobée, dûment soudoyé au préalable par Kang Yi. L'impératrice prit la parole, le regard fixé sur les portes ouvertes. Le vent du soir s'était calmé et l'air était purifié par la tempête de sable.

« Je n'hésite plus, déclara l'impératrice. Je serai impitoyable envers tous nos ennemis et je reprendrai nos terres, pied à pied, sans épargner aucun sacrifice.

— Majesté, lui répondit ce disciple de Confucius, pour la première fois, j'entrevois un espoir.

— Que me conseillez-vous ? demanda l'impératrice.

— Majesté, j'ai souvent discuté, avec le prince Tuan, de la réponse que nous donnerions à une telle question. Nous pensons tous deux qu'il faudrait utiliser la colère des Chinois contre les Occidentaux. Les Chinois sont exaspérés par l'occupation de leur territoire, par les guerres qu'on leur inflige, par les énormes indemnités qu'on leur fait payer à cause du meurtre des prêtres étrangers. Ils ont constitué des bandes clandestines et juré de détruire leurs ennemis. Voici, majesté, le conseil que je vous offre humblement. Je ne prétends pas à la sagesse. Mais, puisque ces bandes existent, pourquoi ne pas les utiliser ? Faites-leur connaître secrètement votre approbation. Lorsque ces bandes seront ajoutées aux armées de Jung Lu, qui pourra nous résister ? Les Chinois ne deviendront-ils pas d'une loyauté à toute épreuve envers vous, Vénérable Mère, quand ils sauront que vous appuyez leurs luttes contre les étrangers ? »

L'impératrice réfléchissait : le plan lui semblait bon. Elle posa quelques questions supplémentaires, dispensa des louanges à Kang Yi, puis elle le renvoya. Ces nouvelles la mirent de bonne humeur et, lorsque Li Lienying voulut lui donner son avis, elle ne le rabroua pas.

« Connaissez-vous un meilleur plan ? interrogea l'eunuque. Ce conseiller est un homme prudent et sage.

— Oui, en effet », reconnut-elle.

Elle s'aperçut qu'il la regardait de côté, les yeux mi-clos, l'air rusé. « Eh bien ? » demanda-t-elle. Ces deux êtres se connaissaient à fond.

« Je vous avertis, majesté. Je crois que Jung Lu n'approuvera pas ce plan. »

Il toucha sa lèvre supérieure du bout de sa langue et laissa retomber les coins de sa bouche.

Sa grimace la fit sourire. « Eh bien, je n'écouterai pas Jung Lu. »

Néanmoins, quelques jours plus tard, elle le fit venir, prête à lui reprocher les actes dont l'accusaient ses espions.

« Eh bien ? » dit-elle dès qu'il parut. Malgré l'heure tardive, elle ne lui avait pas laissé le loisir de dîner. Son repas pouvait attendre.

« Qu'ai-je fait, majesté ? »

Pour la première fois, elle lui trouva l'air vieux et fatigué.

« J'apprends que tu as laissé les ministres étrangers doubler leurs troupes de protection.

— J'y ai été obligé. Il semble qu'ils aient, eux aussi, leurs espions et ils ont appris que vous, majesté, vous écoutez les conseils de Kang Yi et que vous protégez les bandes clandestines de rebelles chinois acharnés, comme chacun sait, à supprimer tous les étrangers du pays. Majesté, j'ai dit que je ne vous croyais pas capable d'approuver une telle folie. Vous vous estimez donc assez forte pour vous dresser contre le monde entier ? Il nous faut négocier, apaiser, jusqu'à ce que nous soyons assez puissants pour remporter la victoire.

— Il paraît que le peuple a proféré des malédictions à l'entrée des troupes étrangères. Kans Yi, après son voyage à Chu-chou, rapporte que la province est maintenant organisée pour combattre l'ennemi. Il m'a amené quelques Boxers pour me montrer leurs prouesses. Ils ont, paraît-il, un pouvoir surnaturel qui les rend invulnérables. Les armes à feu elles-mêmes n'arrivent pas à les blesser. »

Saisi d'angoisse, Jung Lu s'écria : « Oh ! Majesté, comment pouvez-vous croire à de telles sottises ? »

— C'est toi qui dis des sottises, rétorqua l'impératrice. As-tu oublié qu'à la fin de la dynastie Han, il y a plus de mille ans, Chang Chou mena les rebelles du Turban Jaune à l'attaque du trône et prit de nombreuses villes avec seulement un demi-million d'hommes ? Eux aussi connaissaient des tours surnaturels pour éviter les blessures et la mort. Kang Yi affirme que certains de ses amis ont vu accomplir les mêmes tours de magie, il y a longtemps, dans la province de Shensi. Quand on a le bon droit pour soi, certains esprits vous protègent, je te le dis ! »

Jung Lu jeta son chapeau par terre dans un accès de fureur et s'arracha les cheveux à poignées.

« Je n'oublie pas votre rang, gronda-t-il entre ses dents serrées. Mais vous restez ma cousine, celle à qui j'ai depuis longtemps fait don de ma vie. Au moins ai-je le droit de qualifier vos actes de stupides. Votre beauté et votre puissance ne vous empêchent pas de commettre des sottises. Je vous avertis : si vous écoutez Kang Yi, qui s'obstine à ignorer le présent et à vivre dans les siècles passés ; si vous croyez votre chef des eunuques et ses pareils, et même le prince Tuan qui vit dans un rêve absurde, alors je peux vous dire que vous provoquerez votre propre perte et celle de la dynastie. Oh ! écoutez-moi... Oh ! écoutez-moi... »

Il joignit les mains pour la supplier et regarda bien en face ce visage adoré. Leurs regards se rencontrèrent et s'unirent; il la vit ébranlée et n'osa plus prononcer une parole, de peur de perdre l'avantage acquis. Elle reprit d'une voix humble : « J'ai demandé au prince Ch'ing ce qu'il en pense et il m'a répondu que les bandes de Boxers pouvaient se rendre utiles.

— Moi seul vous dis la vérité! » s'exclama-t-il. Il fit un pas en avant, les mains passées dans sa ceinture pour ne pas les tendre vers elle. « En votre présence, le prince Ch'ing n'ose pas dire ce qu'il me raconte dans le privé : ces Boxers sont des imposteurs et des simulateurs, des brigands ignorants qui cherchent à s'élever au pouvoir grâce à votre protection. Est-il un homme qui vous révère plus que moi? » Sa voix sombra, et il prononça ces derniers mots dans un murmure hésitant.

Elle baissa la tête. Il exerçait toujours sur elle l'ancienne emprise. Toute sa vie, l'amour de Jung Lu l'avait guidée.

« Promettez-moi au moins de ne rien faire sans m'en parler, insista-t-il. Ce n'est qu'une petite promesse, une récompense... la seule que je demande. »

Il attendit un moment, les yeux fixés sur sa tête courbée.

Elle releva le front. « Je te le promets. »

« Majesté, affirma Kang Yi, vous avez tort. La vieillesse vous rend trop indulgente. Vous ne permettez pas qu'on se débarrasse des étrangers. Pourtant il suffirait d'un mot de vous pour qu'ils disparaissent jusqu'au dernier, avec leurs chiens et leurs volailles, et qu'il ne reste pas une pierre de leurs habitations. »

Averti par ses espions que Jung Lu combattait son influence, il s'était hâté de demander une audience.

Elle détourna la tête. « Vous me fatiguez, tous.

— Mais, majesté, insista Kang Yi, le moment est mal choisi pour la fatigue. C'est l'heure de la victoire! Avez-vous seulement besoin de lever le petit doigt? Non, il vous suffit de parler et d'autres agiront. Nous n'attendons que votre ordre... rien que votre ordre, majesté. »

Elle secoua la tête. « Je ne peux vous le donner. »

« Majesté, supplia Tung Fu-hsiang, donnez-moi seulement votre permission et en cinq jours je démolis tous les bâtiments étrangers de la ville. »

L'impératrice recevait ses conseillers au palais d'Hiver. Elle était revenue la veille à la Ville interdite, quittant à regret le palais d'Été et sa parure d'automne. Les Boxers, sans permission, avaient brûlé la voie ferrée de Tien-Tsin.

Hélas! étaient-ils vraiment invulnérables? Qui le savait?

« Majesté, demanda le grand conseiller Ch'i Hsiu, permettez-moi de soumettre un décret à votre signature. Commençons par rompre les relations avec les étrangers, en tout cas cela leur fera peur.

— Vous pouvez toujours le préparer, mais je ne promets pas de le signer.

— Majesté, intervint Kang Yi, hier je suis allé chez le duc Lan. Plus de cent Boxers campent dans sa cour extérieure. Ils ont le don surnaturel d'appeler en eux des esprits tout-puissants. J'ai vu des garçons d'à peine quatorze ou quinze ans entrer en transe et parler en langues étrangères. Le duc Lan dit que, le moment venu, ces esprits conduiront les Boxers aux maisons des Chrétiens, pour les anéantir.

— Je ne les ai pas vus de mes propres yeux », déclara

l'impératrice. Elle leva la main pour mettre fin à l'audience.

« Majesté, lui confia Li Lien-ying au crépuscule, de nombreux citoyens abritent des Boxers chez eux. » Il hésita, puis murmura : « Si vous ne vous mettez pas en colère, majesté, je vous dirai même que votre propre belle-fille... la princesse impériale, aurait à sa solde deux cent cinquante Boxers établis à une porte de la ville, et que son frère le prince T'si Hing apprend leur magie. Les Boxers de Kansu se préparent à pénétrer dans la ville. Beaucoup de gens s'en vont, craignant la guerre. Tout le monde attend votre ordre, majesté.

— Je ne peux pas le donner. »

Le seizième jour de ce même mois, elle envoya Li Lien-ying pour lui ramener Jung Lu. Il fallait qu'il la déliât de son serment. Le matin même, ses espions lui avaient appris que de nouveaux soldats étrangers avaient débarqué sur les côtes et pénétraient à l'intérieur des terres pour venger la mort des étrangers massacrés par les Chinois dans la province de Kansu.

Il était midi lorsque Jung Lu arriva, vêtu simplement, comme s'il venait droit de son jardin ou de la campagne. Mais elle ne fit pas attention à sa mise.

« Dois-je continuer à garder le silence, quand la ville entière se remplit de soldats étrangers ? demanda-t-elle. Le peuple se soulèvera contre moi et la dynastie sera condamnée.

— Majesté, je reconnais que nous ne devons pas permettre l'accès de la ville à d'autres soldats étrangers ; néanmoins, je répète que ce serait un déshonneur pour nous que d'attaquer les délégués des nations étrangères.

Ils nous prendraient pour des sauvages ignorant les lois de l'hospitalité. On n'empoisonne pas ses hôtes.

— Que veux-tu donc que je fasse ? s'exclama-t-elle, le regard amer.

— Invitez les ministres étrangers à quitter la ville avec leur famille et leurs amis. Après leur départ, les troupes se retireront.

— Et s'ils ne veulent pas partir ?

— Peut-être partiront-ils, répondit-il calmement. S'ils ne partent pas, alors vous ne serez plus responsable.

— Me libères-tu de mon serment ?

— Demain, répondit-il, demain... demain... »

La nuit, elle fut soudain réveillée par une grande lumière. Elle dormait tous rideaux ouverts, comme à l'habitude, et une lumière intense pénétrait par les fenêtres. Ce n'était ni la lueur d'une lanterne, ni le clair de lune, mais le ciel qui s'embrasait. Elle se décida à appeler ses dames qui dormaient par terre sur des matelas. Elles se réveillèrent une à une et coururent à la fenêtre.

« Aïe, s'écrièrent-elles, aïe, aïe, aïe... »

La porte s'ouvrit brusquement, et Li Lien-ying se montra, le visage ostensiblement détourné, pour les informer qu'un temple étranger était en flammes. Les auteurs de l'incendie étaient inconnus.

L'impératrice sortit de son lit et demanda à être habillée tout de suite. Les dames se hâtèrent de la vêtir et, accompagnée de ses eunuques, elle se dirigea vers sa colline de pivoines d'où elle pouvait voir la ville par-dessus les murs. Un écran de fumée lui dissimulait l'incendie, mais bientôt lui parvint une effroyable odeur de chair brûlée. Le mouchoir sur les narines, l'impératrice s'informa sur l'origine de cette puanteur les Boxers avaient mis le feu à une église française, où s'étaient réfugiés des centaines de Chinois chrétiens, hommes, femmes et enfants.

« Quelle horreur! gémit l'impératrice. Oh! si seulement j'avais, depuis le début, défendu aux étrangers l'entrée du pays! J'aurais dû le faire il y a des années, et le peuple ne se serait pas égaré chez les dieux étrangers.

— Majesté, dit Li Lien-ying, pour la réconforter, les étrangers ont tiré les premiers sur la foule massée à la porte de l'église et les Boxers ont voulu se venger.

— Hélas! gémit-elle, l'histoire nous démontre que, lorsqu'un incendie dévore la Cité impériale, il consume sans discernement le vulgaire caillou et le jade précieux. »

Elle détourna la tête pour ne plus voir ce spectacle et resta maussade toute la journée. Comme l'atmosphère était imprégnée d'une odeur de mort, elle demanda aux eunuques d'emporter ses livres au palais de la Paisible Longévité d'où elle ne pouvait ni voir ni entendre ce qui se passait dans la ville, et où l'air était pur.

« Majesté, insistait-on autour d'elle, si vous ne voulez pas que tout soit perdu, permettez aux Boxers d'utiliser leur pouvoir magique. Le flot des soldats étrangers se répand dans les rues comme une inondation.

— Maintenant, Majesté, sans retard... Majesté, Majesté... »

Ses conseillers la harcelaient. Elle regardait tous les visages les uns après les autres. Kang Yi, le prince Tuan, Yuan Shih-k'ai, les plus importants de ses princes et de ses ministres. Ils étaient venus en toute hâte dans la salle du trône après l'audience et ils l'entouraient en désordre. Ce n'était plus le moment de l'obéissance et de l'étiquette.

A sa droite était assis l'empereur, la tête penchée, le visage pâle, ses mains exsangues passivement croisées sur les genoux.

« Fils du Ciel, lui dit-elle, devons-nous lancer la horde des Boxers contre nos ennemis ? »

S'il disait oui, ne serait-il pas le seul responsable?

« Comme vous voudrez, Vénérable Mère », répondit-il sans lever la tête.

Elle regarda Jung Lu... Il se tenait à part, la tête baissée, les bras croisés.

« Majesté, Majesté! » continuaient de clamer autour d'elle des voix profondes et graves dont les échos résonnaient sous les poutres peintes du plafond.

Elle se redressa, les bras levés pour imposer le silence. C'était l'aube; elle n'avait ni mangé, ni dormi depuis l'incendie et depuis que les soldats étrangers pénétraient par les quatre portes de la ville et convergeaient au centre de la capitale, des quatre points cardinaux. Quelle solution restait-il, à part la guerre?

« L'heure est venue, s'écria-t-elle. Il nous faut anéantir les étrangers dans leurs légations. Il ne faut pas laisser un seul être vivant, ou une seule maison intacte. »

Le silence accueillit sa déclaration. Elle avait manqué à sa promesse envers Jung Lu. Il s'avança et se prosterna devant elle.

« Majesté, s'écria-t-il, les joues couvertes de larmes, bien que ces étrangers soient nos ennemis, bien qu'ils soient les seuls responsables de leur propre massacre, je vous supplie cependant de réfléchir à ce que vous faites. Si nous détruisons ces quelques bâtiments, et cette poignée d'étrangers, nous provoquerons la colère de leurs gouvernements et ils lanceront leurs armées et leurs flottes contre nous. Nos temples ancestraux seront réduits en poussière, les dieux tutélaires eux-mêmes et les autels du peuple seront rasés ! »

Son cœur se serra et son sang se figea dans ses veines. Mais elle cacha son épouvante. Nul ne l'avait jamais vue effrayée et la force de l'habitude l'aidait à juguler la terreur monstrueuse qui s'emparait d'elle. Son beau visage restait impassible; pas un trait ne bougeait.

« Je ne peux retenir le peuple, déclara-t-elle. Il est assoiffé de vengeance. S'il n'écrase pas nos ennemis, c'est moi qu'il écrasera. Quant à vous, grand conseiller, si vous n'avez pas de meilleurs conseils à offrir au trône, laissez-nous. Je vous dispense d'assister à la fin de la réunion. »

Jung Lu se leva immédiatement, les larmes à peine sèches sur les joues, et, sans un mot, se retira.

Quand il fut parti, le conseiller Ch'i Hsiu tira de ses chausses de velours un papier plié. Il l'ouvrit lentement et, avec une grande dignité, il s'approcha du trône pour présenter ce document à l'impératrice. « Majesté, dit-il, j'ai pris l'audace de préparer un décret; avec votre permission, je vais le lire à haute voix.

— Lisez », ordonna l'impératrice, les lèvres sèches, mais majestueuse et immobile.

Il lut à haute voix ce décret qui déclarait la guerre à tous les étrangers, et sa voix résonnait dans un silence de mort. Il ne restait plus à l'impératrice qu'à donner son approbation, à signer le décret et le sceller du sceau impérial.

« Excellent, déclara l'impératrice d'une voix calme et froide. Nous le publierons comme décret du trône. »

Sa décision fut accueillie par un murmure de solennelle approbation. Ch'i Hsiu se prosterna et retourna à sa place.

L'aube commençait à poindre, c'était l'heure habituelle de l'audience générale, et Li Lien-ying s'avança, le bras tendu, pour accompagner sa maîtresse à sa chaise à porteurs. Elle se rendit à son palais du Gouvernement Diligent. Là, l'empereur l'attendait dans son propre palanquin ; il descendit pour l'accueillir à genoux.

Elle ne répondit que par un léger signe de tête à ses salutations et se dirigea vers le trône, soutenue par deux eunuques. A l'entrée, l'attendaient, prosternés, les chefs de son clan, les princes, les grands conseillers, les présidents des six conseils et les neuf ministres, les vingt-quatre lieutenants généraux des vingt-quatre divisions de porte-étendard et les intendants de la maison impériale.

Derrière l'impératrice marchait lentement le jeune empereur, le visage d'une pâleur de cire, ses grands yeux noirs baissés et ses mains exsangues croisées sur sa ceinture. L'impératrice s'installa sur le trône du Dragon et il s'assit à sa droite sur un trône plus bas.

Après les préliminaires d'usage, les groupes se formèrent selon les préséances et l'impératrice prit la parole. Elle commença son discours d'une voix faible, mais, à la pensée du mal fait par ses ennemis, la colère donna de la force à ses accents et de l'éclat à ses yeux.

« Notre volonté est formelle, déclara-t-elle, notre décision est prise. Nous ne pouvons plus tolérer, sans perdre décence et fierté, les scandaleuses exigences des étrangers. Nous aurions voulu éviter le recours aux Boxers. Mais cela n'est plus possible. Ils ont appris les menaces des étrangers, menaces qui touchent même ma propre personne, puisque leurs envoyés m'ont sommée de me retirer du trône pour laisser la place à mon neveu... alors qu'ils connaissent le lamentable échec de sa tentative de règne ! Et pourquoi veulent-ils m'évincer ? Parce qu'ils me craignent, ils me savent inébranlable, tandis qu'ils pourraient modeler mon neveu comme de la cire. L'insolence de ces étrangers éclate dans l'attitude du consul français de Tien-Tsin qui exige les forts du Taku comme réparation pour la mort d'un simple prêtre. »

Elle se tut et couvrit de son regard impérieux les dignitaires assemblés dans la grande salle. La lumière des torches tombait sur les visages graves et troublés qui se tournaient vers elle et vers l'empereur immobile.

« Ne veux-tu pas prendre la parole ? » demanda l'impératrice à son neveu.

L'empereur ne leva pas la tête. Il humecta ses lèvres, serra et desserra ses longues mains maigres, incapable de parler. Enfin, on entendit sa voix faible et tremblante.

« Vénérable Mère, commença-t-il sur un ton hésitant, je ne peux que dire — peut-être n'est-ce pas à moi de parler, mais puisque vous me le demandez — il me semble que le conseil de Jung Lu était sage. C'est-à-dire — pour éviter les effusions de sang — ou du moins, puisqu'il nous est impossible de combattre le monde entier — car nous n'avons ni bateaux de guerre ni armement moderne — alors il vaut peut-être mieux permettre aux ministres étrangers et à leurs familles de quitter la ville en paix. Mais ce n'est pas à moi — naturellement pas à moi — de prendre une telle décision. Il faut que ma Bienveillante Mère donne ses ordres. »

Immédiatement, un membre du conseil s'adressa à l'impératrice. « Majesté, je vous en supplie, mettez votre plan à exécution. Que tous les étrangers soient tués et leur race exterminée ! Cela fait, le trône pourra écraser à leur tour les rebelles chinois, qui se soulèvent de nouveau dans le Sud. »

L'impératrice accueillit favorablement cette approbation et dit : « J'ai déjà entendu le conseil de Jung Lu et je n'ai pas besoin qu'on me le répète. Qu'on prépare l'édit déclarant la guerre. »

Elle se dressa, comme pour mettre fin à l'audience, mais, aussitôt, s'éleva un brouhaha de discussions. Les uns approuvaient sa décision, les autres la suppliaient de les écouter. Elle dut se rasseoir et donner la parole aux adversaires de son projet. L'un déclara que la guerre sonnerait le glas de la dynastie, car la Chine serait vaincue et les Chinois s'empareraient du trône. Le ministre des Affaires étrangères affirma qu'il avait toujours trouvé les Occidentaux raisonnables au cours des pourparlers, et qu'il ne croyait pas, pour sa part, qu'ils aient exigé le départ de l'impératrice. Les dames étrangères n'avaient-elles pas chanté ses louanges ? Lui-même n'avait-il pas remarqué le changement d'attitude des ministres étrangers, que l'accueil réservé à leurs épouses avait rendus plus aimables et plus courtois ?

Alors, le prince Tuan se mit en colère, et l'impératrice demanda au ministre de se retirer pour éviter une querelle. Ensuite, le duc Lan, protecteur des Boxers, prit à son tour la parole pour raconter son rêve de la nuit précédente dans lequel Yü Huang, l'empereur de Jade, entouré d'une bande de nombreux Boxers, donnait son approbation à leurs exercices patriotiques.

L'impératrice écouta avidement le récit de ce rêve et répondit avec un sourire enchanteur : « Ce rêve est de bon augure ; il signifie que les dieux sont pour nous et contre nos barbares ennemis. » Toutefois, elle ne promettait pas encore d'utiliser les pouvoirs magiques des Boxers. Elle se demandait si ces pouvoirs magiques existaient réellement.

Elle renvoya son conseil et retourna dans son palais sans adresser la parole à l'empereur. Sa décision prise, elle sentait diminuer sa peur, et la fatigue lui donnait sommeil.

« Je vais dormir toute la journée, déclara-t-elle à ses dames d'honneur, que personne ne me réveille. »

C'est à l'heure du Mouton, une heure après midi, qu'elle fut soudain réveillée par la voix de Li Lien-ying, à la porte.

« Majesté, appelait-il, le prince Ch'ing vous attend, en compagnie de Kang Yi. »

L'impératrice ne pouvait se dérober à cette entrevue, aussi se fit-elle rhabiller. Elle coiffa sa tiare et sortit.

« Majesté, s'exclama Kang Yi après s'être prosterné, la guerre est déjà commencée. Un sergent mandchou a tué ce matin deux étrangers, dont le ministre allemand, qui traversait la ville en chaise à porteurs pour vous demander audience. Le sergent les a tués tous les deux et s'est hâté de demander une récompense au prince Ch'ing. »

Une angoisse affreuse étreignit le cœur de l'impératrice.

« Mais comment le peuple a-t-il eu si vite connaissance de notre édit ? Veillez à ce que le sergent ne soit pas récompensé s'il a tué sans ordres. »

Le prince Ch'ing hésita et toussa.

« Majesté, dit-il, le moment étant critique, le prince Tuan et Ch'i Hsiu ont donné l'ordre, immédiatement après l'audience d'aujourd'hui, de tuer tous les étrangers. » Les deux hommes échangèrent un regard.

« Majesté, insista Kang Yi, nos ennemis sont les seuls responsables de leur malheur ; le sergent affirme que les gardes blancs ont tiré les premiers et tué trois Chinois.

— Oh ! quelle horreur ! » s'écria l'impératrice. Éplorée, elle se tordait les mains. « Où est Jung Lu ? Allez le chercher... vite... la guerre commence trop tôt, nous ne sommes pas prêts. » Ce disant, elle se détourna et rentra précipitamment dans sa chambre. Pendant deux heures, elle attendit Yung Lu qui arriva, l'air sombre.

« Laissez-nous, ordonna l'impératrice à ses eunuques et à ses dames d'honneur, et que personne n'entre. »

Alors elle regarda Jung Lu, debout, qui abaissait les yeux sur elle.

« Parle, dit-elle d'une voix faible, dis-moi ce que je dois faire?

— Mes gardes étaient prêts à escorter les étrangers jusqu'à la côte, dit-il d'une voix triste et grave, pourquoi ne m'avez-vous point obéi? »

Elle détourna la tête et s'essuya les yeux de son mouchoir.

« Maintenant que vous m'avez désobéi, continua-t-il, vous me demandez conseil. »

Elle sanglota doucement.

« Où trouverez-vous les fonds pour payer ces Boxers? Pensez-vous qu'ils travaillent pour rien? »

Elle le regarda de nouveau, prête à le supplier de l'aider, de la conseiller, une fois de plus; mais, soudain, elle le vit pâlir, agripper son cœur d'une main tremblante et s'effondrer à ses pieds.

Elle courut à lui et saisit ses mains devenues froides. Ses paupières à demi fermées ne cachaient pas ses yeux fixes. Il respirait à grand-peine.

« Hélas! hélas! » se lamentait l'impératrice, à haute voix. Ses dames d'honneur accoururent, et, la voyant à genoux près du grand conseiller, elles se mirent à crier, si bien que les eunuques entrèrent en foule.

« Soulevez-le! commanda l'impératrice, et posez-le sur le divan. »

Ils étendirent Jung Lu sur le divan, un oreiller sous la tête, et l'impératrice envoya chercher en toute hâte les médecins de la cour, qui se présentèrent aussitôt. Immobile, Jung Lu râlait.

« Majesté, dit le premier médecin, le grand conseiller était malade; il s'est levé pour répondre à votre ordre. »

Elle se tourna vers Li Lien-ying avec un regard terrible. « Pourquoi ne me l'a-t-on pas dit?

— Très Haute Majesté, répondit Li Lien-ying, le grand conseiller me l'a interdit. »

Confondue par l'inébranlable amour de cet homme qui avait tout sacrifié pour elle, elle domina son émotion, étouffa son amour et son angoisse et s'obligea à parler d'une voix calme. « Qu'on l'emporte dans son palais et que les médecins impériaux restent à ses côtés jour et nuit. Qu'on m'informe de sa santé toutes les heures. Quant à moi, je vais prier au temple. »

Les eunuques et les médecins s'affairèrent pour lui obéir et elle se retira dans son temple privé. C'était l'heure du Chien, entre le jour et la nuit. Le crépuscule tombait. L'air était calme et triste. La brise du soir ne s'était pas encore levée pour chasser la chaleur du jour. L'impératrice marchait lentement, comme chargée d'un lourd fardeau. Au temple, elle se dirigea immédiatement vers sa chère déesse : Kuan Yin. Elle alluma trois bâtons d'encens à la flamme vacillante de la bougie et les jeta dans les cendres de l'urne de jade. Puis elle prit le chapelet de jade posé sur l'autel et de son cœur jaillit la prière d'une femme solitaire. Elle s'adressa en silence à la déesse :

« Toi qui es aussi solitaire, écoute la prière de ta jeune sœur. Délivre-moi de mes ennemis qui convoitent ce beau pays, mon héritage, et veulent le couper en tranches comme un melon pour le dévorer. Délivre-moi... délivre-moi de mes ennemis. Voici ma première prière. Et puis je te prie pour celui que j'aime. Aujourd'hui, il est tombé devant moi. Peut-être l'heure de sa mort a-t-elle sonné. Aide-moi, intercède pour moi auprès du Vieil Homme du Ciel, et permets que l'heure soit repoussée. Si cela n'est point possible, aide-moi en toutes circonstances, même dans la solitude et la défaite, à me comporter dignement. Toi, Sœur Aînée, tu abaisses ton regard sur l'humanité et ton visage ne change pas;

ta beauté est toujours intacte, ta grâce inaltérable. Donne-moi la force de t'imiter. »

Elle égrena son chapelet jusqu'à l'épuisement de ses prières et sentit que le Ciel en exauçait une partie. Ses ennemis pouvaient l'emporter, l'être aimé pouvait disparaître, son visage ne changerait pas, sa beauté resterait intacte et sa grâce inaltérable. Elle demeurerait forte.

L'impératrice resta seule pour vivre les jours de guerre dont chacun lui pesait comme un mois de souffrances. Peu de voix l'atteignaient dans son affreuse solitude. Elle entendit pourtant celle du prince Yuan.

« Majesté, lui disait-il, les Boxers portent à la bataille un talisman secret : une rondelle de papier jaune ornée de l'image peinte en rouge d'une créature ni humaine, ni démoniaque, d'une créature qui n'a pas de pieds, mais une tête entourée de quatre auréoles. Dans son visage triangulaire, les yeux sont très noirs et brûlants. Sur son corps aux formes étranges sont inscrits ces mots magiques : « Je suis le Bouddha du Nuage Froid. Le « Dieu du Feu me conduit. Lao Tseu lui-même me sou- « tient. » En haut à gauche, sont inscrits ces mots : « Invoque d'abord le Gardien du Ciel. » et en bas à droite : « Invoque ensuite les Dieux Noirs de la Peste. » Quiconque prononce ces mots mystiques provoque à chaque fois la mort d'un étranger dans le pays. Majesté, quel mal y a-t-il à apprendre ces vocables magiques ?

— Aucun », affirma l'impératrice qui s'empressa de les apprendre. Elle les répétait plusieurs fois par jour, et Li Lien-ying comptait chaque fois le nombre de démons étrangers ainsi exécutés. Il lui parlait des Boxers : « Quand leur épée touche quelque chose, il en sort des flammes ; quand ils capturent un ennemi vivant, ils interrogent le Ciel en mettant le feu à une boule de papier jaune : si les cendres montent, il faut tuer l'ennemi; si elles retombent, on lui laisse la vie sauve. » L'impératrice ne croyait pas réellement toutes ces histoires, mais dans sa situation critique elle essayait d'y trouver un réconfort.

Mais quel secours espérer? Comme si la colère des étrangers ne suffisait pas à noircir ce tableau, d'autres mauvaises nouvelles affluaient : le pays murmurait et se soulevait, les inondations s'aggravaient, des villages entiers mouraient de faim, des moissons étaient perdues, des semailles négligées. Le peuple, désespéré, pillait les riches et les prêtres étrangers, chez qui on trouvait toujours de l'argent et des provisions. Ces prêtres n'étaient qu'une poignée parmi les milliers de victimes du pillage, mais les gouvernements étrangers n'en menaçaient pas moins d'envoyer encore des armées et des navires de guerre si le calme n'était pas rétabli. Dans le monde entier, il n'était pas une nation, ni même un seul homme vers qui l'impératrice pût se tourner pour obtenir du secours. Jung Lu reposait sur son lit, inconscient. Le général Yuan Shih-k'ai se bornait à nier la prétendue invulnérabilité des Boxers qu'il avait vérifiée lui-même : une vingtaine de ces vantards, fusillés sur ses ordres, étaient morts comme il s'y attendait. Il suppliait l'impératrice de ne pas croire ces charlatans, mais il ne lui apportait ni aide, ni conseils.

Pendant ce temps, le prince Tuan la harcelait et se vantait de pouvoir repousser les barbares jusqu'à la mer si elle lui en donnait l'ordre. Mais elle remettait de jour en jour, en espérant la paix. Alors, le prince Tuan lui força la main en favorisant les attaques sporadiques dirigées contre les étrangers dans leurs légations. Le vice-roi du Sud, maintenant âgé, mais toujours loyal, envoya de Nankin un rapport, suppliant l'impératrice de ne pas autoriser de telles attaques et de protéger les étrangers.

L'impératrice lui répondit par courrier spécial :

Ce n'est pas Nous qui avons, de gaieté de cœur, commencé l'agression; il vous appartient d'informer les diverses légations étrangères que Nous ne nourrissons envers leurs gouvernements que des sentiments paisibles et amicaux et que Nous leur demandons d'élaborer un projet Nous permettant d'atteindre, dans l'intérêt général, une solution définitive pour assurer la paix.

Ensuite, elle mit au point un édit public, qui s'adressait en réalité au monde entier.

Nous avons subi un enchaînement de circonstances défavorables génératrices de désordre et Nous ne savons comment expliquer l'ouverture des hostilités entre la Chine et les puissances occidentales. Nos envoyés à l'étranger, séparés de Nous par les vastes mers, ne peuvent dépeindre aux puissances occidentales nos sentiments véritables.

Elle décrivait ensuite les circonstances de la guerre actuelle, les soulèvements des rebelles chinois et de la racaille toujours prête à fomenter des troubles, ainsi que sa propre intervention, sans laquelle les missionnaires étrangers eussent été massacrés sur tout le territoire. C'est alors qu'un accident était survenu au ministre allemand et que les guerriers étrangers avaient voulu s'emparer des forts de Tien-Tsin, ce que le commandant chinois ne pouvait accepter; et les étrangers avaient finalement bombardé les forts.

Elle concluait ainsi :

Il en résulte un état de guerre dont Nous ne sommes pas

responsable. Comment la Chine, consciente de sa propre fai-
blesse, commettrait-elle la folie de déclarer la guerre au monde
entier? Espérerait-elle vaincre sans armée régulière? Évi-
demment non. Par les présentes, Nous exposons loyalement
les mesures que Nous a imposées cette situation imprévisible.
Nos envoyés à l'étranger expliqueront cet édit aux gouverne-
ments auprès desquels ils sont accrédités. Nous recommandons
à nos chefs militaires de protéger les légations. Nous faisons
face à la situation de Notre mieux. Dans l'intervalle, Nos
ministres doivent remplir leur mission avec un zèle redoublé.
Nul ne saurait agir en spectateur en un moment pareil.

Estimant cette mesure insuffisante, l'impératrice
envoya aux souverains les plus puissants du monde des
télégrammes rédigés de sa propre main. A l'empereur
de Russie, elle écrivait :

Depuis plus de deux siècles et demi, nos Empires voisins
vivent en parfaite amitié. Néanmoins, des dissentiments
nés ces temps derniers entre ceux de nos sujets convertis au
Christianisme et le reste de notre peuple ont donné à des êtres
malfaisants l'occasion de fomenter des troubles, de sorte que
les puissances étrangères elles-mêmes ont cru que le Trône
se montrait hostile au Christianisme.

Elle terminait sur ces mots :

Maintenant que la Chine a suscité l'inimitié du monde occi-
dental en des circonstances indépendantes de sa volonté,
Nous ne pouvons que demander à Votre pays d'intercéder
pour Nous et d'obtenir la paix avec l'Occident. Je fais appel
à Votre Majesté pour qu'elle assume la charge d'arbitre et
Nous sauve. Nous attendons Votre gracieuse réponse.

A la reine d'Angleterre, que l'impératrice saluait

comme une sœur, elle rappelait que la plus grande partie du commerce chinois se faisait avec l'Angleterre, et elle continuait ainsi :

Nous vous demandons donc de considérer que, si Notre Empire devait perdre son indépendance, les intérêts de Votre pays en souffriraient. Nous nous efforçons, dans la hâte et l'anxiété, de lever une armée pour Nous défendre, mais, dès maintenant, Nous vous demandons de Nous servir de médiateur, et Nous attendons Votre décision.

A l'empereur du Japon, elle envoya une lettre signée de son nom et de celui de l'empereur, par l'intermédiaire de son ministre à Tokio :

Salut à Votre Majesté! Les Empires de Chine et du Japon sont unis comme les deux doigts de la main. Tandis que l'Europe et l'Asie s'affrontent dans la guerre, Nos deux nations asiatiques doivent rester solidaires. Les nations occidentales, ces bêtes féroces affamées de conquêtes territoriales, vont certainement reporter sur vous leur avidité. Oublions nos discordes et devenons amis. Nous Vous considérons comme Nos arbitres auprès des ennemis qui Nous entourent.

L'impératrice ne reçut pas une seule réponse à tous ces messages. Elle attendait, nuit et jour, ne voulant pas perdre espoir, mais, nuit et jour, le prince Tuan et ses disciples la harcelaient. « Amis ou ennemis du trône, ministres ou rebelles, disait le prince Tuan, tous sont unis par leur haine contre ces Chrétiens étrangers venus dans notre pays pratiquer leur commerce ou leur religion contre notre volonté. »

Quelle n'était pas son immense solitude physique et morale ! Pas une voix humaine ne pouvait l'atteindre, et les dieux se taisaient. Jour après jour, l'impératrice passait des heures dans la salle du trône. Les ministres et les princes gardaient le silence quand le prince Tuan parlait. Le silence régnait autour d'elle et enveloppait Jung Lu sur son lit de malade. Les jours d'été s'écoulaient un à un sous le ciel lumineux, et il ne pleuvait pas. Pas un nuage, pas une ombre dans l'azur. Le peuple s'agitait, se soulevait, se lamentait. Après les inondations de l'année précédente, venait la sécheresse; la population se plaignait que les temps fussent durs et que le ciel fût courroucé. L'impératrice méditait, en apparence aussi calme que sa chère déesse Kuan Yin, mais, intérieurement, paralysée par la perplexité et le désespoir. La ville se remplissait de rebelles et de Boxers, et les honnêtes gens se barricadaient chez eux. Les légations étrangères se préparaient à subir un assaut, toutes portes fermées, troupes en alerte.

Le vingtième jour du cinquième mois, l'impératrice comprit que l'attente ne servait à rien. Rien ne pourrait plus épargner les destructions. A l'aube, la cité était en feu. Des centaines de boutiques brûlaient, incendiées par les rebelles et les Boxers. Les riches marchands fuyaient la ville avec leurs familles. Ces violences ne visaient pas seulement les étrangers, mais aussi le trône de l'impératrice. Ce même jour, elle reçut deux rapports de ses ministres Yüan et Hsü, tous deux aux Affaires étrangères. Ils affirmaient avoir vu, de leurs propres yeux, les corps des Boxers abattus dans la rue de la Légation par les gardes étrangers, invoquant pour ces derniers le bénéfice de la légitime défense. L'empereur avait demandé au ministre Hsü si la Chine pouvait résister aux assauts extérieurs, et sa réponse négative lui avait fait verser des larmes amères. Quant aux ministre Yuan, lorsqu'il apprit l'attaque des légations, il déclara qu'elle constituait une grave infraction au droit international.

Mais l'impératrice ne se décidait pas à agir. Où, demandait-elle au Ciel silencieux, où pouvait-elle se tourner? Les rapports insolents accumulaient les reproches sur sa tête.

De nouveau, les jours passèrent. Dans les légations, les étrangers soutenaient un véritable siège. L'impératrice apprit qu'ils souffraient de la faim et de la soif. Dans son anxiété, elle leur envoya des provisions et des barils d'eau potable qu'ils refusèrent, par crainte d'être empoisonnés.

Le quinzième jour du sixième mois, la mesure fut à son comble. Des centaines de Chrétiens chinois furent assassinés par les Boxers aux portes du palais d'un prince. Lorsque l'impératrice apprit la mort de ces innocents, elle porta les mains à ses oreilles en tremblant. Oh! si seulement les Chrétiens pouvaient abjurer, elle ne serait pas contrainte de livrer cette horrible guerre! Mais ils n'abjuraient point.

De Tien-Tsin, l'impératrice reçut de mauvaises nouvelles; les soldats étrangers avaient pris la ville et marchaient en force sur la capitale, pour dégager les légations cernées par les Chinois. Quant à l'armée impériale, elle était en pleine retraite. Que pouvait donc faire l'impératrice, sinon attendre et prier?

Le dixième jour du septième mois, ses prières quotidiennes furent exaucées: Jung Lu sortait enfin de sa torpeur. L'impératrice retourna au temple pour offrir des actions de grâce et envoya à son cousin des paniers de mets exotiques et nourrissants, afin de hâter sa convalescence. Mais il s'écoula encore quatre jours avant qu'il pût se présenter devant elle, transporté en palanquin. Lorsqu'elle le vit si pâle et si faible, elle lui cria de ne pas se lever. Au contraire, c'est elle qui descendit les marches du trône et s'assit près de lui, sur une chaise. «Où errait ton esprit, mon cousin, demanda-t-elle de

sa voix la plus tendre, pendant que ton corps restait
étendu, inerte, sur ton lit?

— Où que j'aie été, je ne me souviens de rien. » Il
parlait d'une voix aiguë et faible. « Et j'ignore à quelle
puissance je dois mon retour sur cette terre, à moins
que ce ne soit à vos prières.

— C'est à mes prières, en effet. En ton absence, j'ai
été vraiment très seule. Dis-moi ce que je dois faire.
Ne sais-tu pas qu'une guerre fait rage dans la ville et
que Tien-Tsin est tombé? L'ennemi approche de Pékin...

— Je sais tout cela; il n'y a plus de temps à perdre.
Il vous faut d'abord vous emparer du prince Tuan,
que les étrangers rendent responsable, et le faire décapiter. Ce sera la preuve de votre innocence et de votre
désir de paix.

— Quoi! Céder à l'ennemi? s'écria-t-elle, outragée.
Décapiter le prince Tuan importe peu, mais céder à
l'ennemi étranger... non, c'est trop, je ne peux pas!
Tout ce qui donnait un sens à ma vie tomberait en poussière! »

Il gémit. « Oh! femme obstinée! quand comprendrez-
vous la futilité de votre résistance au progrès? » Il
fit signe aux porteurs de son palanquin de l'emmener,
et l'impératrice, le cœur serré, ne le retint pas.

L'impératrice s'accrochait au moindre délai, essayant
encore de croire aux pouvoirs magiques des Boxers.
La moitié de la ville était en cendres et, dans les légations, les étrangers refusaient toujours de se rendre.
Attendaient-ils l'aide des armées de secours qui appro-
chaient?

A cinq reprises, le troisième jour, elle convoqua les
ministres et les princes dans le palais de la Longévité
Pacifique. Dans un suprême effort de volonté, malgré
sa faiblesse, Jung Lu prit sa place parmi les conseillers.
Mais il ne pouvait rien changer aux conseils déjà donnés

et qu'elle refusait de suivre. Quant aux ministres et aux princes, ils restaient silencieux, le visage pâle creusé de peur et de fatigue.

Dans le silence, le prince T'uan se vantait à grand bruit, affirmant sa foi dans les incantations secrètes des Boxers. Jamais les troupes étrangères ne pourraient traverser le fossé entourant la ville; leurs soldats s'y noieraient.

Jung Lu s'écria d'une voix soudain raffermie : « Les Boxers ne sont que plumes au vent et, comme plumes au vent, ils se disperseront à l'approche des étrangers ! »

Cette prédiction se réalisa. A l'heure du Singe, le cinquième jour, au milieu de l'après-midi, le duc Lan se précipita dans la bibliothèque où l'impératrice cherchait le réconfort de ses vieux livres, et il s'écria sans préliminaires de courtoisie :

« Vieux Bouddha, ils sont là ! les démons chrétiens ont forcé les portes et s'engouffrent dans la ville comme un torrent ! »

Elle leva la tête et son cœur s'arrêta.

« Ainsi, mon cousin avait raison... » Elle ferma son livre et se leva. Debout, elle réfléchissait, se tenant la lèvre supérieure entre le pouce et l'index.

« Vous devez fuir, majesté, s'écria le vieux duc, vous et le Fils du Ciel, vous devez fuir vers le Nord. »

Elle secoua la tête, absorbée dans ses réflexions, et le duc Lan se précipita à la recherche de Jung Lu qui, seul, pouvait la persuader. Moins d'une heure plus tard, Jung Lu était là. Il s'approcha d'elle en s'appuyant sur une canne, d'un pas incertain, mais puisant des forces dans son désir de la servir. Elle se rassit, les mains crispées. Elle leva sur lui ses grands yeux voilés.

Il s'approcha et lui parla d'une voix tendre.

« Ma bien-aimée, il faut m'écouter. Vous ne pouvez pas rester ici, vous, le symbole du trône. Là où vous êtes, se trouve le cœur de la nation. Ce soir, après minuit, à l'heure du Tigre, alors que la lune n'est pas encore levée et que les étoiles n'éclairent pas, il vous faut fuir.

— Encore, murmura-t-elle, encore, encore...

— Oui, encore. Vous connaissez le chemin et vous ne serez pas seule.

— Toi...

— Non, pas moi. Je dois rester ici pour rassembler nos forces. Car vous reviendrez, comme vous êtes déjà revenue, et je dois sauver le trône pour vous.

— Comment le pourrais-tu sans armées ? » Elle laissa tomber sa tête et il vit des larmes perler à ses longs cils épais.

« Ce que je ne peux obtenir par la force, je l'obtiendrai par la sagesse, affirma Jung Lu. Je vous garderai votre trône. Je vous le promets. »

Elle releva la tête, et il lut sur son visage qu'elle cédait. Elle cédait sinon à lui, du moins à la terreur. Bouleversé de pitié et d'amour, il lui prit la main et la tint un moment. Il la posa contre sa joue, la serra, puis la relâcha et fit un pas en arrière.

« Majesté, il n'y a pas de temps à perdre. Je dois préparer votre déguisement et choisir ceux qui vous garderont à ma place. Il faut vous teindre la peau, vous coiffer comme une paysanne, et quitter le palais par la porte dérobée. Deux dames d'honneur seulement vous accompagneront, car un trop grand nombre donnerait l'éveil. L'empereur sera déguisé en paysan. Les concubines resteront ici... »

Elle écoutait, sans proférer une parole. Après le départ de Jung Lu elle ouvrit son livre au hasard et ses yeux tombèrent sur cette phrase étrange, écrite des siècles auparavant par le Sage Confucius : « Un dessein grandiose a échoué, faute d'un esprit large et d'une véritable compréhension. »

Elle restait fascinée par ces mots qu'il lui semblait entendre prononcer à haute voix dans la pièce. Sortis du passé lointain, ils pénétraient directement dans son cœur et son esprit, où elle les recevait en toute humilité.

Elle n'avait pas eu l'esprit assez large, elle n'avait pas compris son époque, son dessein grandiose avait échoué... le dessein de sauver son pays. L'ennemi l'emportait. Elle referma lentement son livre et reconnut sa défaite. Désormais, au lieu de diriger le cours des événements, elle se laisserait diriger par eux.

Ignorant sa défaite intérieure, tous admiraient son calme et sa fierté. Elle distribuait ses ordres pour mettre à l'abri ses livres, ses tableaux, ses peintures, ses joyaux. Dans une chambre, elle fit murer par Li Lien-ying ses lingots d'or. Lorsque tout fut fait, hâtivement, mais sans désordre, elle réunit à l'heure du Tigre l'empereur et les concubines et expliqua à ces dernières pourquoi elle ne pouvait les emmener :

« L'empereur et moi, nous avons le devoir de sauver notre personne non pas à cause de notre valeur individuelle, mais pour assurer la continuité du trône. J'emporte avec moi le sceau impérial ; où que je sois, là se trouve l'État. Vous, vous resterez ici où vous n'avez rien à craindre, car le grand conseiller Jung Lu, miraculeusement rétabli pour ces circonstances tragiques, rassemblera nos armées. D'ailleurs, je ne crois pas que l'ennemi pénètre dans ce palais. Continuez donc à vivre comme si j'étais là, les eunuques resteront à vous servir, excepté Li Lien-ying que j'emmène. »

Les concubines pleuraient doucement et s'essuyaient les yeux sur leurs manches. Nul ne disait mot. Mais soudain la concubine Perle, que les eunuques avaient osé sortir de sa prison, s'avança, pâle et défaite, flétrie, vêtue de haillons, mais toujours rebelle. Ses yeux d'onyx brûlaient comme des joyaux sous ses sourcils légers. Elle cria :

« Je ne resterai pas, mère impériale! Je demande le droit de suivre mon seigneur et de le servir. »

L'impératrice se dressa comme un phénix courroucé. « Toi! gronda-t-elle, les deux petits doigts pointés vers son ennemie. Tu oses parler, toi qui es en partie responsable de ce malheur! Aurait-il pensé à faire tant de mal si tu ne lui avais pas murmuré tes conseils! » Elle se tourna vers Li Lien-ying et, transportée de colère, ordonna :

« Emmenez cette femme et jetez-la dans le puits de la porte de l'Est. »

L'empereur tomba à genoux, mais l'impératrice l'empêcha de parler. Elle, qui savait n'être que douceur et charme dans un cadre de beauté paisible, se montrait impitoyable en cas de danger.

« Pas un mot, s'écria-t-elle, le doigt tendu au-dessus de la tête de l'empereur. Cette femme est un démon. C'est un serpent que j'ai nourri dans mon sein. »

Elle regarda Li Lien-ying, qui fit un signe. Immédiatement, deux eunuques s'emparèrent de la concubine et l'emportèrent, silencieuse et pâle comme une morte.

« Entre dans ton chariot, ordonna l'impératrice à son neveu, et tire les rideaux de peur que l'on ne te voie. Le prince P'u Lun voyagera sur tes brancards. Je serai devant, dans mon chariot. Li Lien-ying prendra la mule. Il faudra qu'il suive de son mieux, bien qu'il soit très mauvais cavalier. Si l'on nous arrête, nous dirons que nous sommes de pauvres paysans qui s'enfuient dans les montagnes. Nous passerons d'abord par le palais d'Été! »

Sitôt dit, sitôt fait. Derrière ses rideaux, l'impératrice, installée sur ses coussins, rigide comme Bouddha, le visage impassible, l'oreille aux aguets, montrait un air résolu. Devant le palais d'Été, elle s'écria : « Arrêtez, nous resterons ici un moment. »

Elle sortit de son chariot et interdit à quiconque, sauf à son eunuque, de l'accompagner. Pour la dernière fois, elle arpenta les corridors de marbre, les palais déserts et les bords du lac. Elle y laissait son cœur. Elle avait rêvé d'y passer une vieillesse dans le calme et la prospérité. Peut-être ne reverrait-elle jamais ses chères pagodes, ses palais bien-aimés. Si l'ennemi les détruisait de nouveau comme il l'avait fait des années auparavant... Autrefois, elle était revenue, elle avait tout reconstruit et rendu gloire et force au passé. Ah! mais elle était jeune alors... la vieillesse aussi l'avait vaincue.

Après un long et dernier regard, elle se détourna et, mince et élégante malgré ses grossiers vêtements de cotonnade bleue, elle remonta dans son chariot.

« A l'ouest, ordonna-t-elle, allons vers l'ouest et la ville de Sian. »

Le voyage dura quatre-vingt-dix jours, et l'impératrice réussit à rester impassible, en dépit de sa souffrance. Elle n'oublia jamais que, bien qu'elle fût en fuite, la cour gardait les yeux fixés sur elle, comme sur le soleil. En passant dans la province voisine, elle put quitter son déguisement, prendre un bain et remettre ses vêtements royaux. Elle en fut réconfortée. Dans la province de Shansi, les habitants ne craignaient pas la guerre, mais ils étaient exaspérés par une effroyable famine. Néanmoins, dès son entrée, elle fut reçue par son général préféré, qui vint à sa rencontre à la tête de ses troupes; il lui offrit un panier d'œufs, une ceinture ornée de pierres précieuses et un sac de satin pour sa pipe et son tabac. Ce geste contribua à la rassurer sur sa popularité. En effet, malgré la famine, elle recevait souvent des corbeilles de blé ou de millet, ou des volailles étiques. Le cœur réchauffé par l'amour de ses sujets, l'impératrice commença à apprécier la beauté du paysage.

Au passage d'un col, nommé le col de l'Oie Volante, elle ordonna une halte, afin de jouir du spectacle.

A perte de vue, les montagnes dénudées se découpaient sur un ciel pourpre. Des ombres noires recouvraient les vallées. Le général qui l'escortait avec ses troupes trouva des masses de fleurs jaunes dans une prairie voisine. Il en cueillit des brassées qu'il offrit à l'impératrice, en disant que les dieux les avaient répandues en signe de bienvenue. L'impératrice fut touchée par ce compliment délicat et ordonna à un eunuque d'offrir au général une collation pour refaire ses forces. Ces petits détails agréables soulageaient un peu son cœur souffrant. Son sommeil et son appétit, malgré la frugalité de la chère, restaient parfaits.

Le huitième jour du neuvième mois, elle atteignit la capitale de la province, où le vice-roi Yü Hsien la reçut avec toutes les marques du respect. C'était lui qui, croyant aux pouvoirs magiques des Boxers, avait dans sa province fait tuer tous les étrangers, hommes, femmes et enfants. L'impératrice accepta ses offrandes et, lorsqu'il vint l'accueillir aux portes de la ville, elle le félicita d'avoir purgé d'ennemis son territoire.

« Néanmoins, dit-elle, nous sommes vaincus et il se peut que l'ennemi étranger exige votre punition. Bien que je vous sache honnête et loyal, il faudra alors que je fasse semblant de leur obéir. Mais je vous récompenserai en secret. Il nous faut espérer la victoire dans l'avenir, en dépit des défaites actuelles. »

Yü Hsien se prosterna neuf fois devant elle dans la poussière. « Majesté, dit-il, de vous, je suis prêt à accepter la destitution et le châtiment. »

Elle le menaça de l'index. « Vous avez eu tort, en tout cas, de m'affirmer que les Boxers étaient invulnérables. Ils sont morts en grand nombre. Les balles ennemies leur ont traversé le corps comme de la cire.

— Majesté, leur magie a échoué parce qu'ils ont transgressé les règles de leur ordre. Pour voler, ils ont tué des innocents qui n'étaient pas chrétiens et ont cédé à la cupidité. Aux purs seuls, la magie réussit. »

Elle l'approuva d'un signe de tête et se dirigea vers le palais du vice-roi, préparé pour elle. Elle fut contente d'y trouver de la vaisselle d'or et d'argent, sortie d'une réserve pour la circonstance.

On n'avait jamais vu plus bel automne. Jour après jour, le soleil se levait sur la campagne et tous, bêtes et gens, en profitaient. Après une belle récolte, les paysans ne manquaient ni de provisions ni de combustible. La guerre, qui se déroulait si loin, semblait ne concerner en rien les habitants de cette province. Ils vivaient dans l'abondance et la paix, et rendaient sincèrement hommage à celle qu'ils appelaient toujours le Vieux Bouddha. L'esprit plus libre et le cœur plein de courage, l'impératrice reprenait goût à la vie, d'autant plus que ses princes et ses ministres la rejoignaient un à un et que la cour s'installait de nouveau autour d'elle.

Sa bonne humeur fut assombrie par un rapport de Jung Lu lui annonçant que tout était perdu et que son loyal subordonné, Chung Chi, s'était pendu de désespoir. L'impératrice lui répondit en faisant l'éloge du défunt, qui s'était toujours montré fidèle et brave, et elle ordonna à Jung Lu de se présenter devant elle. Lady Mei, qui accompagnait son mari, mourut brusquement au cours du voyage. L'impératrice décida de réconforter son cousin et de le consoler, par le spectacle de son propre équilibre retrouvé.

A l'arrivée de Jung Lu, elle lui accorda une heure de repos avant son audience.

La porte s'ouvrit et Jung Lu entra, amaigri par le chagrin et la fatigue. Toujours soigneux de sa personne, il avait utilisé son heure de répit pour se baigner et changer de vêtements. Comme d'habitude, il fit le geste de se prosterner, et, comme d'habitude, elle étendit la main droite pour l'en empêcher. Il resta debout et elle se leva, grandie par les marches du trône. Ils échangèrent un long regard mélancolique.

« J'apprends avec peine que ta femme est partie aux Sources Jaunes », dit-elle à voix basse.

Il s'inclina légèrement. « Majesté, c'était une bonne épouse et elle m'a servi fidèlement. »

Ils attendaient, chacun, que l'autre prît la parole, mais que pouvaient-ils se dire maintenant ?

« J'élèverai une autre femme à son rang, dit enfin l'impératrice.

— Comme vous voudrez, majesté.

— Tu es fatigué, fit-elle remarquer. Laissons là toute cérémonie. Parlons tranquillement. J'ai besoin de ta sagesse. »

Elle descendit les degrés du trône et traversa la pièce de son pas gracieux, encore droite, mince et imposante. Ils prirent deux chaises, séparées par une petite table.

Elle tenait un éventail de soie où elle avait peint un paysage de cette province. « Tout est-il perdu ? » demanda-t-elle enfin, le regard fixé sur les belles mains maigres et vigoureuses de Jung Lu posées à plat sur ses genoux.

« Tout est perdu, majesté.

— Que me conseilles-tu ?

— Majesté, il ne vous reste qu'une seule ligne de conduite. Rentrez dans la capitale et cédez aux exigences de l'ennemi pour sauver le trône. Li Hung-chang est resté là-bas pour discuter les conditions de paix. Mais, avant votre retour, vous devez donner l'ordre d'exécuter le prince Tuan, afin de prouver votre repentir.

— Jamais! » Elle replia son éventail avec un bruit sec.

« En ce cas, vous ne pourrez jamais revenir. Les étrangers rendent le prince Tuan responsable des persécutions, et ils anéantiront la Ville impériale plutôt que de vous y laisser rentrer. »

Le sang de l'impératrice se glaça dans ses veines. L'éventail lui tomba des mains. Elle pensait à ses inestimables trésors cachés dans la ville et à l'héritage de puissance et de gloire de ses ancêtres impériaux. Accepterait-elle de les perdre et, dans ce cas, que lui resterait-il?

« Tu es toujours trop brusque », murmura-t-elle. De son petit doigt, elle lui désigna l'éventail posé à terre, et il se pencha pour le ramasser. Mais il le posa sur la table, et elle comprit qu'il ne le lui donnait pas de peur de lui frôler la main.

« Majesté, reprit-il de sa voix grave et patiente, les étrangers vous poursuivront jusqu'ici si vous ne vous soumettez pas.

— Je ne peux continuer ma route vers l'Ouest, protesta l'impératrice. Et le point où je m'arrêterai sera la capitale de mon Empire. Nos ancêtres impériaux l'ont fait avant moi, je me borne à suivre leur exemple.

— Comme votre majesté voudra. Mais vous savez et, hélas! le monde entier le sait que, si vous ne revenez pas, c'est que vous êtes en fuite. »

Mais elle refusait de céder, même à lui. Elle se leva et lui conseilla de prendre du repos; ils se séparèrent.

Oui, elle refusait de céder! Dès le lendemain, elle ordonna à la cour de se tenir prête à partir. Elle comptait établir sa capitale à Sian, dans la province de Shensi. Elle prenait prétexte de la famine, bien qu'elle fût terminée, et chacun s'inclina. Sur son ordre, Jung Lu l'accompagna à cheval et ne fit plus allusion à son retour à Pékin. L'impératrice ne lui parlait plus que de la beauté du paysage, et il répondait en citant des bribes de poésie, mais cette indifférence apparente cachait son désespoir secret. Elle ne doutait plus qu'il eût raison. Un jour, plus tard, il faudrait revenir coûte que coûte dans la Ville impériale. Mais elle taisait son désarroi et elle continuait sa route vers l'Ouest avec courage et bonne humeur, allongeant chaque jour la distance qui la séparait du trône du Dragon. Dans la ville de Sian, elle s'installa avec la cour au palais du vice-roi, remis à neuf et meublé à son intention.

Dans sa nouvelle résidence, l'impératrice exigeait des repas simples, par mesure d'économie. On lui préparait une centaine de plats des plus fines spécialités du Sud, mais elle n'en prenait que six. Elle ne fit garder que six vaches pour sa consommation quotidienne de lait. En dépit de son long voyage, elle se trouvait en bonne santé, mais souffrait d'insomnies. Aussi, chaque nuit, un eunuque habile dans l'art du massage était-il chargé de l'endormir.

Installée dans sa capitale d'exil, elle donnait de nouveau des audiences et recevait par courriers quotidiens des nouvelles de sa lointaine Ville impériale.

Elle supporta cette situation jusqu'au jour où elle apprit que le palais d'Été avait été profané une fois de plus. Des soldats occidentaux s'étaient livrés à des ripailles dans son palais sacré. Ils avaient jeté son trône au milieu du bac, pillé sa garde-robe personnelle et ses peintures, dessiné des images obscènes sur les murs de sa chambre à coucher. Au reçu de ces nouvelles, elle tomba malade de rage et vomit de dégoût. Elle comprit alors qu'elle devait rentrer dans sa capitale et qu'il lui fallait, pour obéir aux exigences de l'ennemi, exécuter tous les partisans des Boxers. Son général Li Hung-chang le lui rappelait dans ses rapports quotidiens. Mais comment pouvait-elle s'y décider ? En cette période d'épreuve, Jung Lu restait à ses côtés, impassible, pâle et silencieux, et attendait l'inévitable dénouement.

Elle se tournait souvent vers lui, silencieuse, ses grands yeux plus noirs dans son beau visage pâle.

« N'y a-t-il pas d'autre issue que de se soumettre ? lui demanda-t-elle un jour.

— Non, majesté. »

En silence, elle leva son regard vers lui et il lui sourit tristement, sans insister. Un soir, au crépuscule, alors qu'elle était assise seule dans son jardin, Jung Lu se présenta sans se faire annoncer.

« Je viens à titre amical, non officiel. Pourquoi ne pas vous soumettre à votre destin ? Voulez-vous finir votre existence en exil ? » Il lui parlait avec beaucoup de tendresse et de patience. Le visage empreint d'une douceur extrême, il ajouta : « Vous savez bien que vous ne pouvez pas être heureuse ici.

— Il y a longtemps que j'ai renoncé au bonheur.

— Alors, pensez à votre Empire, répondit-il avec une inaltérable patience. Comment pourrez-vous sauver l'Empire et rendre l'unité au peuple si vous restez en exil ? Les rebelles s'empareront de la ville si les étrangers ne la défendent pas. Le pays sera morcelé comme un butin de brigands. Le peuple vivra dans la terreur et l'instabilité et vous maudira dix mille fois, parce que vous aurez renoncé à régner pour épargner quelques vies humaines. »

Comment résister à cet avertissement solennel ?

On ne faisait jamais appel en vain à sa noblesse d'âme. Elle se leva et regarda Jung Lu bien en face.

« Je ne pensais qu'à moi. Maintenant, je ne penserai qu'à mon peuple. Je vais retourner à Pékin. »

Le vingt-quatrième jour du huitième mois — soit le dixième mois de l'année solaire, — les routes séchèrent après les pluies d'été et redevinrent praticables. L'impératrice commença en grande pompe le voyage de retour. Elle était décidée à rentrer non dans l'humilité, mais dans la gloire.

Le temps se maintenait au beau, sans pluie ni vent. Un événement triste marqua ce retour : la mort du général Li Hung-chang, victime de la vieillesse. L'impératrice regrettait sa dureté envers ce serviteur fidèle, le seul de ses généraux qui ne lui cachait jamais la vérité, un incorruptible qui avait su bannir la corruption de son armée. Malgré sa vieillesse et son désir de repos, elle l'avait envoyé — toujours patient, toujours loyal — dans le Sud lointain pour mater les rebelles de Canton. De retour à Pékin, il avait conclu la paix avec les ennemis étrangers, une triste paix, mais qui sauverait le pays si l'impératrice la respectait. Pour rendre hommage à la mémoire du général, l'impératrice lui fit élever un temple dans la Ville impériale aussi bien que dans chacune des provinces où il l'avait servie. Elle regrettait de lui avoir fait subir ses caprices. La terreur et la défaite l'avaient bien assagie.

Elle ne tarda pas à comprendre que Jung Lu avait raison. Son retour à la capitale fut vraiment un triomphe. Le peuple l'acclama et lui offrit des réjouissances, persuadé que ce retour annonçait la fin des troubles et le retour à la vie normale. A K'ai-feng, capitale de la province de Honan, des représentations théâtrales furent données en son honneur et à sa grande satisfaction. Le ciel restait sans nuages, clair et bleu, il faisait chaud dans la journée et frais la nuit.

Arrivée au fleuve Jaune, elle fit arrêter le cortège et déclara :

« Je veux offrir des sacrifices au dieu du Fleuve et lui rendre grâces. »

Elle entoura la cérémonie de la plus grande pompe; l'éclatant soleil de midi faisait scintiller les vêtements somptueux de l'impératrice et de sa cour. Elle fut contente d'apercevoir parmi la foule des curieux, massés au bord de la rivière, quelques visages d'étrangers. Décidée à se montrer indulgente et courtoise envers ses ennemis, elle envoya deux eunuques leur porter du vin et des fruits. Elle recommanda aussi à ses ministres et à ses princes d'autoriser les étrangers à admirer le cortège impérial à l'entrée de la capitale. Elle traversa le fleuve dans une grande barque en forme de dragon recouvert d'écailles d'or et aux yeux de rubis.

Pour donner une preuve éclatante de ses bonnes résolutions, elle se décida à monter dans un train étranger. Ces chariots de fer étaient un ancien jouet de l'empereur dont elle lui avait interdit l'usage. Mais elle voulait montrer aux étrangers qu'elle était transformée, qu'elle était devenue moderne et capable de comprendre leurs coutumes. Toutefois, elle se refusait à pénétrer dans l'enceinte sacrée au moyen de ce monstre de fer. Par respect pour ses ancêtres impériaux, elle fit arrêter le train aux portes de la ville, pour terminer le voyage dans son palanquin impérial. Une gare provisoire fut donc construite à la porte de la Ville impériale, munie de vastes pavillons ornés de tapis précieux, de fines porcelaines, d'arbustes en pot, de chrysanthèmes et d'orchidées. Deux trônes attendaient l'impératrice et son neveu dans le pavillon central où devaient les accueillir les ministres étrangers et les dignitaires de la cour.

Il fallut trente chariots de fer pour transporter les bagages de la cour et les nombreux présents de l'impératrice. Le convoi serpentait à travers les collines désertes. Quand il s'arrêta à la gare, l'impératrice regarda par la fenêtre et fut touchée de voir une grande foule de ses sujets qui l'attendaient. Parmi les princes, les généraux et les personnalités de la ville, revêtus de leur costume d'apparat, elle remarqua les étrangers aux vêtements sombres et observa leurs visages sévères aux traits épais. Elle arborait à grand-peine un sourire courtois.

La cérémonie se déroula dans l'ordre et le respect. Quand le visage de l'impératrice parut à la portière, tous, sauf les étrangers, se prosternèrent, et le chef du protocole de la maison impériale cria aux étrangers de se découvrir, ce qu'ils avaient déjà fait.

Le premier qui sortit du train avec beaucoup de décorum, ce fut Li Lien-ying. Sans faire attention à la foule, il s'affaira immédiatement autour des bagages. Puis l'empereur descendit sur le quai, mais, sur un signe de l'impératrice, il entra aussitôt dans sa chaise à porteurs et s'éloigna sans recevoir aucun hommage. Quand tout fut prêt, l'impératrice descendit à son tour. Soutenue par ses princes, elle se tint sur le quai, baignée de soleil, pour tout voir et se faire admirer, tandis que ses sujets posaient leur front sur la terre fraîchement balayée.

L'impératrice s'étonna du grand nombre d'étrangers. « Combien y en a-t-il donc ? » demanda-t-elle d'une voix forte qui portait au loin. Lorsqu'elle vit qu'ils avaient compris ses paroles, elle leur sourit gracieusement et se mit à parler avec sa vivacité ordinaire au chef de la maison impériale. Il lui prodigua des louanges, admirant son teint qui restait parfait, ses cheveux noirs et sa jeunesse éternelle.

Alors, le vice-roi Yuan Shih-k'ai lui demanda la permission de lui présenter le chef de train et le conducteur étrangers, et elle accepta de bonne grâce. Elle remercia les deux Blancs, debout, tête nue, devant elle, d'avoir obéi à ses ordres en ne dépassant pas la vitesse de vingt kilomètres à l'heure. Ensuite, l'impératrice monta dans son palanquin doré pour pénétrer dans la ville. Elle avait décidé de faire son entrée par la porte du Sud. Elle s'y arrêta pour offrir un sacrifice au dieu de la Guerre. Pendant que les prêtres psalmodiaient leurs prières, elle leva par hasard la tête et vit sur les murs des centaines d'étrangers, hommes et femmes, qui la regardaient. D'abord furieuse et prête à appeler ses eunuques pour les disperser, elle se rappela tout à coup qu'elle gardait son trône grâce à la mansuétude de l'ennemi. Elle maîtrisa donc sa colère et se força à saluer les étrangers avec un sourire si gracieux qu'il leur parut naturel. Elle reprit son palanquin pour se faire porter dans son palais.

Comme elle le trouvait beau, ce palais ancestral, sauvé par sa reddition et que l'ennemi n'avait pas profané. Elle en visita toutes les pièces et se rendit enfin dans la salle du trône, qui datait du temps de Ch'ien Lung.

« Je reprendrai ma place sur ce trône, pensa-t-elle, et je continuerai à régner sur mon peuple... »

Elle retrouva également ses jardins où rien n'était changé, où les arbres se reflétaient dans l'eau calme des vasques. Dans son appartement privé, tout était intact : les portes splendides, les peintures vermillon, les auvents dorés, et son Bouddha d'or dans sa châsse.

« C'est ici que je vais vivre et mourir en paix », se dit-elle.

Mais il était encore trop tôt pour penser à la mort. Son premier souci, après s'être restaurée, fut de vérifier la présence de son trésor. Accompagnée de son eunuque, elle examina le mur et ses moindres fissures.

« Pas une brique n'a été touchée », dit-elle, très contente. Puis elle rit, aussi gaie et malicieuse qu'autrefois. « Les diables étrangers ont probablement passé et repassé devant ce mur, mais ils ne possédaient pas de magie spéciale pour deviner ce qu'il cachait. » Elle ordonna à Li Lien-ying de le faire abattre et de vérifier, d'après sa liste, l'état de son trésor.

« Et fais bien attention, lui recommanda-t-elle, de ne pas laisser aux eunuques voleurs ce que les diables étrangers ne m'ont pas pris. »

L'eunuque simula l'indignation : « N'avez-vous pas confiance en moi, majesté ? »

L'impératrice retourna dans sa chambre. Ah ! quelle joie, quelle paix, dans ce retour ! Certes, il lui coûtait cher et la laissait, pour le reste de sa vie, débitrice de ses ennemis généreux et obligée de feindre la sympathie envers eux. Le soir même, elle annonça qu'elle inviterait de nouveau les épouses des ambassadeurs étrangers. Elle rédigea elle-même les invitations. Pour laver sa réputation, elle fit honorer la mémoire de la concubine Perle, expliquant dans un édit que celle-ci avait trop tardé à rejoindre l'empereur en exil et que, pour ne pas voir profaner les temples et les palais impériaux par les ennemis étrangers, elle s'était jetée dans un puits profond.

A la nuit tombée, l'impératrice demanda à Li Lien-ying de convoquer Jung Lu.

Jung Lu se présenta dans la salle du trône privée, appuyé lourdement sur deux jeunes eunuques. L'impératrice le trouva tellement vieilli, tellement affaibli, que la joie de son retour en fut assombrie.

« Entre, mon cousin. » Elle dit aux eunuques : « Conduisez-le à ce fauteuil. Il ne doit ni se prosterner, ni se fatiguer. Et toi, Li Lien-ying, apporte-lui un bol de bouillon et un carafon de vin chaud avec du pain léger. Mon cousin s'est trop fatigué à me servir. »

Dès qu'ils furent seuls, l'impératrice se dirigea vers Jung Lu, posa les doigts sur son front et lui caressa les mains. Oh! comme il avait les mains décharnées, les joues creuses et la peau brûlante!

« Je vous en prie, chuchota Jung Lu, je vous en prie, écartez-vous de moi. Les tapisseries ont des yeux, et les murs ont des oreilles.

— Ne pourrai-je donc jamais te soigner? » supplia-t-elle. Mais elle le vit tellement inquiet, tellement soucieux de son honneur d'impératrice, qu'elle se retira vers son trône en soupirant.

Malgré sa vue déclinante, Jung Lu s'appliqua à lire son rapport sur l'arrivée des dames de la cour.

« Comme d'habitude, dit Jung Lu après avoir lu son parchemin, les dames plus âgées se sont plaintes du voyage, accusant la fumée et l'inconfort du train de tous leurs malaises. J'ai surveillé moi-même le débarquement des caisses de lingots, marquées chacune au nom de sa province ou de sa ville d'origine, ce qui n'était pas une petite tâche, majesté, car nos bagages remplissaient trois mille chariots à mules. Mais ceci n'est rien. Ce que je crains, c'est la colère du peuple lorsqu'il apprendra le coût de votre voyage de retour : la route impériale, l'aménagement fastueux des hôtelleries aux étapes, tout cela fera monter les impôts... »

L'impératrice l'interrompit avec une tendre bonté : « Tu es trop fatigué. Repose-toi, maintenant. Nous sommes de retour.

— Hélas! il reste tant de fardeaux à porter, murmura Jung Lu.

— Mais ce n'est pas toi qui les porteras, d'autres y veilleront. »

Elle scruta son visage, toujours beau malgré la vieillesse, et il se prêta de bonne grâce à cet examen. Leur communion était plus totale que celle d'un couple vieilli dans le mariage. Ils avaient renoncé à l'union charnelle, mais des liens profonds rendaient complète leur union de cœur et d'esprit, et leur compréhension mutuelle. Elle lui caressa doucement les mains. Un moment passa dans une harmonie parfaite. Leurs regards se fondirent dans un muet accord, puis il la quitta.

Comment aurait-elle pu savoir qu'elle le voyait pour la dernière fois ? Dans la nuit, il eut une nouvelle attaque. Pendant plusieurs jours, il resta dans le coma. L'impératrice, désespérée par l'impuissance des docteurs de la cour, fit venir un devin. Mais le sort avait décidé et la vie de Jung Lu touchait à son terme. Il mourut sans avoir repris connaissance, une nuit du troisième mois lunaire, ou quatrième mois de l'année solaire. L'impératrice ordonna le grand deuil à la cour et s'astreignit elle-même à ne porter ni couleurs vives, ni bijoux pendant une année.

Nul ne pouvait soulager le noir chagrin de son cœur. Simple femme, elle se fût tenue près du cercueil pour recouvrir le mort du suaire de satin pourpre. Elle eût veillé toute la nuit auprès de lui et porté le deuil. Elle eût pleuré et gémi à haute voix pour soulager son cœur. Mais elle était impératrice : elle ne pouvait ni quitter son palais, ni gémir à haute voix, et son chagrin ne devait pas dépasser celui d'une souveraine pour la perte d'un bon et loyal serviteur du trône. Elle ne trouvait de réconfort que dans la solitude, aussi aspirait-elle aux brefs moments de loisirs que lui laissaient les lourdes tâches du gouvernement en cette période troublée.

Une nuit où l'insomnie la tourmentait, elle versait

des larmes silencieuses derrière ses rideaux qu'elle avait fait tirer pour pleurer en paix. Elle entendit le veilleur sonner minuit et, plongée dans son chagrin, elle fit une sorte de rêve éveillé qui lui donna l'impression de se désincarner. Elle rêva qu'elle voyait Jung Lu, redevenu jeune, mais riche de sagesse accumulée au cours des années. Elle rêva qu'il la serrait dans ses bras et la tenait si longtemps que son chagrin s'envolait, qu'elle se sentait libre et légère, débarrassée de tout fardeau. Mais elle rêva aussi qu'elle l'entendait parler. Elle reconnut même sa voix.

« Je ne te quitte jamais.

« Je suis auprès de toi chaque fois que tu te montres bonne et avisée ; mon esprit et le tien, mon être et le tien ne font qu'un. »

Souvenirs... souvenirs ! Mais n'était-ce pas plus qu'un souvenir ? Elle sentit une chaude certitude sourdre dans son âme et dans son corps. Lorsqu'elle s'éveilla, elle n'éprouvait plus aucune fatigue physique. Elle qui avait été tant aimée ne serait plus jamais seule : voilà ce que signifiait son rêve.

L'attitude de l'impératrice en fut transformée, au grand étonnement de son entourage ; mais elle gardait son secret. Grâce à sa profonde sagesse et à la compréhension récemment acquise, elle transforma sa défaite en victoire. Au lieu de combattre, elle cédait avec grâce et intelligence. Ainsi, à la stupéfaction générale, elle encouragea elle-même les jeunes Chinois à voyager en Occident pour acquérir des connaissances nouvelles. Son décret spécifiait :

« Les jeunes gens âgés de quinze à vingt ans, ceux qui possèdent une bonne santé et une intelligence suffisante, peuvent, s'ils le désirent, franchir les Quatre Océans. Nous supporterons les frais de leur voyage. »

Elle convoqua son ministre Yuan Shih-k'ai et même le lettré chinois rebelle : Chang Chih-tung. Elle les consulta longuement, puis elle décréta la suppression des anciens examens impériaux. Elle recommandait à la jeunesse de son pays de visiter non seulement le Japon, mais aussi l'Europe et l'Amérique, puisque tous les peuples ne formaient qu'une seule famille sous la voûte du ciel et autour des Quatre Océans. Elle publia cet édit un an après la mort de Jung Lu.

L'année suivante, elle rédigea un décret interdisant l'usage de l'opium. Mais, par considération pour les vieillards habitués à ne s'endormir qu'après une pipe d'opium, elle reporta à dix ans la mise en application du décret.

. En méditant sur ces réformes, elle comprit entre autres que les étrangers ne renonceraient jamais à leurs privilèges spéciaux si elle ne supprimait pas les tortures coutumières de la justice chinoise. C'est pourquoi elle décréta que, désormais, la justice serait fondée sur la Loi et non sur l'abus de la force et la souffrance des coupables. Elle interdit de découper ou d'écarteler les criminels, de leur infliger le fouet ou la marque au fer rouge et de punir leurs familles innocentes. Bien des années auparavant, Jung Lu l'avait suppliée de prendre ces mesures. Maintenant, elle s'en souvenait.

Elle se demandait anxieusement qui lui succéderait à sa mort. Elle refusait de laisser l'Empire à ce jeune empereur débile, son éternel prisonnier. Il fallait un être jeune et vigoureux, mais où le trouver ? Qui serait assez fort pour affronter les temps futurs ? L'avenir la passionnait. L'homme, disait-elle à ses princes, deviendrait l'égal des dieux. Elle commençait à s'intéresser à l'Occident, d'où émanait toute la puissance du monde, et elle regrettait souvent de ne plus être assez jeune pour visiter les pays étrangers.

« Hélas ! se plaignait-elle, je suis très vieille. Ma fin est proche. »

Ses dames d'honneur se récriaient vigoureusement, affirmant qu'elle restait la plus belle des femmes, avec son teint toujours éclatant, ses grands yeux noirs brillants, ses lèvres fraîches. Elle acceptait ces compliments avec une modestie où pétillait un vestige de son ancienne gaieté, mais elle admettait que la mort n'épargnait personne, pas même elle.

« Dix mille années, dix mille années, vieux Bouddha, répliquaient ses dames d'honneur, dix mille années, dix mille années ! »

Mais elle ne s'en laissait pas accroire. Son décret suivant donnait pour mission aux meilleurs de ses ministres de visiter les pays de l'Ouest, sous les ordres du duc Tsai Tsé :

Visitez tous les pays; voyez les plus prospères, les plus heureux, les plus satisfaits de leur gouvernement. Choisissez les quatre meilleurs, et restez une année dans chacun d'eux. Étudiez-en le gouvernement, appliquez-vous à comprendre le sens des mots « constitution » et « gouvernement du peuple » et rapportez-Nous un exposé détaillé de toutes ces questions.

Certains, parmi ses sujets, lui reprochaient de s'incliner devant les conquérants étrangers, de manquer d'orgueil, d'humilier la nation par son humilité.

Nous autres Chinois, écrivait un lettré, nous nous faisons traiter de rustres quand nous obéissons servilement aux étrangers, mais que dire lorsque notre Impératrice Elle-même s'abaisse à un excès d'empressements envers les épouses des ministres étrangers ? Ses sourires, l'amabilité de son salut lorsqu'elle aperçoit une étrangère dans la rue en passant dans sa chaise à porteurs, que dire de cela ? Il paraît même que l'on

trouve des mets étrangers sur les tables du palais, et des meubles
étrangers dans la Cité Impériale. Et pourtant les légations
étrangères ne cessent de manifester leur rage contre nous
par l'intermédiaire du ministre des Affaires étrangères.

Mais on trouvait des opinions contradictoires, et un
autre Chinois écrivait : « A Son âge, l'impératrice
ne peut changer Ses habitudes ou Ses antipathies.
Les étrangers eux-mêmes se demandent probablement
quel plan secret elle prépare contre eux. »

Un autre disait : « L'étrange conduite actuelle de
l'impératrice s'explique sans doute par sa vieillesse,
qui la pousse à rechercher la paix. »

A toutes ces critiques, l'impératrice répondait en
souriant :

« Je sais ce que je fais, je sais parfaitement ce que je
fais, et aucune de mes décisions n'est inexplicable.
Elles me furent toutes dictées il y a longtemps, mais
il m'a fallu des années pour en saisir la nécessité. »

Personne ne comprenait ses explications, mais elle
s'en tenait à sa nouvelle ligne de conduite.

A la fin de la période de deuil, après la mort de Jung
Lu, l'impératrice invita tous les ministres étrangers,
leurs épouses et leurs enfants, à un grand festin à l'occasion du Nouvel An chinois. Les ministres prendraient
leur repas dans la grande salle des banquets, leurs
épouses dans la salle réservée à l'impératrice, et les
concubines impériales accueilleraient les enfants dans
leurs appartements, aidés par des servantes et des
eunuques.

L'empereur recevrait les ministres, et l'impératrice
se montrerait après le banquet. Celui-ci comprenait
des plats orientaux aussi bien qu'occidentaux. Trois

cents cuisiniers devaient s'employer à le préparer. Les musiciens de la cour donneraient un concert et la troupe du théâtre impérial représenterait quatre pièces de trois heures chacune.

L'impératrice, qui n'avait encore jamais préparé une réception de cette ampleur, fit un effort particulier pour la circonstance. Elle ordonna à la fille de son plénipotentiaire en Europe de lui apprendre les salutations d'usage en anglais. Après avoir étudié les cartes de géographie, elle déclara que la France était trop petite pour qu'on apprît sa langue, l'Amérique trop neuve et encore mal civilisée. Mais l'Angleterre était gouvernée par une grande souveraine, envers qui elle avait toujours éprouvé de la sympathie. C'est pourquoi elle choisit la langue de la reine anglaise. Mieux encore : elle fit mettre un portrait de cette souveraine dans sa chambre, le scruta longuement et déclara qu'elle lisait sur son visage les mêmes signes de longévité que sur le sien.

Quel ne fut pas l'étonnement des ministres étrangers lorsque l'impératrice les accueillit avec une phrase en anglais ! Elle entra dans la grande salle principale dans sa chaise à porteurs impériale, portée par douze eunuques en uniforme jaune. L'empereur s'avança pour la recevoir, elle posa sur son bras une main garnie de bijoux et, étincelante dans sa robe brochée d'or, brodée de dragons bleus, portant un grand collier de perles et sa tiare sertie de rubis et de jade, elle se dirigea vers le trône d'un pas resté jeune et gracieux, en distribuant des saluts à droite et à gauche. Mais que disait-elle donc ? Les invités s'inclinaient l'un après l'autre — sans se prosterner — et l'entendaient prononcer une phrase incompréhensible.

Ils finirent par élucider le sens de ces paroles mystérieuses : l'impératrice les saluait, leur souhaitait une

bonne année et les invitait à prendre du thé. Les ministres
étrangers en furent tellement émus qu'ils l'applaudirent.
D'abord surprise, et même perplexe, l'impératrice,
qui n'avait jamais vu applaudir de cette façon, regarda
ces hommes de haute taille au visage rigide et aux vêtements sévères, mais ne lut sur leurs traits que sympathie
et approbation. Aussi se mit-elle à rire, très contente,
et elle se dirigea vers le trône en disant à haute voix :

« Vous voyez comme il est facile de se lier d'amitié,
même avec les barbares ! Cela ne demande qu'un
petit effort de la part des personnes civilisées.»

Le banquet se déroula donc sous le signe de la cor-
dialité. L'impératrice fit distribuer des cadeaux aux
étrangers et à leurs serviteurs, puis elle se retira dans
sa chambre. Selon sa nouvelle habitude, elle se mit à
passer en revue les années de sa longue existence
et à préparer l'avenir de son peuple; elle vit que sa
journée lui servirait à maints points de vue : elle avait
jeté les bases d'une entente durable avec des puissances
étrangères dont on pouvait, selon sa conduite, se faire
des amies ou des ennemies. Elle pensa à Victoria, cette
reine d'Occident, et elle souhaita pouvoir la rencontrer
pour préparer avec elle l'union de leurs deux univers.

Elle lui dirait : « Tous les hommes sont frères sous la
voûte du ciel. »

Hélas! on lui annonçait bientôt la mort de Victoria.
L'impératrice en fut très affectée. Elle apprit que la
reine, malgré l'amour que lui portait son peuple, était
morte de vieillesse comme le commun des mortels,
et son cœur impérial en reçut une blessure inguérissable.

« Il nous faut tous mourir », murmura l'impératrice
sans grande conviction, car elle ne sentait pas sa mort
imminente.

La brusque fin de Victoria rendait encore plus aigu
pour l'impératrice le problème de sa succession au

trône. La mort, qui frappait cette puissante souveraine, ne l'épargnerait pas. Mais sa vigueur lui permettrait de vivre encore longtemps, assez longtemps en tout cas pour voir un enfant grandir et la remplacer sur le trône du Dragon avant de descendre dans son cercueil impérial. C'était de nouveau son devoir de trouver un héritier, un enfant pour qui elle gouvernerait, tout en lui enseignant son métier d'empereur. Mais elle ne commettrait pas les mêmes erreurs que par le passé : elle montrerait à l'héritier le monde tel qu'il était. Elle lui donnerait des précepteurs occidentaux. Elle le laisserait même jouer avec des trains, des bateaux, des canons étrangers. Il apprendrait à faire la guerre comme les Occidentaux, et lorsqu'elle serait disparue, disparue comme Victoria, il réussirait là où elle avait échoué : il repousserait l'ennemi des rivages de la Chine. Mais qui serait cet enfant, qui serait-il ? A cette question qui la tourmentait, la réponse vint soudain. Cet enfant se trouvait dans le palais de Jung Lu : le propre petit-fils de Jung Lu, né de sa fille et du prince Ch'un. Elle baissa la tête pour cacher au Ciel son sourire. Indirectement, elle réussirait à élever son bien-aimé jusqu'au trône du Dragon. Puisque c'était sa volonté d'impératrice, il faudrait que le Ciel l'approuvât.

Toutefois, il ne fallait pas faire connaître son choix prématurément. Elle apaiserait les dieux et préserverait la vie de l'enfant en gardant secret son projet jusqu'à la mort de l'empereur — mort qui ne saurait tarder, car il souffrait de maladies multiples. Il n'avait même pas eu la force d'accomplir les sacrifices rituels d'automne et se plaignait des nombreuses génuflexions qu'ils exigeaient. Aussi l'impératrice s'en était-elle chargée. Une coutume ancienne interdisait de proclamer le nom de l'héritier avant que le visage de l'empereur ne fût tourné vers les Sources Jaunes et sa mort proche.

D'ailleurs si le dénouement se faisait attendre, ses eunuques pourraient délicatement lui administrer du poison... Tout à coup, elle entendit souffler le vent et leva la tête.

« Écoutez, cria-t-elle à ses dames d'honneur, ce vent est-il annonciateur de pluie ? » Depuis deux mois, le pays souffrait d'une température désastreuse : un froid sec suivi d'une chaleur qui n'était point de saison. Même les pivoines, trompées par cette température exceptionnelle, commençaient à bourgeonner. La population se pressait en masse dans les temples pour reprocher leur conduite aux dieux, et l'impératrice avait ordonné aux prêtres bouddhistes de sortir chaque jour ceux-ci en procession pour les forcer à voir les ravages de la sécheresse.

« Dans quelle direction souffle ce vent ? » demanda-t-elle.

Les dames d'honneur interrogèrent les eunuques, qui se précipitèrent au-dehors, la main levée, et tournèrent le visage de tous côtés pour revenir aussitôt avec cette bonne nouvelle : le vent soufflait des mers orientales et amenait l'humidité. Aussitôt on entendit un coup de tonnerre, chose inattendue pour la saison. Un grondement monta de la rue, où les gens se précipitaient hors de leurs maisons pour observer le ciel.

Le vent prenait de la force. Il encerclait les maisons en gémissant et secouait les portes et les fenêtres. C'était un vent pur, une brise marine qui n'apportait pas de sable. L'impératrice se leva et sortit dans sa cour pour scruter le ciel. Au même moment, les nuées crevèrent et la pluie tomba, une pluie fraîche et continue, la pluie tant attendue !

« C'est un présage favorable », murmura l'impératrice.

Elle renvoya d'un geste ses dames d'honneur qui

accouraient et resta un moment sous l'averse. C'est alors qu'elle distingua des paroles dans le grondement qui montait de la rue :

« Vieux Bouddha... Vieux Bouddha qui envoie la pluie ! »

Vieux Bouddha : c'était elle, et son peuple la révérait à l'égal d'une déesse.

Elle se retira et monta les quelques marches de son palais. Immobile, les gouttes d'eau tombant de sa robe sur le sol dallé, elle se laissa essuyer par ses dames d'honneur et rit de leurs doux reproches.

« Je n'ai jamais été aussi heureuse depuis mon enfance, leur dit-elle. Je me rappelle maintenant que j'aimais alors courir sous la pluie.

— Vieux Bouddha », murmurèrent affectueusement les dames d'honneur.

L'impératrice les reprit d'un air affable. « C'est le ciel qui envoie la pluie. Comment pourrais-je, simple mortelle, faire obéir les nuages ? »

Elles insistaient, et l'impératrice comprit leur désir de la couvrir de louanges.

« C'est pour vous, Vieux Bouddha, que la pluie tombe, la pluie bienfaisante, et c'est à vous que nous devons cette bénédiction.

— Bien, bien, répondit-elle en riant pour leur faire plaisir. Peut-être, peut-être... »

BRODARD ET TAUPIN — IMPRIMEUR - RELIEUR
Paris-Coulommiers. — Imprimé en France.
1688-5-10 Dépôt légal nº 6698, 4ᵉ trimestre 1967.
LE LIVRE DE POCHE - 6, avenue Pierre Iᵉʳ de Serbie - Paris.

30 - 21 - 1993 - 02

Littérature, roman, théâtre poésie

Paysan (Catherine).
  Nous autres les Sanchez, 1968*.
Péguy (Charles).
  Morceaux choisis. Poésie, 1818*.
Peisson (Edouard).
  Hans le Marin, 257*.
  Le Sel de la Mer, 518**.
  Parti de Liverpool, 855*.
Pergaud (Louis).
  La Guerre des Boutons, 1330**.
Perret (Jacques).
  Le Caporal épinglé, 1573***.
  Bande à part, 853*.
Peyré (Joseph).
  Matterhorn, 280*.
  Sang et Lumières, 533**.
  L'Escadron blanc, 610*.
  Croix du Sud, 922*.
  Mont Everest, 1486*.
Peyrefitte (Roger).
  Les Clés de Saint-Pierre, 1249**.
  La Mort d'une Mère, 1308*.
  La Fin des Ambassades, 1420**.
  Les Amours singulières, 1490*.
  Les Fils de la lumière, 1674**.
  Du Vésuve à l'Etna, 1976*.
Pirandello (Luigi).
  Six Personnages en quête d'auteur
  suivi de *La Volupté de l'Honneur*,
  1190*.
Plisnier (Charles).
  Faux-Passeports, 1309**.
  Mariages, tome 1, 1571**.
  Mariages, tome 2, 1599**.
  Meurtres, tome 1, 1991**.
Pourrat (Henri).
  Gaspard des Montagnes, tome 1,
  2015**.
  Gaspard des Montagnes, tome 2,
  2016**.
Prévert (Jacques).
  Paroles, 239*.
  Spectacle, 515*.
  La Pluie et le beau Temps, 847*.
  Histoires, 1525*.
Proust (Marcel).
  Un Amour de Swann, 79*.
  Du côté de chez Swann, 1426**.
  *A l'ombre des Jeunes Filles en
  Fleurs*, 1428**.
  Le Côté de Guermantes, tome 1,
  1637**.
  Le Côté de Guermantes, tome 2,
  1639**.
  Sodome et Gomorrhe, 1641**.

Prouty (Olive).
  Stella Dallas, 260**.
Queffélec (Henri).
  Un Recteur de l'Ile de Sein, 656*.
  Tempête sur Douarnenez, 1618**.
Queneau (Raymond).
  Pierrot mon Ami, 120*.
  Zazie dans le Métro, 934*.
Radiguet (Raymond).
  Le Diable au Corps, 119*.
  Le Bal du Comte d'Orgel, 435*.
Rawlings (M.K.).
  Jody et le Faon, 139*.
Reboux (Paul) et Muller (Charles).
  A la manière de..., 1255*.
Régnier (Henri de).
  La Double Maîtresse, 1995**.
Remarque (E.M.).
  A l'Ouest rien de nouveau, 197*.
  L'Ile d'Espérance, 1170**.
Renard (Jules).
  L'Ecornifleur, 910*.
Rey (Henri-François).
  Les Pianos mécaniques, 1648***.
Robinson (Henry-Morton).
  Le Cardinal, 1687***.
Roché (Henri-Pierre).
  Jules et Jim, 1955*.
Rochefort (Christiane).
  Le Repos du Guerrier, 559*.
Rolland (Romain).
  Colas Breugnon, 42*.
  Jean-Christophe (t. 1), 734**.
  Jean-Christophe (t. 2), 779**.
  Jean-Christophe (t. 3), 806**.
  L'Ame enchantée (t. 1), 1088**.
  L'Ame enchantée (t. 2), 1104**.
  L'Ame enchantée (t. 3), 1121**.
Romains (Jules).
  Les Copains, 279*.
  Knock, 345*.
  Lucienne, 1349*.
  Le Dieu des corps, 1402*.
  Quand le navire..., 1471*.
Rostand (Edmond).
  Cyrano de Bergerac, 873*.
  L'Aiglon, 1267**.
Roussin (André).
  La Petite Hutte suivi de *Lorsque
  l'Enfant paraît...*, 141*.
  Bobosse suivi de *Les œufs de
  l'Autruche*, 334*.
  Hélène ou la Joie de vivre suivi
  de *Nina*, 1691**.
Sagan (Françoise).
  Bonjour Tristesse, 772*.